LINDA

Leif G.W. Persson

LINDA

Vertaling Jasper Popma en Wendy Prins

2007
DE BEZIGE BIJ
AMSTERDAM

Cargo is een imprint van uitgeverij De Bezige Bij, Amsterdam

Copyright © 2005 Leif G. W. Persson
Copyright Nederlandse vertaling © 2007 Jasper Popma en Wendy
Prins, verbonden aan het Scandinavisch Vertaal- en Informatiebureau
Nederland
Oorspronkelijke titel *Linda, som i Lindamordet*
Oorspronkelijke uitgever Piratförlaget
Published by agreement with Salomonsson Agency
Omslagontwerp Peter Teboskins
Omslagillustratie Corbis
Foto auteur Ulla Montan
Vormgeving binnenwerk Perfect Service, Schoonhoven
Druk Bariet, Ruinen
ISBN 978 90 234 2206 8
NUR 305

www.uitgeverijcargo.nl

Voor Maj Sjöwall en Per Wahlöö –
die het beter deden dan bijna alle anderen

I

Växjö, vrijdagochtend 4 juli

De buurvrouw had Linda gevonden en afgezien van al het andere was dat beter dan wanneer haar moeder dat gedaan had. Bovendien had de politie nu een hoop tijd gewonnen. Haar moeder zou pas zondagavond teruggekomen zijn van haar zomerhuisje op het platteland en zij en haar dochter waren de enige bewoners van het appartement. 'Hoe eerder, hoe beter' luidt het devies bij de politie, zeker als het om een moordzaak gaat.

Om vijf over acht 's ochtends was de melding al binnengekomen bij de meldkamer van de regiopolitie in Växjö. Een surveillancewagen die in de buurt was, had gereageerd. Slechts drie minuten later hadden ze weer van zich laten horen. De agenten waren ter plaatse, de vrouw die alarm had geslagen zat veilig en wel op de achterbank van de wagen en zelf stonden ze op het punt het gebouw binnen te gaan om poolshoogte te nemen. Het was een wagen van de politie Växjö die op dit tijdstip eigenlijk al in de garage van het politiebureau had moeten staan, omdat het tijd was voor de overdracht van de nachtploeg naar de dagploeg en zo ongeveer alle politieagenten die dienst hadden, óf onder de douche stonden óf in de koffiekamer zaten in afwachting van de ochtendceremonie en de dagplanning.

De chef van dienst had de melding zelf in ontvangst genomen. De twee jongere collega's die op zijn oproep hadden gereageerd, hadden binnen het lokale korps al een flinke reputatie. Helaas niet alleen positief, en aangezien hij zelf dubbel zo oud was, al dertig jaar in het vak zat en vond dat hij al genoeg te verduren had gehad, was hij in eerste instantie van plan geweest versterking te sturen – wie hij dan ook had moeten sturen op dit tijdstip – maar midden in deze overpeinzingen hadden ze opnieuw van zich laten horen. Slechts acht minuten later en bovendien op zijn mobiele telefoon, zodat ze voorkwamen dat andere oren dan de zijne kennis zouden nemen van wat ze te zeggen hadden. Inmiddels was het kwart over acht en de eerste rapportage van de collega's op de plaats van het delict had slechts ruim een minuut geduurd.

Opmerkelijk genoeg hadden ze ondanks hun leeftijd, ervaring en reputatie voor één keer alles goed gedaan. Ze hadden alles gedaan wat ze geacht werden te doen en in het voorbijgaan had een van hen zelfs meer gedaan dan dat. Hij had een gouden sterretje verdiend in zijn conduitestaat en wel op een manier die voorheen onbekend was in de politionele praktijk van de politie Växjö.

In de slaapkamer van het appartement hadden ze een dode vrouw aangetroffen. Alles wees erop dat ze vermoord was en dat de moord – hoe ze dat dan ook konden weten – slechts enkele uren eerder was gepleegd. Op een open slaapkamerraam aan de achterzijde van het gebouw na was er van een dader geen spoor te bekennen. Wel gaf het open raam aan hoe hij de plaats van het misdrijf had verlaten.

Helaas was er nog een complicatie. De jongere collega met wie de chef van dienst sprak, was ervan overtuigd dat hij het slachtoffer kende, en als ze inderdaad was wie hij dacht dat ze was, dan betekende dat onder meer dat de chef van dienst haar die zomer meerdere malen had gegroet, voor het laatst de voorgaande dag, toen hij van zijn werk ging.

'Niet best, niet best,' mompelde de chef van dienst voor zich uit. Daarna had hij zijn lijstje te voorschijn gehaald met dingen die hij moest doen als het ergste wat hem op het werk kon gebeuren daadwerkelijk gebeurde. Een geplastificeerd half A4'tje met een tiental punten en de tot nadenken stemmende titel 'Als er puntje-puntje aan de knikker is op het werk'. Hij legde het altijd onder zijn bureauonderlegger zodra zijn dienst begon en de laatste keer dat hij het lijstje had moeten raadplegen, was bijna vier jaar geleden.

'Oké jongens,' zei de chef van dienst. 'We doen het volgende...'

Vervolgens had ook hij alles gedaan wat men van hem mocht verwachten. Maar meer ook niet, want met dat soort grappen hield je je op zijn leeftijd niet meer bezig.

In de surveillancewagen die als eerste bij de plaats van het misdrijf arriveerde, zaten twee jonge agenten van de ordepolitie in Växjö. Plaatsvervangend politie-inspecteur Gustaf von Essen, dertig jaar oud en binnen het korps bekend als 'de Graaf', hoewel hij zelf altijd benadrukte dat hij in feite alleen maar 'een doodgewone baron' was. Daarnaast zijn vier jaar jongere collega, politieagent Patrik Adolfsson, die Adolf werd genoemd om redenen die helaas niet alleen met zijn achternaam te maken hadden.

Toen ze de oproep binnenkregen, bevonden ze zich enkele kilometers van de plaats waar het misdrijf gepleegd zou zijn. Ze waren onderweg naar het politiebureau en omdat er in de omgeving zo vroeg in de ochtend nauwelijks verkeer was, had Adolf de wagen 180 graden gedraaid, het gaspedaal diep ingedrukt en zonder zwaailicht of sirene de snelste route genomen, terwijl de Graaf alle verdachte verplaatsingen in tegengestelde richting nauwlettend in de gaten hield.

Samen vormden ze bijna tweehonderd kilo ordepolitie van eersteklas Zweedse kwaliteit. Voornamelijk botten en spieren, de zintuigen en de motoriek in topvorm, en alles bij elkaar de droom van iedere doodsbange burger die de politie belt omdat er drie onbekenden op de stoep staan die bezig zijn de voordeur in te trappen.

Toen ze de auto parkeerden voor het gebouw aan de Pär Lagerkvistsväg, waar alles gebeurd zou zijn, kwam een geschokte vrouw van middelbare leeftijd over straat naar hen toe gerend. Ze zwaaide met haar armen en struikelde over haar woorden, en Adolf, die als eerste uit de auto was, had haar zorgzaam bij de arm genomen, haar op de achterbank van de wagen plaats laten nemen en verzekerd dat alles nu in orde was. Terwijl de Graaf met getrokken dienstwapen postvatte aan de achterzijde van het gebouw, voor het geval de misdadiger nog in de buurt was en van plan was er langs die weg vandoor te gaan, controleerde Adolf snel de ingang van het pand en daarna ging hij het appartement binnen. Dat was niet moeilijk, aangezien de voordeur wagenwijd openstond.

Dit was ook het moment waarop hij zijn gouden ster verdiende, voordat hij voor de eerste keer alle andere dingen deed die hij op de politieacademie in Stockholm geleerd had. Met getrokken dienstwapen doorzocht hij het appartement. Sluipend langs de wanden om de boel niet onnodig overhoop te halen voor zijn collega's van de technische afdeling en de dader geen buitenkansje te bieden, voor het geval die nog aanwezig was en gestoord genoeg was om die kans te grijpen. Maar de enige die hij aantrof, was het slachtoffer. Ze lag op het bed in de slaapkamer, onbeweeglijk, gewikkeld in een met bloed besmeurd laken, dat haar hoofd, haar romp en de helft van haar dijen bedekte.

Adolf riep door het open slaapkamerraam naar de Graaf dat hij het trappenhuis kon gaan controleren, hij stopte zijn wapen terug in de holster en pakte de kleine digitale camera, die hij onder zijn linkeroksel had geklemd. Vervolgens maakte hij snel drie verschillende foto's van het roerloze, bedekte lichaam, waarna hij voorzichtig het deel van het laken dat haar hoofd bedekte, opzijschoof om te voelen of ze nog leefde of al dood was.

Met zijn rechterwijsvinger zocht hij haar halsslagader, hoewel dat met het oog op de strop om haar hals en de uitdrukking in haar ogen eigenlijk volkomen overbodig was. Daarna voelde hij voorzichtig aan haar wangen en slapen, maar in tegenstelling tot de levende vrouwen die hij op dezelfde manier had aangeraakt, voelde haar huid slechts doods en stijf aan onder zijn vingertoppen.

Ze is echt dood, dacht hij, maar nog niet zo lang.

Bovendien had hij haar plotseling herkend. Ze bleek niet alleen iemand te zijn die hij alleen maar herkende, maar iemand die hij kénde, met wie hij gesproken had en over wie hij naderhand nog had gefantaseerd. Opmerkelijk genoeg... maar hij was niet van plan dat aan iemand te vertellen. Hij had zich nog nooit zo aanwezig gevoeld als op dit moment. Volkomen aanwezig en tegelijkertijd was het alsof hij alleen maar aan de kant had gestaan en zichzelf had geobserveerd. Alsof het eigenlijk niet om hém ging en nog minder om de vrouw die daar dood in haar bed lag, hoewel ze enkele uren geleden nog net zo levend moest zijn geweest als hij.

2

De getuige die het slachtoffer gevonden had en de politie had ge-
alarmeerd, werd rond tien uur 's ochtends voor het eerst gehoord
door twee inspecteurs van de regionale recherche. Het verhoor
werd op band opgenomen en nog dezelfde dag uitgeschreven. Ge-
print ruim twintig pagina's: Margareta Eriksson, vijfenvijftig jaar,
weduwe, geen kinderen, woonde bovenin in hetzelfde pand als het
slachtoffer en haar moeder.

Als laatste punt in het verhoor stond vermeld dat de getuige een
zogenaamd spreekverbod had gekregen, volgens het Wetboek van
Strafrecht hoofdstuk 23, paragraaf 10. Daarentegen stond er geen
woord over wat ze gezegd had toen ze te horen kreeg dat ze – 'op
straffe van vervolging' – aan niemand mocht vertellen waar tijdens
het verhoor over was gesproken. Wat op zich niet zo vreemd was.
Dat werd gewoonlijk niet opgeschreven bij een verhoor, bovendien
had ze net zo gereageerd als de meeste anderen die hetzelfde te horen hadden gekregen. Dat ze echt niet het type was dat dat soort
dingen aan de grote klok hing.

Het pand, dat uit een kelder, vier woonlagen en een zolder bestond,
was eigendom van een vereniging van eigenaren waar de getuige
voorzitter van was. Twee appartementen op elk van de drie onderste
woonlagen en bovenin een dubbel zo groot appartement, waar de
getuige woonde. In totaal zeven eigenaren, allemaal van middelbare
leeftijd of ouder, alleenstaanden en echtparen met uitwonende volwassen kinderen. Het merendeel van hen was op het tijdstip van het
misdrijf op vakantie.

Het appartement waar de moord gepleegd was, was eigendom
van de moeder van het slachtoffer en volgens de getuige woonde het
slachtoffer daar zo nu en dan. De laatste tijd had de getuige haar vrij
vaak gezien, terwijl de moeder vakantie had en in haar zomerhuisje
op het schiereiland Sirkön verbleef, enkele tientallen kilometers ten
zuiden van Växjö.

Het appartement, vier kamers en een keuken, lag aan de voorkant op de begane grond, naast de ingang van het pand. Maar omdat de flat op een helling was gebouwd, lag het aan de achterkant één hoog boven de tuin, die overigens direct grensde aan een klein park, dat werd omzoomd door villa's en wat flatgebouwen.

De getuige had honden en volgens de gegevens die ze tijdens het verhoor had verstrekt, waren honden al jaren haar grote hobby. Ze had er nu al een paar jaar twee, een labrador en een cockerspaniël, die ze elke dag viermaal uitliet. Al om zeven uur 's ochtends nam ze ze mee naar buiten voor een ochtendwandeling van minstens een uur.

'Ik ben een ochtendmens en ik heb er nooit moeite mee gehad om vroeg op te staan. Ik heb er een hekel aan om 's ochtends in bed te blijven liggen.'

Als ze weer thuis waren, at ze altijd haar ontbijt en las ze de ochtendkrant terwijl de honden hun 'ochtendmaal' kregen. Om een uur of twaalf was het opnieuw tijd. Nog een wandeling van ongeveer een uur en als ze dan terug waren, ging ze lunchen terwijl haar twee viervoetige vrienden beloond werden met 'een gedroogd varkensoor of iets anders lekkers om op te kluiven'.

Om een uur of vijf was het weer zover, maar deze keer was de wandeling meestal wat korter. Ongeveer een halfuur, zodat ze op haar gemak kon eten en 'Peppe en Pigge hun avondeten kon geven' voordat het tijd werd om de televisie aan te zetten voor het nieuws. En dan restte ten slotte nog 'het avondplasje' tussen tien en twaalf uur 's avonds, afhankelijk van wat de televisie te bieden had.

Vaste routines, die in grote lijnen door haar honden leken te worden bepaald. De vrije uurtjes tussendoor gebruikte ze meestal om wat boodschappen te doen in de stad, met kennissen af te spreken – 'voornamelijk vriendinnen en andere hondenmensen' – of om buitenshuis te werken.

Haar man, die tien jaar geleden was overleden, was accountant geweest en had een eigen kantoor gehad, waar ook zij in deeltijd had gewerkt. Na zijn dood was ze een aantal van de oude klanten blijven helpen met hun boekhouding. Haar voornaamste inkomstenbron was echter het pensioen van haar man.

'Ragnar was altijd heel precies met dat soort dingen, dus ik heb werkelijk nooit iets te klagen gehad.'

Het verhoor werd in haar eigen woning afgenomen. De agenten die haar ondervroegen, konden met eigen ogen zien dat er geen reden was om op dat punt aan haar woorden te twijfelen. Alles wat ze zagen, duidde erop dat Ragnar zijn vrouw goed verzorgd had achtergelaten.

De avond ervoor had ze om een uur of elf tijdens het zogeheten avondplasje het slachtoffer de flat uit zien komen en lopend richting centrum zien gaan.

'Ze zag eruit alsof ze naar een feest ging, hoewel als je het mij vraagt de meeste jongeren er tegenwoordig zo uitzien, ongeacht het tijdstip van de dag.'

Zelf stond ze ongeveer dertig meter verderop op straat, ze hadden elkaar niet gegroet, maar ze wist absoluut zeker dat de vrouw die ze gezien had het slachtoffer was.

'Ik geloof niet dat ze mij zag, ze had vast haast. Anders had ze zeker gegroet.'

Vijf minuten later was ze boven in haar eigen appartement en na de gebruikelijke routines was ze naar bed gegaan en ze was vrijwel meteen in slaap gevallen. Dat was ongeveer het enige wat ze zich kon herinneren van de vorige avond.

Deze waanzinnige zomer, die al in mei was begonnen en waar maar geen einde aan leek te komen. Dag na dag geen zuchtje wind, de zon heet als een barbecuerooster, de lucht bleekblauw, meedogenloos zonder wolken of schaduw, steeds maar nieuwe warmterecords, en de volgende ochtend was ze al om halfzeven met de honden naar buiten gegaan.

Dat was weliswaar eerder dan normaal, maar gezien deze 'compleet waanzinnige zomer... want ik ben vast niet de enige die dat vindt... wilde ik het ergste vermijden'. En iedere hondenbezitter met een beetje verantwoordelijkheidsgevoel wist trouwens dat het honden geen goed deed zich in te spannen als het buiten te warm was.

Ze had dezelfde route genomen als altijd. Zodra ze de deur uit was, was ze linksaf de straat in gegaan, voorbij de dichtstbijzijnde buurpanden en dan linksaf het wandelpad in, richting het bos dat slechts enkele honderden meters achter haar flat begon. Een halfuur later – het was toen al ondraaglijk warm hoewel het nog maar net na zevenen was – had ze besloten huiswaarts te keren. Peppe en Pigge hijgden verontrustend en ook hun baasje verlangde naar de schaduw van haar eigen flat en naar iets verkoelends om te drinken.

Ongeveer tegelijkertijd dat ze besloot om te keren en huiswaarts te gaan, was de lucht plotseling betrokken en zwart geworden, de wind had vat gekregen op bomen en struiken en het onweer begon vlakbij te rommelen. Toen de eerste dikke druppels waren gevallen, was ze nog maar een paar honderd meter van huis. Ze was gaan hollen, hoewel dat eigenlijk al geen zin meer had omdat de regen al in een heuse stortbui was overgegaan, en toen ze vanuit het parkje bij de achterkant van de flat aankwam, was ze helemaal doorweekt. Dat was ook het moment waarop ze zag dat het slaapkamerraam bij de buren openstond en klapperde in de wind en dat de gordijnen in de kamer al kletsnat waren.

Zodra ze binnen was – 'dat moet ongeveer om halfacht zijn geweest, als ik goed gerekend heb' – had ze meerdere malen bij de buren aangebeld, maar er had niemand opengedaan.

'Ik dacht dat ze het raam misschien had opengezet toen ze laat in de nacht was thuisgekomen. Waar dat ook goed voor mag zijn want... het is buiten immers veel warmer dan binnen. Toen wij buiten waren voor het avondplasje, was het in elk geval nog dicht, want dat soort dingen zie ik altijd.'

Maar omdat niemand opendeed, had ze de lift genomen naar haar eigen appartement. Ze had de honden zo goed mogelijk afgedroogd en zelf droge kleren aangetrokken. Daarbij had ze een slecht humeur.

'We zijn een vereniging van eigenaren en waterschade is niet iets om mee te spotten. En dan nog het inbraakrisico natuurlijk. Het is weliswaar een paar meter tot aan het raamkozijn, maar als je het mij vraagt, gaat er geen dag voorbij of je leest wel in de krant over gevel-toeristen die huizen helemaal leegroven. En als het van die verlopen junks zijn, dan zijn ze niet te beroerd om even een ladder te lenen van een van hun vriendjes.'

Wat kon ze doen? Met de dochter gaan praten, de volgende keer dat ze haar zou zien? Haar moeder bellen om te klikken? Veertien dagen geleden hadden ze net zo'n stortbui gehad, maar toen was de regen na amper tien minuten net zo plotseling opgehouden als dat hij begonnen was, de zon was weer gaan schijnen vanuit een blauwe, wolkenloze lucht en eigenlijk was het alleen maar goed geweest voor het gras en al het andere groen. Zo niet deze keer, en toen het na een kwartier nog steeds even hard regende, had ze terwijl ze met de etensbakken van de honden en haar eigen koffiezetapparaat in de weer was, plotseling haar besluit genomen.

'Zoals ik al zei, ben ik de voorzitter van de vereniging en wij bewoners helpen elkaar altijd een oogje in het zeil te houden. Vooral in de zomer, als velen op vakantie zijn. Daarom heb ik reservesleutels van de meeste appartementen in het gebouw.'

Dus had ze de sleutel gehaald die ze van de moeder van het slachtoffer had gekregen. Ze had de lift genomen naar de begane grond, had nog een paar keer extra aangebeld, 'voor de zekerheid, stel dat ze toch thuis was', had de voordeur opengemaakt en was het appartement binnen gegaan.

'Daar zag het er ongeveer zo uit zoals je kunt verwachten als jongeren een tijdje alleen thuis zijn, dus ik dacht echt niet aan zoiets, ik geloof dat ik nog riep of er iemand thuis was, maar er kwam geen antwoord en dus ging ik naar binnen... naar de slaapkamer... ja... en toen zag ik wat er gebeurd was. Ik begreep het meteen. En toen... toen heb ik me omgedraaid en ben ik zo de straat op gerend... ik realiseerde me opeens dat hij misschien nog binnen was, dus ik werd doodsbang. Gelukkig had ik mijn mobiel bij me en toen heb ik... jullie alarmnummer gebeld... 1-1-2. En er werd meteen opgenomen, hoewel er in de krant altijd staat dat de politie er nooit is.'

Het open slaapkamerraam had ze nooit dicht kunnen doen, wat ook niet meer zo veel uitmaakte omdat het al niet meer regende toen de eerste patrouille arriveerde en omdat een eventuele waterschade nu volstrekt onbelangrijk was. Politieagent Adolfsson was uiteraard niet van plan geweest het raam te sluiten. Het was hem juist opgevallen dat er buiten op de vensterbank een flink bloedspoor zat, dat met water was vermengd, maar omdat het niet meer regende, had hij ook dat detail aan zijn oudere collega's van de technische afdeling overgelaten.

De warmste zomer sinds mensenheugenis, een buurvrouw die elke ochtend met haar honden dezelfde wandeling maakte en bovendien reservesleutels had van het appartement van het slachtoffer, een plotselinge stortbui, een open raam. Samenwerkende factoren, een speling van het lot als je het zo wilt noemen, hoe het ook zij, hierdoor ontdekte de politie op deze manier wat er gebeurd was en niet anders. En vergeleken met alle andere denkbare alternatieven was dit bij lange na niet het ergste wat had kunnen gebeuren.

3

De chef van dienst had zijn werk goed gedaan. Binnen twee uur was iedereen die er moest zijn op de plaats van het misdrijf aanwezig. Helaas waren er ook een heleboel andere mensen, die beter ergens anders hadden kunnen zijn, maar daar kon hij niets aan doen. Het gebied rond het pand was in elk geval afgezet, evenals de straat aan de voorzijde, in beide rijrichtingen.

Mensen van de ordepolitie waren begonnen de buurpanden en de directe omgeving systematisch uit te kammen. Een patrouille met honden had een poging gedaan het spoor te vinden dat de dader mogelijk had achtergelaten als hij inderdaad door het open raam aan de achterkant van het gebouw naar buiten was gesprongen. Echter zonder succes, wat niet echt verrassend was gezien de stortbui van een paar uur geleden.

De technici waren begonnen het appartement te onderzoeken, de forensisch patholoog-anatoom was gewaarschuwd en was al met de auto onderweg vanaf zijn vakantieverblijf. De verantwoordelijke collega's van de regionale recherche hadden het eerste verhoor met de getuige die het slachtoffer had gevonden reeds afgenomen. De vader en de moeder waren allebei van het gebeurde op de hoogte gesteld en naar het politiebureau gebracht. Binnenkort zou men beginnen de deuren in de omgeving langs te gaan, en alle punten op het lijstje van de chef van dienst waren – met uitzondering van het laatste – afgehandeld en afgevinkt.

Toen hij zeker wist dat iedereen ter plaatse of in elk geval onderweg was, was hij met het laatste punt op zijn lijstje aan de slag gegaan en had hij de korpschef gebeld. Het eigenaardige met hem was dat hij, hoewel het een vrijdag was in deze zomer zonder einde en hoewel hij eigenlijk vakantie had, níet aan zee zat, in zijn zomerhuis bij Oskarshamn, ruim honderd kilometer van Växjö, maar achter zijn bureau op zijn werkkamer, in hetzelfde gebouw als de chef van dienst maar dan een paar etages hoger. Rond halftien 's ochtends hadden ze door de telefoon bijna een kwartier met elkaar gesproken. Ze hadden het vooral over het slachtoffer gehad en toen het gesprek was afgelopen, had de chef van dienst – hoe gepokt en gemazeld hij ook was – zich op onverklaarbare wijze terneergeslagen gevoeld.

Opmerkelijk eigenlijk, want meestal werd hij bijna een beetje vrolijk als hij terugdacht aan de vorige keer dat hij het handgeschreven lijstje nodig had gehad. Dat was in verband met een tijdelijke betrekking bij het korps van de buurgemeente Kalmar. Twee van de grootste vechtersbazen van die stad waren in het wilde weg om zich heen gaan schieten, op klaarlichte dag, midden in de stad, midden tussen alle fatsoenlijke en rechtschapen burgers, in totaal een stuk of twintig schoten in alle denkbare richtingen. Maar als door een wonder Gods was het hun gelukt om alleen elkaar te raken en zoiets kan alleen maar in Småland, had de chef van dienst die keer gedacht.

De korpschef was ook niet blij. Hij had geen ervaring met moordzaken. Een van zijn leefregels was dat je je nooit op voorhand zorgen moest maken of verdrietig moest worden, maar deze zaak beloofde niet veel goeds. Het had alle kenmerken van een klassieke moordzaak en als het tegen zou zitten, en met het oog op de identiteit van het slachtoffer, was de kans veel te groot dat hij zich zo zou gaan voelen als hij zich altijd voelde als het leven op zijn onrechtvaardigst was.

In een toespraak die hij een week eerder bij een diner had gehouden, had hij enige tijd stilgestaan bij de tekortschietende financiële middelen van de politie en ter afsluiting had hij zijn manschappen vergeleken met 'een versleten hek, waarvan de spijlen te ver uit elkaar staan en dat slecht bescherming biedt tegen een steeds zwaardere criminaliteit'.

Een toespraak die erg werd gewaardeerd. Zelf was hij vooral tevreden geweest over de vergelijking met het hek met spijlen, die in zijn ogen zowel goed gevonden als goed geformuleerd was. Niet alleen in zijn eigen ogen trouwens, ook de hoofdredacteur van de lokale krant, die bij hetzelfde diner aanwezig was geweest, had hem een compliment gemaakt bij de koffie met cognac. Maar dat was toen en in welke richting de gedachten van diezelfde hoofdredacteur binnen enkele uren zouden gaan, daar wilde de korpschef liever niet aan denken.

Het ergst waren echter zijn persoonlijke gevoelens. Hij kende de vader van het slachtoffer, en diens dochter – het slachtoffer van de moord – had hij meerdere malen ontmoet. In zijn herinnering was ze een zeer charmante jonge vrouw en als hij zelf een dochter had gehad, had ze er best zo uit mogen zien en zo mogen zijn als zij. Wat is er gaande, dacht hij, en waarom in hemelsnaam in Växjö, waar ze al die jaren dat hij daar werkte nog nooit een moordzaak hadden gehad? Waarom hier bij mij? En dan ook nog midden in de zomer.

Dat was ook het moment waarop hij zijn besluit had genomen. Hoe ver de spijlen van zijn hek ook uit elkaar stonden – en nog afgezien van de vakantie en alle ellende binnen de politie, die het hek er niet dichter op maakten – werd het hoog tijd dat hij zich op het allerergste voorbereidde. Daarom had hij zelf de telefoon gepakt en zijn oude vriend en studiegenoot 'erkapé' gebeld om hem om hulp te vragen. Want tot wie zou ik me in zo'n situatie beter kunnen wenden dan tot hem, dacht de korpschef van de regio Växjö.

Na het gesprek, dat minder dan tien minuten duurde, had de korpschef zich enorm opgelucht gevoeld, bijna bevrijd. Hulp zou er komen, de beste hulp die je maar kon bedenken, namelijk van de afdeling Moordzaken van de rijksrecherche, het met legenden omgeven Rijksmoordzaken, en hun hoogste baas had beloofd dat ze al in de loop van de dag zouden arriveren.

Daarna had ook hij zich eervol uit de inleidende fase van zijn opdracht teruggetrokken. Weliswaar geen gouden ster en ook geen zilveren, maar toch minstens een kleintje van brons, omdat hij aan een niet onbelangrijk praktisch detail gedacht had. Hij had namelijk onmiddellijk zijn secretaresse naar het Stadshotel laten bellen om voor onbepaalde tijd zes eenpersoonskamers te reserveren, en hij had nog apart vermeld dat de kamers bij elkaar moesten liggen en bij voorkeur afgezonderd.

Bij het Stadshotel was men blij, want het was komkommertijd en er waren nog volop kamers vrij. Wat slechts enkele uren later diezelfde dag niet meer het geval was, want algauw zou er in het hele centrum van Växjö geen hotelkamer meer te vinden zijn.

4

Stockholm, vrijdagochtend 4 juli

Hoewel het nog maar tien uur 's ochtends was – deze merkwaardige
zomer die al in mei was begonnen en waar maar geen einde aan leek
te komen – was een van de grotere legenden van Rijksmoordzaken
al op zijn werkplek gearriveerd. Hoofdinspecteur Evert Bäckström
die, in tegenstelling tot het merendeel van zijn collega's, geen vakantie had genomen en niet naar het platteland was afgereisd om
de strijd aan te gaan met muggen, een chagrijnige echtgenote en
zeurende kinderen. Om nog maar te zwijgen van alle idiote buren,
stinkende buitenplees, naar benzine ruikende vleesspiesen en veel te
warme pilsjes.

Bäckström was klein, dik en primitief, maar zo nodig kon hij sluw
en rancuneus zijn. Hij beschouwde zichzelf als een verstandige kerel
in de bloei van zijn leven. Een vrije, ongebonden man die het rustige leven in de stad prefereerde en omdat voldoende appetijtelijke,
luchtig geklede dames er hetzelfde over leken te denken, had hij
werkelijk geen enkele reden om zich te beklagen.
    De zomervakantie was een genotmiddel voor mensen die niet be-
ter wisten, en omdat er door het overgrote deel van zijn collega's
buitensporig gebruik van werd gemaakt, had hij goede redenen om
op zijn werk te blijven als je eindelijk eens eigen baas kon zijn. Als
laatste binnen en als eerste weer buiten en niemand die er iets op
aan te merken had. Daar ging het om. Volop tijd voor allerlei werkzaamheden buiten het politiebureau, en mocht een of andere achtergebleven hoge piet toch nog toevallig een kijkje komen nemen
op zijn werkkamer, dan was hij goed voorbereid.
    De dag voordat zijn directe baas op vakantie ging, had Bäckström
hem laten weten dat hij – behalve dat hij aanwezig zou zijn om de
praktische zaken te regelen, mocht hun het ergste overkomen – van
plan was de eventuele tijd die hij over had op te vullen met het door-

nemen van oude zaken die tot zijn spijt in de ijskast terecht waren gekomen. Zijn baas had daar niets op tegen gehad, het liefste wilde hij het politiebureau op Kungsholmen zo snel mogelijk verlaten en het laatste wat hij wilde was met Bäckström praten, dus nu lag er op Bäckströms bureau een berg oude, onopgeloste moordzaken, die zijn mentaal minder begaafde collega's onnodig gecompliceerd hadden gemaakt.

Het eerste wat hij deed als hij op zijn werkplek arriveerde, was her en der wat papieren verplaatsen, voor het geval er iemand rondliep die in zijn spullen snuffelde. Nadat hij de rest van de dag gepland had in zijn verre van oncomfortabele stoel achter zijn overvolle bureau, toetste hij een passend afwezigheidsberichtje in op zijn diensttelefoon. Hij kon uit verschillende berichten kiezen en om elke verdachte systematiek te vermijden, gooide hij een dobbelsteen en liet hij het toeval bepalen of hij de rest van de dag 'aan het vergaderen', 'om een boodschap', 'even weg', 'extern werkzaam' of misschien zelfs 'op dienstreis' was. Als deze terugkerende klusjes waren afgehandeld, was het meestal hoog tijd om de dagelijkse beslommeringen voort te zetten met het nuttigen van de 'lunch'. Een basisbehoefte van de mens, een recht dat zelfs in de arbeidswet was vastgelegd en dat vanzelfsprekend met een eigen code in het telefoonboek van de politie vermeld stond. Hij hoefde niet eens een dobbelsteen te gooien.

Het enige praktische probleem was echter dat de overuren en andere extraatjes wat terugliepen, want zoals zo vaak was hij door zijn geld heen, ook al was het nog maar een week geleden dat hij zijn loon had gekregen. Komt wel goed, dacht Bäckström. Wees blij met het weer en met alle halfnaakte dames in de stad. Voor je het weet is er weer een of andere idioot die een arme stakker doodslaat in een driesterrenrestaurant, wat wel een reisje waard is en overuren, onkostenvergoedingen en allerlei belastingvrije voordelen oplevert voor een eenvoudige diender. En midden in deze troostrijke gedachten was plotseling zijn telefoon gegaan.

Ook de chef van de Zweedse rijksrecherche, *Rikskriminalpolisen*, c RKP Sten Nylander – of erkapé, zoals hij in de wandelgangen werd genoemd door zijn achthonderd medewerkers – was in gedachten verzonken toen de korpschef van de regio Växjö hem belde. Verheven gedachten over een complex operationeel probleem dat hij op de enorme planningstafel in zijn commandocentrale – of 'Op-Center', zoals hij het zelf verkoos te noemen – had laten opstellen en dat concreet inging op de vraag hoe hij zijn Nationale Bijstandsteam het best kon formeren als internationale terroristen op het minder geslaagde idee zouden komen een vliegtuig te kapen op Arlanda, hét vliegveld van Zweden.

Zijn collega in Växjö had klaarblijkelijk niet hetzelfde vermogen om prioriteiten te stellen en onderscheid te maken tussen belangrijke en minder belangrijke zaken, en om te voorkomen dat hij een halve dag kwijt zou zijn, had hij beloofd onmiddellijk mensen van zijn eigen afdeling Rijksmoordzaken te sturen. In het ergste geval, als ze toevallig iets anders te doen hebben, moeten ze hun prioriteiten maar verleggen, dacht hij toen hij de hoorn had opgelegd, zijn secretaresse had geroepen en haar had gevraagd 'dat dikke mannetje van Rijksmoordzaken, wiens naam ik altijd vergeet, te pakken te krijgen'. Daarna had hij zijn aandacht weer op wezenlijker zaken gericht.

'Erkapé heeft het kennelijk erg druk, zelfs nu het vakantietijd is,' constateerde Bäckström, terwijl hij flemend naar de secretaresse van zijn hoogste baas glimlachte en een knikje gaf in de richting van de gesloten deur achter haar rug. Op-Center c RKP, dat is een hele mond vol, dacht hij.

'Ja, hij heeft het erg druk,' zei de secretaresse afgemeten, zonder van haar papieren op te kijken. 'Ongeacht de tijd van het jaar,' voegde ze eraan toe.

Vast, dacht Bäckström. Of hij is toevallig op cursus geweest en heeft geleerd dat mensen als hij mensen als ik altijd een kwartier moeten laten wachten, terwijl hij zelf ondertussen het hoofdartikel in de krant leest.

'Ja, het zijn zware tijden,' huichelde Bäckström.

'Ja,' antwoordde de secretaresse en ze wierp hem een waakzame blik toe.

Tenzij je erkapé bent natuurlijk, dacht Bäckström. Mooie titel had die hufter trouwens. Erkapé klonk zowel mannelijk als militair. Absoluut beter dan dat je rijkspolitiechef was, de allerhoogste baas op de mestvaalt, en alleen maar erpécé werd genoemd. Welke idioot wil er nou erpécé zijn, dacht Bäckström. Klinkt bijna alsof je aan de zwier bent geweest met een verkeerd wijfie en iets smerigs hebt opgelopen.

'Erkapé kan u nu ontvangen,' zei de secretaresse met een knikje naar de gesloten deur.

'Dank u vriendelijk,' zei Bäckström, terwijl hij een buiging maakte van waar hij zat. Exact een kwartier, dat had een kind kunnen bedenken. Zelfs jij, kleine strijdbare pot, dacht hij en hij glimlachte hartelijk naar de secretaresse. Zelf had ze niets gezegd. Ze had hem alleen maar achterdochtig nagekeken.

Bäckströms hoogste baas leek nog steeds in gedachten verzonken. Hij streek in elk geval bedachtzaam met zijn rechterduim en wijsvinger langs zijn mannelijke, bijzonder geprononceerde kin, en toen Bäckström de kamer binnen kwam, had hij niets gezegd, alleen maar een kort knikje gegeven.

Eigenaardig type, dacht Bäckström. En wat een belachelijke kleren als het buiten 30 graden is.

Het hoofd van de rijksrecherche was zoals gewoonlijk gekleed in een onberispelijk uniform. Uitgerekend vandaag droeg hij zwarte rijlaarzen, een blauwe broek van de bereden politie, een oogverblindend wit overhemd met epauletten, vier gouden strepen met eikenbladen met daarboven een koninklijke kroon. Aan de linkerkant van de borst vier batons op rij, aan de rechterkant de twee gekruiste gouden sabels, wat om onduidelijke redenen het embleem van de rijksrecherche geworden was. Uiteraard een stropdas, exact in de juiste hoek vastgezet met behulp van de dasspeld voor leidinggevende functionarissen binnen de politie. Zijn rug kaarsrecht, de buik in en de borst vooruit, alsof deze de strijd aanging met zijn meest vooruitstekende lichaamsdeel.

Jezus, wat een kin. Zijn smoel lijkt wel een olietanker, dacht Bäckström.

'Als je je verbaast over mijn kleding,' zei erkapé zonder hem een blik waardig te keuren en zonder zijn vingers van het lichaamsdeel af te halen dat Bäckströms aandacht trok, 'kan ik je vertellen dat ik van plan ben om later op de dag Brandklipparen uit te laten.'

Oplettend is hij ook, ik moet dus op mijn tellen passen, dacht Bäckström.

'Een koninklijke naam voor een edel ros,' voegde erkapé eraan toe.

'Ja, dat was toch die knol van Kareltje,' zei Bäckström flemend, ook al had hij veel gespijbeld in de tijd dat die stof op school behandeld werd.

'Van Karel de Elfde en Karel de Twaalfde,' zei erkapé. 'Dezelfde naam, maar natuurlijk niet hetzelfde paard. Weet je wat dit voorstelt?' vroeg hij en hij knikte in de richting van de kunstig vervaardigde modellen die op de enorme tafel stonden opgesteld.

Gezien alle terminals, hangars en vliegtuigen kan het nauwelijks de slag bij Poltava zijn, dacht Bäckström.

'Arlanda?' gokte Bäckström. Hoe het vliegveld er dan ook uit mocht zien van boven.

'Correct,' zei erkapé. 'Hoewel dat niet de reden is waarom ik je wilde spreken.'

'Ik luister, chef,' zei Bäckström en hij probeerde eruit te zien als het beste jongetje van de klas.

'Växjö,' zei erkapé met klem. 'Moordzaak, jonge vrouw, vanochtend in haar woning gevonden, gewurgd. Waarschijnlijk ook verkracht. Ik heb beloofd dat we zullen helpen. Dus trommel je collega's op en ga er onmiddellijk naartoe. De details moet je maar met Växjö regelen. Mocht er iemand in dit gebouw bezwaren hebben, stuur ze dan maar naar mij toe.'

Geweldig, dacht Bäckström. Dit was goddomme nog beter dan in de tijd van de Drie Musketiers. Dat boek had hij namelijk gelezen, toen hij nog een jochie was en van school spijbelde.

'Komt voor elkaar, chef,' zei Bäckström. Växjö, dacht hij. Ligt dat niet ergens aan zee, ergens in het zuiden, in Småland? In deze tijd van het jaar moet het daar vast wemelen van de wijven.

'O ja,' zei het hoofd van de rijksrecherche. 'Nog iets. Voor ik het vergeet. Er is nog een kleine complicatie wat de identiteit van het slachtoffer betreft.'

Laten we eens kijken, zei blinde Sara, dacht Bäckström toen hij een halfuur later achter zijn bureau zat, druk in de weer om alle praktische zaken te regelen. Allereerst een flinke smak liquide middelen in de vorm van een postwissel, die hij nog dezelfde dag wist te verzilveren ondanks het feit dat het vrijdag was en vakantietijd. Daarna had hij deze aangevuld met een paar briefjes van duizend uit het tipgeldpotje op de afdeling Geweldsdelicten. Dit stond altijd gereed voor snelle, onverwachte kwesties en stond bij Bäckström in het geheugen gegrift. Hoe het er op zijn eigen magere bankrekening ook uitzag, de komende tijd zou hij in elk geval niet noodlijdend hoeven zijn.

Daarna was het hem gelukt maar liefst vijf collega's bij elkaar te schrapen, vier echte politiemannen en maar één vrouw. Zij had aan de andere kant alleen maar een burgerfunctie en ze zou zich voornamelijk bezig gaan houden met het ordenen van alle papieren, dus daar kon hij wel mee leven. Bovendien zou in elk geval een van zijn collega's haar gezelschap weten te waarderen, aangezien hij de gewoonte had boven op haar te duiken zodra hij de kans kreeg, op veilige afstand van zijn chagrijnige echtgenote. Misschien niet de absolute top, dacht Bäckström toen hij het lijstje met zijn manschappen bekeek, maar goed genoeg als je bedacht dat het vakantietijd was. Bovendien zou hij er zelf ook bij zijn.

Restte hem nog de voertuigen voor de reis naar Växjö en alle werkzaamheden ter plaatse te regelen. Auto's waren er om een of andere reden genoeg en Bäckström had beslag gelegd op de drie beste. Voor zichzelf een Volvo fourwheeldrive van het grootste model, met de grootste motor en zo veel extra snufjes dat de kerels van het technisch bureau wel onder invloed moesten zijn geweest toen ze de bestelling plaatsten.

Dat is dan alles, dacht Bäckström terwijl hij de punten op zijn lijstje afstreepte. Restte hem alleen nog zijn eigen bagage te pakken. Maar toen hij daaraan dacht, werd hij plotseling overmand door een gevoel van moedeloosheid. De drankwinkel was op zich geen probleem. Bij wijze van uitzondering had hij heel veel sterke drank in huis. Een van zijn jongere collega's was in Tallinn geweest en had in het weekend flink wat ingeslagen. Bäckström had zich met een aanzienlijk aandeel ingekocht: whisky, wodka en twee trays extra sterk bier, dat puur dynamiet was.

Maar wat moet ik in godsnaam aan, dacht Bäckström, die zijn kapotte wasmachine voor zich zag, de uitpuilende wasmand en de bergen vuil wasgoed die zich in bijna een maand tijd in de slaapkamer en de badkamer hadden opgehoopt. Vanochtend nog, voordat hij naar zijn werk ging, had hij een klein probleempje gehad. Frisgewassen en netjes had hij daar gestaan, voor de verandering zonder kater, maar vervolgens was het een hels karwei geweest om met zijn neus een overhemd en een onderbroek te vinden die mensen niet onmiddellijk aan een Deense kaashandelaar deden denken als hij met ze sprak. Komt wel goed, dacht Bäckström, die plotseling een briljant idee had gekregen. Eerst even langs het winkelcentrum aan de Sankt Eriksgatan om iets moois en fris te kopen. Liquide middelen had hij genoeg en de vuile was van thuis kon hij – nu hij er nog eens over nadacht – net zo goed meenemen en bij de receptie van het hotel in Växjö inleveren. Briljant, dacht Bäckström. Maar nu eerst een hapje eten, want het zou een ware ambtsovertreding zijn om met een lege maag een moordzaak te gaan onderzoeken.

Bäckström had een versterkende lunch genuttigd in een nabijgelegen Spaans restaurant dat veel tapas en andere zomerse lekkernijen serveerde. Omdat hij had besloten dat zijn werkgever de rekening wel kon betalen, had hij een niet aanwezige informant op de nota laten zetten. De informant had een goede smaak gehad en twee grote glazen bier gedronken. Bäckström zelf, die dienst had, had genoegen genomen met een flesje mineraalwater en toen hij verzadigd en voldaan weer buiten op straat stond, voelde hij zich beter dan lange tijd het geval was geweest. De zon schijnt en het leven lacht je toe, dacht Bäckström en hij zette koers naar zijn eigen woning. Hij hoefde niet eens een taxi te nemen, want sinds een paar jaar woonde hij in een gezellig appartementje aan de Inedalsgatan op slechts enkele minuten loopafstand van het politiebureau bij het Kronobergspark.

Het appartement had hij van een oud-collega gekregen, die ettelijke jaren geleden met pensioen was gegaan en die hij had leren kennen toen hij bij Geweld in Stockholm werkte. De collega was naar zijn zomerhuisje in de scherenkust verhuisd om zich in alle rust te pletter te zuipen en onderwijl een beetje te vissen. Daarom had hij zijn appartement in de stad niet langer nodig en had hij het op naam van Bäckström laten zetten.

Zelf had Bäckström zijn oude hok verkocht aan een jongere collega van de regionale recherche, die het huis uit was geschopt omdat hij iets met een collega van de ordepolitie had gehad, maar omdat zij al getrouwd was met een derde collega, die bij de patrouilledienst werkte en erg kwaadaardig kon zijn als het erop aankwam, was de situatie er niet naar om bij haar in te trekken.

In plaats daarvan had hij Bäckströms flatje gekocht. Contant, zwart en voor een vriendelijk prijsje, met de belofte Bäckström te helpen met de verhuizing naar Kungsholmen. Twee kamers, een keuken en een badkamer, twee hoog achter. Schappelijke huur, voornamelijk oudere buren die nooit lawaai maakten en er geen benul van hadden dat hij bij de politie zat. Tot zover kon hij zich niet beter wensen.

Het enige probleem was dat hij een vrouwtje moest zien te vinden dat voor hem zou kunnen schoonmaken en wassen. In ruil daarvoor zou ze dan een paar flinke beurten krijgen in zijn stevige grenenhouten Ikea-bed.

Want nu ziet het er echt niet uit, dacht Bäckström, terwijl hij zijn wasgoed in een flinke sporttas propte voor verder transport naar het Stadshotel in Växjö en de dichtstbijzijnde wasserij.

Het was nog beter geweest als ik het hele appartement mee had kunnen nemen en in had kunnen leveren bij de receptie, dacht hij. Nou ja, komt vast wel goed, besloot Bäckström en hij haalde een koud pilsje uit de koelkast. Vervolgens had hij alles wat hij nodig kon hebben in een andere tas gepakt en op dat moment werd hij door een vreselijke gedachte getroffen. Het was alsof iemand hem van achteren bij de kraag vatte en een ruk gaf, en de laatste jaren was dat helaas iets al te vaak gebeurd. Shit, wat doe ik met Egon, dacht Bäckström.

Egon was vernoemd naar de gepensioneerde collega die het appartement voor hem geregeld had, maar verder hadden ze niet zo veel gemeenschappelijk, want Bäckströms Egon was een goudvis van het meest gangbare model en degene wiens naam hij droeg, was een voormalig politieagent van ruim zeventig.

Bäckström had Egon met bijbehorend aquarium cadeau gekregen van een vrouw die hij een halfjaar daarvoor ontmoet had. Hij had op een contactadvertentie gereageerd die hij op internet had gevonden. Wat hem ertoe gebracht had om te reageren, was ten dele haar beschrijving van zichzelf, maar vooral haar ondertekening: 'Liefst uniform'. Bäckström had weliswaar zorgvuldig vermeden om een uniform te dragen vanaf het moment dat hij binnen de politie belangrijk genoeg was geworden om zich dat te kunnen veroorloven, maar wie viel er nou over zo'n detail?

Aanvankelijk had het ook uitstekend gewerkt. Haar beschrijving van zichzelf als een 'geëmancipeerde, open vrouw' was niet geheel misleidend geweest. Niet zozeer in het begin, maar na een tijdje, want toen bleek ze onmiskenbaar hetzelfde te zijn als alle andere zeikwijven die in zijn leven de revue waren gepasseerd. Zodoende was het gelopen als altijd, met uitzondering van Egon, want die woonde nog steeds bij hem in en het was zelfs zo erg gesteld dat Bäckström aan hem gehecht was geraakt.

De gevoelsmatige doorbraak in de relatie tussen Egon en Bäckström had een paar maanden eerder plaatsgevonden, toen Bäckström genoodzaakt was een week van huis te zijn om een moordzaak op te lossen en dus niet in staat was om elke dag een goudvis te voeren.

Eerst had hij de vrouw gebeld die hem met zijn zwemmende zorgenkindje had opgezadeld, maar zij had alleen maar naar hem geschreeuwd en de hoorn erop gegooid. Als het gaat, dan gaat het, dacht Bäckström en de waarschuwingstekst ten spijt had hij een half potje voer in het aquarium gekieperd voordat hij was weggegaan. Dat is het voordeel van een goudvis, dacht Bäckström toen hij in de auto zat op weg naar zijn moordonderzoek, een hond kun je niet door de plee spoelen als hij het loodje legt. En voor het aquarium kon hij nog wel een paar honderd kronen krijgen als hij een advertentie plaatste op internet.

Toen hij na tien dagen terugkeerde, bleek dat Egon nog steeds in leven was. Hij had weliswaar wat fitter geleken voordat Bäckström op pad ging en de eerste paar dagen had hij zo'n beetje op halve kracht gezwommen, maar daarna was hij weer helemaal de oude geworden.

Bäckström was erg onder de indruk en hij had zelfs in de koffiekamer op het werk over Egon verteld – 'een ongewoon taai rakkertje'. Dat was ongeveer het moment waarop hij zich aan hem was gaan hechten. Het kwam zelfs wel voor dat hij 's avonds naar hem kon zitten kijken, terwijl hij rustig van zijn welverdiende whisky-soda nipte na een lange, slopende werkdag. Hoe Egon heen en weer zwom, omhoog en omlaag, en zich niet eens druk leek te maken over het feit dat er geen dametjes in de buurt waren. Je hebt het maar goed, jochie, dacht Bäckström dan, en vergeleken met alle beroerde natuurprogramma's op de televisie was Egon de absolute winnaar.

Ik moet gewoon een beetje opschieten met dat onderzoek, dacht Bäckström, die zich lichtelijk schuldig voelde toen hij met zijn duim langs de zijkant van het potje een flinke dosis voer afmat en het boven zijn zwijgzame vriendje uitstrooide. En mocht het al te lang gaan duren, dan moest hij maar naar zijn werk bellen en een van zijn collega's vragen om het dagelijkse toezicht over te nemen.

'Pas goed op jezelf, jochie,' zei Bäckström. 'Baasje moet voor zijn werk op reis. Maar we zien elkaar gauw weer.'

Een kwartier later zat hij in de auto op weg naar Växjö, samen met twee van zijn collega's van Rijksmoordzaken.

5

Bäckström had gezelschap gekregen van twee jonge talenten van de afdeling, de inspecteurs Erik Knutsson en Peter Thorén. Weliswaar niet de helderste lichten, maar ze hadden in elk geval de gewoonte te doen wat Bäckström zei. Op het werk werden ze Knul en Tut genoemd en afgezien van het feit dat Knul blond was en Tut donker, leken ze sprekend op elkaar. Ze traden bijna altijd met z'n tweetjes op, praatten nagenoeg onafgebroken met elkaar en als je je ogen dichtdeed, was het in feite onmogelijk uit te maken wie van de twee op dat moment aan het woord was.

Knutsson zat achter het stuur en Thorén zat naast hem hardop voor te lezen uit een toeristenfolder over Växjö die hij van internet gehaald had. Bäckström had zich op de achterbank uitgestrekt om in alle rust over de zaak na te kunnen denken, vergezeld van wederom een koud pilsje.

'Jammer, Bäckström,' zei Thorén. 'Växjö ligt niet aan zee. Het ligt circus honderd kilometer van de Oostzee. Heeft een domkerk, een gouverneur en een universiteit. Je zult wel aan Västervik gedacht hebben. Of misschien aan Kalmar. Västervik en Kalmar liggen allebei aan zee. In Småland. Je weet wel, met Astrid Lindgren en zo. Er schijnen zo'n vijfenzeventigduizend mensen in de stad te wonen. In Växjö dus. Hoeveel wordt dat als je het omrekent naar het aantal beschikbare dames? Wat denk jij, Erik?'

'Is het soms te veel gevraagd om iets over de zaak te willen weten?' vroeg Knutsson geïrriteerd. 'Moeten er in elk geval een paar duizend zijn,' constateerde hij en hij klonk meteen wat opgewekter.

'De collega's in Växjö sturen een fax zodra ze iets in elkaar hebben gedraaid,' zei Bäckström met een knikje naar het instrumentenpaneel tussen de stoelen.

'Maar íets moeten we toch al wel weten,' drong Knutsson aan.

Zeur, zeur, zeur, dacht Bäckström en zuchtte.

'Vanochtend hebben ze een jonge vrouw vermoord aangetroffen in haar woning. Gewurgd. Als we moeten geloven wat de sheriffs van die veldwachters daar zelf denken, lijkt het om seks te gaan. Onbekende dader en de hele rataplan. Met een beetje geluk hebben ze het mis en kunnen we meteen doorrijden om haar vriendje op te pakken.'

'Dus dat is alles wat we weten,' zei Knutsson wantrouwend. 'Had ze dan een vriendje?'

'Het lijkt van niet,' zei Bäckström langzaam. 'En dan is er ook nog een kleine complicatie. Het gaat om een van onze eigen mensen.'

'Wat vreselijk,' zei Thorén. 'Een collega. Dat gebeurt niet elke dag. Niet als het om seks gaat, bedoel ik.'

'Een toekomstig collega,' verduidelijkte Bäckström. 'Ze volgde de politieopleiding in Växjö en zou over een jaar klaar zijn. Nu had ze een zomerbaantje als invalkracht op het politiebureau. Ze zat bij de receptie.'

'Wat is er toch aan de hand?' vroeg Knutsson en hij schudde zijn hoofd. 'Wat is dat voor een gek die een toekomstig collega verkracht en vermoordt?'

'Als het iemand is die ze kent, dan is de kans vrij groot dat het om een andere collega gaat,' grinnikte Bäckström. 'Maar zo hoeft het natuurlijk niet te zijn,' voegde hij eraan toe toen hij Knutssons argwanende blik in de achteruitkijkspiegel zag.

'Het zou wel makkelijker moeten zijn dan een gewone hoerenmoord. Als je het een beetje positief bekijkt,' zei Thorén troostend. 'Ik bedoel, dan krijgen we tenminste niet te maken met vreemde klanten en criminele contacten en zo.'

Dat schijnt deze keer niet het grootste probleem te worden, dus daar kun je alleen maar van dromen ventje, dacht Bäckström.

'Laten we het hopen,' zei Bäckström. 'Laten we het hopen.'

Ter hoogte van Norrköping hadden de collega's in Växjö per fax van zich laten horen en gezien de inhoud van wat ze hadden gestuurd, hadden ze het net zo goed kunnen laten. Eerst kwam er een kaart van Växjö, waarop de plaats van de moord was omcirkeld en de weg naar het hotel met pijlen was aangegeven. Geheel overbodig, omdat Thorén dezelfde kaart al van internet had gehaald en omdat Knutsson het adres van het hotel al meteen bij aanvang van de reis in het navigatiesysteem van de wagen had ingevoerd.

Daarna kwam er een kort berichtje van de plaatselijke leider van het vooronderzoek, waarin hij hen welkom heette en liet weten dat het onderzoek in gang was gezet en geheel volgens protocol verliep, dat verdere details zouden volgen zodra hij iets te sturen had en dat de eerste vergadering met het rechercheteam de volgende ochtend om negen uur zou plaatsvinden op het politiebureau in Växjö.

'Hoofdinspecteur Bengt Olsson van de recherche in Växjö is blijkbaar de leider van het vooronderzoek,' constateerde Thorén, die het dichtst bij de fax zat en zijn handen vrij had. 'Is dat iemand die je kent, Bäckström?'

'Wel eens ontmoet,' zei Bäckström en hij slikte het laatste slokje uit zijn blikje door. Lichtelijk achterlijk, dus had niet beter gekund, dacht hij. Niet voor hem in elk geval, aangezien hij voor zichzelf al duidelijk had hoe hij het zaakje zou gaan aanpakken.

'En, hoe is hij?' vroeg Knutsson.

'Zo'n meelevend type,' zei Bäckström.

'Heeft hij dan wel verstand van moordzaken?' vroeg Knutsson door.

'Kan ik me niet voorstellen,' zei Bäckström. 'Maar hij schijnt heel wat cursussen gevolgd te hebben over geweld tegen vrouwen en kinderen, incest, debriefing, dat soort ongein.'

'Maar hij heeft zich toch wel eens met een moordzaak beziggehouden?' wierp Thorén tegen.

'Een paar jaar geleden heeft hij zich druk lopen maken over een rituele moord op een immigrantenmeisje. Zou een paar jaar eerder in de binnenlanden van Småland zijn gepleegd. Hij had een of andere geschifte informante die beweerde dat ze erbij was toen het gebeurde.'

'Hoe ging dat dan?' vroeg Knutsson nieuwsgierig.

'Het ging uitstekend. De zaak kwam bij ons terecht en is de volgende dag door ons afgeschreven. Daarna hebben we een vriendelijk briefje teruggestuurd en uitgelegd dat de moord in kwestie nooit had plaatsgevonden. We hebben hen bedankt voor de getoonde interesse en gevraagd of ze weer van zich wilden laten horen als ze nog meer spookverhalen op de plank hadden liggen.'

'Ik geloof dat ik het nog weet,' zei Thorén. 'Het was weliswaar vóór mijn tijd, maar is dat niet die collega, die Bengt Olsson dus, die door de oudere collega's bij ons de Rituele Moordenaar wordt genoemd?'

'Klopt,' zei Bäckström. 'Het is zo'n beetje zijn niche geworden. Spoken en vieze oude mannetjes met zwaaiende wierookvaten, lange hoektanden en een cape tot aan de grond. En dan ter afsluiting nog een beetje debriefing voordat de agenten van hun werk naar huis wankelen.' Hoezo oudere collega, dacht Bäckström. Vuile leeftijdsracisten.

'Wat is er aan de hand met het korps, waar gaan we eigenlijk naartoe?' zeurde Thorén.

'Ik meen dat ik dat net gezegd had,' zei Bäckström. 'Dus als de heren zo vriendelijk willen zijn om nu een tijdje hun muil te houden, dan kan ik een poging doen om mijn moede hoofd te ruste te leggen.' Begint hij ook al, dacht Bäckström. Twee idioten op dezelfde voorbank.

De rest van de reis was in relatieve stilte verlopen. Geen berichtjes meer op de fax. Knutsson en Thorén waren weliswaar doorgegaan met kakelen, maar op een lager volume en zonder te proberen Bäckström bij het gesprek te betrekken. Toen ze bij het hotel in Växjö aankwamen, was het vijf uur 's middags en omdat Bäckström zich nog steeds wat duf voelde, besloot hij eerst een paar uurtjes plat te gaan voordat ze zouden gaan eten. Bovendien waren de andere collega's nog niet opgedoken.

Bäckström was vooruitziend geweest en had voor aankomst naar het hotel gebeld, zodat ze meteen weg konden glippen naar hun kamers, zonder eerst de aasgieren van de derde staatsmacht, die zich al in de lobby van het hotel verzameld hadden, van zich af te hoeven slaan. Daarna had hij nog wat taken uitgedeeld. Dat het even duidelijk was wie de baas was. Knutsson had de opdracht gekregen om contact op te nemen met de collega's in Växjö, de groeten van Bäckström over te brengen en te zeggen dat hij op dit moment andere dingen te doen had, maar dat hij zo snel mogelijk van zich zou laten horen en in elk geval de volgende ochtend bij de plenaire vergadering aanwezig zou zijn. Thorén had beloofd Bäckströms was te regelen en daarna zou hij even langs de plaats van het delict gaan. Zelf had hij het plan gevat een broodnodig uiltje te knappen.

'Deze meneer is immers al sinds vanochtend vroeg in touw,' zei Bäckström, die zich al op het bed in zijn kamer had geworpen. 'En vergeet niet om voor acht uur een rustig tafeltje te regelen in het restaurant beneden.' Eindelijk, dacht Bäckström toen Thorén de deur achter hen had dichtgedaan. Daarna had hij zijn kussen goed gelegd en was hij vrijwel meteen in slaap gevallen.

6

Een halfuur voor het avondeten waren ze voor overleg op Bäckströms kamer bijeengekomen. Wat heel normaal was omdat hij de baas was. Als er ergens anders werd overlegd dan bij de baas, was er sprake van muiterij. Dat wist Bäckström uit dubbele ervaring, omdat hij zowel schipper als lid van de bemanning was geweest in de jaren dat hij als rechercheur bij Geweldsdelicten werkte. Hoewel het tot nu toe rustig leek. Al zijn medewerkers waren gearriveerd. Opgewekt en blij, haast een beetje verwachtingsvol, alsof het om een gewone conferentiereis naar Finland ging en niet om een moordonderzoek.

De eerste die Bäckströms kamer binnen kwam, was zijn oude collega, inspecteur Jan Rogersson, die Bäckström al had leren kennen tijdens zijn jaren bij de vroegere afdeling Geweld in Stockholm. Hij had alleen gereisd en was bij de politie in Nyköping langsgegaan om wat oude onderzoeksrapporten terug te brengen van een zaak die inmiddels rustig was ingeslapen. De weduwe van het slachtoffer was eindelijk de pijp uit gegaan en opgehouden zeurbrieven te schrijven naar de procureur-generaal. Rogersson was een paar uur na Bäckström in het hotel verschenen. In Bäckströms ogen stond hij aan de goede kant en hij was praktisch de enige van de mensen met wie hij samenwerkte die hij ook privé kon verdragen.

Bäckström voelde zich fit en was in een opperbest humeur, uitgeslapen als hij was en net onder de douche vandaan. Rogersson en hij hadden van de gelegenheid gebruikgemaakt om een pilsje achterover te slaan en een paar stevige borrels te nemen, voordat de anderen binnen kwamen stampen en de rust verstoorden. Knutsson en Thorén kwamen uiteraard samen. Knutsson was op het politiebureau geweest, hij had met de collega's gesproken en een stapel papier meegekregen. Thorén had Bäckströms was ingeleverd en de plaats van het delict bezocht. Geen van beiden had een pilsje of iets sterkers aangeboden gekregen toen ze eenmaal waren verschenen. Toen ze op de deur klopten, had Bäckström, voordat hij opendeed, snel de flessen en de glazen opgeborgen. Zuipen doen ze maar in hun eigen tijd, dacht Bäckström.

Hoofdinspecteur Jan Lewin, die samen met hun vrouwelijke assistent, burgerbeambte Eva Svanström, gereisd had, kwam als laatste binnen. Een beetje vreemd eigenlijk omdat juist die twee het eerst uit Stockholm vertrokken waren en hoe konden ze nou toch zeven uur doen over vierhonderd kilometer? Maar omdat iedereen het antwoord al wist, stelde niemand een directe vraag.

'Dus de reis ging goed,' zei Bäckström met een onschuldig gezicht terwijl hij naar de enige vrouw in het gezelschap keek. Rozig, fris, net opgemaakt, dacht hij. Maar veel te mager naar zijn smaak, dus hij kon net zo goed zijn mond houden en ze met rust laten.

'Het ging uitstekend,' kwetterde Svanström. 'Janne moest wat dingetjes regelen onderweg, daarom duurde het wat langer.'

'Ja ja,' zei Bäckström. 'Goed, laten we de kans grijpen nog wat te doen nu we alleen zijn, zodat we straks een hapje kunnen eten zonder de hele tijd over werk te hoeven praten tussen al die aasgieren daar beneden. Erik, jij had een hoop papieren meegekregen. Heb je er genoeg voor iedereen?' Volslagen incompetent, dacht hij.

Knutsson had in grote lijnen alles meegekregen wat op dat moment op het politiebureau uitgeschreven en klaar was. Bovendien in zesvoud, zodat ieder zijn eigen exemplaar kon krijgen. In hun papierstapels zat het proces-verbaal van de melding van het delict, een memo van de patrouille die als eerste ter plaatse was, diverse foto's van de plaats van het delict en de directe omgeving, een schets van het appartement waar het slachtoffer gevonden was, een beknopte beschrijving van de persoon van het slachtoffer en ten slotte een logboek met tijden en maatregelen die de collega's reeds getroffen hadden.

Bäckström voelde een lichte teleurstelling toen hij de papieren vluchtig doorkeek. Ze leken in elk geval de meest voor de hand liggende dingen niet gemist te hebben. Nog niet, tenminste, maar aangezien hij de zaak spoedig zou overnemen, zou het zeker goed komen.

'Zijn er vragen?' vroeg Bäckström en hij kreeg een unaniem nee schudden als antwoord.

'Het is nog geen etenstijd,' zei Bäckström met een scheef lachje.

Luie honden, dacht hij. Het enige waar ze aan denken is vreten, zuipen en neuken.

'Weten we al wanneer we iets van de patholoog-anatoom en de technici kunnen verwachten?' vroeg Rogersson.

'Morgen zou de autopsie plaatsvinden,' zei Knutsson. 'Ze hadden haar geloof ik naar een patholoog-anatoom in Lund gebracht. De collega's van de technische afdeling waren nog druk bezig, maar degene die ik gesproken heb, dacht dat ze in elk geval sperma van de dader hadden gevonden en bovendien wat bloedsporen die op de vensterbank bij het slaapkamerraam zaten. Er waren ook wat kleren waarvan ze dachten dat ze van hem waren. Die hij vergeten zou zijn toen hij ervandoor ging. Het lijkt erop dat hij nogal haast heeft gehad en de collega die ik sprak, was er vrij zeker van dat hij door het slaapkamerraam naar buiten is gesprongen. Vermoedelijk heeft hij zich toen aan de metalen vensterbank geschaafd.'

'Je zei wat over kleren,' bromde Bäckström. 'We hebben niet toevallig het geluk dat hij zonder broek is weggerend?'

'Toch wel,' antwoordde Knutsson. 'Ik weet niet hoe hij gekleed was toen hij daar aankwam, maar het schijnt dat hij 'm gesmeerd is zonder onderbroek.'

'Dat was erg slordig van hem,' zei Bäckström. 'Hoewel dat waarschijnlijk niet de plek was waar hij zijn rijbewijs bewaarde, want zo veel geluk zullen we toch zeker niet hebben,' voegde hij eraan toe. Zo gek is bijna niemand, dacht Bäckström, hoewel deze dader op zich gek genoeg leek en dat was meestal een goed teken.

'Weet je nog, Bäckström,' zei Rogersson, die plotseling in een uitstekend humeur leek te zijn. 'Weet je nog die idioot die dat vrouwtje in haar flat aan de Högalidsgatan wurgde? De Ritva-moord. Zo heette ze. Die gozer die bezig was geweest alles schoon te maken om zijn vingerafdrukken weg te poetsen, die zo'n beetje alle muren, de vloer en het plafond had geschrobd voordat hij vertrok. De klootzak was uren bezig. Spijtig alleen dat de kleine Ritva, die daar woonde, er niet veel meer aan had dat haar huisje zo schoon werd.'

'Dat weet ik nog,' zei Bäckström. 'Jij en ik waren er allebei bij en het is zo ongeveer de enige zaak waar jij het de afgelopen twintig jaar over gehad hebt.' Moet van alle drank komen die hij naar binnen giet, dacht Bäckström.

'Nou nou, dat hoeft nou ook weer niet,' zei Rogersson, die nog steeds even monter klonk. 'Ik vraag me alleen af hoe hij zich gevoeld moet hebben toen hij de deur achter zich in het slot smeet en zich plotseling herinnerde wat hij vergeten was.'

'Hij voelde zich vast niet zo goed,' zei Bäckström. 'Peter, jij bent al een kijkje wezen nemen op de plaats van het delict,' vervolgde Bäckström met een knikje naar Thorén. 'Wat was jouw eerste indruk?'

'Wat was nou de clou?' vroeg Thorén. 'Neem het een onwetende jongeman niet kwalijk, maar wat was nou de clou?'

'Hoezo de clou?' vroeg Bäckström. Waar zeurt hij verdomme over, dacht hij. Waarom geeft hij niet gewoon antwoord op een eenvoudige vraag?

'Met die vent op de Högalidsgatan,' drong Thorén aan.

'O die,' zei Bäckström. 'Hij was zijn portefeuille vergeten, met zijn rijbewijs en alles wat je gewoonlijk in je portefeuille hebt. Op het nachtkastje van het slachtoffer. Maar verder had hij alles netjes schoon achtergelaten. De technici vonden niet één haartje. Maar als we nu eens teruggaan naar ons eigen zaakje...'

'Niet te geloven!' riep Knutsson uit en hij zag er net zo gelukkig uit als Rogersson.

'Onze zaak,' maakte Bäckström kenbaar. 'Hoe zag het eruit op de plaats van het delict?'

Zoals gewoonlijk, aldus Thorén. Het zag er net zo triest uit als altijd wanneer een vrouw verkracht en gewurgd was. Wellicht was het deze keer nog tragischer omdat de dader met het slachtoffer in haar woning alleen was geweest, haar volkomen in zijn macht leek te hebben gehad en klaarblijkelijk ruimschoots de tijd had genomen.

Helaas hadden ze in deze context geen klassieke verdachten gevonden. Een ex-vriendje of een huidig vriendje of iemand anders die ze kende en vertrouwde. Ze scheen al vrij lang geen vriendje meer te hebben gehad en er waren geen bekende gekken of bijzonder verdachte personen in haar directe omgeving of kennissenkring. Restte enkel de politionele nachtmerrie: een voor het slachtoffer onbekende dader. Iemand die ze niet kende en in het ergste geval anderen evenmin.

'Dus het lijkt er verdomd veel op dat het een speurzaak wordt,' vatte Thorén samen.

'Oké,' zei Bäckström. 'Het komt wel goed. Nu gaan we eerst wat eten, daarna kunnen jullie in alle rust de papieren doorlezen voordat jullie gaan slapen. En let erop dat je je papieren in de gaten houdt, zodat ik ze straks niet in de krant hoef te zien. Dit hele pand stikt van de journalisten en andere lijkenpikkers. Maar nu moet ík in elk geval iets te eten hebben. Ik heb razende honger, want ik heb sinds vanochtend geen hap meer gehad.'

'Als jullie je naam bovenaan schrijven en de papieren aan mij geven, dan kan ik ze tijdens het eten achter slot en grendel bewaren in mijn kast,' zei Svanström.

'Uitstekend idee,' zei Bäckström. Opdringerig stuk verdriet, dacht hij. Veel te mager bovendien.

Na het avondeten was ieder naar zijn eigen kamer gegaan om zich in de zaak in te lezen. Dat was tenminste wat ze tegen Bäckström hadden gezegd, en Knutsson en Thorén waren uiteraard van plan om het samen te doen. Zelfs Rogersson, die gewoonlijk een doodnormale collega was, leek te zijn getroffen door leeslust. Eerst was hij echter met Bäckström meegelopen naar diens kamer en had hij een paar biertjes van hem geleend. Maar hij had Bäckströms aanbod om nog even samen een afzakkertje te nemen, afgeslagen.

'Je bent toch niet ziek aan het worden, Rogge?' vroeg Bäckström. 'Ik zou me bijna zorgen gaan maken.' Wat een watje, dacht hij.

'Eh... nee,' Rogersson schudde zijn hoofd. 'Er is niets aan de hand. Ik moet alleen een paar uurtjes slaap zien te krijgen, zodat ik het morgen volhou.'

Dus waren ze op Bäckströms kamer uit elkaar gegaan en eigenlijk kwam dat ook wel goed uit, want Bäckström was toch van plan nog even discreet een rondje te gaan maken door de stad. Om in elk geval vast poolshoogte te nemen, en zoiets kon je beter in je eentje doen.

Bäckström was via de achterdeur van het hotel weggeglipt en had zomaar wat rondgewandeld door het centrum van de stad. Langs het provinciehuis en de domkerk, langs alle mooie, oude huizen die de nodige renovatie hadden gehad en langs een aantal terrasjes met zomers geklede mensen die niet persoonlijk geraakt leken te zijn door de gebeurtenis die hem naar deze stad had gebracht. Hoe kon iemand nou op die manier een ander vermoorden in een plaats als deze, had Bäckström gedacht. Het was vast de eerste keer in de geschiedenis van de plaatselijke criminaliteit. Zelf was hij nooit eerder in Växjö geweest. Noch voor zijn werk, noch privé.

Veel verleidelijke plekjes op zijn pad en het was bijna 20 graden hoewel het al elf uur 's avonds was, maar Bäckström was standvastig geweest en had zich de hele weg ingehouden, totdat hij bij het hotel terugkwam.

Daar had hij op het terras een pilsje besteld en was op een plekje achteraf in het donker gaan zitten om met rust gelaten te worden. Niet zo veel mensen trouwens, dacht hij. Zijn collega's schitterden door hun afwezigheid en de eenvoudigste verklaring daarvoor was dat ze inderdaad waren gaan doen wat ze beloofd hadden. Ook al had hij zo zijn twijfels wat Lewin en de kleine Svanström betrof, want bij hen had lezen waarschijnlijk niet de hoogste prioriteit. Met Knutsson en Thorén was het ongetwijfeld een stuk eenvoudiger. Die zaten op de kamer van de een of van de ander over de moordzaak te praten en daar zouden ze waarschijnlijk de halve nacht mee doorgaan, als niemand hen ervan weerhield. Wie doet er nou zoiets en ze zijn vast ook compleet nuchter, die kleine idioten, dacht Bäckström terwijl hij van zijn bier nipte. Op dit punt in zijn gedachten aangeland werd hij plotseling onderbroken.

'Is deze stoel vrij?'

De vraag kwam van een vrouw. Moeilijk te schatten leeftijd, ergens tussen de vijfendertig en vijfenveertig, de houdbaarheidsdatum voor vrouwen duidelijk al gepasseerd, dacht Bäckström. Maar ze is in elk geval niet mager, eerder een beetje aan de mollige kant, dus dat valt mee, dacht hij.

'Hangt ervan af wie het vraagt,' zei Bäckström. Journalist, dacht hij.

'Ja, ik moet me misschien even voorstellen,' zei ze, terwijl ze haar biertje op het tafeltje zette en op de lege stoel ging zitten. 'Ik ben Carin Ågren,' zei ze en ze reikte hem een visitekaartje aan. 'Ik werk als journalist voor de lokale radio hier in de stad.'

'Tjonge, da's ook toevallig,' zei Bäckström en glimlachte. 'En wat kan ik voor je doen, Carin?' Behalve je boven op mijn kamer in je kleine muisje te schieten, dacht hij.

'Ja, dat is het zeker,' zei ze en ze glimlachte haar witte tanden bloot. 'Moet je je voorstellen hoe raar dingen kunnen lopen. Ik herkende je namelijk. Ik heb je eerder gezien, toen ik een paar jaar geleden voor de televisie werkte, bij TV4 in Stockholm. Ik moest een rechtszitting verslaan en jij was daar om te getuigen. Het ging om drie Russen die een ouder echtpaar hadden beroofd en vermoord. Mag ik vragen wat de afdeling Rijksmoordzaken hier in de stad doet?'

'Ik heb geen flauw idee,' zei Bäckström en hij nam een flinke slok van zijn bier. 'Zelf was ik van plan om een kijkje te gaan nemen in het huis waar Astrid Lindgren vroeger als kind gewoond heeft.'

'Misschien kunnen we elkaar nog eens spreken,' zei ze en ze glimlachte. Net zo breed als de keer daarvoor en met net zulke witte tanden.

'Zeker,' zei Bäckström terwijl hij het visitekaartje in zijn zak stopte. Hij knikte en werkte het laatste slokje van zijn bier weg. Daarna was hij opgestaan en had hij haar zijn meest effectieve glimlach gegeven. De getekende smeris uit de grote stad. Hard tegen alle hardvochtigen, maar de liefste jongen van de wereld als je zelf zacht genoeg was en hem op de juiste plek streelde.

'Ik beschouw dat als een belofte,' zei ze. 'Anders zal ik achter je aan moeten gaan zitten.' Ze hief haar glas en voor de derde keer glimlachte ze naar hem.

Makkelijk te bespelen, dacht Bäckström een kwartier later, toen hij voor de badkamerspiegel op zijn hotelkamer zijn tanden stond te poetsen. Nu is het enkel een kwestie van het rustig aan te pakken en in de juiste volgorde, dan zal ze spoedig de kans krijgen om de Bäckström supersalami te proeven, dacht hij.

7

In tegenstelling tot wat Bäckström dacht, had hoofdinspecteur Jan Lewin meteen na het avondeten de afzondering van zijn kamer opgezocht om in alle rust de onderzoeksrapporten van zijn nieuwste zaak door te lezen. Hij had de positieve en de negatieve punten op een rijtje gezet en hoewel de meeste informatie preliminair was, leken er toch heel wat dingen gunstig te zijn voor zijn collega's en hem.

Ze hadden een slachtoffer van wie de identiteit bekend was, een plaats delict en in elk geval een globaal idee hoe het allemaal gebeurd was en wanneer het misdrijf gepleegd was. Zijn collega's en hij waren al binnen vierentwintig uur na de moord ter plaatse, wat voor iemand die bij Rijksmoordzaken werkte pure verwennerij was. Het misdrijf was binnenshuis gepleegd – wat beter was dan dat hetzelfde misdrijf buitenshuis gepleegd was – en hun slachtoffer leek een heel normaal meisje te zijn, zonder bijzonder losbandige gewoonten of contacten.

Desondanks was het hem niet gelukt zijn bekende, knagende onrust kwijt te raken. Eerst had hij overwogen langs de plaats van het delict aan de Pär Lagerkvistsväg te gaan om zich met eigen ogen een beeld te vormen van wat er gebeurd was, maar omdat alles erop wees dat de collega's van de technische recherche daar druk bezig waren, had hij besloten hen niet onnodig te storen.

Bij gebrek aan iets anders en vooral om iets te doen te hebben, had hij zijn computer aangesloten, was hij internet op gegaan en had hij zitten lezen over Pär Lagerkvist, de schrijver en winnaar van de Nobelprijs voor de literatuur, die zijn naam had mogen geven aan de straat waar zijn slachtoffer het leven verloren had. Wat hij er dan ook mee te maken heeft, dacht Lewin. De man was immers al dertig jaar dood.

Niet geheel onverwacht bleek Pär Lagerkvist uit Växjö te komen. Geboren in 1891, de jongste van een schare van zeven kinderen. Krappe financiële omstandigheden, een vader die rangeermeester was op het station van Växjö, een hoogbegaafde jongste zoon die, in tegenstelling tot zijn oudere broers en zusjes, mocht doorleren en op achttienjarige leeftijd eindexamen deed op het Växjö Högre Allmänna Läroverk, een middelbare school in Växjö.

Daarna had hij zijn jeugd achter zich gelaten, hij had Växjö verlaten en was schrijver geworden. Op vijfentwintigjarige leeftijd, in 1916, kwam zijn literaire doorbraak met de dichtbundel *Angst*. Na verloop van tijd had hij zitting genomen in de Zweedse Academie en in 1951 werd hij beloond met de Nobelprijs voor de literatuur.

De jonge Pär van vroeger was niet vergeten, want slechts enkele maanden later werd er in de stad waar hij geboren en getogen was een straat naar hem vernoemd. Meer dan twintig jaar vóór zijn overlijden – wat een gebruikelijker moment was om mensen zoals hij met een straatnaam te eren – en ondanks het feit dat de huizen die langzaam maar zeker langs de weg met zijn naam zouden verrijzen alleen nog maar bestonden in het bestemmingsplan.

Nu had in een van deze huizen Jan Lewins recentste misdrijf plaatsgevonden en zodra hij tijd had en de omstandigheden gunstig waren, zou hij er een kijkje gaan nemen. Maar vanavond niet, dacht hij. Vanavond niet, want de collega's van de technische afdeling moesten in alle rust hun werk kunnen doen.

In plaats daarvan had hij een wandeling gemaakt door de stad. Nachtelijk uitgestorven straten, die hem na vierhonderd meter bij het nieuwe politiebureau brachten, waar hij nooit eerder was geweest en dat de komende tijd zijn werkplek zou worden.

Het politiebureau lag aan de Sandgärdsgatan bij het plein Oxtorget. Voltooid op de drempel van het nieuwe millennium, een moderne tempel van gerechtigheid. Een blokachtig gebouw met, afhankelijk van hoe je rekende, vier of vijf etages en een bleekgele gevel. Waar naast de politie ook het Openbaar Ministerie, de strafkamer van de rechtbank, de cellenblokken en de reclassering gevestigd waren. Een fabriek voor gerechtigheid, praktisch vormgegeven zodat er ruimte genoeg was voor de hele rechtsketen. Een duidelijke boodschap, een schrale troost voor degene die er terechtkwam en een slechte onderbouwing van de these dat iedere verdachte als onschuldig wordt beschouwd totdat het tegendeel boven alle gerede twijfel bewezen is.

Links van de ingang had Lewin een kleine koperen plaat ontdekt, die vermeldde dat vroeger op die plek de melkfabriek van Växjö had gestaan met de oude koeienstallen voor de lokale veehandel. In Pär Lagerkvists tijd en zelfs nog lang nadat hij de Nobelprijs gewonnen had. En alles bij elkaar had Lewin zich plotseling neerslachtig gevoeld, hij had zich omgedraaid en was naar het hotel teruggelopen om nog een paar uurtjes te slapen voordat het serieuze werk zou beginnen.

Voor hij in slaap viel, had hij om een of andere reden liggen nadenken over angst. Zeker geen ongebruikelijk onderwerp voor een jonge dichter, los van de tijd waarin hij leefde. En ongeacht leeftijd een heel gebruikelijk onderwerp voor schrijvers midden in de Tweede Wereldoorlog, toen heel Europa in brand stond.

Jan Lewin wist heel wat over angst. Hij had in zijn privéleven ervaring met een angst die sinds zijn vroege jeugd zijn erfdeel was. Die hem weliswaar steeds minder vaak opzocht naarmate hij ouder werd, maar die nog altijd op de loer lag, voortdurend aanwezig, elk moment gereed om hem te bespringen zodra hij niet sterk genoeg was om zich te verweren. Plotseling, onverwachts, elke keer met onbekende afzender. De gevolgen waren meestal wel duidelijk, maar de boodschap was altijd in nevelen gehuld, zowel qua inhoud als qua oorzaak.

Hierbij kwam nog de angst die hij in zijn werk tegenkwam, elke keer als deze tot zware geweldsdelicten had geleid die hij moest zien op te helderen. Ontmoetingen die uit de hand waren gelopen, relaties die scheef waren gegroeid en een voedingsbodem waren geworden voor vrees en haat. En die soms op zijn bureau bij Rijksmoordzaken in Stockholm beland waren.

Ten slotte was er nog de angst die bij een vers misdrijf zelfs de meest geharde en gewetenloze dader kon overvallen, wanneer tot hem doordrong wat hij gedaan had. Vooropgesteld dat de politie hem te pakken zou krijgen natuurlijk, bedenkend dat hij zich het beste in de duisternis kon verstoppen. Zich de hele tijd bewust van het feit dat mensen zoals Jan Lewin diezelfde duisternis opzochten om uitgerekend hém te zoeken.

Al was het alleen maar om mijn eigen angst te temperen, dacht Jan Lewin en daarna was hij eindelijk in slaap gevallen.

44

8

Växjö, zaterdag 5 juli

Had ik gelijk of had ik gelijk, dacht Bäckström toen hij beneden bij de receptie kwam om op zaterdagochtend te gaan ontbijten. De twee grote boulevardkranten waren al gekomen. Hoewel het nog maar kwart over acht was, stonden ze al in het krantenrekje vooraan bij de balie van de receptie. Bäckström griste beide exemplaren weg en zette koers naar de ontbijtzaal en zijn collega's. Als dit een kleine complicatie is, mogen we van harte hopen dat we niet nog grotere krijgen, dacht hij.

De hele voorpagina en een aanzienlijk deel van de rest ging over zijn moordzaak en de invalshoek kwam exact overeen met wat hij verwacht had: 'AGENTE VERKRACHT EN VERMOORD' schreeuwde de grootste van de twee, terwijl de iets kleinere nog harder probeerde te brullen: 'JONGE VROUWELIJKE AGENT VERMOORD... Gewurgd, verkracht, gemarteld'. Zucht, dacht Bäckström. Hij stak de kranten onder zijn arm, pakte een dienblad en begon dit vol te laden met zijn ontbijt. Niemand kan op een lege maag een moordzaak oplossen, dacht hij, terwijl hij een flinke portie roerei, bacon en knakworstjes op zijn bord schepte.

'Heb je de boulevardkranten gezien, Bäckström?' vroeg Lewin toen Bäckström bij de anderen aan tafel was gaan zitten. 'Ik vroeg me net af hoe de familie van het meisje zich moet voelen als ze dat lezen.'

Ben je niet goed snik, dacht Bäckström, die met zijn linkerhand al druk aan het bladeren was terwijl hij met zijn rechterhand roerei en worst naar binnen propte.

'Het is gewoon g... godgeklaagd,' zei Thorén, die bijna nooit vloekte.

Nog zo een, dacht Bäckström. Hij bromde tussen twee happen door en ging verder met lezen.

'Waarom doen politici daar nooit iets aan?' viel Knutsson hem

45

bij. 'Zoiets zou verboden moeten worden. Dit is net zo'n groot vergrijp als... ja... als wat het slachtoffer overkomen is.'

Ach ja, stel je voor. Waarom doen politici dat niet? Waarom verbieden ze de kranten niet om een hoop onzin te schrijven, dacht Bäckström, terwijl hij verder ging met eten en het doorbladeren van de krant.

Zo bleven ze zeker vijf minuten doorgaan terwijl Bäckström zich met zijn eten het zwijgen oplegde. De enige die de hele tijd geen woord had gezegd, was Rogersson. Praten deed hij overigens zelden op dit uur van de dag.

In elk geval eentje die verstandig genoeg is om zijn bek te houden, dacht Bäckström, terwijl op hetzelfde moment de eerste vertegenwoordiger van de derde staatsmacht opdook, zich voorstelde en vroeg of hij een paar vragen mocht stellen. Toen had ook collega Rogersson zijn mond opengedaan.

'Nee,' zei Rogersson en in combinatie met de uitdrukking in zijn ogen was dat klaarblijkelijk een afdoend antwoord, want degene die de vraag gesteld had, was onmiddellijk afgedropen.

Rogge is oké, dacht Bäckström. Hij had niet eens grommend zijn tanden hoeven laten zien, waar hij overigens erg goed in was.

'Er is iets anders wat me méér zorgen baart,' zei Bäckström. 'Maar daar hebben we het wel over als we alleen zijn.'

De eerste gelegenheid daartoe deed zich pas voor toen ze op de binnenplaats van het politiebureau achter de gesloten hekken geparkeerd stonden.

'Ik neem aan dat iedereen de boulevardkranten gelezen heeft,' zei Bäckström.

'Ik heb vanochtend toevallig naar de ontbijttelevisie gekeken en dat was niet veel beter,' zei Lewin.

'Beschaafd uitgedrukt is het gewoon godgeklaagd,' zei Thorén, die zijn weerzin tegen de mildere krachttermen kennelijk begon te overwinnen.

'Waar ik me zorgen om maak,' zei Bäckström, 'is dat alles waar we gisteravond over gesproken hebben, nu al in de krant staat. De formuleringen en al die verdomde speculaties kunnen me aan m'n reet roesten, maar als je bedenkt welke feiten erin staan, dan is er maar één conclusie mogelijk: deze schuit hier is zo lek als een zeef.'

Bäckström knikte in de richting van het politiebureau dat de komende tijd hun werkplek zou worden. 'En als we dat niet op weten te lossen, zullen we in een grotere hel belanden dan we verdienen.'
Niemand van de anderen had hier iets op te zeggen gehad.

Eerst had Bäckström kennisgemaakt met de korpschef en met de collega uit Växjö die de leider van het vooronderzoek zou worden en daarmee zijn directe meerdere. Formeel gezien dan, dacht Bäckström, want die rangorde gold altijd als hij en zijn collega's van Rijksmoordzaken het land in werden gestuurd om de brokstukken op te ruimen die de plaatselijke sheriff had achtergelaten.

'Ondanks de droevige omstandigheden ben ik toch opgelucht en blij dat jij en je collega's kans hebben gezien hierheen te komen om ons bij te staan. Zodra ik begreep wat er gebeurd was, heb ik je hoogste baas... erkapé Nylander gebeld om hulp te vragen... wij zijn oude studievrienden... en mocht blijken dat ik onnodig beren op de weg heb gezien, dan is dat enkel en alleen mijn fout. Ik ben blij dat je gekomen bent, Bäckström. Mijn dank is groot.'
Bäckström knikte. Wat een ongelofelijke idioot, dacht hij. Neem twee valiumpjes en ga naar je vrouwtjelief thuis, dan zal ome Bäckström die beren wel even voor je villen.
'Ja, en ik ben de eerste om zonder voorbehoud in te stemmen met wat de chef net zei,' viel Olsson hem bij. 'Jij en je collega's zijn van harte welkom, we hebben naar jullie uitgezien.'
Nog zo een, dacht Bäckström. Waar komen die lui vandaan?
'Dank je,' zei Bäckström. Twee uilskuikens in hetzelfde nest die om het hardst piepen, dacht hij, en zouden we goddomme niet eindelijk eens iets gaan doen?

Voordat dat kon, moest eerst de taakverdeling en vooral ook de vorm daarvan worden vastgelegd.
'Laten we gewoon volgens het boekje te werk gaan,' zei Bäckström. Want goed lezen dat kunnen jullie in elk geval, dacht hij.
'Als je er niets op tegen hebt, Bäckström, dan zou ik graag de contacten met de buitenwereld onderhouden... de informatieverstrekking aan de media, plus de personeelsvragen en de overige administratie. We zijn immers met een grote groep. Jullie zessen en dan nog ruim twintig man van ons. En we hebben ook nog mensen uit

Jönköping en Kalmar ingehuurd, dus in totaal zullen we met ruim dertig collega's aan deze zaak werken. Heb jij daar iets op tegen?'

'Helemaal niets,' zei Bäckström. Niet zo lang ze doen wat ik zeg, dacht hij.

'En dan hebben we ook nog een praktisch probleem,' vervolgde Olsson en hij wisselde een blik met zijn hoogste baas. 'Wilt u dat ik dat bespreek?'

'Ga je gang, Bengt,' zei de korpschef.

'Het is een schokkende gebeurtenis, ronduit afschuwelijk, en het is vakantietijd en we hebben te weinig mensen. Veel van de collega's die we om assistentie hebben gevraagd, zijn vrij jong en misschien nog niet zo ervaren... daarom hebben de chef en ik gisteren al besloten voor het rechercheteam een speciale crisistherapeut aan te stellen, zodat iedereen die met deze zaak aan de slag gaat de mogelijkheid heeft voortdurend onder professioneel toezicht te staan en de nodige hulp te krijgen om deze zaak te verwerken... debriefing dus,' zei Olsson en hij slaakte een diepe zucht, alsof hij nu al behoefte had aan nazorg.

Jezus, dit kan niet waar zijn, dacht Bäckström, maar hij was uiteraard niet van plan dat te zeggen.

'Hebben jullie iemand in gedachten?' vroeg Bäckström in een dappere poging om even meelevend te lijken als alle anderen in de kamer.

'Een zeer ervaren vrouwelijke psycholoog die eerder voor ons gewerkt heeft en die ook cursussen debriefing geeft op de politieopleiding hier in Växjö. Bovendien is ze al heel wat jaren werkzaam binnen de gemeente. Ze is ook een zeer gewaardeerd spreekster.'

'En hoe heet ze?' vroeg Bäckström.

'Lilian... Lilian Olsson, of Lo, zoals ze ook wel genoemd wordt,' zei Olsson. 'Maar we zijn geen familie, zij en ik. In de verste verte niet.'

Nee, jullie lijken alleen verdomd veel op elkaar, dacht Bäckström, en god, wat zou het praktisch zijn als alle gekken dezelfde achternaam hadden.

'Dat zal wel gaan,' zei Bäckström. 'Ik neem aan dat ze geen deel zal hebben in het eigenlijke speurwerk?' Laat dat meteen maar gezegd zijn, dacht hij.

'Nee, natuurlijk niet,' zei de korpschef. 'Ze was alleen van plan om jullie eerste vergadering bij te wonen om zich daar dan voor te stellen, zodat iedereen weet hoe en waar ze te vinden is en zo. We hebben hier in het gebouw een kamer voor haar geregeld.'

Ging ondanks alles best aardig, dacht Bäckström toen de bespreking met de korpschef eindelijk voorbij was. Al zijn eigen mensen waren op plekken gezet waar het er echt op aankwam. Lewin zou direct onder hem zitten en al het onderzoeksmateriaal dat binnenkwam, bestuderen. Het grote van het kleine onderscheiden, hoofdzaken van bijzaken. Ervoor zorgen dat dingen die van belang konden zijn, een vervolg zouden krijgen en dat alle flauwekul snel naar de ordners achter in de kast zou worden verwezen.

Rogersson zou verantwoordelijk zijn voor de verhoren, terwijl Knutsson en Thorén in elk geval bij elkaar in de buurt konden zitten en het interne en externe onderzoek zouden gaan administreren. Zelfs voor de kleine Svanström had hij iets weten te regelen. Vanwege haar uitgebreide ervaring met de documentatie van moordonderzoeken, zou ze de leiding krijgen over de lokale collega's met een burgeraanstelling en verantwoordelijk zijn voor het ordenen van alle papieren die de kamers van het rechercheteam nu al dreigden te overspoelen.

En last but not least: Bäckström was degene die aan het roer stond. Lang niet slecht, dacht hij toen hij de grote vergaderzaal binnen stapte, waar ze zich in het vervolg zouden ophouden en waar de meesten nu al zaten te wachten. Lang niet slecht, ondanks alles en ondanks het feit dat er nóg een dwaas vrouwspersoon zich met het werk van hem en zijn collega's zou gaan bemoeien, terwijl ze eigenlijk nooit een voet in het gebouw had mogen zetten. Als ik het voor het zeggen had, dacht Bäckström.

Het was op de gebruikelijke manier begonnen, met een rondje waarin iedereen vertelde wie hij was en wat hij deed. Omdat er vierendertig mensen in de zaal zaten, had het geruime tijd geduurd, maar dat kon hij wel verdragen omdat hij twee van hen meteen kwijt zou zijn zodra het voorstelrondje voorbij was. De woordvoerster van de politie Växjö en het zielenherderinnetje van het rechercheteam. Het kwam ook handig uit dat zij het laatst aan de beurt waren om zich voor te stellen, en de woordvoerster van de politie was verbazingwekkend beknopt en helder geweest: zij en zij alleen verzorgde alle contacten met de media na overleg met de leiding van het rechercheteam.

'Ik zat al bijna twintig jaar bij de politie toen ik met deze baan begon,' vertelde ze. 'Ik ken de meesten hier in de zaal en omdat jullie mij ook kennen, weten jullie dat er niet met mij te sollen valt als het erop aankomt. Na het lezen van de boulevardkranten van vandaag, voel ik helaas een sterke behoefte om alle aanwezigen hier in de zaal te herinneren aan de geheimhoudingsregels die van kracht zijn. En als iemand ze vergeten is, dan is het de hoogste tijd om ze te leren. Nog eenvoudiger is het natuurlijk om gewoon je mond te houden en alleen over de zaak te praten met mensen die ermee bezig zijn en dan alleen als daar reden toe is. Zijn er nog vragen?'

Er waren geen vragen en toen had ze alleen maar even naar hen geknikt en was ze weggegaan. Ze had zelf namelijk een heleboel te doen. Godsamme zeg, dacht Bäckström. Ik ben benieuwd hoe ze was toen ze nog als agent werkte. Best aantrekkelijk ook. Hoewel een tikkeltje te oud. Zal zo'n vijfenveertig zijn, de ouwe taart, dacht Bäckström, die zelf tien jaar ouder was.

Hun crisistherapeut, bevoegd psycholoog en psychotherapeut Lilian Olsson, had niet geheel onverwacht meer tijd nodig gehad dan haar voorgangster. Omdat ze exact overeenkwam met Bäckströms verwachtingen – een kleine, magere blondine, minstens vijftig druilerige winters oud – had hem dat absoluut niet verbaasd.

'En ik ben dus Lilian Olsson... hoewel iedereen die mij kent me gewoon Lo noemt en ik hoop dat jullie dat ook willen doen... Ik ben dus bevoegd psycholoog en psychotherapeut... en wat doet nu zo iemand als ik, zullen velen van jullie zich afvragen,' vervolgde Lo... 'Ik ben dus psycholoog... ik ben therapeut... ik geef lezingen en cursussen... ik werk als consulent... en in mijn vrije tijd... vrijwilligerswerk binnen verschillende ideële organisaties... vrouwenopvang... mannenopvang... slachtofferopvang... op dit moment ben ik ook een boek aan het schrijven... en de meesten die hier zitten... het is helemaal niet erg als je je rot voelt... velen van ons wekken de indruk gevoelig en besluiteloos te zijn, een crisis nabij... terwijl anderen in machodenken vluchten, in zwijgen en ontkennen in groepsverband... nog weer anderen misbruiken alcohol en seks... zichzelf en hun medemens... velen van ons hebben eetproblemen... we zijn allemaal mensen... we moeten positief proberen te denken... we moeten ons bewust worden van onszelf... we moeten de stap naar binnen zetten... ons bevrijden van alle belastende en beperkende bagage... we moeten onze zwakke kanten durven tonen... om hulp durven vragen... de stap uit alle ellende durven zetten... dat is waar het uiteindelijk om gaat... gewoon om het bevrijdingsproces... ingewikkelder dan dat is het niet... dus eigenlijk is het vrij simpel en vanzelfsprekend. En mijn deur staat altijd voor jullie open,' eindigde Lo haar verhaal terwijl ze haar zachte glimlach alles en iedereen in de zaal liet omvatten.

Bla bla bla... bla bla, dacht Bäckström, hij rechtte zijn rug en wierp een steelse blik op zijn horloge. Ruim tien minuten van de krap bemeten, kostbare tijd van het rechercheteam zijn al verspild, omdat de zoveelste idioot in de rij bijna een kwartier nodig had om te vertellen dat ook zij een deur heeft die wagenwijd openstaat, dacht hij.

'Nou,' zei Bäckström zodra ze de deur achter zich had dichtgedaan. 'Dan moeten wij er misschien maar eens voor zorgen dat er iets gedaan wordt. We hebben een geschifte klootzak die vrij rondloopt en we moeten ervoor zorgen dat hij achter slot en grendel komt. Hoe eerder, hoe beter.' En het liefst moeten we de klootzak tot lijm koken, dacht hij. Maar dat had hij niet gezegd, dat begreep iedere echte politieman zo wel. Zonder dat je ze daar op hoefde te wijzen. En al tijdens het optreden van mevrouw de crisistherapeut had hij er twee jonge talenten uitgepikt die, te oordelen naar hun gezichtsuitdrukkingen, bijzonder veelbelovend leken. Misschien zit er zelfs wel een toekomstige Bäckström in de zaal, dacht hij. Hoe onwaarschijnlijk dat ook mocht lijken.

9

'Oké, aan de slag,' zei Bäckström. Hij zat aan het hoofdeinde van de grote tafel en leunde voorover, steunde op zijn onderarmen en stak zijn kin zo ver naar voren alsof hij het hoofd van de hele rijksrecherche was.

'Laten we beginnen met het in kaart brengen van de situatie,' vervolgde hij. 'Wat weten we over het slachtoffer en over wat ze zoal gedaan heeft. Tot nu toe,' voegde hij eraan toe.

Hun slachtoffer heette Linda Wallin. Ze was twintig jaar en zou precies een week nadat ze vermoord was eenentwintig geworden zijn. Komende herfst zou ze met het tweede jaar van de politieopleiding in Växjö beginnen. Ze was 172 centimeter lang en woog 52 kilo. Natuurlijk blond, kortgeknipt haar, blauwe ogen. Knap meisje, als je tenminste van dat magere, goedgetrainde type houdt, dacht Bäckström toen hij haar foto bekeek. Een uitvergrote kopie van de foto die op haar identiteitskaart van de politieschool zat en die een open, glimlachende Linda toonde, haar blik recht in de camera, gevangen door het moment, vol verwachting over het leven dat nog voor haar lag. Zoals deze zomer bijvoorbeeld, waarin ze een tijdelijk baantje als burgerbeambte bij de politie in Växjö had gehad. Ze had weliswaar vooral bij de receptie gezeten, maar ze had haar werk eervol verricht. Ze was niet alleen leuk om te zien maar ook behulpzaam, efficiënt en geliefd, zowel bij de bezoekers als bij haar collega's.

Door haar omgeving werd ze omschreven als begaafd, charmant, sociaal, hardwerkend en sportief. Wat gezien de omstandigheden misschien niet zo verwonderlijk was, maar deze keer stond het zelfs zwart op wit. Hoge cijfers op de middelbare school en op de politieschool, zowel in praktische als in theoretische vakken. Bovendien was ze van de vrouwelijke studenten van haar jaar de snelste op het trimparcours en was ze de op een na beste doelpuntenmaker van het vrouwelijke voetbalelftal van de school. Verder bleek ze op de juiste manier sociaal en politiek geëngageerd te zijn. Op de politieschool had ze een werkstuk geschreven over 'Misdaad, racisme en vreemdelingenhaat'. Niet een typisch vrouwelijk moordslachtoffer, eerder zo eentje die in staat is iedere vreemde mee naar huis te nemen, en waarschijnlijk is het niet ingewikkelder dan dat, dacht Bäckström.

Zoals alle kinderen had Linda twee ouders en zoals zo veel kinderen van haar generatie waren haar ouders gescheiden. In haar geval al ruim tien jaar. Linda was het enige kind uit het huwelijk en haar ouders hadden na de scheiding gedeelde voogdij gekregen. De jaren voor de scheiding had het gezin een paar jaar in de Verenigde Staten gewoond, omdat haar vader in New York een bedrijf was begonnen. Nadat de relatie tussen haar ouders op de klippen was gelopen, had haar moeder Linda meegenomen en waren ze samen naar Zweden teruggekeerd.

Haar moeder was vijfenveertig jaar oud en werkte nu al vijftien jaar als lerares in de onderbouw van een middelbare school in Växjö. Haar vader was twintig jaar ouder, een succesvol zakenman die inmiddels een stapje terug had gedaan. Enkele jaren na Linda en haar moeder was ook hij naar zijn geboortestreek in Småland teruggekeerd en tegenwoordig woonde hij in een vrij groot landhuis aan het meer Rottnen, enkele tientallen kilometers ten zuidoosten van Växjö.

Uit een eerder huwelijk had hij nog twee zoons, die ongeveer twee keer zo oud waren als de dochter die hij net verloren had. Volgens de berichten had Linda nauwelijks contact met haar halfbroers. Daarentegen had ze een goede band met beide ouders, ondanks het feit dat die elkaar na de scheiding nagenoeg niet meer leken te hebben gezien. Klinkt als de bekende echtelijke ellende, dacht Bäckström. De hoogste tijd voor een vraag.

'Dus ze woonde bij haar moeder, in het appartement waar de moord gepleegd is?' vroeg hij.

'Ze woonde in feite bij beide ouders. Maar de laatste tijd schijnt ze het meest bij haar moeder te hebben gezeten,' specificeerde de vrouwelijke collega van de politie Växjö, die het overzicht van de persoon van het slachtoffer presenteerde.

'En wat heeft ze zoal gedaan voordat ze in de problemen kwam?'

vroeg Bäckström vriendelijk en geïnteresseerd. Zo moeten ze eruitzien als ze toch zo nodig bij de politie willen werken, dacht hij. Nepblondine, een flinke voorgevel, opgewekt en vriendelijk, een goedgetrainde dertiger. Ze heeft alleen vast al iets met een of andere onnozele veldwachter hier, die in het ergste geval in dezelfde zaal zit. Verdomd oplettend ook.

'Dan ben je bij mij aan het juiste adres,' antwoordde de collega met een glimlach. 'We waren namelijk op dezelfde plek, het slachtoffer en ik. In Grace, de bardancing van het Stads, het Stadshotel dus. Daar was afgelopen donderdagavond een groot dansfeest. Hoewel Linda eerder naar huis ging dan ik. Ik ben tot het einde gebleven. Je moet van de gelegenheid gebruikmaken als je man en kinderen veilig en wel op het platteland zitten,' verduidelijkte ze en ze leek totaal geen last te hebben van enig schuldgevoel. Niemand in de zaal trouwens, te oordelen naar de steelse lachjes die plotseling op de gezichten van het rechercheteam verschenen.

'Ja ja,' zei Bäckström en hij klonk nog even vriendelijk en geïnteresseerd. Deze stad is misschien toch wat aan de kleine kant, dacht hij. Vooral als hij een aanval zou inzetten op iemand van het eigen korps. Bijvoorbeeld op inspecteur Anna Sandberg, drieëndertig jaar, werkzaam bij de politie Växjö. Want zo heette ze kennelijk, volgens de personeelslijst van het rechercheteam die voor hem op tafel lag.

'Het feest was goed op gang,' vertelde Sandberg. 'Het was er heel erg druk. De popgroep Gyllene Tider gaf gisteren een concert op Öland, daarom zijn er veel meer mensen in de stad dan anders en ik was zeker niet de enige collega of toekomstige collega die er was... oké, dat was dat... volgens mij beginnen we in elk geval al een aardig beeld te krijgen van wie er allemaal waren. Als ik het even kort mag samenvatten.' Ze keek Bäckström met een vragende blik aan en kreeg een vriendelijk en geïnteresseerd knikje als antwoord terug.

Doe maar, meisje, dacht hij. Dan nemen we de details later wel door, als jij en ik alleen zijn.

Donderdag, de dag voordat ze vermoord werd, had Linda overdag op de receptie van het politiebureau gewerkt. Samen met een vriendin, die als burgerbeambte bij de politie werkte, had ze het bureau net na vijf uur 's middags verlaten. Ze waren even de stad in gegaan, waren in wat winkels geweest en om een uur of halfzeven hadden ze

54

allebei een pastasalade gegeten en een flesje mineraalwater gedronken in een pizzeria aan de Sandgärdsgatan, midden in het centrum. Daar hadden ze besloten om elkaar later die avond weer te zien in het Stadshotel.

Na de maaltijd waren ze uit elkaar gegaan. Linda was lopend naar huis gegaan. Onderweg had ze drie telefoontjes gepleegd met haar mobiel. Het eerste net na halfacht, toen ze haar moeder belde, die in haar zomerhuisje zat, enkele tientallen kilometers ten zuiden van Växjö. Een kort, alledaags babbeltje waarin ze verteld had over haar plannen voor die avond.

Het tweede en het derde telefoontje waren naar een vriendin, een klasgenootje van de politieschool, om te horen of ze geen zin had om 'mee uit te gaan'. Haar vriendin wilde er nog even over nadenken, maar toen Linda haar tien minuten later opnieuw belde om te vertellen dat ze net thuis was en onder de douche zou gaan – mocht haar vriendin haar bellen en zich afvragen waarom ze niet opnam – had de vriendin al besloten mee te gaan. Kwart over elf 's avonds hadden ze elkaar weer ontmoet buiten het Stadshotel aan het Stora Torget en waren ze samen de bardancing van het hotel binnen gegaan.

Wat ze tussen kwart voor acht en iets voor elf uur 's avonds had gedaan, was nog niet tot in detail duidelijk maar waarschijnlijk was ze al die tijd gewoon thuis geweest. Ze had niet meer gebeld met haar mobiele telefoon. Wel had ze iets voor negenen vanaf de vaste telefoon naar haar vader gebeld en dat gesprek duurde ruim een kwartier. Volgens haar vader hadden ze het over gewone dagelijkse dingen gehad, wat er op haar werk was gebeurd, wat zijn dochters plannen waren voor die avond. Volgens wat Linda verteld had aan de kennissen die ze later die avond in de bardancing had ontmoet, zou ze ook nog naar een muziekprogramma op MTV hebben gekeken, dat om halftien begon, en daarna zou ze hebben overgeschakeld naar TV4 voor het nieuws van tien uur.

Ongeveer een uur later had haar buurvrouw haar gezien toen ze de flat uit kwam en lopend over de Pär Lagerkvistsväg zuidwaarts ging, richting centrum. Een gegeven dat later bevestigd werd door het feit dat ze om veertien minuten over elf 500 kronen had gepind bij de pinautomaat van de SE-Bank op de hoek van Storgatan-Stora

Torget, slechts vijftig meter van de ingang van de bardancing van het Stadshotel.

'Ik vind dat het vrij logisch in elkaar zit,' vatte collega Sandberg samen. 'Iedere meid weet dat je wat tijd nodig hebt om je op te tutten als je 's avonds uitgaat om te feesten. Daar is ze vast mee bezig geweest in de tijd dat ze niet met haar vader sprak of naar de tv keek of alleen maar wat op de bank hing. Ze heeft zich gewoon mooi gemaakt voor die avond,' zei ze afsluitend en ze zag er plotseling tamelijk terneergeslagen uit.

'En wat gebeurde er in die danstent?' vroeg Bäckström. Al die wijven zijn ook hetzelfde, als het zo doorgaat krijgt die psychologentrut het straks nog druk, dacht hij.

Wat daar gebeurd was, was om voor de hand liggende redenen ook nog niet tot in detail uitgewerkt. Het was er erg vol en druk, zoals dat meestal het geval was in de bardancing, en ze hadden nog lang niet alle mensen kunnen horen. Deze avond was het bovendien nog drukker geweest dan anders, omdat er een paar lokale sterren waren ingehuurd die mee hadden gewerkt aan verschillende realitysoaps op tv en die tegenwoordig de kost verdienden met optredens in cafés.

Tegelijkertijd scheen er niets dramatisch te zijn gebeurd of iets wat interessant zou kunnen zijn met het oog op wat Linda een paar uur later zou overkomen. Linda had gewoon wat rondgedard, zoals de meeste anderen in de danstent. Ze had bij twee verschillende groepjes gezeten. Ze had gepraat en gedanst en leek in een goed humeur te zijn geweest. Ze had geen ruzie gemaakt of zelfs maar een woordenwisseling gehad met iemand en niemand had haar lastiggevallen. Ze was ook niet echt dronken geweest. Ze had een biertje gedronken, mogelijk een mix met frambozensmaak en daarna hoogstens een paar glazen witte wijn waar een vrouwelijke collega van het politiebureau haar op had getrakteerd.

Ergens tussen halfdrie en drie uur 's ochtends had ze haar klasgenootje van de politieschool aangesproken en gezegd dat ze van plan was naar huis te gaan om te gaan slapen. De portier had haar gezien toen ze vertrok – 'iets voor drieën, als je het mij vraagt'. Volgens hem was ze nuchter, in haar eentje, niet vrolijk maar ook niet bedroefd toen hij haar weg had zien lopen, schuin het plein over, langs het provinciehuis, in de richting van de woning aan de Pär Lagerkvistsväg.

In het ergste geval was dit ook het punt waar de politie haar uit het oog verloor. Geen getuigen die haar hadden gezien terwijl ze de dikke kilometer tussen de bardancing en de woning aflegde. In elk geval niemand die van zich had laten horen. Geen gesprekken op haar mobiele telefoon, noch binnenkomend noch uitgaand. Bovendien was het rustig in de stad, vooral in de straten waar Linda waarschijnlijk gelopen had.

'Oké,' zei Bäckström terwijl hij zijn rechercheteam strak aankeek. 'Dit stuk is verdomd belangrijk zoals jullie ongetwijfeld begrijpen. Ik wil tot in de kleinste details weten wat zich in die danstent heeft afgespeeld. Iedere hond die een voet in die tent heeft gezet, moet gehoord worden, alle gasten, iedereen van het personeel en niet in de laatste plaats die soapacteurs. Die vooral. Hetzelfde geldt voor haar wandeling naar huis. Er hebben zich dus nog geen getuigen gemeld?' Bäckström keek met een vragende blik naar politie-inspecteur Sandberg, die haast schuldbewust leek toen ze haar hoofd schudde.

'Bewakingscamera's,' zei Bäckström met klem. 'Je noemde een pinautomaat. Daar moet toch zeker een camera zitten?' Stelletje amateurs, dacht hij.

'Die film hebben we in beslag genomen,' zei Sandberg. 'Helaas hebben we hem nog niet kunnen bekijken. We hebben gewoon nog geen tijd gehad.'

'Welke camera's zijn er nog meer op de route naar haar huis?' Bäckström bewoog zich steunend op zijn ellebogen van voren naar achteren en zag er grimmig uit.

'Dat zijn we nog aan het uitzoeken,' zei Sandberg. 'Ik heb er wel aan gedacht, maar we hebben gewoonweg nog geen tijd gehad.'

'Dan moeten we ervoor zorgen dat dat prioriteit krijgt!' stelde Bäckström. 'Voordat de winkelier op de hoek, en iedereen die net zo denkt als hij, bedenkt dat hij vergeten is een vergunning aan te vragen voor zijn cameraatje en besluit om het ding te verstoppen en de film van afgelopen donderdagnacht te wissen.'

'Ik begrijp wat je bedoelt,' zei collega Sandberg.

'Uitstekend,' zei Bäckström. 'Verder is het de hoogste tijd om langs de deuren te gaan op de route tussen die danstent en haar huis. Geef dat maar door aan de collega's die al begonnen zijn in de wijk waar ze woonde.'

Nu volstond ze ermee alleen even te knikken en iets in haar boekje te noteren.

Kut, dacht Bäckström toen hij op zijn horloge keek. Ze waren al meer dan twee uur bezig, zijn maag liet flink van zich horen door gebrek aan eten en ze waren nog niet eens bij de plaats van het delict aangeland. Als hij niet de hele dag daar wilde zitten ouwehoeren, kon hij beter het heft in eigen hand nemen, het proces versnellen en ervoor zorgen dat zijn rechercheteam wat nuttigs zou gaan doen.

'Oké,' zei Bäckström met een knikje naar de verantwoordelijke technicus die Enoksson heette, Enok werd genoemd, hoofdinspecteur was en tevens hoofd van de afdeling. 'Zeg me als ik het mis heb, Enoksson. De plaats van het delict is het appartement waar zij en haar moeder wonen, het is ergens in de vroege ochtend gebeurd. Vrijdagochtend, tussen drie en vijf ongeveer. Jij en je collega's denken dat ze gewurgd is en verkracht, en hoogstwaarschijnlijk hebben we het over een dader die in zijn eentje opereerde.'

'Je hebt het helemaal niet mis,' zei Enoksson, die ook wel wat eten en slaap leek te kunnen gebruiken. 'Dat is precies wat we denken. Bovendien zijn we er vrij zeker van dat hij 'm door het slaapkamerraam gesmeerd is. Op de vensterbank hebben we bloed en huidschilfers gevonden.'

'Waarom ging hij niet gewoon door de voordeur naar buiten?' vroeg Bäckström.

'Als het klopt wat de buurvrouw die haar gevonden heeft zegt, was de voordeur van het appartement van binnenuit op slot gedaan. Het is zo'n deur die niet vanzelf in het slot valt als je hem alleen maar achter je dichttrekt. Mijn collega's en ik hebben het idee dat hij ervandoor is gegaan toen de krantenjongen de ochtendkrant in de brievenbus deed. We vermoeden dat hij dacht dat er iemand bezig was de woning binnen te komen en omdat de slaapkamer het verst van de voordeur af lag, is hij door het slaapkamerraam naar buiten gesprongen.'

'Hoe laat kwam de krant dan?' Langdradige zeur, dacht Bäckström.

'Iets na vijven en dat tijdstip lijkt vrij zeker.' Enoksson knikte om te benadrukken wat hij net had gezegd.

'Wat weten we nog meer?' vroeg Bäckström.

'Het codeslot van de buitendeur van het pand was kapot. Het had gehaperd en de krantenjongen had geklaagd. Sinds afgelopen woensdag kon je er zo naar binnen lopen. Het slotenbedrijf had beloofd dat ze het afgelopen donderdag in orde zouden maken, maar daar zijn ze klaarblijkelijk niet aan toegekomen.' Enoksson slaakte een zucht en haalde zijn schouders op.

'De deur naar de woning, Enoksson? Hoe is het daarmee gesteld?'

'Geen braaksporen op de deur,' constateerde de aangesprokene. 'Ook geen andere sporen van gewelddadigheden in de hal. Dus óf ze heeft hem vrijwillig binnengelaten, óf ze is vergeten de deur achter zich op slot te doen.'

'Óf hij heeft haar een mes op de keel gezet toen ze het gebouw binnen kwam en haar gedwongen de deur open te maken. Óf hij heeft de sleutels van haar afgepakt,' bracht Bäckström ertegen in.

'Kan ook niet worden uitgesloten,' zei Enoksson. 'Waarachtig niet. Het lijkt erop dat we nog een paar dagen in de woning nodig hebben voordat het beeld duidelijk wordt. En de analyseresultaten van het SKL, het gerechtelijk laboratorium in Linköping, laten zoals gewoonlijk op zich wachten, maar de forensisch patholoog-anatoom zou uiterlijk morgen met een voorlopig rapport komen, dus hij is druk met de autopsie bezig.'

'Dus er is toch ook een beetje goed nieuws,' zei Bäckström en hij klonk opeens vrij gemoedelijk. Je moet een beetje afwisselen, dacht hij. Veel slaag en af en toe een wortel.

'We hebben bloed, sperma en waarschijnlijk ook zijn vingerafdrukken gevonden, dus we tasten zeker niet in het duister,' stelde Enoksson vast.

'Maar je wilt nog even wachten met de details?' Bäckström glimlachte nog steeds.

'Ja, dat waren we inderdaad van plan, mijn collega's van de technische afdeling en ik.' Hij knikte bevestigend, alsof alles zijn tijd had, dus ook Bäckström. 'Misschien kan ik je wel alvast enkele korte bespiegelingen meegeven.'

'Ik luister,' zei Bäckström. Maar misschien niet de hele dag, dacht hij. Want nu was er ter hoogte van zijn broekriem een heus oproer gaande.

'In de eerste plaats denk ik dat ze hem geheel vrijwillig heeft binnengelaten. Of ze is hem onderweg tegengekomen en heeft hem mee naar huis genomen. Of ze hadden eerder al afgesproken om elkaar te zien. Zoals het er in het appartement uitziet, lijkt het namelijk tamelijk vreedzaam te zijn begonnen.'

'Dus dat denk jij,' zei Bäckström weifelend. Zo eentje van wie je kunt verwachten dat ze iedere idioot binnenlaat dus, dacht hij.

'In de tweede plaats en met alle respect voor wat collega Anna daarstraks zei, denk ik niet dat ze daar echt woonde. Ik heb het verhoor met haar moeder gelezen en begrijp dat zij dat gezegd heeft.'

'Waarom denk je dat dan?' vroeg Bäckström.

'Ze lag in het bed van haar moeder,' antwoordde Enoksson. 'Het staat vast dat hij haar daar om zeep heeft gebracht. Het enige bed in de woning. Op zich kan ze natuurlijk op de bank in de woonkamer hebben geslapen, die is groot genoeg, maar niets wijst erop dat ze dat langere tijd gedaan heeft, als ik het zo mag uitdrukken.'

'Maar haar moeder is toch lerares,' wierp politie-inspecteur Sandberg tegen, die zich kennelijk aangesproken voelde. 'Ze is nu al bijna een hele maand vrij en ze heeft waarschijnlijk de meeste tijd in haar zomerhuisje gezeten. Ik bedoel... als je bedenkt wat voor weer we hebben gehad.'

Dat ze ook nooit eens toegeven, dacht Bäckström. Altijd, altijd tegensputteren.

'Ik begrijp wat je bedoelt, Anna,' zei Enoksson. 'Het lijkt er in elk geval niet op dat ze van plan was daar langere tijd te blijven wonen. Het enige wat we in de woning hebben gevonden dat van Linda lijkt te zijn, is een toilettas met de gebruikelijke inhoud in de badkamer en zo'n stoffen sporttas op de bovenste plank van de klerenkast in de kamer die waarschijnlijk haar moeders werkkamer is. Deze bevat een setje schoon ondergoed en een blouse. Dus ik heb het idee dat ze daar alleen maar woonde als haar moeder weg was en als ze zelf in de stad wilde zijn, om uit te gaan bijvoorbeeld. Zoals afgelopen donderdag, toen ze in het Stads was.'

'We zullen verder moeten graven,' concludeerde Bäckström en hij glimlachte vriendelijk, ook naar Anna. 'Ik weet niet hoe het met jullie zit, maar ík moet nu in elk geval iets eten.'

10

Aanvankelijk waren Bäckström en Rogersson van plan geweest ertussenuit te knijpen om in de stad op een discrete plek te gaan lunchen, waar ze het grote glas bier konden bestellen dat ze zo enorm verdiend hadden. Toen ze de groep journalisten buiten bij de ingang van het politiebureau zagen, hadden ze echter meteen rechtsomkeert gemaakt en een plekje gezocht in het personeelsrestaurant. Ze hadden achter in de kantine een leeg tafeltje gevonden en de dagschotel genomen, met ieder een alcoholarm biertje erbij.

'Hoe halen ze het in hun hoofd om gebakken rookworst, macaroni met kaassaus en als toetje Smålandse kwarktaart met jam te serveren als het buiten bijna 30 graden is? Het zijn net maden,' zei Rogersson terwijl hij knorrig met zijn vork in zijn macaroni zat te prikken.

'Moet je niet aan mij vragen. Ik heb nog nooit maden gegeten,' zei Bäckström. 'Ik vind het lekker.'

'Tuurlijk, Bäckström,' zei Rogersson vermoeid. 'Maar als je nu een gewoon, normaal mens bent zoals ik.'

'Als je benieuwd bent naar maden, moet je met Egon gaan praten.' En veel succes ermee, dacht Bäckström, want Egon was nog zwijgzamer dan collega Rogersson.

'Welke Egon?' vroeg Rogersson.

'Mijn Egon,' zei Bäckström.

'Geef je hem maden?' Rogersson keek hem wantrouwend aan.

'*Maggots*, vliegenlarven, is één pot nat. Maar alleen maar als het feest is. Heb je enig idee wat een potje vliegenlarven kost?' Ik moet ook voor Egon grenzen stellen, dacht Bäckström. We moeten immers samen van een gewoon politieloontje leven.

'Wil je koffie?' zuchtte Rogersson terwijl hij opstond.

'Een grote kop, melk en suiker,' zei Bäckström. De lekkerste kwarktaart die ik in tijden heb gegeten, dacht hij.

Na de lunch was Bäckström met hernieuwde energie aan de slag gegaan om orde op zaken te stellen en ervoor te zorgen dat zijn rechercheteam aan zijn verplichtingen zou voldoen. Collega Olsson was opgedoken, had een rondje gemaakt in de vergaderzaal en had geprobeerd al babbelend bij zo veel mogelijk mensen een wit voetje te halen, maar toen hij Bäckström naderde om diens kostbare tijd te verspillen, had Bäckström de telefoontruc uitgehaald. Hij had de hoorn gepakt en geconcentreerd tegen de kiestoon aan de andere kant van de lijn gehumd, terwijl hij met zijn vrije rechterhand af- werend had gewapperd. Voor de zekerheid een pen in de aanslag en zijn notitieblok duidelijk zichtbaar voor zich op tafel. Dus was Olsson naar zijn eigen kamer teruggekeerd en had hij de deur ach- ter zich dichtgedaan. Bäckström had ondertussen collega Sandberg bij zich geroepen om de seksuele contacten en voorkeuren van het slachtoffer nader te bestuderen, terwijl hij van de gelegenheid ge- bruikmaakte om zijn vermoeide ogen te laten rusten op de vrouw die het eigenlijke werk moest doen.

'Het seksleven van het slachtoffer, Anna. Beginnen we daar al een beetje grip op te krijgen?' begon Bäckström met een knikje naar de aangesprokene. Die zware, professionele knik die hij altijd gebruikte als er over moeilijke dingen gepraat moest worden. Geen beroerde prammen heeft dat dametje, dacht hij.

'Een gedeelte hebben we al boven tafel,' antwoordde Anna vlak.

'Nog iets interessants?' vroeg Bäckström. 'Met het oog op het onderzoek, bedoel ik,' verduidelijkte hij. Alsof je op een dun laagje ijs rondbanjert, hier moet je echt op je woorden passen wil je er niet doorheen zakken, dacht hij.

Tot aan het begin van afgelopen voorjaar had Linda een vriendje gehad. Ze hadden elkaar een jaar eerder leren kennen.

Haar ex-vriendje was een paar jaar ouder dan zij en studeerde economie aan de universiteit van Lund. Nadat hij vlak voor kerst zijn bul had gehaald, nu zeven maanden geleden, had hij meteen een baan gekregen bij een bedrijf in Stockholm. Hij was daarnaar- toe verhuisd en vrij vlot daarna was de relatie tussen Linda en hem doodgebloed.

Ze hadden geen negatieve dingen over hem of over zijn relatie met Linda gevonden en voor de verandering was het zo makkelijk dat hij een waterdicht alibi leek te hebben voor het tijdstip van de moord. Hij was op een feest geweest in de scherenkust van Stockholm, samen met zijn nieuwe vriendin en een paar vrienden. Meteen nadat hij gehoord had wat er met Linda was gebeurd, had hij zelf de politie in Växjö gebeld en daarna had hij – op eigen initiatief – contact opgenomen met de politie in Stockholm, die hem al had verhoord. Hij was uiteraard geschokt maar tegelijk bereid om mee te werken, veel meer dan men van hem zou mogen verwachten. Onder andere had hij vrijwillig aangeboden DNA af te staan, zodat de politie aan hem geen tijd zou hoeven verspillen.

'Een welwillende jongeman,' constateerde Bäckström. 'Maar hoe wist hij het dan zo snel? Dat Linda vermoord was,' verduidelijkte hij.

'Zijn moeder, die hier in de stad woont en Linda's familie kent, had hem gistermiddag al gebeld, meteen nadat ze het gehoord had. Haar zoon zat ergens bij Sandhamn. Dat ligt een eind van het vasteland in de scherenkust van Stockholm. Ach, dat weet jij vast ook wel. Waar dat ligt bedoel ik. Zij kent de familie waar haar zoon was ook, dus ze heeft naar hun huis in Sandhamn gebeld, mocht je je dat afvragen. Ik heb net de collega gesproken die hem heeft verhoord. Die is ervan overtuigd dat Linda's ex-vriendje niets met de zaak te maken heeft. Toch heeft hij zijn DNA afgenomen en hij stuurt het rechtstreeks naar het SKL,' vertelde Anna.

'Goed,' zei Bäckström. 'Dat moeten we dan eerst maar afwachten. Heb je nog meer vriendjes gevonden, nadat het was uitgegaan met die econoom?'

'Nee,' zei Anna en ze schudde haar hoofd. 'Wel hebben we haar drie beste vriendinnen gesproken en een aantal van haar klasgenoten van de politieschool. Haar ouders willen we horen zodra hun toestand zodanig is dat het zin heeft om met ze te gaan praten.'

'Geen kortstondige relaties, geen bijzonderheden wat haar seksuele geaardheid betreft?' drong Bäckström aan.

'Nee.' Anna schudde resoluut haar hoofd. 'Niets waar iemand met wie we gesproken hebben van af weet, tenminste. Op grond van wat er zoal verteld is, lijkt Linda een heel gewoon meisje te zijn geweest. Gewone vriendjes, gewone seks. Geen rare dingen.'

'Een halfjaar zonder vriendje of zelfs maar een kortstondige relatie?' Bäckström schudde weifelend zijn hoofd. Hoe aannemelijk is dat, dacht hij. Een knappe jonge meid van twintig. Al was ze naar zijn smaak wat aan de magere kant geweest.

'Dat komt veel vaker voor dan mensen denken,' antwoordde Anna en het leek alsof ze wist waar ze het over had. 'Ik denk dat ze gewoon een of andere gek is tegengekomen. Als je het mij vraagt is het niet ingewikkelder dan dat.'

'Dus dat denk jij,' zei Bäckström aarzelend. 'Het komt wel goed,' voegde hij er plotseling aan toe en hij keek haar met een glimlach aan. 'Het komt wel goed.' En ze hebben allemaal een kastje waar ze zich in verstoppen, dacht hij.

Collega Sandberg had niets gezegd. Ze had alleen maar geknikt en lichtelijk verbaasd gekeken.

Nu heb je iets om over na te denken, meisje, dacht Bäckström en hij volgde haar met zijn blik terwijl ze naar haar plaats terug liep.

Rust noch duur, dacht Bäckström. Hij ging een kop koffie halen, waarna hij Knutsson en Thorén met zich meenam naar een lege kamer om in alle rust te horen hoe het met het speurwerk ging.

'Vertel het aan een oude man,' zei Bäckström, die besloten had een achterovergeleunde, verheven houding aan te nemen. 'Hebben we al iets interessants gevonden?'

'Je denkt aan de plaats van het delict?' vroeg Thorén. 'Daar schijnen ze aan één stuk door dingen te vinden.'

'Ik denk niet aan de plaats van het delict,' zei Bäckström even kalm als didactisch. 'Ik denk aan alle andere plaatsen buiten de plaats van het delict. Op de route waarlangs ze 's nachts naar huis is gelopen. In de omgeving rond de moordplaats. Langs de vermoedelijke vluchtweg van de dader. In Växjö in het algemeen. Of in Zweden... of in de wereld.'

'Ik begrijp je gedachtegang,' zei Knutsson. 'Je bedoelt...'

'Kan ik me niet voorstellen,' viel Bäckström, die al flink op dreef was, hem in de rede. 'Ik denk aan het hele programma, van de kleinste afvalbak buiten op straat bij de plaats van het delict tot vuilnisbakken, containers, straatputten, hoeken en gaten, trappenhuizen, slaaphokken, gewone appartementen, zolders en kelders, begroeide terreinen en alle gewone ruimtes daartussenin. Ik denk aan eigenaardige buren, geboefte in het algemeen, gluurders, potloodventers, seksmaniakken en psychisch gestoorden. Verder denk ik aan alle normale burgers die alleen maar kortsluiting in hun hoofdjes hebben gekregen omdat het zo allejezus warm is en omdat er maar geen eind aan lijkt te komen.'

'In dat geval hebben ze niets gevonden,' constateerde Thorén.

'Aan de andere kant zijn ze nog steeds aan het zoeken,' wierp Knutsson tegen. 'Ik bedoel, je boodschap op de vergadering was duidelijk genoeg. Ze doen echt hun best.'

'Maar ze hebben nog niets gevonden.' Bäckström keek hen vragend aan.

'Nee,' zei Thorén.

'Nee,' beaamde Knutsson en hij schudde zijn ronde hoofd om zijn antwoord te bekrachtigen.

'En toch is het erg vreemd dat een gek, die van zijn eigen onderbroek op de plaats van de moord wegrent en door het raam naar buiten springt omdat de krant door de brievenbus komt, om nog maar te zwijgen van alle sperma, bloedsporen en vingerafdrukken die hij lijkt te hebben achtergelaten, volledig in het niets verdwijnt zodra hij buiten is,' vatte Bäckström samen.

'Een beetje mysterieus is het wel,' vond ook Thorén.

'Ik heb er zelf ook wat over na zitten denken,' zei Knutsson. 'Hij had vast niet alleen maar een onderbroek aan toen hij het slachtoffer aanviel. Ik maak natuurlijk maar een grapje,' voegde hij er snel aan toe toen hij het gezicht van Bäckstrom zag.

'Zeg dat niet,' zei Bäckström. 'Zeg dat niet. Als je bedenkt wat hij in twee uur met het slachtoffer gedaan heeft en wat hij doet nadat hij haar van kant heeft gemaakt. Want het schijnt dat hij toen onder de douche is gaan staan om wat te filosoferen.'

'Hij lijkt in elk geval flink geschift, dat ben ik met je eens,' viel Thorén hem bij.

'Maar kennelijk niet geschift genoeg om buiten de plaats van het delict wat sporen achter te laten,' zei Bäckström.

'Misschien kon hij weer helderder nadenken toen de druk eraf was,' zei Knutsson giechelend.

'Kan ik me niet voorstellen,' zei Bäckström. 'Als ik iets zie wat op een glimwormpje lijkt, zich als een glimwormpje beweegt en een mysterieus licht afgeeft, wat zie ik dan?'

'Een glimwormpje?' Thorén keek zijn baas vragend aan.

'Goed zo, jongen,' zei Bäckström. 'Heb je wel eens overwogen om bij de politie te gaan?'

Voordat ze 's avonds naar het hotel teruggingen, waren Bäckström en Rogersson langs de plaats van het delict gereden om een kijkje te nemen in het appartement. Achter de ruime afzetting waren meerdere vertegenwoordigers van de media aanwezig en te, oordelen naar de lengte van hun telelenzen leken de fotografen op alle mogelijke gebeurtenissen voorbereid. Bäckström was zonder een spier te vertrekken achter het stuur blijven zitten, ondanks het feit dat een van de fotografen bijna op de motorkap van hun wagen zat, voor de man tevreden was. Daarna hadden ze eindelijk de versperring kunnen passeren en had Bäckström de dienstwagen vlak voor de ingang van de flat geparkeerd om niet onnodig rond te hoeven rennen en gefotografeerd te worden.

'Verdomde aasgieren,' zei Rogersson zodra ze in de hal stonden. 'Vreemd dat ze hier niet eens een patatkraam naartoe gesleept hebben.'

'Het is vast te warm,' grinnikte Bäckström. Al was een ijsje niet verkeerd geweest, dacht hij.

De twee technici die ter plaatse waren, hadden net koffiepauze toen ze binnenkwamen, maar omdat Bäckström en Rogersson allebei koffie afsloegen, hadden ze snel hun eigen koppen weggezet en een rondleiding aangeboden.

'Willen jullie de grote of de kleine rondleiding?' vroeg de jongste van de twee.

'De kleine lijkt me uitstekend,' zei Bäckström, terwijl hij plastic handschoenen aantrok waarna hij met enige moeite, steunend tegen de muur om zijn evenwicht niet te verliezen, plastic hoesjes over zijn schoenen schoof.

'Vier kamers en een keuken, een badkamer, een aparte wc plus de hal waar we nu in staan. In totaal tweeëntachtig vierkante meter.' De oudste van de technici wees terwijl hij sprak. 'De woonkamer hebben jullie recht voor je. Die is circa vijfentwintig vierkante meter en ligt midden in het appartement. Aan de straatkant hebben we de keuken en een aangrenzende kamer die de moeder van het slachtoffer kennelijk als werkkamer gebruikt. Trouwens, jullie hebben toch de tekening van het appartement gekregen?'

'Jawel,' zei Bäckström. 'Die hebben we gezien, maar dat is niet hetzelfde als zelf je oor op de rails leggen.'

'Inderdaad, daar kan ik over meepraten,' zei de oudste van de twee met een glimlach. 'Aan de achterkant hebben we ten eerste de slaapkamer waar ze gevonden is, met een ingang vanuit de woonkamer,' vervolgde hij. 'Naast de slaapkamer een vrij grote badkamer met een ligbad, een douchecabine, een toilet en een bidet, en daar kom je door een deur in de korte wand van de slaapkamer. Aan de andere kant van de badkamer ligt een kleiner kamertje, dat haar moeder als een soort rommelkamer of opslagruimte gebruikt. Daar staan een strijkplank en een paar grote wasmanden, tussen allemaal andere troep. Je komt er door de gang daar,' hij wees met zijn arm, 'en in die gang zitten ook een paar vaste kasten.'

Niet chic en ook niet armoedig, dacht Bäckström terwijl hij met de anderen het appartement rond ging. Niet extreem netjes en ook niet bijzonder rommelig, als je rekening hield met wat de technici gedaan hadden. Het zag er precies zo uit als hij zich had voorgesteld, thuis bij een lerares van middelbare leeftijd uit de middenklasse. Een alleenstaande vrouw met een twintigjarige dochter die daar in elk geval af en toe zou hebben gewoond.

Een woonkamer met een vrij grote bank, drie losse kussens op de zitting, waarvan het middelste ontbrak. Voor de bank een salontafel en twee fauteuils. Een niet al te grote toogkast naast de bank tegen de muur, maar aangezien het een vrouw betrof die daar woonde, had Bäckström niet echt de behoefte om nader te onderzoeken wat er achter de gesloten kastdeuren zat. Waarschijnlijk alleen maar glazen, servetten en andere rotzooi, dacht hij.

Boekenkasten langs de muren en heel wat boeken, wat geheel in overeenstemming was met het beroep dat ze uitoefende, en uiteraard een tv van een vrij groot model, strategisch geplaatst ten opzichte van de bank. Een bescheiden kristallen kroonluchter aan het plafond, een paar staande lampen, op de vloer drie tapijten van een voor Bäckström onbekende oriëntaalse oorsprong. Een muziekinstallatie met twee losse boxen op borsthoogte geplaatst in de middelste van de boekenkasten. Schilderijen aan de muur, overwegend landschapsschilderingen en portretten.

'Het ontbrekende kussen van de bank hebben we in beslag genomen,' zei de jongste technicus. 'En de tegenwoordig landelijk bekende onderbroek, waar we spoedig in klare taal meer over zullen lezen in onze geliefde boulevardkranten en dan niet alleen vermeld als zijnde een typisch mannelijk kledingstuk, lag in elkaar gefrommeld op de vloer onder de bank.'

Jezus, wat druk jij je netjes uit. Ben je op cursus geweest of zo, dacht Bäckström, maar omdat er betere momenten waren om daar iets over te zeggen, had hij zich beperkt tot een instemmend gegrom, terwijl zijn kameraad en collega even zwijgzaam was als altijd.

In de slaapkamer waren de collega's van de technische afdeling zo op het oog flink bezig geweest. Zowel het matras als het beddengoed ontbrak in het brede grenenhouten bed en op alles wat los en vast zat, zaten sporen van vingerafdrukpoeder en verschillende chemische vloeistoffen. Bovendien hadden ze een vrij groot stuk uit de vaste vloerbedekking gesneden.

'Ja, hier is dan de plek waar het meeste zich lijkt te hebben afgespeeld,' zei de oudere technicus. 'Het centrum van de handeling, als je het zo wilt noemen. Wat we nog niet naar de collega's van het SKL in Linköping hebben gestuurd, ligt bij ons op de afdeling, als je het wilt zien.'

'Dat hoeft niet,' zei Bäckström met een collegiale glimlach. 'Vriendelijk bedankt.' Hoog tijd voor een pilsje of twee, dacht hij.

Bäckström en Rogersson hadden hun avondeten op Bäckströms kamer later brengen. Eén snelle blik op het publiek in de eetzaal was voldoende geweest om te beseffen dat dat de allerslechtste plek was in heel Växjö voor een eenvoudige diender van Rijksmoordzaken die op zijn gemak een hapje wilde eten, een pilsje of twee wilde nemen en misschien een paar borreltjes.

'Proost, makker,' zei Rogersson terwijl hij zijn glaasje hief, nog voordat Bäckström hun bier had kunnen inschenken.

Nu lijkt hij ineens een stuk vrolijker, de oude tempelier, dacht Bäckström en hij was niet van plan ruzie te gaan maken over het feit dat het nog steeds zijn drank was die ze achterover sloegen.

'Proost, makker,' zei Bäckström. Eindelijk zaterdag, dacht hij en hij sloeg zijn eerste borrel achterover. Ik ben een gelukkig man, dacht hij toen hij voelde hoe de warmte en de rust zich in zijn maag en zijn hoofd verspreidden.

II

Växjö, zondag 6 juli

Hoofdinspecteur Jan Lewin was nog nooit voor zijn werk in Växjö geweest. Aangezien hij tijdens zijn bijna twintigjarige loopbaan als rechercheur bij Rijksmoordzaken de meeste Zweedse steden die groter, even groot en in sommige gevallen zelfs kleiner waren, reeds had bezocht, was dit in het kader van het onderzoek geen onbelangrijk gegeven. Hoe het ook zij, nu was hij hier. Eindelijk in Växjö, dacht Lewin met een scheef lachje, *of all places* op deze aardkloot, en hij schudde zijn hoofd.

Zodra de inleidende vergadering voorbij was, had hij snel geluncht en daarna was hij achter zijn bureau gaan zitten om te proberen wat orde te scheppen in de groeiende stapels papier. Hij had daar bijna twaalf uur voor nodig gehad, de hele zaterdag, en toen hij het politiebureau aan de Sandgärdsgatan eindelijk verliet voor de korte wandeling naar het hotel, was het al na twaalven en was het zondag. En de stapels op zijn bureau waren zo mogelijk nog hoger dan voordat hij er na de lunch mee aan de slag was gegaan.

Op de gang waar hij en zijn collega's hun hotelkamers hadden, was het doodstil. Lewin had de gangdeur, die op slot zat, voorzichtig opengemaakt om zijn slapende collega's niet te storen. Hij was even voor Eva Svanströms deur blijven staan en had kort met de gedachte gespeeld op haar deur te kloppen – alleen maar een zacht, heel zacht klopje – om te kijken of ze nog wakker was en misschien gezelschap wilde. Vannacht niet, dacht hij. Dat moest maar een andere nacht worden, een die beter was dan deze.

Daarna was hij zijn kamer binnen geglipt en had hij zich bij de wastafel met een natte handdoek gewassen. In zijn gezicht, onder zijn armen, in zijn kruis. Alleen het noodzakelijkste en in die volgorde, hoewel hij op dat moment misschien wel het meest van alles behoefte had gehad om onder de douche te gaan staan en het water maar te laten lopen. Morgenochtend vroeg dan maar, dacht hij.

Niet om halfeen 's nachts als de anderen al liggen te slapen.

Daarna was hij naar bed gegaan en zoals altijd aan het begin van een nieuw onderzoek had hij moeite gehad om in slaap te vallen. Toen dat eindelijk gelukt was, werd hij door zijn dromen gekweld. Zoals wel vaker aan het begin van een nieuw onderzoek en al die andere keren dat hij onrustig of gedeprimeerd was om redenen die hij bijna nooit begreep. Dromen die op werkelijke gebeurtenissen gebaseerd waren, maar die altijd varieerden in betekenis en uitdrukkingsvorm. En zoals in zo veel gelijksoortige nachten in Jan Lewins leven, was de droom ook deze keer over die ene zomer gegaan, die zomer waarin hij zeven was geworden en zijn eerste echte fiets had gekregen. Een rode Crescent Valiant.

Rond halfzes 's ochtends was hij voor de derde keer wakker geworden. Toen nam hij zijn besluit. Hij trok een korte broek aan en een blauw T-shirt met het embleem van de rijksrecherche op de borst, hij strikte de veters van zijn hardloopschoenen, stopte het magneetpasje van zijn hotelkamer in zijn zak, nam de toeristenkaart van Växjö in zijn hand en verliet snel en stilletjes zijn kamer. Hebben we dat tenminste gehad, dacht hij terwijl hij op de lift stond te wachten. Zoals het er op zijn bureau uitzag, zou het nog wel een tijdje duren voordat hij de plaats van het delict onder werktijd zou kunnen bezoeken, en in de wereld waarin hij leefde had hij daar al geweest moeten zijn.

Buiten scheen de zon vanuit een bleekblauwe lucht, het was bijna 20 graden hoewel het nog maar kwart voor zes was. Het Stora Torget lag er stil en verlaten bij. Geen mens, zelfs geen eenzaam, achtergelaten bierblikje dat kon getuigen van eerdere menselijke activiteit. Hij was voor de ingang van de bardancing blijven staan en had met behulp van de kaart de route naar Linda's woning uitgestippeld. Eerst had hij op zijn horloge gekeken om de tijd op te kunnen nemen en toen hij eenmaal begon te lopen, probeerde hij dat in hetzelfde tempo te doen als waarvan hij verwachtte dat zij gelopen had en hopelijk langs dezelfde route, al was die nog lang niet duidelijk.

Richting noordoost. Schuin het Stora Torget over, langs de oostelijke gevel van het provinciehuis, noordwaarts de Kronobergsgatan in, tot zover geheel in overeenstemming met de getuigenis van de portier.

Maar dan? dacht Lewin. Hij bleef staan, keek weer op zijn horloge. De snelste weg naar huis, dacht hij. Had ze dat niet tegen haar vriendin gezegd toen ze bij het hotel wegging, dat ze naar huis zou gaan om te slapen? Bij gebrek aan beter had hij de eerste zijstraat naar rechts genomen en na een kleine honderd meter was hij op de Linnégatan uitgekomen. Perfect, dacht Lewin. Toen langs de Linnégatan in noordelijke richting en na nog eens een kleine vierhonderd meter sloeg hij weer rechts af en kwam hij op de Pär Lagerkvistsväg uit. Daar was hij blijven staan om zich te oriënteren en zijn bevindingen op een rijtje te zetten.

Ongeveer zeshonderd meter van het Stadshotel, ongeveer zes minuten lopen voor een jonge, goedgetrainde vrouw, die nuchter was en met stevige pas liep in een omgeving die ze van kinds af aan kende. Brede, rustige, centraal gelegen straten, goed verlicht, en alleen een gek zou het in zijn hoofd halen om iemand op dat stuk aan te vallen. Om nog maar te zwijgen van het feit dat hij zich in Växjö bevond.

Eenmaal op de Pär Lagerkvistsväg aangekomen, waren de omstandigheden voor een ongestoorde nachtwandeling zo mogelijk nog beter. Het was nog ongeveer zevenhonderd meter tot de deur van haar huis en het hele stuk liep langs een brede, rechte weg met lage huurflats van drie of vier etages. Keurige gevels en glimmende borden van de woningcorporatie HSB duidden op nette bewoners van middelbare leeftijd uit de middenklasse, gestructureerde levens, goede buren. Geen bosje, geen steegje, zelfs geen achterafstraatje waarvan je je zou kunnen voorstellen dat er iemand met slechte bedoelingen op de loer zou kunnen liggen, wachtend op een onschuldig slachtoffer.

Hun slachtoffer woonde aan het eind van de straat in een flat die er net zo verzorgd uitzag als alle andere, maar waar geen HSB-bord op zat omdat het pand eigendom was van een kleine vereniging van eigenaren, waarvan alle leden in de flat woonden. Dus hier is het gebeurd, dacht Lewin toen hij stilhield bij het blauw-witte afzetlint dat nog steeds gespannen was rond het pand waar de moord was gepleegd. Een hoogst onwaarschijnlijke plek voor een gewone lustmoord op een jonge vrouw.

Er blijft maar één verklaring over, dacht Jan Lewin toen hij een halfuur later zijn hotelkamer binnen stapte. Linda woonde daar. Daarom was hij daarnaartoe gekomen. Om haar te ontmoeten. Iemand die ze kende, iemand die ze vertrouwde, iemand om wie ze gaf. Iemand zoals zijzelf. Vervolgens had hij zijn kleren uitgetrokken, was hij direct onder de douche gaan staan en had hij het water vijf minuten laten lopen. En voor het eerst in anderhalve dag kon hij het werk dat nog gedaan moest worden, met een volkomen rustig en tevreden gemoed tegemoetzien.

12

Zondagochtend om halfzeven – terwijl Jan Lewin op zijn hotelkamer onder de douche stond en het water maar liet lopen – was de
mobiele diensttelefoon van de korpschef gegaan. De korpschef lag
te slapen en het kostte hem enige moeite om zijn bril op zijn neus
te krijgen en het mobieltje te vinden om op te kunnen nemen. Er
moet iets gebeurd zijn, dacht hij na een snelle blik op de wekker die
op zijn nachtkastje stond.

'Met Nylander,' zei de stem aan de andere kant van de lijn. 'Ik ga
ervan uit dat ik je niet heb wakker gemaakt?'

'Is niet erg,' zei de korpschef zwakjes. 'Helemaal niet erg.' Er
moet iets vreselijks gebeurd zijn, dacht hij.

'Ik bel om te horen hoe de zaken ervoor staan,' zei Nylander
kortaf. 'Hoe gaat het daar bij jullie in Växjö?'

'Het loopt allemaal volgens plan,' antwoordde de korpschef. Hoe
ik dat ook zou moeten weten, dacht hij, omdat hij de hele nacht had
liggen slapen. 'Is er iets specifieks waar je nieuwsgierig naar bent,
Nylander?' voegde hij eraan toe.

Er was niets waar Nylander nieuwsgierig naar was – 'dat ligt niet
in mijn aard'. Daarentegen had hij als hoofd van de rijksrecherche
zekere 'strategische overwegingen' betreffende hun gemeenschappelijke zaak en naar aanleiding van deze overwegingen was hij van
plan enkele 'operationele acties' aan te bieden.

'Hoe had je je dat voorgesteld?' vroeg de korpschef. Strategische
overwegingen, operationele acties? Waar heeft die man het over,
dacht hij.

'Volgens mij bestaat er een groot risico dat er bij jullie in de stad
een serieuze gek vrij rondloopt,' begon Nylander, 'en waarschijnlijk
zal hij binnenkort nog ergere dingen uithalen.'

'Heb je iets specifieks in gedachten?' herhaalde de korpschef
zwakjes, waarop Nylander hem een aantal denkbare scenario's uit

zijn rijke ervaring als hoogste verantwoordelijke van de nationale politie van Zweden schetste.

'Ik denk bijvoorbeeld aan de samoerai-moordenaar in Malmö, die een aantal mensen uit zijn eigen woonwijk vermoordde en verminkte. En de vaandrig in Falun, die een tiental mensen doodschoot, vooral jonge vrouwen. Tja... wie hebben we nog meer,' zei erkapé langzaam en het klonk alsof hij met zijn hand over zijn kin streek. 'Dan hebben we de koevoetman die nog niet zo lang geleden amok maakte op het perron van een metrostation hier in de stad. Drie doden en een zestal gewonden, als ik het me goed herinner. En die gek in Gamla Stan, die op klaarlichte dag met zijn auto een stuk of honderd vredelievende voetgangers omverreed. Om maar een paar voorbeelden te noemen,' rondde Nylander zijn relaas af.

'Tjonge,' zei de korpschef. Mijn god, dacht hij. Hier bij mij, in Växjö.

'Ik heb al met onze analytici gesproken,' zei Nylander, 'en die zijn het helemaal met me eens. We hebben met een seriemoordenaar te maken die naar alle waarschijnlijkheid ook in staat is om een massamoord te plegen of over te gaan tot zogenaamd *spree killing*. Zo noemen we het als iemand binnen het tijdsbestek van een paar uur her en der mensen liquideert. Hij loopt zeg maar rond en zaait dood en verderf om zich heen,' legde Nylander uit.

'Je zei dat je een plan had,' zei de korpschef. Mijn god, dacht hij.

Het hoofd van de rijksrecherche had maar liefst drie operationele plannen. Bovendien had hij twee van de drie al in gang gezet en was er een verhoogde graad van paraatheid voor het derde.

'Ik denk dat het hoog tijd wordt dat we mijn DP-groep eens goed naar deze gek laten kijken. Bovendien moeten we de zaak doorsturen naar onze VICLAS-eenheid. Een gewaarschuwd man telt voor twee!' donderde Nylander.

'DP-groep, VICLAS?' zei de korpschef. Al die afkortingen ook, dacht hij.

'De daderprofielgroep, om een duidelijker beeld te krijgen van wie hij is. VICLAS om de man te koppelen aan alle gelijksoortige daden die hij eerder heeft gepleegd,' vatte Nylander kortaangebonden samen. Typisch een burger, dacht hij.

'Je had ook nog een derde plan,' zei de korpschef verdedigend.

'Inderdaad,' zei Nylander. 'Als hij moet worden opgepakt, kun je dat denk ik het beste overlaten aan ons Nationale Bijstandsteam hier in Stockholm. Om elk onnodig bloedvergieten te voorkomen. Ik heb ze al op de hoogte gebracht. Normaliter kunnen we binnen drie uur na de eerste oproep bij jullie ter plaatse zijn. We proberen die tijd te verkorten en als we net zulk goed vliegweer hebben als we de hele zomer al hebben gehad, kunnen we het volgens het hoofd van het team in twee uur doen. We hebben de graad van paraatheid voor drie van onze troepen al van blauw naar oranje verhoogd.'

'Mijn god,' zei de korpschef. Mijn god, dacht hij. En om hoeveel mensen gaat het als we het over noodzakelijk bloedvergieten hebben?

Een kwartier later had de korpschef – ondanks het vroege tijdstip – de leider van het vooronderzoek, hoofdinspecteur Olsson, gebeld en hem verteld dat het hoofd van de rijksrecherche en hij, gezamenlijk en in overleg, hadden besloten om het rechercheteam te versterken met deskundigen van de DP-groep en de VICLAS-eenheid en dat een eventueel inrekenen van de dader zou worden overgelaten aan het Nationale Bijstandsteam. Olsson had zelf, merkwaardig genoeg, precies dezelfde gedachten gehad en hij vond het dan ook een uitstekend idee.

'Ik was net van plan geweest u later op de dag te bellen om hetzelfde voor te stellen. De enige reden waarom ik besloten had daar nog even mee te wachten, was dat ik weet dat u van uw welverdiende vakantie geniet.'

Bäckström was gestrest, moe en katerig. De avond ervoor hadden Rogersson en hij hun best gedaan de langdurige alcoholonthouding die hun ambtshalve werd opgelegd te compenseren. Bäckström was vlak voor middernacht halfbewusteloos zijn bed in gerold, had zich verslapen, had zijn ontbijt naar binnen moeten proppen en was er niet eens aan toe gekomen de ochtendkranten door te bladeren. Bovendien hadden ze nog even bij een winkeltje langs moeten gaan om pepermuntjes en een paar flesjes sportdrank te kopen om de adem en de vochtbalans een beetje op orde te krijgen.

Het werd er niet beter op toen hij zich op weg naar het ochtendoverleg met het rechercheteam door de gang haastte en die oetlul van een Olsson hem aanschoot en, zonder dat Bäckström luisterde, begon te zaniken over verschillende crisisscenario's die hij en de korpschef zich genoodzaakt zagen te hanteren.

'Wat vind jij daarvan, Bäckström,' vroeg Olsson, 'om je collega's van de DP-groep en VICLAS erbij te betrekken?'

'Lijkt me een uitstekend idee,' zei Bäckström, die absoluut niet van plan was zijn kostbare tijd te verspillen aan telefoontjes waarin zijn hoogste baas, Sten 'Centenbak' Nylander, hem de les zou lezen.

Eindelijk zat hij dan aan het hoofdeinde van de tafel. Weliswaar zonder jeneverkruik maar met een grote mok koffie met veel melk en suiker en met het voltallige rechercheteam.

'Oké,' zei Bäckström, 'aan de slag.'

Politie-inspecteur Sandberg begon als eerste en vertelde over de bewakingscamera's op de route naar het huis van het slachtoffer. De camera bij de pinautomaat waar het slachtoffer geld had gehaald, had niets opgeleverd, wat hoogstwaarschijnlijk kwam doordat het slachtoffer zich buiten het bereik van de camera had bevonden toen ze het Stadshotel verliet.

'De camera registreert alleen de stoep en een klein stukje van de straat voor de pinautomaat,' legde ze uit. 'Maar we hebben iets veel beters gevonden en dat is vooral aan onze chef hier te danken, die met de eer mag strijken,' constateerde ze terwijl ze met een glimlach naar Bäckström knikte.

'Ik luister,' zei Bäckström en hij glimlachte naar haar terug. Je hebt hem er al half bij haar in zitten, jongen, dacht hij.

Sandberg en haar collega's hadden namelijk een andere, veel betere camera gevonden. Eventuele vergunningen werden buiten beschouwing gelaten. Het betrof een camera boven de toonbank van een winkeltje aan het begin van de Pär Lagerkvistsväg, slechts vijfhonderd meter van de woning van het slachtoffer, en 's nachts registreerde deze ook het stuk straat voor de winkel. Vier minuten voor drie in de nacht van donderdag op vrijdag was Linda Wallin door de camera vastgelegd toen ze naar huis liep. Het eerstvolgende halfuur

waren er geen andere personen in beeld gekomen, dus hoogstwaarschijnlijk had niemand haar achtervolgd.

'De winkel is tot elf uur 's avonds open. Normaliter registreert
de camera alleen de buitendeur van de winkel en de kassa's, maar
voordat de eigenaar van de zaak vlak voor middernacht naar huis
gaat, draait hij de camera altijd zo dat ook personen die buiten langs
de winkel lopen, op film worden vastgelegd. Dit doet hij omdat hij
problemen heeft gehad met figuren die bij de ingang van zijn winkel
water naar binnen hebben gegooid en zijn raam hebben volgeklad
met racistische leuzen. De eigenaar van de winkel komt uit Iran,'
verduidelijkte Sandberg.

'En we weten heel zeker dat het Linda is?' vroeg Bäckström, die
dit opwekkende detail in het grote speurwerk niet los wilde laten.

'Heel zeker,' zei Sandberg. 'Ik heb de video zelf bekeken, samen
met de technici. En een groot aantal van ons kent haar natuurlijk...
heeft haar gekend.'

Daarna was het overleg soepel verlopen, in het normale, efficiënte
tempo waaraan hij gewend was als hij zelf aan het roer stond. God-
zijdank, dacht Bäckström, dan hoeft het politiekorps zijn tijd tenminste niet te verdoen met voorstelrondjes.

'Het buurtonderzoek en het speurwerk in de omgeving,' vervolgde hij. 'Is er sinds gisteren nog iets interessants gevonden?'

Helaas niet, aldus de collega die daarvoor verantwoordelijk was.
Het laatste wat ze van de dader hadden gevonden, was zijn bloed en
wat huidresten op de vensterbank van de slaapkamer van het appartement waar de moord gepleegd was.

'Dan breiden we het onderzoeksgebied uit,' zei Bäckström bars.
'Alle bijzonderheden die zich tijdens het etmaal in kwestie hier in de
stad hebben voorgedaan. Het hele programma, van gewone vecht-
partijtjes, inbraken, vernielingen, autodiefstallen en foutgeparkeer-
de auto's tot mysterieuze voertuigen, gebeurtenissen en personen.
Ik wil vóór de lunch een overzicht hebben.' Luie donders, je moet
ook alles zelf doen, dacht hij.

'Heeft er verder nog iemand van zich laten horen die iets zinnigs
te melden had?' vervolgde Bäckström terwijl hij zijn blik op collega
Lewin richtte. Als het je tenminste gelukt is je los te rukken van de
kleine Svanström, geile bok, dacht hij.

'We hebben honderden tips binnengekregen,' zei Lewin. 'Telefoontjes, mailtjes, zelfs sms'jes aan enkele leden van het rechercheteam van wie het nummer kennelijk bij informanten bekend is. Wat op zich misschien niet zo vreemd is, omdat de collega's die die tips hebben binnengekregen, gewoonlijk op Onderzoek of Narcotica werken en we hebben immers allemaal zo onze eigen informanten aan wie we ons mobiele nummer hebben gegeven. Mocht er nog iemand een brief hebben gestuurd, dan zal die in het gunstigste geval morgen opduiken. Zo is het immers met de post gesteld tegenwoordig.'

'En, hoe lijkt het?' vroeg Bäckström. 'Zit er iets *hots* tussen om bij de kladden te grijpen?'

Helaas niet, aldus Lewin. Het was het bekende liedje. Bezorgde burgers die hun beklag deden over het verval van de samenleving in het algemeen en de misdaad in het bijzonder. De gebruikelijke betweters die de politie tips wilden geven hoe ze te werk zouden moeten gaan en die hun kennis hoogstwaarschijnlijk vergaard hadden door naar alle detectiveseries op tv te kijken. Verder uiteraard een aantal helderzienden, waarzeggers, waarzegsters en zieners die hun visioenen, waarschuwingen, algemene gewaarwordingen, voorgevoelens en vibraties met de politie wilden delen.

'Niets concreets, niets waar we onze tanden in kunnen zetten?' drong Bäckström aan.

'Enkele tips zijn bijzonder concreet,' zei Lewin. 'Het probleem is alleen dat ze er nogal naast lijken te zitten.'

'Geef eens een paar voorbeelden,' zei Bäckström.

'Goed.' Lewin keek in zijn papieren. 'We hebben een oud-klasgenootje van Linda, van de middelbare school. Zij weet honderd procent zeker, dat zijn haar eigen woorden, dat ze Linda 's avonds bij een concert in Borgholm op Öland gesproken heeft. Een popgroep die Gyllene Tider heet, was daar kennelijk op zomertournee.'

Borgholm, dacht Bäckström. Dat ligt toch minstens 150 kilometer van Växjö?

'Het probleem is alleen dat dat concert afgelopen vrijdagavond was en toen lag ons slachtoffer al bij de patholoog-anatoom in Lund,' zuchtte Lewin. 'Dus die getuige kan niet eens de boulevardkranten gelezen hebben. Ja, en dan hebben we hier nog een andere,' vervolgde Lewin terwijl hij de stapel met tips die voor hem op tafel lag, doorbladerde. 'Een van Växjö's jonge lokale sterren, die contact heeft gezocht met een collega van de ordepolitie hier in Växjö, vertelde dat hij Linda vrijdagochtend vroeg gezien heeft, vijfhonderd meter ten westen van het Stadshotel. Op de Norra Esplanaden, ter hoogte van het gemeentehuis, als ik het goed begrepen heb.'

'Wat is hier dan mis mee?' vroeg Bäckström.

'Het probleem met deze tip is, afgezien van de algemene geloofwaardigheid van de getuige, dat dit om vier uur 's ochtends zou zijn geweest, in een straat die compleet in de verkeerde richting ligt ten opzichte van de route die Linda gelopen is en dat ze in het gezelschap zou zijn geweest van een, en dit zijn niet mijn woorden maar die van de getuige, van een grote stinkneger,' vatte Lewin samen.

'Dan denk ik dat ik wel weet wie die getuige is,' zei een van de plaatselijke collega's aan het andere eind van de tafel. 'Er bevinden zich heel wat kwaadaardige kleurlingen in de wereld van die jongeman.'

'Dat heb ik ook begrepen na zijn uittreksel uit het strafregister gelezen te hebben,' zei Lewin met een zuinig lachje.

'Ja ja,' zei Bäckström. 'Zijn er nog vragen? Ideeën? Voorstellen?' Geen hond hier die iets zinnigs te zeggen heeft, dacht hij toen hij de schuddende hoofden rond de tafel zag. 'Aan de slag dan!' vervolgde hij en ging met een ruk staan. 'Waar wachten jullie op? Zit hier toch niet je tijd te verdoen. Ga eindelijk eens wat doen. Uiterlijk met de lunch wil ik de naam van de dader hebben. Geef mij de juiste kerel en ik trakteer vanmiddag op taart bij de koffie.' Blije gezichten rond de tafel. Het zijn net kinderen, dacht Bäckström, die uiteraard niet van plan was om zijn zuurverdiende centen aan taart te verspillen.

Zelf had hij pen en papier gepakt en de afzondering van een lege verhoorkamer opgezocht om in alle rust na te kunnen denken. Eerst had hij het rode lampje aangedaan, de deur achter zich dichtgetrokken en een enorme scheet gelaten, die hij tijdens de vergadering met veel moeite had ingehouden. Eindelijk alleen, dacht Bäckström, terwijl hij de ergste dampen van de vorige nacht wegwuifde.

Ze komt net na drieën thuis, dacht hij. Het lijkt er niet op dat iemand haar gevolgd is of met haar had afgesproken om haar thuis te ontmoeten. Vlak daarna verschijnt de dader op het toneel. Het loopt allemaal vrij snel uit de hand en te oordelen naar hoe het er op de plaats van het delict uitzag – wat Bäckström overigens ook al uit andere dingen had opgemaakt – moest die kleine psychopaat minstens anderhalf uur bezig zijn geweest. Dus waarschijnlijk is ze ergens tussen halfvijf en iets voor vijven overleden, dacht hij.

Daarna gaat hij naar de badkamer om het ergste van zich af te spoelen. Dan komt om ongeveer vijf uur de krant en hij denkt dat er iemand bezig is binnen te komen. Daarop trekt hij het meest noodzakelijke aan en springt door het slaapkamerraam naar buiten. Het is dan net vijf uur geweest, dacht Bäckström, en waar zitten we nu? Hij keek op zijn horloge en begon vooruit te tellen vanaf vrijdagochtend vroeg tot zondagochtend. Bijna tweeënhalve dag sinds hij ervandoor is gegaan. De vuile rotzak kan op dit moment al op de maan zitten, dacht hij chagrijnig. Hij pakte zijn papieren bij elkaar en besloot naar zijn medewerkers terug te gaan om ze een beetje aan te sporen.

Aan de andere kant, dacht hij toen hij de gang in liep, zou het natuurlijk dom zijn om dat met een lege maag te doen en aangezien het personeelsrestaurant vanwege de gebeurtenissen deze zondag toch open was, kon hij net zo goed even een hapje gaan halen.

Smålandse aardappelknoedel, dacht hij watertandend toen hij de menukaart bekeek. Dat werd het dus. Ter afsluiting een flinke kop koffie met een geglazuurd amandelgebakje, terwijl hij op z'n dooie akkertje de boulevardkranten las die hij stiekem uit het hotel had meegenomen maar waar hij nog niet aan toe was gekomen. Niets nieuws over de zaak, dacht Bäckström terwijl hij met kleine slokjes van zijn hete koffie dronk. Voornamelijk speculaties, gevolgd door een hoge deining.

In de ene krant hadden ze een nieuwe variant van het klassieke politiespoor gelanceerd.

De dader was waarschijnlijk een zware crimineel die de politie haatte en die 'een blinde haat koesterde jegens het slachtoffer vanwege haar werk binnen de politie', concludeerde een van de experts uit het expertpanel van de krant, dat werd opgetrommeld zodra zich een gelegenheid voordeed en dat uit een selectief gezelschap van de grootste warhoofden uit de Zweedse media bestond.

Tuurlijk, tuurlijk, dacht Bäckström terwijl hij van zijn gebakje smikkelde. Is vast een van de docenten die ze op de politieschool heeft gehad, dacht hij. Misschien wel die geschifte trut die zich met debriefing bezighield. En voor haar zou het sperma niet alleszeggend zijn, omdat dat ook een listig dwaalspoor kon zijn.

Volgens de concurrent en diens eigen experts lag het allemaal heel anders. Het ging om een seriemoordenaar die een dwangmatige haat koesterde jegens vrouwen en die zijn misdaden welhaast op rituele wijze uitvoerde. Klinkt bijna als collega Olsson, dacht Bäckström, waar halen ze die onzin goddomme allemaal vandaan?

De beschrijvingen van de twee mediaconcurrenten vertoonden ook enkele gemeenschappelijke trekken. Het verband was weliswaar miniem, maar toch. Nog een expert, degene die in de eerste krant het politiespoor verwoord had, sloot namelijk niet uit dat het om een speciaal type seriemoordenaar zou kunnen gaan die het vooral op politiemensen gemunt had en die zich tegenover andere mensen uiterst onverschillig gedroeg omdat hij alleen maar opgewonden raakte van uniformen. Zijn speciale 'trigger', aldus de krant.

Ze hebben vast een gemeenschappelijke gekkenhuissite op internet waar ze hun inspiratie opdoen, dacht Bäckström. Hij wilde de krant net wegleggen toen zijn oog op een artikel viel waar hij lichtelijk van schrok.

De expert die werd geïnterviewd, die docent was in iets wat forensische psychiatrie werd genoemd en verbonden was aan het Sankt Sigfrid psychiatrisch ziekenhuis in Växjö, stond met een grote foto in de krant en had een lange uiteenzetting gegeven over de sporen van marteling die de politie op het lichaam van het slachtoffer had aangetroffen. Óf hij heeft dezelfde foto's gezien die de kern van het rechercheteam gisteravond onder ogen heeft gehad, dacht Bäckström, óf een van degenen die ze gezien heeft, heeft ze exact en uitvoerig voor hem beschreven.

Ook de docent met zijn speciale en opmerkelijke inzicht in het werk van het rechercheteam, sloot zich aan bij het spoor dat toch wel als hoofdspoor moest worden beschouwd. Het ging om een seriemoordenaar. Gezien het gewelddadige karakter van dit misdrijf moest hij eerder gelijksoortige misdrijven hebben gepleegd, en de kans dat hij in de nabije toekomst opnieuw zou toeslaan, was groot, zo niet honderd procent.

Tegelijkertijd was hij 'geen gewone seksuele sadist met sterk ontwikkelde seksuele fantasieën', zoals de minder geleerde criminologische collega's van de docent schenen te denken. En al helemaal niet iemand die opgewonden raakte van vrouwelijke politieagenten in wording, al dan niet in uniform. In plaats daarvan ging het om 'een psychisch zwaar gestoorde' dader die op dit moment welhaast 'chaotisch' zou zijn. Bovendien was hij 'een jongeman van allochtone afkomst met ernstige traumatische ervaringen uit zijn kindertijd of vroege jeugd'. Hij zou bijvoorbeeld zelf gemarteld zijn of slachtoffer zijn geweest van zware seksuele vergrijpen. Toen Bäckström tot hier gelezen had, had hij zijn koffie snel opgedronken, de krant in zijn zak gestopt en was hij op zoek gegaan naar de politiewoordvoerster van hun onderzoek.

'Heb je dit artikel gezien?' vroeg Bäckström vijf minuten later toen hij op haar kamer zat. Hij gaf haar de krant met het artikel opengeslagen.

'Ik begrijp wat je bedoelt,' zei ze. 'Ik las het vanochtend en ik had precies dezelfde reactie als jij. Deze schuit lekt behoorlijk,' constateerde ze, 'maar als je het positief probeert te bekijken, is het zo gek nog niet dat de druppels net op deze expert terechtgekomen zijn.'

'Jij kent het Sankt Sigfrid vast ook wel,' vervolgde ze. 'Het is het grote psychiatrische ziekenhuis hier in de stad, en op de gesloten afdeling zit een aantal van de allerzwaarste gevallen met tbs. De docent in kwestie geeft veel lezingen, zowel op de politieschool als hier op het bureau. Ik zou niet weten hoe vaak ik al wel niet naar hem geluisterd heb.'

'Ja ja,' zei Bäckström. 'Is het iemand aan wie je wat hebt?' vroeg hij.

'Als je het mij vraagt wel,' zei ze. 'Hij heeft het volgens mij vaak bij het juiste eind.'

Misschien moet ik maar eens met die vent gaan praten, dacht Bäckström. Dat met 'jongeman van allochtone afkomst' klonk in elk geval niet zo gek. Bovendien had het slachtoffer een zwak voor dat soort types. Misschien zelfs zo'n groot zwak dat ze voor hem had opengedaan en hem had binnengelaten, gesteld dat hij bij haar had aangebeld.

Toen Bäckström was teruggekeerd naar de grote zaal waar het rechercheteam zat, had hij zijn veldheergezicht opgezet en alle aanwezigen strak aangekeken.

'Nou,' zei Bäckström. 'Waar wachten jullie op? Nu heb ik gegeten en nu wil ik een goeie naam hebben.' Om zijn woorden kracht bij te zetten had hij, zonder erbij stil te staan, met zijn handen op zijn ronde buik geklopt.

'Namen kan ik je wel geven. We hebben de eerste lijst net klaar,' zei Knutsson en hij zwaaide met een stapel printjes.

'Zit er iets bij?' vroeg hij. Hij pakte de lijst en ging op zijn vaste plek zitten.

'Het zijn in elk geval een heleboel namen,' zei Knutsson en hij ging naast Bäckström zitten. 'Negenenzeventig om precies te zijn en dan hebben we alleen nog maar de buurtbewoners, bekenden van het slachtoffer en die plaatselijke tv-sterren hier in Växjö nagetrokken.'

'Vertel,' zei Bäckström. 'Geef me iemand waar ik mijn tanden in kan zetten.'

'Rustig maar,' zei Knutsson. 'Daar kom ik zo op.'

13

Eerst hadden Knutsson en zijn medewerkers de familie, vrienden
en kennissen van het slachtoffer doorgelicht om te kijken of er ergens in de registers waar de politie over beschikte iets interessants
over hen vermeld stond. Dat was niet het geval, wat niemand echt
verbaasde. Een derde van de ongeveer twintig personen die ze hadden nagetrokken, waren Linda's klasgenoten van de politieschool
en daar werd je niet op aangenomen als je in het strafregister van de
politie vermeld stond.

'Net zo onberispelijk als ons slachtoffer dus,' constateerde Bäckström tevreden terwijl hij met zijn handen op zijn buik op zijn stoel
naar achteren wipte.

'Voorzover het in de registers staat wel,' zei Knutsson vorme-
lijk.

'Omdat we binnenkort een DNA-profieltje van de dader binnen-
krijgen, wil ik dat er bij hen allemaal wangslijm wordt afgenomen.
Geheel vrijwillig, om ze snel doch eenvoudig uit ons onderzoek te
kunnen afvoeren.'

'Dat zal vast geen problemen opleveren,' zei Knutsson.

'Natuurlijk niet,' viel Bäckström hem bij. Wat heeft een eerlijk
mens te vrezen van zijn eigen DNA, dacht hij.

De tweede categorie was het tegenovergestelde van de eerste, omdat allen die daartoe behoorden al uitgebreid in de politieregisters
voorkwamen. Knutsson en de andere collega's hadden met behulp
van hun computers de namen van ruim honderd vrouwenmeppers,
straatvechters, verkrachters en andere gekken met een gevarieerder
repertoire boven water gehaald, die een relatie hadden met Växjö en
omgeving. Daarna hadden ze degenen die al in de bak zaten of om
andere redenen een geldig excuus hadden, van de lijst afgevoerd.
Bleven er zeventig personen over die nog handmatig nagetrokken
moesten worden, wat een tijdrovende klus was. Een stuk of tien van
hen was bijzonder interessant omdat ze in het Sankt Sigfrid zieken-

huis werden behandeld of daar behandeld waren wegens zware seksuele vergrijpen.

'Wangslijm! Ze moeten allemaal een wattenstaafje in hun mond stoppen om oom agent te helpen.' Bäckström knikte tevreden. Dit begint eindelijk ergens op te lijken, dacht hij.

'Goed, goed,' zuchtte Knutsson, die plotseling niet meer zo vrolijk leek. Hopelijk hebben we het DNA van een aantal van hen al, dacht hij.

Bleven de buurtbewoners nog over. Bij elkaar ongeveer duizend man, waarvan bijna de helft zelf contact had opgenomen met de politie of thuis was toen ze de deuren langs waren gegaan. Maar aangezien het zomer was en vakantietijd en de buurt voornamelijk door ouderen en mensen van middelbare leeftijd uit de middenklasse werd bewoond, was het grote aantal afwezigen niet iets om je druk over te maken.

'Ook al hebben ze de hele zomer in hun zomerhuisjes zitten broeden en hebben ze geen ene moer bij te dragen, toch wil ik dat ze gehoord worden en afgestreept,' zei Bäckström.

'Dat lijkt me een goed plan,' zei Knutsson, 'maar ik neem aan dat je niet van ons gaat vragen om ook bij hen allemaal wangslijm af te nemen.'

'Het kan nooit kwaad om het te vragen,' zei Bäckström en hij schudde zijn hoofd. 'Hoeveel zijn er trouwens bij het natrekken van de registers overgebleven?'

'Ik meen dat ik dat al gezegd had,' zei Knutsson en hij wierp een steelse blik op zijn lijst. 'Negenenzeventig minus zeventig criminelen, blijven er negen over in de groep van buurtbewoners.'

'Wat hebben die dan op hun geweten?'

'Drie man veroordeeld voor rijden onder invloed. Een van hen is zelfs viermaal veroordeeld in twaalf jaar tijd. De collega in Växjö beschreef hem als een vrolijke frans, en als je bedenkt dat een van hen vijftig is, eentje zevenenvijftig en vrolijke frans zelf zeventig dan...' Knutsson zuchtte opnieuw en maakte met zijn schouders een alleszeggend gebaar. 'Dan hebben we er nog een die op zijn werk met z'n vingers in de jampot heeft gezeten. Voorwaardelijke straf voor verduistering. Eentje die zijn vrouw negen jaar geleden heeft geslagen en die niet thuis was toen het buurtonderzoek werd uitgevoerd, het schijnt dat hij in zijn zomerhuisje zit. Eentje veroordeeld wegens belastingfraude en twee pubers van zestien respectievelijk achttien, die de gebruikelijke dingen hebben uitgehaald, gejat, met graffiti gespoten, een stoeptegel door een etalageruit gegooid, op de vuist gegaan met andere snotjongens.' Knutsson slaakte opnieuw een zucht.

'En die figuur die zijn vrouw heeft afgeranseld,' zei Bäckström nieuwsgierig.

'Schijnt met dezelfde vrouw op het platteland te zitten. Gelukkig getrouwd, volgens de buren die onze collega's gesproken hebben toen ze de deuren langs gingen,' zei Knutsson.

'Dan heeft hij er vast niets op tegen om vrijwillig wat DNA af te staan,' zei Bäckström. Dat hebben gelukkige mensen nooit, dacht hij.

'Misschien zit er een tussen waar ik zelf wel nieuwsgierig naar ben,' zei Knutsson. 'Hij heet Marian Gross en komt oorspronkelijk uit Polen. Hij is zesenveertig en is als kind met zijn ouders hierheen gekomen, politieke vluchtelingen. Hij heeft sinds 1975 het Zweedse staatsburgerschap. Sinds afgelopen winter loopt er een aangifte tegen hem wegens bedreiging en ongewenste intimiteiten, seksuele intimidatie dus, zoals dat heet, en nog wat andere dingetjes. Vrijgezel, geen kinderen, werkt als bibliothecaris op de universiteit hier in de stad,' rondde hij zijn beschrijving af.

'Wacht even, Knutsson,' zei Bäckström terwijl hij zijn handen hief en een afwerend gebaar maakte. 'Da's een flikker, dat hoor je toch zo uit die beschrijving. Marian. Jezus, wie heet er nou Marian! Bibliothecaris, vrijgezel, geen kinderen,' zei Bäckström terwijl hij zijn pink omhooghield. 'Hoeven we alleen maar even met dat aarsriddertje te gaan praten dat aangifte heeft gedaan.'

'Ik denk het niet,' zei Knutsson. 'Degene die aangifte heeft gedaan, is een vijftien jaar jongere vrouwelijke collega van hem.'

'Zucht,' zei Bäckström, 'een bibliothecaresse. Wat heeft hij met haar gedaan dan? Zijn Poolse braadworst laten zien op het kerstfeest van de universiteit of zo?'

'Hij heeft haar een aantal anonieme mailtjes en andere berichtjes gestuurd die ik persoonlijk vrij onaangenaam vind. Op zich de gewone vunzigheden, maar met een bedreigende ondertoon.' Knutsson schudde zijn hoofd en trok een vies gezicht.

'De gewone vunzigheden?' Bäckström keek Knutsson nieuwsgierig aan. 'Kun je niet wat meer...' Bäckström wapperde veelbetekend met zijn rechterhand.

'Natuurlijk,' zei Knutsson en hij slaakte een diepe zucht vlak voor hij begon. 'Ik zal wat voorbeelden geven. We hebben de oude klassieker met de dildo die naar haar werk is gestuurd. Een zwart exemplaar, het grootste model, met een anoniem briefje erbij waarin de afzender zegt dat het een kopie is van zijn eigen.'

'Ik dacht dat je zei dat hij Pools was,' bromde Bäckström. 'Misschien is die eikel wel kleurenblind. Of valt hij er bij hem bijna af?' Bäckström lachte zo hard dat zijn ronde buik ervan schudde.

'De gebruikelijke mailtjes en brieven waarin hij schrijft dat hij haar in de stad heeft gezien en in de bibliotheek, en waarin hij zijn mening geeft over de keuze van haar ondergoed. Is het zo genoeg?' Knutsson keek Bäckström vragend aan.

'Klinkt als een doodnormale viespeuk tussen alle andere viespeuken,' zei Bäckström. En hoe komt het dat onze kleine Knul zich ineens zo kwetsbaar opstelt, dacht hij. Is hij misschien stiekem even bij de crisistherapeute langsgeweest?

'Dat is ook niet de reden waarom ik in eerste instantie in hem geïnteresseerd was,' zei Knutsson geïrriteerd.

'Waarom dan wel?' vroeg Bäckström. 'Omdat hij Pools is?'

'Omdat hij in dezelfde flat woont als het slachtoffer,' zei Knutsson. 'In het appartement direct boven haar, als ik het goed begrepen heb.'

'Wangslijm!' brulde Bäckström, hij ging rechtop zitten en wees met een mollige wijsvinger naar Knutsson. 'Dat had je wel meteen mogen zeggen. Stuur iemand om wangslijm bij hem af te nemen en als hij niet vrijwillig meewerkt, moeten we hem hier maar heen halen.' Nu begint het eindelijk ergens op te lijken, dacht hij.

Pas aan het eind van de middag kwam het beloofde voorlopige rapport van de patholoog-anatoom. Het kwam binnen op de fax van de technische afdeling en was gericht aan de verantwoordelijke technicus, hoofdinspecteur Enoksson van de regionale recherche in Växjö. Meteen nadat hij de fax gelezen had, ging hij naar Bäckström om te bespreken wat erin stond.

'Volgens de patholoog-anatoom is ze tussen drie en zeven uur 's ochtends overleden. Gestikt ten gevolge van wurging,' zei de technicus.

'Je hoeft geen witte jas te dragen om dat te begrijpen,' zei Bäckström. 'Als je het mij vraagt, is ze tussen halfvijf en uiterlijk vijf uur overleden,' voegde hij eraan toe. Typisch een forensische arts. Laffe klootzakken.

'Ik ben het met je eens wat het tijdstip betreft,' viel Enoksson hem bij. 'Verder lijkt ze ten minste tweemaal te zijn verkracht. Genitaal en anaal en vermoedelijk in die volgorde. Kan meer dan tweemaal zijn geweest. Volledige verkrachtingen waarbij de dader een zaadlozing heeft gehad.'

'Zegt hij nog iets wat we niet al zelf bedacht hebben?' vroeg Bäckström. 'Over die steekwonden in haar... daar onder aan haar rug bijvoorbeeld?' Ik durf niet eens meer 'kontje' te zeggen, dacht hij. Waar ben ik in godsnaam in terechtgekomen?

'Steekwonden is misschien wat overdreven,' wierp Enoksson tegen. 'Het zijn eerder sneetjes, ook al heeft ze behoorlijk gebloed. O ja, hij heeft ze voor ons opgemeten. Dat is immers niet ons pakkie-an. Ze tellen konden wij ook wel, en de arts kwam tot dezelfde conclusie als wij. Dertien sneetjes over een halve cirkel verdeeld, van haar linkerbil omhoog tot aan de middenlijn van haar lichaam en dan omlaag naar haar rechterbil, waarschijnlijk in die volgorde.'

'Ik luister,' zei Bäckström.

'Een mes met één snijvlak, hoogstwaarschijnlijk het mes dat we op de plaats van het delict gevonden hebben. De sneden zijn tussen de twee en vijf millimeter diep, de diepste is nog geen één centimeter. Geeft een beheerste indruk, niet in de laatste plaats omdat ze ongetwijfeld weerstand heeft geboden en haar lichaam heen en weer heeft gegooid. Rechts dieper dan links. De banden en de mondknevel en de sporen die deze op haar lichaam hebben achtergelaten, kunnen we beter bespreken als het rapport van het SKL binnen is.'

'Is wat mij betreft prima,' zei Bäckström. 'Maar wat ome dokter ons tot nog toe allemaal verteld heeft, wisten we allang.' Ik in elk geval, dacht hij.

'Ja, in grote lijnen wel. Maar hij is bereid hierheen te komen om met ons te praten als we daar prijs op stellen,' zei de technicus. 'Misschien is het het beste als hij langskomt als mijn collega's en ik ons werk hebben afgerond en wat uitslagen van de tests binnen hebben.

Het kan zijn dat hij enkele dingen mondeling wil toelichten als we dan bijeenkomen. Dat we alles in een groter verband plaatsen. Wat vind jij daarvan?'

'Klinkt goed,' zei Bäckström. Maar liefst wel deze zomer nog, dacht hij.

Daarna had Bäckström collega Anna Sandberg apart genomen om zich verder in de persoon van het slachtoffer te verdiepen, maar vooral om zijn vermoeide ogen op haar te laten rusten.

'Ik hoop niet dat je me een zeur vindt, Anna,' zei Bäckström met een vriendelijke glimlach, 'maar zoals jij ongetwijfeld net zo goed begrijpt als ik, is de analyse van de persoon van het slachtoffer misschien wel het allerbelangrijkste onderdeel van het hele onderzoek.' Slijm, slijm, dacht hij, maar wat doe je wel niet voor dat jonge spul.

'Ik vind je helemaal geen zeur,' antwoordde Anna. 'Integendeel, ik word er alleen maar blij van dat je dat zegt. Er zijn veel te veel collega's hier op het bureau die het slachtoffer niet serieus nemen.' Ze keek hem ernstig aan.

Fijn om te horen dat er in Växjö toch ook een paar normale collega's rondlopen, dacht hij, maar hij was niet van plan dat hardop te zeggen.

'Inderdaad,' zei Bäckström. 'Ik heb begrepen dat je met haar vader gesproken hebt? Met Linda's vader dus.'

'Dat is misschien iets te veel gezegd,' wierp ze tegen. 'Ik was erbij toen we naar zijn huis zijn gereden om te vertellen wat er gebeurd was. Een oudere collega heeft vooral het woord gevoerd. Hij was predikant voordat hij bij de politie ging en werkt nu al jaren bij de buurtpolitie hier in de stad. Hij is erg goed in dat soort dingen. Het is echt vreselijk, als je erover nadenkt. Haar vader was enorm overstuur. Meteen toen we hier op het bureau aankwamen, hebben we er een arts bij gehaald.'

'Verschrikkelijk,' zei Bäckström. Nu ziet ze er weer net zo uit als laatst, dus ik kan maar beter een beetje vaart maken voordat ze begint te janken. Die wijven zijn ook allemaal hetzelfde, wijven, dominees, buurtagenten, dacht hij. Allemaal slapjanussen.

'Ik zag dat ze stond ingeschreven op het adres van haar vader,' zei Bäckström, 'dus ik vermoed dat ze een eigen kamer had.'

'Ja, dat klopt,' zei Anna. 'Het is een kast van een huis, een landhuis. Echt een fantastische plek.'

'Toen jullie huiszoeking hebben gedaan op haar kamer bij haar vader thuis, hebben jullie toen iets interessants gevonden? Ik bedoel dagboeken, persoonlijke aantekeningen, agenda's en zo, oude brieven, foto's, videofilms van verschillende familiebijeenkomsten. De hele reutemeteut, je weet wel wat ik bedoel.'

'Daar zijn we nooit aan toegekomen,' zei Anna. 'We zijn eigenlijk alleen maar in de hal geweest voordat we weer weggingen. Haar vader was helemaal kapot. Maar haar agenda hebben we wel. Die zat in haar tas, dezelfde tas die ze bij zich had toen ze afgelopen donderdag uit was.'

'En, stond daar iets interessants in?' vroeg Bäckström.

'Nee,' zei Anna en ze schudde haar hoofd. 'Alleen de gewone dingen. Bijeenkomsten, colleges op school, afspraken met vriendinnen. De gewone dingen. Als je wilt kan ik hem wel even voor je halen.'

'Dat komt later wel,' zei Bäckström. 'Maar daarna dan,' zei hij, 'wat is er daarna gebeurd?'

'Niet zo veel,' zei Anna. 'Ik heb het er afgelopen vrijdag nog met Bengt over gehad, met hoofdinspecteur Olsson dus, maar toen had haar vader het bureau alweer verlaten, samen met die arts en een paar vrienden van de familie, en Bengt vond dat we er nog maar even mee moesten wachten. Dat we de man met rust moesten laten na wat er allemaal gebeurd is, bedoel ik. Maar daarna is er niet zo veel meer gebeurd. Hoewel ik weet dat de collega's van de technische afdeling het nog wel eens genoemd hebben.'

'Dus jullie hebben nog steeds geen huiszoeking gedaan op haar kamer bij haar vader thuis?' Waar ben ik in godsnaam terechtgekomen, dacht hij.

'Nee, niet dat ik weet,' zei Anna terwijl ze haar hoofd schudde. 'De technici hebben hun handen trouwens nog vol aan de plaats waar de moord gepleegd is. Maar ik begrijp wat je bedoelt.'

'Ik zal het morgen met Olsson bespreken,' zei Bäckström. Dus krijgt hij nog een halve dag om de boel te verstieren, dacht hij.

Rogersson zat achter een gesloten deur met een koptelefoon op zijn hoofd en een bandrecorder voor zich op tafel toen Bäckström zijn kamer binnen stapte.

'Waar kan ik de hoofdinspecteur mee van dienst zijn?' vroeg Rogersson. Hij deed zijn koptelefoon af en knikte zwaarmoedig, terwijl hij de bandrecorder uitzette.

'Meegaan naar het hotel, op mijn kamer gaan zitten, een hapje eten en een paar pilsjes drinken,' zei Bäckström.

'Ik geloof dat ik eczeem in mijn gehoorgangen heb gekregen nu ik de hele middag en de halve avond naar een groot aantal zinloze verhoren heb geluisterd,' zei Rogersson. 'Maar dan komt collega Bäckström binnen en het enige wat ik hoor is de prachtigste muziek.'

'Kap ermee, dan gaan we,' zei Bäckström. Die idioot begint sentimenteel te worden. Komt vast van alle drank, dacht hij.

'Aaah,' zei Rogersson. Hij slaakte een diepe zucht van genot en veegde met zijn linkerhand wat schuim uit zijn mondhoek weg. 'De man die pils heeft uitgevonden, zou alle Nobelprijzen moeten krijgen die er maar zijn. Van de Nobelprijs voor de vrede tot die voor de literatuur. De hele mikmak.'

'Je bent vast niet de enige die er zo over denkt,' zei Bäckström, 'en het enige wat beter is dan een koud pilsje is een gratis koud pilsje. Dus de Nobelprijs voor de economie had hij zeker moeten krijgen, want die heb jij allang bij elkaar gezopen, ouwe vrek.'

Rogersson vertrok geen spier na deze voorzet. Daarentegen was hij plotseling op een ander onderwerp overgegaan.

'Die Pool waar Knutsson mee loopt te leuren,' zei hij en hij schudde zijn hoofd.

'We waren net van plan om hem morgenochtend nog een keer te horen en DNA af te nemen,' zei Bäckström. Laten we het liever over alle gratis pilsjes hebben die jij achteroverslaat, dacht hij.

'Volgens mij is hij het niet,' zei Rogersson. 'Hij voelt gewoon niet goed.'

'O nee?' zei Bäckström. 'En waarom dan wel niet?'

'Ik heb de verhoren met de krantenjongen en de Pool gelezen. Ik heb zelfs met collega Salomonson gesproken, die zich bezig heeft gehouden met dat onderzoek naar die ongewenste intimiteiten en die overigens vrij normaal lijkt,' zei Rogersson. 'Die Pool voelt gewoon helemaal niet goed,' zei Rogersson en hij benadrukte wat hij net gezegd had door een flinke slok van zijn gratis pils te nemen.

Volgens Rogersson waren er drie zakelijke argumenten aan te voeren die er sterk voor pleitten dat Linda's Poolse buurman, Marian Gross, haar níet zou hebben vermoord. Het eerste was het verhoor met de krantenjongen, die elke ochtend op hetzelfde tijdstip de ochtendkrant in de brievenbus stopte bij de bewoners van het pand die erop geabonneerd waren.

'Dan had hij dat toch wel begrepen,' zei Rogersson. 'Dat het de krant was die in de bus viel en dat het niet iemand was die thuiskwam. Hij heeft zelfs dezelfde ochtendkranten als de moeder van het slachtoffer. *Smålandsposten* en *Svenska Dagbladet*.'

'Misschien slaapt hij normaal altijd als de krant komt,' wierp Bäckström tegen.

Het tweede argument was het verhoor dat de politie Gross had afgenomen toen ze vrijdagmiddag langs de deuren waren gegaan, waarin Gross vertelde dat hij diezelfde week nog met Linda's moeder gesproken had en dat zij verteld had dat ze zelf naar haar zomerhuisje zou gaan terwijl Linda in haar appartement zou wonen.

'Dat pleit dan juist eerder tégen hem,' zei Bäckström. 'Hij wist dat hij zijn gang kon gaan.'

'Waarom zou hij dan door het raam naar buiten zijn gegaan?' herhaalde Rogersson. 'Het was toch veruit het makkelijkst geweest om gewoon via Linda's voordeur naar buiten te stormen en de trap of de lift te nemen naar zijn eigen appartement?'

'Er stond iemand voor de deur,' antwoordde Bäckström.

'De krantenjongen, ja,' zei Rogersson met nadruk. 'Had hij gewoon even moeten wachten totdat die weg was.'

Zucht, dacht Bäckström en hij volstond ermee alleen maar te knikken.

Het derde argument betrof Gross' lichamelijke gesteldheid in verhouding tot de vluchtweg die de dader gekozen had. Volgens het technisch onderzoek was het ongeveer vier meter tussen de vensterbank en de grasmat. Gross was 1 meter 70 lang en woog ruim 90 kilo. Hij was niet lenig en had een slechte conditie.

'Volgens Salomonson is het een kleine vetzak en is hij godsgruwelijk afstotelijk. Bovendien beweert hij dat Gross totaal geen conditie heeft. De man loopt na een halve trap al te puffen als een stoomlocomotief,' constateerde Rogersson. 'Dus hij was vast te pletter geslagen als hij die weg had gekozen. Als het hem überhaupt al gelukt was om over het raamkozijn te klimmen.'

Een kleine vetzak, dacht Bäckström, die nauwelijks langer was en nauwelijks minder woog, maar die zelf een meer atletisch type als dader in gedachten had. Zit wel wat in, dacht hij.

'Daar zit wel wat in,' zei Bäckström instemmend. 'Maar het kan nooit kwaad om wat wangslijm bij hem af te nemen, toch?'

'Succes ermee,' zei Rogersson. 'Zover ik het begrepen heb, is die Gross een uitzonderlijk lastig figuur.'

14

Växjö, maandag 7 juli

De vierde dag en nog steeds geen dader, dacht Bäckström toen hij zich aan de grote vergadertafel installeerde. En hoofdinspecteur Olsson had kennelijk besloten om vooronderzoeksleider te gaan spelen en met de scepter te gaan zwaaien. Ze zijn nog steeds bezig een situatie in kaart te brengen die tot nu toe nog geen enkele opening heeft geboden, dacht Bäckström. Olsson ratelt aan één stuk door, de gebruikelijke hielenlikkers zijn het met hem eens en de tijd glipt ons door de vingers, dacht hij terwijl hij zich Oost-Indisch doof probeerde te houden en deed alsof hij in zijn papieren zat te lezen.

Eerst hadden ze besloten om het speurwerk rond de plaats van het delict, langs de wandelroute van het slachtoffer en langs de denkbare vluchtweg van de dader af te ronden. Ze waren al drie dagen bezig en als ze nu niets gevonden hadden, was de kans klein dat dat later wel zou gebeuren.

'Dan vind ik dat we onze middelen beter elders kunnen inzetten,' zei Olsson en zijn woorden werden met meerdere goedkeurende knikjes beloond.

Bijvoorbeeld om een huiszoekinkje te doen bij pappie thuis, dacht Bäckström maar hij zei het niet, want dat wilde hij rechtstreeks met Olsson bespreken.

'Dan wil ik de collega's die zich hiermee bezig hebben gehouden heel hartelijk bedanken,' vervolgde Olsson. 'Jullie hebben allemaal fantastisch werk geleverd.'

Graag gedaan, dacht Bäckström. Zelf heb ik alleen maar een bewakingscamera gevonden die die andere blinde vinken over het hoofd hadden gezien.

Ook het buurtonderzoek zou in afgeslankte vorm worden voortgezet. De mensen die ze niet te pakken hadden kunnen krijgen, hadden een briefje in de brievenbus gekregen en de buren die het interessantst waren – wie dat dan ook mochten zijn – moesten in het ergste geval maar in hun zomerhuisjes worden opgezocht.

'Wat als voordeel heeft dat er nog een paar collega's vrijkomen die beter op andere plekken kunnen worden ingezet,' constateerde een tevreden hoofdinspecteur Olsson.

Bijvoorbeeld voor een huiszoekinkje bij pappie thuis, dacht Bäckström, die nog steeds niet van plan was iets te zeggen.

Daarna was het tijd om het onderzoeksmateriaal door te nemen dat ze ondanks alles bij elkaar hadden weten te schrapen op de plaats waar de moord gepleegd was en bij de patholoog-anatoom in Lund.

'Bij ons ziet het er werkelijk goed uit,' zei Enoksson. 'Maar jullie zullen nog een paar dagen geduld moeten hebben. We wachten onder andere op een fiks aantal analyseresultaten, maar ik beloof dat mijn collega's en ik hier nog op terug zullen komen. Voorlopig zullen jullie genoegen moeten nemen met wat er in de boulevardkranten staat, hoewel ik daar zelf wel voor uitkijk,' voegde hij er plotseling aan toe.

Aj aj aj, dacht Bäckström. Wat krijgen we nou, Enoksson is een beetje ontevreden.

Olsson leek het commentaar niet te hebben opgemerkt. Hij was in elk geval niet van plan om de plaats van het misdrijf los te laten.

'Als ik het goed begrepen heb,' zei Olsson, 'is ze gewurgd en in elk geval tweemaal verkracht en tegen vijven overleden.'

'Ja,' zei Enoksson. 'Ergens tussen halfvijf en vijf is ze overleden.'

Goed zo jongen, hou voet bij stuk, dacht Bäckström. Als je die figuur daar een pink geeft, grijpt hij je hele arm.

'De meer rituele elementen van het misdrijf... wat op marteling lijkt... om de dingen maar bij de naam te noemen, dat hij haar heeft vastgebonden, haar mond gekneveld heeft en haar heel wat keren met een mes heeft gestoken. Hoe ver zijn jullie daarmee?'

'Gestoken is wat overdreven,' wierp Enoksson tegen. 'Hij heeft eerder in haar zitten snijden of prikken.'

'Als ik het goed begrepen heb,' herhaalde Olsson, 'gaat het om dertien steken. Of sneetjes, als je het liever zo wilt noemen.'

'Ja, dertien en ik geloof niet dat we er een gemist hebben. Ze moet behoorlijk gebloed hebben toen hij in haar sneed, ondanks het feit dat de wonden niet echt diep zijn. Dit duidt erop dat ze nog leefde en heeft tegengesparteld. Dat zal ook wel de bedoeling zijn geweest,' zei Enoksson, die er plotseling tamelijk afgepeigerd uitzag.

'Dertien steken,' zei Olsson en hij klonk als iemand die het licht heeft gezien. 'Dat kan toch geen toeval zijn?'

'Ik begrijp niet wat je bedoelt,' zei Enoksson en het leek alsof hij het meende.

'Waarom uitgerekend dertien?' drong Olsson aan. 'Dertien, het ongeluksgetal. Als je het mij vraagt, is het geen toeval dat het er dertien zijn. Ik weet bijna zeker dat de dader ons er iets mee wil zeggen.'

'En ik denk dat het puur toeval is dat het er dertien zijn en niet tien, twaalf of twintig,' zei Enoksson kortaf.

'Laten we er even over nadenken,' zei Olsson en hij klonk net zo tevreden als alle anderen die er al over hadden nagedacht en het antwoord al wisten.

Nu is het genoeg geweest, dacht Bäckström. Hij knikte joviaal, terwijl hij luid genoeg zijn keel schraapte om ieders aandacht te trekken.

'Ik ben geneigd het met je eens te zijn, Bengt,' zei Bäckström terwijl hij bijna liefdevol naar Olsson glimlachte. 'De datum waarop ze vermoord is, is vast ook geen toeval, maar dat realiseerde ik me pas toen ik aan Anna's uitstekende presentatie moest denken, waarin ze vertelde dat het slachtoffer toen ze klein was een paar jaar in de vs had gewoond. Ik bedoel, 4 juli. Dat kan toch geen toeval zijn?'

'Nu kan ik het even niet volgen,' zei Olsson aarzelend.

Maar alle anderen wel, te oordelen naar hun gespitste oren en gestrekte halzen, dacht Bäckström. Een staande ovatie, dacht hij.

'De nationale feestdag van de vs,' zei Bäckström en hij knikte nadrukkelijk. 'Denken jullie niet dat het zo'n Al Qaida-figuur kan zijn geweest?'

Het aantal personen dat onrustig op zijn stoel heen en weer schoof, was groter dan het aantal dat had gegrijnsd of geglimlacht. Maar de boodschap is in elk geval overgekomen, dacht Bäckström.

'Ik heb je opmerking wel begrepen,' zei Olsson met een stijf lachje. 'Maar laten we even serieus verdergaan. Ik heb gehoord dat we een treffer hebben met een uitermate interessant persoon,' vervolgde hij terwijl hij zich tot Knutsson richtte.

De ratten zijn van plan om van schip te wisselen, dacht Bäckström en hij keek naar Knutsson, die plotseling in beslag leek te zijn genomen door zijn papieren.

'Klopt,' zei Knutsson. 'Die Poolse buurman van het slachtoffer. Marian Gross, die velen van jullie hier in Växjö klaarblijkelijk al kennen.'

Precies, en waarom hebben jullie hem afgelopen vrijdag niet meteen aangepakt, zodat ik me niet met die vent bezig had hoeven houden, dacht Bäckström. Omdat de collega's van de ordepolitie die voor jullie langs de deuren zijn gegaan, niet wisten wie hij was en omdat de onderzoeker die al sinds afgelopen winter met die Gross zit aan te kloten, er geen moment aan gedacht heeft dat die figuur in hetzelfde pand woont als het slachtoffer, totdat de kleine muiter Knul van Rijksmoordzaken in Stockholm met de resultaten van zijn eigen speurwerk onder zijn neus begint te wapperen, dacht hij.

Daarna was de reeds als seksmaniak bekendstaande Poolse buurman als denkbare en misschien zelfs waarschijnlijke dader over tafel gegaan. Al ruim een kwartier werd er over en weer gepraat; Bäckström probeerde aan iets anders te denken en toen Olsson hem plotseling een vraag stelde, had hij geen flauw idee waar het over ging. Behalve dat het met die Pool te maken moest hebben natuurlijk.

'Wat vind jij, Bäckström?' vroeg Olsson.

'Ik heb het volgende voorstel,' zei Bäckström. 'Ga naar zijn huis en ondervraag die klootzak nog een keer. En zorg dat er bij hem wangslijm wordt afgenomen.'

'Ik ben bang dat dat wat problemen zal opleveren,' zei Salomonson, die een eindje bij Bäckström vandaan zat. 'Ik heb me met die zaak van de ongewenste intimiteiten beziggehouden, mocht iemand hier aan tafel zich dat afvragen, en Gross is werkelijk een uitzonderlijk lastig heerschap.'

Dan halen we hem toch gewoon hierheen, dacht Bäckström. Sla hem in de boeien en voer hem via de hoofdingang aan het Oxtorget binnen, zodat de journalisten een paar goeie foto's kunnen nemen van die hufter.

'In dat geval neem ik als verantwoordelijke voor dit gedeelte van het onderzoek bij dezen het besluit dat hij moet worden opgehaald om verhoord te worden,' zei Olsson terwijl hij zijn rug rechtte. 'Aanhouding voor verhoor zonder oproep vooraf, volgens het Wetboek van Strafrecht hoofdstuk 23, paragraaf 7,' verduidelijkte Olsson en hij zag er tevreden uit toen hij dat zei.

Ga je gang, jongen, dacht Bäckström, terwijl hij net als alle andere aanwezigen instemmend knikte, behalve Rogersson, die geen spier vertrok.

Na het overleg had Bäckström Olsson te pakken weten te krijgen voordat deze naar zijn werkkamer had kunnen vluchten en de deur achter zich dicht had kunnen doen.

'Heb je even een minuutje?' vroeg Bäckström met een vriendelijke glimlach.

'Voor jou staat mijn deur altijd open, Bäckström,' verzekerde Olsson en hij klonk al even vriendelijk.

'Een huiszoeking in haar kamer bij haar vader thuis,' zei Bäckström. 'Daar heeft ze hoe dan ook de meeste tijd gewoond. Het wordt nu wel eens tijd.'

Olsson had vooral moeilijk gekeken, hij zag er lang niet meer zo daadkrachtig uit als aan het einde van het overleg. Haar vader was er erg slecht aan toe. Een paar jaar geleden had hij een infarct gehad en was hij bijna dood geweest. Zijn enige dochter was hem op uiterste mate grove wijze ontnomen en als hij de tv of de radio aanzette of probeerde een krant te lezen, werd hij de hele tijd op meedogenloze wijze aan die tragedie herinnerd. Bovendien leek het erg onwaarschijnlijk dat hij iets met de dood van zijn dochter te maken had. Toen hij op het politiebureau was, had hij bijvoorbeeld vrijwillig zijn vingerafdrukken achtergelaten voor het gebruikelijke vergelijkingswerk.

'Ik denk ook niet dat hij zijn dochter vermoord heeft,' zei Bäckström, die zijn blik alweer op iets anders gericht had. Net zomin als die idiote Pool, dacht hij, maar daar gaat het nu even niet over.

'Ik ben blij dat we het eens zijn,' zei Olsson. 'Ik stel voor dat we nog een paar dagen wachten, zodat Linda's vader de kans krijgt om te herstellen. Ik bedoel, als we geluk hebben met die Pool, dan is het hopelijk achter de rug zodra we de analyseresultaten van het DNA-materiaal binnen hebben.'

'Jij beslist,' zei Bäckström. Vervolgens was hij gewoon weggelopen.

Na de lunch had Bäckström een nieuwe lijst met namen van Knutsson gekregen, die zich om onduidelijke redenen lichtelijk schuldig leek te voelen.

'Ik heb van Rogersson begrepen dat jij niet in die Pool gelooft,' zei Knutsson inschikkelijk.

'Wat heeft Rogge gezegd dan?' vroeg Bäckström.

'Je weet toch wel hoe hij is als hij zo'n bui heeft?'

'Wat heeft hij gezegd dan?' vroeg Bäckström terwijl hij Knutsson met een verwachtingsvolle blik aankeek. 'Geef me een letterlijk citaat.'

'Hij zei dat ik Gross wel in m'n... ja... daar van achteren kon stoppen,' zei Knutsson stijfjes.

'Dat was niet aardig,' zei Bäckström. Hoewel erg aardig uit Rogges mond, dacht hij, als je wist wat hij eruit kon gooien als hij zo'n bui had.

'Als je belangstelling hebt? De lijst met namen, nieuwste versie,' zei Knutsson, die kennelijk op een ander onderwerp over wilde gaan.

'Mijn deur staat altijd open,' zei Bäckström terwijl hij achterover-leunde in zijn stoel.

Volgens Knutsson hadden ze sinds de vorige dag, toen ze over dezelfde kwestie hadden gesproken, vooruitgang geboekt. Zijn collega's en hij waren er onder meer in geslaagd om ongeveer twintig van de zeventig interessantste en gewelddadigste criminelen in Växjö en omstreken van de lijst af te voeren. Bij nog eens tien van hen was reeds DNA afgenomen in verband met andere, eerder gepleegde delicten en zodra de analyseresultaten van het SKL binnen waren, zouden ze met het vergelijken beginnen.

'Klinkt goed,' zei Bäckström. 'Zorg dat er bij die kerels zo snel mogelijk wangslijm wordt afgenomen.'

'We hebben alleen nog een klein probleempje,' zei Knutsson.

'Ik luister,' zei Bäckström.

Nadat hij de lijst had doorgenomen met Thorén en de andere collega's die met dezelfde klus bezig waren, hadden ze besloten om de interessante groep mogelijke daders uit te breiden.

'In deze tijd van het jaar zijn er immers veel inbrekers actief, vooral als mensen met vakantie zijn,' legde Knutsson uit. 'Dus de veelplegers uit die groep hebben we ook meegenomen, ongeacht of ze al eens een geweldsdelict hebben gepleegd of niet.'

'Dus hoeveel hebben we er nu? Een stuk of duizend of zo?' Bäckström leek haast tevreden toen hij de vraag stelde.

'Zo erg is het nog niet,' zei Knutsson. 'Op dit moment staan er op de lijst tweeëntachtig namen van eerder veroordeelde misdadigers die een relatie hebben met de omgeving.'

'Wanglijm, wangslijm, wangslijm!' riep Bäckström, terwijl hij met zijn hand gebaarde dat Knutsson weg moest gaan. Stompzinnige idioot, dacht hij. Bovendien was hij onbetrouwbaar, omdat hij zomaar naar dat stuk onbenul van een Olsson was gerend in plaats van met zijn echte baas te gaan praten.

Na de lunch had de VICLAS-eenheid van de rijksrecherche telefonisch contact opgenomen met Bäckström om hem op de hoogte te stellen van hun bevindingen.

'Ik heb het nogal druk, dus een beknopte versie zou fijn zijn,' zei Bäckström waarschuwend omdat hij de collega in Stockholm kende en hem een ongelofelijk langdradig stuk vreten vond. Centenbak moet die incompetente eikels de stuipen op het lijf hebben gejaagd, dacht hij.

De VICLAS-groep zocht naar seriemoordenaars door nieuwe delicten aan oude te koppelen, bij voorkeur aan delicten waarvan ze wisten wie de dader was. Eerst hadden ze alle gegevens die bekend waren over de moord op Linda ingevoerd en vervolgens hadden ze de Linda-moord vergeleken met eerdere zaken en bekende daders die al bij hen in de computer zaten.

'We hebben één treffer met een bekende dader,' meldde de collega en hij klonk apetrots. 'Jouw zaak lijkt erg veel op de zaak waar die man voor zit. Geen doetje, dat kan ik je wel vertellen, Bäckström. Erger dan deze kom je ze niet vaak tegen.'

'Wie is dat dan?' vroeg Bäckström. Het klinkt alsof je het over je zoontje hebt, dacht hij.

'Die gestoorde Pool die die schoonheidsspecialiste bij Högdalen heeft vermoord. De Tanja-moord. Zo heette ze, het slachtoffer. Dat weet je vast nog wel. Leszek, Leszek Baranski. Of Leo, zoals hij zich laat noemen. Die man die eerder al een hoop vrouwen had verkracht. Een erg wreed type,' legde de collega uit. 'Hij werkte gewoonlijk het hele programma af: vastbinden, mondknevel, martelen, verkrachten, wurgen. Zelfs meerdere wurgpogingen op hetzelfde slachtoffer. Hij wurgde ze eerst een klein beetje totdat ze van hun stokje gingen, dan pepte hij ze weer op door met ijspriemen op ze in te hakken tot ze bij hun positieven waren en dan begon hij weer van voren af aan. Een lekkere jongen,' zei de collega, die overliep van enthousiasme.

'Maar wacht even,' zei Bäckström, die zich opeens herinnerde over wie het ging. 'Had hij niet levenslang gekregen?' Is die vuile rotzak nu alweer op vrije voeten, dacht hij.

'Eerst werd hij door de rechtbank tot levenslang veroordeeld. Toen is hij in beroep gegaan en heeft het gerechtshof zijn straf veranderd in tbs met dwangverpleging. Volgens onze bronnen zit hij nog steeds in het gesticht, ook al is het al zes jaar geleden dat hij veroordeeld is. Dit moet een nieuw record zijn binnen de wereld van de tbs.'

'Waarom bel je dan?' vroeg Bäckström. Ons quotum Polen zit al vol, dacht hij.

'O, heb ik dat nog niet gezegd?' zei de collega. 'Hij zit in het Sankt Sigfrid in Växjö, of zou daar in elk geval moeten zitten. Kom op, Bäckström. Je loopt toch al een tijdje mee. Jij weet ook wel hoe dat binnen de psychiatrie gaat. Die zielenknijpers vonden misschien dat hij een beetje frisse lucht nodig had en een kleurtje moest krijgen en zijn vergeten dat aan ons door te geven.'

'Je bedoelt dat hij proefverlof zou hebben gehad?' vroeg Bäckström. Nee, hij niet, zo achterlijk zijn zelfs zielenknijpers niet, dacht hij.

'Geen flauw idee,' zei de collega. 'Bel ze, dan kun je het ze vragen. Ik fax al zijn gegevens naar je toe.'

'Bedankt,' zei Bäckström en hing op. De juiste man op de juiste plaats. Die idioot die hij net gesproken had, zou ongetwijfeld ook voor niets werken als het moest. Jezus, wat halen ze tegenwoordig wel niet voor spul het korps binnen, dacht hij.

Bäckström kwam steunend uit zijn stoel omhoog en liep naar de fax. Het zou toch niet waar zijn dat ik zojuist een dader heb gekregen en dat ik ook nog eens die hele psychiatrische teringbende op z'n flikker kan geven, dacht hij.

De eerste Pool uit het onderzoek, promovendus in de filosofie en bibliothecaris Marian Gross, had diezelfde ochtend nog contact met de politie. Door de brievenbus van zijn voordeur, die op slot zat, liet hij politie-inspecteur Von Essen en diens collega van de politie in Växjö, politieagent Adolfsson, weten dat hij de hele dag bezet was maar dat hij de volgende dag telefonisch bereikbaar was. Omdat noch Von Essen, noch Adolfsson van plan was met zich te laten sollen en al helemaal niet in deze zaak en in dit pand, had Adolfsson tegen hem gebruld dat hij aan de kant moest gaan als hij zijn eigen deur niet tegen zijn kop wilde krijgen en daarna had hij bij wijze van proef een trapje gegeven om te kijken of het nodig was om de voorhamer te gaan halen die hij in de kofferbak van de dienstwagen had liggen. Om nooit precies opgehelderde redenen – de verklaringen van de betrokkenen liepen nogal uiteen in de aangifte die kort daarop bij de interne onderzoeker van de politie binnenkwam – had Gross de deur onmiddellijk opengemaakt.

'Nee maar, daar hebben we meneer Gross,' zei Adolfsson met een brede glimlach tegen de eigenaar van het appartement. 'Wil je zelf lopen of moeten we je slepen?'

Een kwartier later stapten Von Essen en Adofsson, met Gross tussen zich in, de afdeling van het rechercheteam binnen. Gross had zelf gelopen, hij had geen handboeien om en was met grote discretie via de garage van het politiebureau naar binnen geloodst.

'Een Pool, volgens order,' vatte Adolfsson kort samen toen hij hem overdroeg aan Salomonson en Rogersson, die het verhoor zouden afnemen.

'Ik hoorde wel wat je zei!' brulde Gross, die al die tijd al een vuurrood hoofd had maar tijdens het hele transport nog geen woord had gezegd. 'Dit wordt nóg een aangifte wegens discriminatie, vuile fascisten!'

'Als doctor Gross zo vriendelijk zou willen zijn om met mij en mijn collega mee te lopen, dan kunnen we meteen even de praktische zaken afhandelen,' zei Salomonson en hij maakte een beleefd uitnodigend gebaar in de richting van de verhoorkamer.

Het verhoor met de buurman van het slachtoffer, Marian Gross, begon net na elf uur 's ochtends. Inspecteur Nils Salomonson van de regionale recherche in Växjö leidde het verhoor en inspecteur Jan Rogersson van de rijksrecherche in Stockholm zat er als getuige bij. Het zou ongeveer twaalf uur gaan duren, met onderbrekingen voor de lunch, twee koffiepauzes en een paar korte pauzes om de benen te strekken. Pas na tien uur 's avonds was het afgelopen. Marian Gross had de aangeboden lift naar huis afgeslagen en gezegd dat ze een taxi voor hem moesten bestellen. Om kwart over tien verliet hij het politiebureau en gezien de informatie die het de politie had opgeleverd, hadden ze het verhoor net zo goed achterwege kunnen laten.

Gross had het vooral over zichzelf willen hebben en over de vervolging waar de politie hem al bijna een halfjaar mee lastigviel vanwege een volslagen idiote aangifte van een 'geschifte vrouw op mijn werk wier seksuele avances ik heb afgewezen'. Het waren haar beschuldigingen die de zaak aan het rollen hadden gebracht en nu de dochter van zijn buurvrouw vermoord was, was hij voor de politie als vanzelfsprekend een prooi waarop gejaagd mocht worden.

'Jullie denken toch niet serieus dat iemand als ik zoiets zou kunnen doen?' vroeg Gross terwijl hij Salomonson en Rogersson beurtelings aankeek.

Een antwoord had hij natuurlijk niet gekregen. In plaats daarvan was Salomonson op een ander, voor de hand liggend onderwerp overgegaan, waar ze mogelijk nog nut konden hebben van de vingerafdrukken die ze al bij Gross hadden genomen in verband met het eerste onderzoek naar de ongewenste intimiteiten met zijn collega. Helaas hadden ze toen niet meteen ook zijn DNA afgenomen.

'Linda's moeder, Liselotte Ericson, en jij zijn nu al een paar jaar buren,' zei Salomonson. 'Hoe goed ken je haar?'

Normaal buurcontact, niet meer en niet minder, hoewel Linda's moeder er misschien niets op tegen had gehad om wat meer contact te hebben, aldus Gross. Bovendien had hij zijn kans gegrepen om hen te corrigeren.

'Ze wordt Lotta genoemd, niet Liselotte, en zo noemt ze zichzelf ook,' zei Gross, die om een of andere reden tamelijk tevreden leek.

'Absoluut geen onaantrekkelijke vrouw. In tegenstelling tot haar anorectische dochter, die overigens totaal niet op haar lijkt, ziet zij eruit zoals een vrouw eruit moet zien,' resumeerde Gross.

Salomonson was niet op zijn beschrijving van het slachtoffer ingegaan.

'Maar Lotta Ericson is ook niet jouw type?' vroeg Salomonson.

Een beetje te simpel, als vrouw misschien zelfs wel een tikkeltje ordinair, in elk geval zo'n opdringerig type, waar hij nogal moeite mee had. Bovendien veel te oud, aldus Gross.

'Ik zie hier in onze papieren,' onderbrak Rogersson het gesprek, 'dat ze een jaar jonger is dan jij. Zij is vijfenveertig en jij bent zesenveertig.'

'Mijn voorkeur gaat uit naar jongere vrouwen,' zei Gross. 'Maar wat gaat jullie dat eigenlijk aan?'

'Ben je wel eens bij Lotta thuis geweest?' vroeg Rogersson.

Gross was meerdere malen bij haar thuis geweest. Een paar keer samen met andere buren, toen ze belangen van de vereniging van eigenaren hadden besproken, en nog een paar keer in zijn eentje. De laatste keer was nog maar een paar weken geleden.

'Ze bleef maar aandringen dat ik een keertje langs moest komen, hoewel ik werkelijk mijn best heb gedaan geen verkeerde signalen uit te zenden,' zei Gross. 'Zoals ik al zei, ze was nogal opdringerig.'

Waar hij zoal in de woning was geweest? In de hal, in de woonkamer, in de keuken, gewoon op plekken waar je komt als je bij iemand op de koffie gaat. Mogelijk was hij ook bij haar naar de wc geweest.

'De wc bij de slaapkamer?' vroeg Salomonson.

'Ik begrijp waar jullie heen willen,' zei Gross. 'Om elk misverstand te voorkomen, ik heb nooit een voet in haar slaapkamer gezet. Misschien ben ik in haar wc in de hal geweest. Aangezien onze woningen exact gelijk zijn, weet ik die wel te vinden. Dus als jullie toevallig ergens mijn vingerafdrukken hebben gevonden, dezelfde vingerafdrukken die jullie al op illegale wijze genomen hebben, is daar een volkomen natuurlijke verklaring voor.'

Dom is hij in elk geval niet, dacht Rogersson. In de woning waar de moord gepleegd was, hadden ze nog geen vingerafdrukken van Gross gevonden en mochten ze die nog vinden, dan zou de waarde ervan, na wat hij net verteld had, uiterst beperkt zijn. Daarom waren ze op een ander onderwerp overgegaan en over de dochter van de buurvrouw begonnen, het slachtoffer van de moord.

'Ik heb haar nauwelijks gesproken,' zei Gross. 'Hoe kan ik dan over haar een mening hebben? Ze leek net zo egocentrisch, verwend en onopgevoed als alle andere jongedames van die leeftijd.'

'Egocentrisch, verwend, onopgevoed. Hoe bedoel je?' vroeg Salomonson.

Dat ze hem de weinige keren dat ze elkaar waren tegengekomen, amper gegroet had. Dat ze zijn blik had gemeden en er bijna een sport van had gemaakt te laten blijken hoe ongeïnteresseerd ze was, die ene keer dat ze volgens zijn herinnering met elkaar gesproken hadden. Overigens was haar moeder er toen ook bij geweest.

Pas om een uur of twee hadden ze het verhoor onderbroken voor de lunch. Gross had dat late tijdstip bepaald en waarschijnlijk voornamelijk om het hun lastig te maken. Terwijl Salomonson ervoor zorgde dat er eten kwam, was Rogersson naar de wc gegaan om zijn blaas te legen. Toen hij weer naar buiten kwam, liep hij Bäckström tegen het lijf.

'Hoe gaat het met onze Poolse viespeuk?' vroeg Bäckström.

'Ik moest effe pissen,' zei Rogersson. 'Ik moet tegenwoordig om de haverklap naar de plee. Mijn dagen als ondervrager zijn geteld. De enige keer dat ik niet steeds naar de plee hoef, is als ik pilsjes achterover zit te slaan. Dan denk ik geen moment aan de plee. Het is raar maar waar.'

'Ja,' zei Bäckström met een grijns. 'Zelf ga ik naar de plee als ik wakker word en voordat ik in slaap val. Twee keer per dag dus, of ik nu moet of niet.'

'Om je vraag te beantwoorden, het gaat zoals verwacht,' zei Rogersson. Naar die andere dingen wilde hij niet eens luisteren.

'Heeft hij al wat DNA afgestaan?' vroeg Bäckström.

'Zo ver zijn we nog niet,' zei Rogersson met een zucht. 'We hebben de hele tijd aan moeten horen hoe slecht we hem wel niet behandeld hebben en als het je interesseert, kan ik je nu al wel vertellen hoe dit gaat aflopen.'

'Hoe dan?' vroeg Bäckström.

'We zullen zijn gezeur nog drie uur lang aan moeten horen. Vervolgens komt Olsson langs en die besluit dan dat we nog eens zes uur naar hetzelfde gezeur moeten luisteren. Daarna zal hij weigeren om vrijwillig DNA af te staan. Dan komt Olsson en die legt zich erbij neer, omdat hij de ballen niet heeft om hem mee te delen dat hij als verdachte wordt aangemerkt en om aan de officier van justitie te vragen hem in de bak te gooien zodat we zijn DNA af kunnen nemen zonder om toestemming te hoeven vragen. Daarna zullen Gross, onze collega en ik naar huis gaan. Ieder zijn eigen weg.'

'Dan kun je in elk geval een paar pilsjes nemen,' zei Bäckström troostend. 'Zodat je niet meer de hele tijd naar de plee hoeft, bedoel ik.'

'Zeker,' zei Rogersson. 'Gross heeft Linda niet vermoord, hij heeft niets gezien, niets gehoord en niets gemerkt, dus wat heeft hij hier eigenlijk te zoeken? Kortom, een doodnormale, verloren dag in het leven van een ondervrager. Wat ga jij trouwens doen?'

'Ik ga een bezoekje brengen aan het gesticht,' zei Bäckström.

15

Aangezien Bäckström niet graag zelf reed, had hij een chauffeur geregeld. De eer was aan de jonge Adolfsson en op weg naar de garage hadden ze elkaar al wat beter leren kennen.

'Ik heb begrepen dat jij en je collega haar gevonden hebben,' zei Bäckström.

'Ja, dat klopt,' zei Adolfsson.

'Hoe ben je eigenlijk bij het rechercheteam terechtgekomen?' vroeg Bäckström, hoewel hij al had gehoord hoe dat gegaan was.

'Ze hebben in de vakantietijd meestal te weinig mensen,' zei Adolfsson.

'Ik heb met Enoksson gebabbeld,' zei Bäckström. 'Het leek alsof hij van plan was je te adopteren.'

'Ja, daar zit wel wat in. Enok is oké. Mijn pa en hij jagen samen.'

'Vakantietijd, te weinig mensen en Enoksson. Dus zo is het gegaan, wat onze gewaardeerde hoofdinspecteur Olsson er ook van vond,' vatte Bäckström kort samen.

'Ja,' zei Adolfsson. 'U heeft een heel behoorlijke samenvatting gegeven.'

'Is niet de eerste keer,' zei Bäckström terwijl hij zich met enige moeite op de passagiersstoel wurmde. Leuke jongen. Doet me erg aan mezelf denken toen ik zo oud was, dacht Bäckström.

'Zou ik u iets mogen vragen?' vroeg Adolfsson beleefd toen hij de auto de garage uit reed.

'Natuurlijk,' zei Bäckström. Beleefd en aardig is hij ook, dacht hij.

'Wat verschaft ons gekkenhuis de eer dat u op bezoek komt?' vroeg Adolfsson.

'We gaan een zwaar gestoorde crimineel bekijken,' zei Bäckström. 'En dan nemen we ook meteen een kijkje bij degene die hem onder zijn hoede heeft. Met een beetje geluk worden dat twee gekken op één middag.'

'De Tanja-man en docent Brundin,' zei Adolfsson. 'Als ik mag raden.'

Een begaafde jongeman, dacht Bäckström. Was ook wel te verwachten.

'Exact,' zei Bäckström. 'Heb je een van hen wel eens ontmoet?'

'Allebei,' zei Adolfsson. 'Brundin heb ik gehoord toen hij mij en mijn collega's op school college gaf. Die ander werd een paar jaar geleden door een medepatiënt op de afdeling met een mes verwond en toen moest hij naar het ziekenhuis om opgelapt te worden. Collega Von Essen en ik hebben geholpen dat transport te bewaken.'

'En, hoe zijn ze?' vroeg Bäckström. 'Brundin en de Tanja-man, bedoel ik.'

'Ze zijn allebei hartstikke geschift.' Adolfsson knikte nadrukkelijk.

'Wie van de twee is het meest geschift?' Bäckström keek nieuwsgierig naar zijn pas verworven jonge vriend.

'Maakt niet zo veel uit,' zei Adolfsson en hij haalde zijn brede schouders op. 'Ze zijn op verschillende manieren geschift, om het zo maar te zeggen. Hoewel het wel duidelijk is dat...'

'*Shoot*,' zei Bäckström aanmoedigend.

'Als ik met een van hen een kamer moest delen, zou mijn voorkeur uitgaan naar de Tanja-man. Zeker weten,' zei Adolfsson.

Het Sankt Sigfrid ziekenhuis lag maar een paar kilometer van het politiebureau. Oude en vrij moderne gebouwen door elkaar, omgeven door een groot park dat aan een meer grensde. Het was er lommerrijk en groen, met bomen die voor schaduw zorgden en een gazon dat er goed onderhouden bij lag ondanks de droogte van deze zomer. Het deed Bäckström erg aan het Grand Hotel in Saltsjöbaden bij Stockholm denken, waar de rijksrecherche gewoonlijk zijn conferenties en personeelsbijeenkomsten hield. Brundin verbleef in een oud, respectvol gerenoveerd gebouw uit de negentiende eeuw met wit bepleisterde muren. Onze gestoorde criminelen komen hier niets te kort, dacht Bäckström toen hij en Adolfsson uitstapten.

'Ik vraag me af wat dit gekost heeft,' zei Bäckström toen ze op de intercom beneden bij de entree aanbelden. 'Die gekken hebben een eigen tennisbaan, een midgetgolfbaan en een groot zwembad. Wat is er in godsnaam mis met gewoon een beetje prikkeldraad?'

'Ja, onze gestoorde criminelen komen in dit land niets te kort,' viel de jonge Adolfsson hem bij.

Die jongen zal het nog ver schoppen, dacht Bäckström.

Universitair docent Robert Brundin deed sterk aan een jonge Oscar Wilde denken, hoewel hij in tegenstelling tot het origineel een perfect gebit had, dat hij graag liet zien als hij glimlachte. Hij zat comfortabel achterovergeleund in zijn grote stoel achter zijn grote bureau in zijn grote werkkamer en leek volledig in harmonie met zichzelf en zijn omgeving.

Jezus, wat lijkt hij op die Engelse homoschrijver die de bak in draaide, dacht Bäckström, die zich de naam van de film en de hoofdrolspeler niet meer kon herinneren. Niet zo raar, dacht hij. Een vreselijke kutfilm, bevatte niet eens een paar goeie bruinwer013ersscènes, hoewel er in de televisiebijlage van de krant had gestaan dat het over flikkers zou gaan.

'Dus de politie is bang dat ik mijn kleine Leo los zou hebben gelaten in de stad,' zei de docent en hij liet al zijn witte tanden zien.

'Ja, zoiets is helaas wel eens eerder gebeurd,' zei Bäckström.

'Doch niet bij mij,' stelde Brundin. 'En als de heren er prijs op stellen, kan ik wel even toelichten waarom niet.'

'Wij luisteren,' zei Bäckström. De jonge Adolfsson had al zijn zwarte notitieboekje en een pen te voorschijn gehaald.

Leo, Leszek Baranski, negenendertig jaar, was een zeer gevaarlijke man en bovendien het kroonjuweel van de indrukwekkende verzameling gevaarlijke mensen van Brundin. Leo had hem geïnspireerd tot het schrijven van een groot aantal artikelen in forensisch-psychiatrische vakbladen en uiteraard was hij de hoofdpersoon in een oneindig aantal lezingen die Brundin gehouden had.

'Een volstrekt uniek voorbeeld van een seksuele sadist met sterk ontwikkelde fantasieën,' constateerde een gelukzalig glimlachende Brundin. 'We hebben er elke week een aantal gesprekken over, hij en ik, en ik ben nog nooit eerder zoiets tegengekomen. Algemeen beschouwd is hij hoogbegaafd, hij heeft een IQ van boven de 140 en zou bijvoorbeeld als astronaut in het ruimteprogramma van de NASA kunnen worden aangenomen. Maar wat het kwellen van jonge vrouwen voor eigen seksueel genot betreft, is hij werkelijk een genie. Zijn creativiteit om tot nieuwe uitdrukkingsvormen te komen voor zijn seksuele sadisme overschrijdt werkelijk alle grenzen.'

'Dus die was je niet van plan los te laten,' zei Bäckström. Lijkt me een lekkere vent, dacht hij, zonder dat hij voor zichzelf duidelijk had of hij nu Leo of diens arts bedoelde.

Brundin was niet van plan Leo los te laten. Die gedachte was überhaupt nog nooit bij hem opgekomen. Daarentegen had zijn baas – een oudere collega, die weliswaar 'een geschikte kerel was, maar helaas zwaar was aangetast door het liberale gedachtegoed van zijn generatie over de psychiatrische zorg, lethargisch van aard was en bij tijd en wijle duidelijk weerspannig gedrag vertoonde' – verschillende maatregelen voorgesteld, die het Leo makkelijker zouden kunnen maken op termijn terug te keren naar een leven buiten het aquarium waarin hij nu bewaard werd.

'Zoals?' vroeg Bäckström. Waarom die vuile rotzak niet gewoon tot lijm koken, dacht hij.

'Vrijwillige castratie,' zei Brundin met een brede glimlach. 'Volgens mijn baas zou Baranski, als hij ermee akkoord gaat om zich vrijwillig te laten castreren, misschien voor langere tijd naar buiten kunnen, bijvoorbeeld op een of ander bewaakt verlof.'

'Castratie?' vroeg Bäckström. 'Doen jullie dat soort dingen nog steeds?' Jezusmina, dacht hij en hij legde onbewust zijn linker- over zijn rechterbeen.

'Vrijwillig uiteraard. Geheel vrijwillig,' zei Brundin en hij leunde comfortabel achterover en vormde met zijn lange, gevoelige vingers een hoge boog.

'En wat vond hij zelf van dat idee?' vroeg Bäckström. Er zijn grenzen, dacht hij. Het lijkt me wel voldoende om hem tot lijm te koken.

'Hij was er niet zo happig op,' zei Brundin. 'Dan zou immers zijn enorme geslachtsdrift afnemen. Normaliter masturbeert hij zo'n vijf- tot tienmaal per dag. Bovendien nemen dat soort patiënten meestal dramatisch toe in gewicht, vooral als ze in een milieu als dit verblijven. Het is logisch dat hij bang is om zowel zijn geslachtsdrift als zijn uiterlijk, waar hij overigens bijzonder trots op is, kwijt te raken. Zelf was ik ook een sterk, zo niet categorisch tegenstander van het idee om tot castratie over te gaan,' zei Brundin.

'Waarom?' vroeg Bäckström. Omdat de rotzak er waarschijnlijk net zo uitziet als jij, dacht hij.

'Het remmen van zijn lusten zou natuurlijk ook zijn seksuele fantasieleven verarmen. In het ergste geval zou hij compleet verloren gaan als object voor forensisch-psychiatrisch onderzoek,' zei Brundin zonder een zweem van een glimlach.

'Ja ja,' zei Bäckström, die voor deze ene keer niet goed wist wat hij moest denken.

'Ik neem aan dat de heren hem wel even willen zien,' zei de docent.

'Waarom niet,' zei Bäckström. Altijd leuk voor in de koffiepauze op het werk, dacht hij.

Adolfsson had alleen maar geknikt, met een jeugdige, verwachtingsvolle blik in zijn diepliggende, korenblauwe ogen.

'Hij ligt sinds gisteravond in de isoleercel,' zei Brundin. 'We hebben hem plat moeten spuiten en vast moeten binden, dus helaas kunnen jullie niet met hem praten. Waarschijnlijk heeft hij gewoon iemand van het personeel iets over de Linda-moord horen zeggen en dat heeft hem enorm opgewonden.'

Leszek 'Leo' Baranski leek allesbehalve opgewonden. Ondanks het feit dat hij zo als illustratie had kunnen dienen bij de fantasieën die normaliter zijn geest in beslag namen en misschien ook nu, nu hij diep leek te slapen. Hij lag op een kamer van tien vierkante meter op de gang met isoleercellen van de gesloten afdeling. Het hele meubilair bestond uit een stalen brits die aan de grond was vastgeklonken. Daarbovenop lag Leo plat op zijn rug, roerloos, met zijn hoofd opzij, steunend op zijn rechterwang. Klein en mager, zwart krullend haar en zachte, bijna vrouwelijke gelaatstrekken. Het enige wat hij aanhad, was een onderbroek van het ziekenhuis met op de zoom het logo van het Sankt Sigfrid. Zijn armen waren met brede leren riemen langs zijn lichaam vastgebonden. Zijn benen lagen gestrekt en van elkaar, ook zijn enkels waren van leren riemen voorzien, waarmee ze aan het korte einde van de brits waren vastgemaakt.

'Het schijnt minstens zes uur te duren voordat hij weer bijkomt,' zei Brundin. 'Gewoonlijk maken we als eerste zijn rechterarm los, zodat hij zichzelf van de ergste angst kan verlossen,' vervolgde hij met een glimlach.

'Klinkt praktisch,' zei Bäckström. Terwijl jij en je collega's door dit raampje naar hem staan te koekeloeren, dacht hij.

Toen ze afscheid namen van Brundin, had hij hun succes gewenst met hun werk en gezegd dat hij hoopte dat er gauw een aanleiding zou zijn om elkaar weer te ontmoeten. Zelf was hij al begonnen een stuk te schrijven over deze nieuwe, interessante groep jonge misdadigers van allochtone afkomst, die zware seksuele misdrijven pleegden omdat ze zelf aan gelijksoortige daden waren blootgesteld in hun kindertijd of vroege jeugd. Deze personen waren weliswaar chaotisch, ernstig gestoord en tot alles in staat, maar niet te vergelijken met gevallen als Leo.

'Ik zie er werkelijk naar uit om de Linda-man te ontmoeten. Vooral omdat hij een geheel andere categorie vertegenwoordigt dan Leo,' zei Brundin terwijl hij vriendelijk naar hen glimlachte.

'Wie wil hem niet ontmoeten,' zei Bäckström met overtuiging en gevoel.

'Sorry, even een persoonlijke reflectie,' zei Adolfsson toen ze door het hek van het ziekenhuis wegreden.

'*Shoot again*,' bromde Bäckström.

'Die Brundin lijkt me echt een geschikte kerel,' zei Adolfsson. 'De juiste man op de juiste plaats, om het zo maar te zeggen.'

Jij zult het nog ver schoppen, jongen, dacht Bäckström, die volstond met instemmend gebrom.

16

Toen Bäckström weer terug was op zijn werk, had hij de jonge Adolfsson opdracht gegeven een korte memo te schrijven over hun bezoek aan het Sankt Sigfrid. Zelf ging hij aan de slag met de verschillende stapels die zich op zijn bureau hadden opgehoopt. Niets opwindends en naar het scheen was er ook niemand in de zaal die nodig een schop onder zijn kont moest krijgen om aan het werk te gaan. Hoog tijd voor het hotel en een pilsje, besloot Bäckström na een snelle blik op de klok, en natuurlijk ging net op dat moment zijn mobiele telefoon. Het was die langdradige collega van VICLAS, die wilde weten hoe het met Leo was gegaan.

'Ik heb Brundin en hem allebei gezien,' zei Bäckström.

'Dus Brundin heeft hem onder zijn hoede?'

'Ja,' zei Bäckström terwijl hij opnieuw een blik op de klok wierp. 'Je krijgt trouwens nog de groeten van hem.'

'O, dan is alles in orde,' verzekerde de collega. 'Brundin is de enige in die psychiatrische branche die volkomen normaal is. En hoe was het met Leo?'

'Schitterende schurk, mooi geval, ook van hem krijg je de groeten,' zei Bäckström en hij deed zijn mobieltje uit.

Op weg naar buiten ging hij even bij Rogersson langs om te kijken of ook hij voor deze dag klaar was, maar het rode lampje bij de verhoorkamer brandde nog steeds. Zes plus zes uur, dacht Bäckström. In het ergste geval moest hij maar een taxi bestellen. Wie heeft de puf om in deze hitte te gaan lopen? Hij viste zijn mobieltje uit zijn zak maar nog voordat hij hem aan had kunnen zetten, was de crisistherapeute van het rechercheteam opgedoken. Ze had zich bijna op hem gestort, al was ze zo mager als een golfclub en maar ietsje langer dan zo'n ding.

'Wat fijn dat ik je tegen het lijf loop,' zei ze, terwijl ze vriendelijk naar hem glimlachte en haar hoofd scheef hield. 'Heb je een paar minuutjes voor mij?'

'Wat kan ik voor je doen, Lo?' vroeg Bäckström en hij glimlachte even vriendelijk terug. Ik kan net zo goed ook meteen korte metten maken met die trut, nu ik toch bezig ben, dacht hij.

Toen ze eenmaal op haar kamer zaten, duurde het aanzienlijk langer dan een paar minuten voordat Lo ter zake was gekomen. Maar omdat Bäckström tot in het kleinste detail had uitgedacht hoe hij dit aan zou pakken, was het een puur genot om te zien hoe perfect haar magere hals in de strik gleed die hij voor haar had gezet. Hij leunde comfortabel achterover in haar bezoekersfauteuil, vouwde zijn handen over zijn ronde buik, glimlachte vriendelijk en gaf haar een aanmoedigend knikje.

'Jij bent ongeveer de enige die ik nog niet gesproken heb,' zei Lo.

'Zoals je ongetwijfeld begrijpt, Lo, heb ik het enorm druk,' zei Bäckström met milde ogen en een bedachtzaam knikje. Dus ik heb niet eens tijd gehad om met zo'n ongelofelijk zeikwijf als jij te zitten teuten, dacht hij.

'Dat begrijp ik heel goed,' viel Lo hem bij. Ze hield haar hoofd nog een paar centimeter schuiner en schonk hem een bijna verticale glimlach.

'Fijn om te horen,' zei Bäckström met een kalm gezicht, terwijl hij een poging deed het naar binnen gerichte knikje te geven dat hij meestal voor dit soort momenten bewaarde.

Volgens Lilian Olsson moest Bäckström vanwege zijn lange ervaring als rechercheur bij de rijksrecherche met meer ellende geconfronteerd zijn dan de meeste andere agenten binnen het korps.

'Hoe ga je daarmee om?' vroeg Lo. 'Je moet echt verschrikkelijke ervaringen met je meedragen.'

'Hoe bedoel je?' kaatste Bäckström terug. Geef nooit één millimeter, want dan is het gebeurd, dacht hij.

Alle ellende die het werk met zich meebracht? Veel politieagenten, zo niet de meeste, of bijna alle, kregen op den duur een burn-out. In lange rijen marcheerden ze recht op die muur af, terwijl ze zich dag in dag uit van de ene naar de andere dienst probeerden te slepen door te vluchten in overmatig alcoholgebruik en seks.

'En dat is nou juist de allerslechtste manier om met psychische problemen om te gaan,' zei Lo.

Maar wel hartstikke leuk, dacht Bäckström terwijl hij instemmend knikte.

'Tragisch,' zei Bäckström en hij rilde van afschuw. 'Tragisch,' herhaalde hij. Misschien moet ik haar even een tip geven over Lewin en onze kleine Svanström, dacht hij.

'Ik heb zelfs jonge agenten ontmoet die al op de politieacademie ernstige eetstoornissen hadden ontwikkeld,' vervolgde Lo.

'Het is tragisch,' herhaalde Bäckström. 'Ook jonge mensen. Tragisch.' Hij slaakte een diepe zucht. Maar als je weet wat voor eten er op die plek geserveerd wordt, is het eerder een wonder dat ze überhaupt nog wat naar binnen krijgen, dacht hij.

Lo was er, na alle jaren dat ze als psycholoog binnen de politie werkzaam was, stellig van overtuigd dat de oorzaak gezocht moest worden binnen de politiecultuur, in de geest van 'het machodenken, het ontkennen en verzwijgen, het destructief uitleven in groepsverband', wat al veel te lang het werkklimaat van de politie beheerste en de mensen die daarin moesten werken verlamde. Zelf vóelde ze het van de vloeren, muren en plafonds op haar af stromen zodra ze een voet in een politiebureau zette.

'Hoe ga jij met al die traumatische ervaringen om, Bäckström?' herhaalde ze terwijl ze aanmoedigend met haar hoofd wiebelde.

'Met de hulp van de Heer,' zei Bäckström, terwijl hij zijn milde blik op de plafondlamp van haar kamer richtte. Zuig daar maar even op, wichie, dacht hij.

'Sorry, ik ben bang dat ik het even niet kan volgen,' zei Lo en ze keek hem met een onzekere glimlach aan.

'De Heer,' herhaalde Bäckström met gebiedende stem. 'De Here God Almachtig, de heerser van hemel en aarde, tevens Leidsman en Trooster op mijn levenspad.' Ziet iemand er zo uit als zijn ogen en zijn mond openvallen van verbazing, dacht hij.

'Ik wist niet dat je gelovig was, Bäckström,' zei Lo terwijl ze hem onthutst aankeek.

'Dat is niet iets wat ik aan Jan en alleman vertel,' zei Bäckström en hij keek haar met een vermanende blik aan terwijl hij zijn hoofd schudde. 'Dat is iets tussen mij en de Heer.'

'Dat begrijp ik heel goed,' zei Lo. 'Maar het ene sluit het andere niet uit,' vervolgde ze. 'Heb je nooit overwogen om alterna... ja, om ook nog andere manieren uit te proberen om tot zielerust te komen?'

'Wat zou dat dan moeten zijn,' zei Bäckström bars, hij fronste zijn wenkbrauwen en gaf haar een proefje van zijn politieblik. Tijd om de duimschroeven aan te draaien.

'Tja, verschillende therapievormen bijvoorbeeld, zoals debriefing, wat in wezen ook een vorm van therapie is,' zei Lo met een stijf glimlachje. 'Mijn deur staat altijd open en ik heb in feite heel veel gewone gelovigen...'

'Gij zult geen andere goden voor Mijn aangezicht hebben!' bulderde Bäckström. Hij wees naar haar met zijn hele hand, terwijl hij uit zijn stoel omhoogkwam. 'Die arrogantie die jij en je collega's aan de dag leggen als jullie proberen op de plaats van de Heer te gaan zitten. Besef je wel dat jullie tegen het eerste gebod zondigen?' Of was het het tweede? Maakt ook niet uit, dacht hij.

'Het was werkelijk niet mijn bedoeling om je voor het hoofd te stoten, ik wilde je werkelijk niet...'

'Mensenwerk is broddelwerk!' onderbrak Bäckström haar. 'Prediker twaalf, vers veertien,' vervolgde hij terwijl hij haar strak aankeek. Een pure gok, vooral hier in Småland, maar ze lijkt me niet echt een kerkelijk type, dacht hij.

'Het spijt me vreselijk als ik je gekwetst heb,' zei Lo met een krachteloos lachje.

'Mijn deur staat altijd open,' zei Bäckström, terwijl hij de hare opende om te benadrukken wat hij net gezegd had. 'Je moet één ding weten, Lo,' zei hij vermanend. 'Wij mensen... de mens wikt, maar God beschikt!'

En nu is het hoog tijd om me op de plee op te sluiten zodat ik me in alle rust een breuk kan lachen, dacht Bäckström toen hij de deur achter zich dichtdeed.

Zodra hij op zijn hotelkamer was, schonk hij zich een groot glas bier in. Er moet toch een steekje los zitten aan lui die direct uit het blik drinken, stelletje holbewoners, dacht Bäckström. Hij nam een paar flinke slokken en likte gretig het schuim van zijn bovenlip. Daarna gooide hij zich op bed, zette de televisie aan en bladerde door alle telefoonberichtjes die hij beneden bij de receptie uit zijn postvakje had gehaald. Het waren er heel wat en de meeste kwamen van de kleine Carin van de lokale radio. In het berichtje dat ze een paar uur geleden had achtergelaten, had ze hem zelfs verzekerd dat 'we niet over werk hoeven te praten' en om haar goede bedoelingen te laten zien, had ze haar privénummer gegeven. 'Mag ik je uitnodigen om samen op een discreet plekje te gaan eten?' Een vrouw in nood, dacht Bäckström en hij reikte naar de telefoon die op het nachtkastje stond. Ze lijkt behoorlijk wanhopig, dacht hij terwijl hij haar nummer intoetste.

Het discrete plekje was een restaurantje met terras en uitzicht over weer een ander meertje in Småland. Het lag een eind buiten de stad, maar omdat Bäckströms werkgever de taxi zou betalen, was dat voor hem geen probleem. Niet één journalist voorzover een speurdersoog kan zien, dacht hij toen hij de stoel voor zijn gezelschap van deze avond naar achteren trok.

'Eindelijk met z'n tweetjes, hoofdinspecteur,' zei Carin, knipper, knipper, knipper. Ze glimlachte met haar mond en haar ogen. 'Wat wil je eten? Ik trakteer.'

'Geen sprake van,' zei Bäckström, die al in de taxi had besloten om overuren te schrijven voor een ontmoeting met weer een geheime informant en de nota uiteraard nodig had als declaratiebewijs.

'Ik wil iets lekkers,' vervolgde hij, terwijl hij zijn gezelschap steels opnam en naar haar bruine armen en benen gluurde. Dun zomerjurkje had ze aan, de bovenste drie knoopjes was ze kennelijk vergeten dicht te doen. Misschien iets te makkelijk, dacht Bäckström.

'Het was erg gezellig,' resumeerde hij drie uur later, toen hij haar voor haar deur afzette. Al haar pogingen om hem over de Lindamoord te laten praten, had hij afgekapt. Om het gesprek gaande te houden en om op een ongekunstelde manier toch wat over zichzelf te vertellen, had hij haar op de gewone sterke politieverhalen getrakteerd en ter afsluiting nog een beetje met een vette toekomstbelofte gezwaaid.

'Maar je begrijpt toch wel hoe dit voor mij is,' zuchtte Carin, terwijl ze aan haar wijnglas draaide. 'Wij zitten hier in Växjö en het nieuws komt de hele tijd in de kranten uit Stockholm en Gotenburg. Dáár moeten we lezen wat er híer gebeurt. Hoewel het onze moord is. Het gaat om een meisje van hier dat vermoord is. Een van onze eigen mensen, bedoel ik.'

'Het meeste wat er in die kranten staat, is flauwekul. Misschien is dat een troost voor je,' zei Bäckström. Wat je al niet doet voor dat jonge spul, dacht hij.

'O ja?' zei ze met een sprankje hoop in haar ogen.

'Weet je wat,' zei Bäckström, hij leunde voorover en raakte in het voorbijgaan licht haar arm aan. 'Als ik die schoft gevonden heb en zeker weet dat hij het is, dan beloof ik je dat jij de eerste bent die het zal horen. Alleen jij. Niemand anders.'

'Beloof je dat? Meen je dat echt?' zei ze terwijl ze hem aankeek.

'Ik zweer het,' loog Bäckström en hij liet zijn hand op haar arm rusten. 'Jij, jij alleen.' Dit is te gemakkelijk, dacht hij.

Zodra hij in het hotel was, koerste hij op de bar af. Slechts drie pilsjes bij het avondeten en hij had dorst als een kameel die van Jeruzalem naar Mekka gelopen is. Bovendien zat Rogersson achter in de bar met een groot glas bier en hij leek zwaarmoediger dan ooit, ondanks het feit dat alle tafeltjes om hem heen leeg waren. De ongeveer twintig journalisten en andere aanwezigen in de bar hadden er om een of andere reden voor gekozen zo ver mogelijk bij hem vandaan te gaan zitten.

'Ik heb de eerste aasgier die hier wilde gaan zitten gezegd dat ik zijn arm eraf zou breken, dus het is lekker rustig,' legde Rogersson uit. 'Wat wil je trouwens hebben? Het is mijn beurt,' vervolgde hij.

'Een halve liter,' zei Bäckström en hij gebaarde naar een ober die om een of andere reden wat leek te aarzelen. Jij bent ook altijd zo diplomatiek, Rogge, dacht hij.

'Is er bij jou nog iets gebeurd?' vroeg Rogersson toen Bäckström zijn bier gekregen had en de ergste dorst had kunnen lessen.

'Ik had een vrij lang gesprek met onze crisistherapeute,' zei Bäckström met een grijns. 'Daarna moest ik naar de plee. Dus vandaag wordt dat drie keer.'

'En ik maar denken dat jij normaal was. Waarom ga je dan in godsnaam met zo iemand praten?' zuchtte Rogersson hoofdschuddend.

'Moet je horen,' zei Bäckström terwijl hij over het tafeltje naar voren boog. Vervolgens vertelde hij het hele verhaal. Rogersson knapte er duidelijk van op en ze waren nog even blijven zitten om een paar borreltjes te nemen die het personeel maar op de rekening van Bäckströms kamer moest zetten, bij al die andere dingen die de werkgever toch zou betalen.

Toen het tijd was om naar boven te gaan en te gaan slapen, was de bar al nagenoeg leeg. Rogersson was een stuk vrolijker en hij had het kleine groepje verslaggevers dat er nog zat en kennelijk van plan was zich helemaal lam te zuipen, zelfs nog goedenacht gewenst.

'Ga toch naar huis, stelletje kloothommels!' zei Rogersson.

17

Växjö, dinsdag 8 juli

Het bleek dat niet alle journalisten Rogerssons advies van de vorige avond hadden opgevolgd, want al bij het ontbijt konden Bäckström en zijn collega's kennisnemen van de nieuwste scoop in de grootste van de twee boulevardkranten. 'HIJ PROBEERDE LINDA'S BUURVROUW TE VERMOORDEN', brulde de kop, terwijl het drie pagina's lange artikel op pagina zes, zeven en acht het hele verhaal mocht doen: 'De politiemoordenaar probeerde ook mij te vermoorden. Linda's buurvrouw Margareta vertelt'.

'Waar gaat dit verdomme over?' vroeg Bäckström aan een zwijgende Rogersson, die achter het stuur van hun dienstwagen zat om hen de vierhonderd meter van het hotel naar het politiebureau te rijden.

'Om een uur of drie 's nachts werd ik wakker doordat iemand bij mij probeerde in te breken,' las Bäckström voor. 'Maar mijn twee honden begonnen vreselijk hard te blaffen en toen is hij weggerend. Ik hoorde hem de trap af rennen. Wat is dit verdomme?' herhaalde hij. 'Waarom heeft ze dit niet eerder verteld? We hebben haar toch al een paar keer ondervraagd?'

'Ze is drie keer gehoord,' zei Rogersson zakelijk. 'Ik heb alle verhoren gelezen. Eerst heeft ze de agenten die als eerste ter plaatse waren, gesproken. Daarna hebben de collega's van de regionale recherche een vrij lang verhoor met haar gehouden, waarna haar een spreekverbod is opgelegd. Ze is een derde maal gehoord in verband met het buurtonderzoek.'

'En geen woord over iemand die probeerde bij haar in te breken?'

'Geen woord,' zei Rogersson en hij schudde zijn hoofd.

'Ga naar haar toe en ondervraag haar opnieuw,' zei Bäckström. 'Onmiddellijk. En neem dat schatje Salomonson met je mee.'

'Doe ik,' zei Rogersson.

Kan het echt zo simpel zijn, dat dit waar is, dacht Bäckström. Dat diezelfde gek ook bij Linda heeft aangebeld en dat zij zo onnozel is geweest om hem binnen te laten?

Het ochtendoverleg was nogal mat geweest, hoewel Bäckström de vergadering had voorgezeten. De meesten leken te wachten op het verslag van de technici over wat er op de plaats van het misdrijf gebeurd was. Maar vooral op het beloofde en felbegeerde rapport van het SKL over het DNA-profiel van de dader. De vergadertijd was voornamelijk besteed aan een discussie over wat er die ochtend in de krant had gestaan, wat Bäckström zo verschrikkelijk dwarszat dat hij niet eens van plan was te zeggen waarom. Dat de media plotseling het initiatief in zijn moordonderzoek hadden overgenomen.

Zoals zo vaak liepen de meningen nogal uiteen.

'Volgens mij durfde ze het ons gewoon niet te vertellen toen we haar ondervroegen. Ze was gewoon bang,' zei degene die als eerste het woord nam.

'Een andere mogelijkheid is dat ze alles verzonnen heeft om interessant te doen, of dat de journalisten haar de woorden in de mond hebben gelegd,' wierp de volgende tegen.

'Misschien ligt de waarheid wel ergens in het midden,' opperde een derde. 'Dat haar honden midden in de nacht begonnen te blaffen, maar dat dat niet kwam doordat iemand bij haar probeerde in te breken. Misschien was er buiten op straat een auto, of een zuiplap die lawaai maakte.'

Op die manier was het nog een tijdje doorgegaan, totdat Bäckström rechtop was gaan zitten, zijn hele hand had opgestoken en de discussie had onderbroken.

'Het komt wel goed,' zei Bäckström en hij richtte zich tot Enoksson, die ook nog niets gezegd had. 'Is het misschien zinnig om jou en je maten erheen te sturen om haar deur op vingerafdrukken te onderzoeken?'

'Ze zijn al onderweg,' zei Enoksson.

Eindelijk, dacht Bäckström, een echte politieman.

Na het overleg had Bäckström collega Sandberg apart genomen om zijn vermoeide ogen nogmaals op haar te laten rusten en tegelijkertijd te horen hoe het onderzoek naar de personen in de directe omgeving van het slachtoffer verliep.

'Hoe gaat het, Anna? Beginnen we al een beetje een beeld te krijgen van wie er donderdagavond in die danstent waren?' vroeg Bäckström terwijl hij vriendelijk naar haar glimlachte.

Volgens politie-inspecteur Sandberg ging het om afgerond tweehonderd personen die óf al in de bardancing waren toen Linda daar na elven opdook, óf daar later op de avond arriveerden terwijl zij er nog was. Van deze tweehonderd hadden ze er al ongeveer honderd gesproken. Het merendeel van hen had vrijwillig van zich laten horen nadat de politie daartoe had opgeroepen in de lokale media. Tot deze groep behoorden onder anderen zes van Linda's klasgenoten van de politieschool, haar vriendin die als burgerbeambte op het politiebureau werkte en nog vier politieagenten onder wie politie-inspecteur Anna Sandberg zelf.

'En jij koestert geen verdenkingen jegens een collega of een collega in wording,' zei Bäckström met een joviaal gezicht.

'Nee,' zei Anna, die niet even blij leek te zijn met het onderwerp. 'Ik heb in elk geval niet zoiets kunnen ontdekken. Nee dus.'

'En die anderen dan?' vervolgde Bäckström. 'Was er veel tuig aanwezig? Al die eikels die niets van zich hebben laten horen, wat weten we over hen?' Hebben al die wijven echt geen gevoel voor humor, dacht hij.

Niets opmerkelijks, aldus Anna. Alleen een paar lokale herrieschoppers en het zou eerder vreemd zijn als die er niet waren geweest, gezien de plek en het tijdstip. Ze hadden overigens een aantal van hen al gesproken en zij waren net zo geschokt door de moord op Linda als iedereen. Niets bijzonders dus, aldus Anna.

'Dus er zijn nog minstens vijftig personen van wie we geen flauw idee hebben wie ze zijn,' concludeerde Bäckström. Meesterdetective Anna Sventon Blomkvist, dacht hij.

'Ja,' zei Anna. 'In het ergste geval, als we het tenminste over mannen hebben. Zelf denk ik dat het er minder zijn.'

'En hoe krijgen we die lui te pakken?' drong Bäckström aan.

Volgens Anna moesten ze er rekening mee houden dat het geruime tijd zou duren om ze allemaal te pakken te krijgen. Ten eerste was het vakantietijd, ten tweede wilden velen van hen simpelweg niet zeggen dat ze in de bardancing waren geweest omdat ze het slachtoffer niet eens hadden gesproken of gezien. Bovendien had collega Sandberg een persoonlijke overweging waarvan ze zich afvroeg of ze die misschien kenbaar kon maken.

'Ik heb er een tijdje over nagedacht en eerlijk gezegd vraag ik me af of het wel de moeite waard is.'

'Waarom niet?' vroeg Bäckström. Ze is nog lui ook, dacht hij.

Om verschillende redenen, aldus Anna. Het zou heel veel werk zijn en ongeacht hoeveel tijd ze erin zouden steken, zouden ze toch niet iedereen die er geweest was, te pakken kunnen krijgen.

'Nog meer?' vroeg Bäckström. Zucht, dacht hij.

'Is het eigenlijk wel interessant?' zei Anna. 'Alles wijst er immers op dat het niet gaat om iemand die uit de bardancing met haar is meegegaan of haar heeft achtervolgd. Of dat ze met iemand die ze daar ontmoet heeft, zou hebben afgesproken elkaar later weer te zien. Als het klopt wat de buurvrouw in de krant zegt, dan is ze waarschijnlijk het slachtoffer geworden van een of andere gek. Volgens mij wijst het meeste eigenlijk in die richting.'

'Dat weten we niet,' zei Bäckström kortaf. 'Jij niet en ik ook niet,' voegde hij eraan toe. En jij al helemaal niet, dacht hij.

'Dus we gaan hiermee door,' concludeerde Anna.

'Goed begrepen,' zei Bäckström. 'Iedereen die in die danstent was, moet worden geïdentificeerd en ondervraagd. En mochten we de dader in de tussentijd ergens anders vinden, dan kappen we ermee. Zo achterlijk ben ik nou ook weer niet.'

'Begrepen,' zei Anna kortaf.

'Nog iets,' zei Bäckström. 'Je zei dat ik haar agenda mocht zien.'

'Natuurlijk,' zei Anna. 'Maar ik ben bang dat daar ook niets interessants in staat. Ik heb in elk geval niets gevonden.'

'Zijn de technici er al mee klaar?' vroeg Bäckström. Hoezo óók niets, dacht hij.

'Jazeker,' zei Anna. 'Alleen Linda's vingers. Geen andere.'

'Fantastisch,' zei Bäckström met een grijns.

'Hoe bedoel je?' Anna keek hem argwanend aan.

'Dan hoef ik niet van die rottige plastic handschoenen aan,' zei Bäckström.

'Dat hoeft niet,' zei Anna bits. 'Zijn we nu klaar?'

'Ja hoor,' zei Bäckström en hij haalde zijn schouders op. Dat een wijfie met zulke heerlijke tieten zo'n stuk chagrijn kan zijn, dacht hij.

18

Een merkwaardige zomer. De opmerkelijkste zomer sinds mensenheugenis en in het geheugen van de gewone mensen, vooropgesteld
dat ze oud genoeg waren natuurlijk. Hij was al in mei begonnen en
er leek maar geen einde aan te komen. Dag na dag een brandende
zon en steeds maar nieuwe lokale warmterecords die min of meer
gelijkmatig over het hele land waren verdeeld.

Op dinsdag 8 juli was er zelfs een nieuw nationaal record. Het
oude Zweedse record was een kleine zestig jaar geleden in Småland
gezet. Op 29 juni 1947 werd in Målilla namelijk midden op de dag
een temperatuur van 38,0 graden genoteerd en als de Heer ook wat
het weer betreft de touwtjes in handen heeft, dan is Hij blijkbaar
niet te beroerd goed voor Zijn schaapjes te zorgen. Hoe moet je
anders verklaren dat op dinsdag 8 juli in Väckelsång, een kilometer
of twintig ten zuiden van Växjö, om drie uur 's middags een temperatuur van 38,3 graden Celsius werd gemeten? In de schaduw uiteraard.

In Växjö was het naar verhouding koel. Toen Lewin en Eva Svanström even na enen het politiebureau verlieten voor een late lunch
in de stad, zinderde het hele Oxtorget in de warmtenevel hoewel het
buiten slechts 32 graden was.

Zonder te weten waarom had Lewin zijn bekende onrust gevoeld.
Bovendien had hij zo ongeveer alle uren die hij wakker was op het
politiebureau in zijn werkkamer met airconditioning doorgebracht,
dus was hij ook niet echt op de warmte voorbereid.

'Misschien moeten we maar binnen blijven,' stelde hij voor terwijl hij onzeker naar Eva Svanström glimlachte. Wat is er gaande,
dacht hij. In Zweden, midden in de zomer?

'Ik vind het fantastisch,' antwoordde Eva, ze glimlachte gelukzalig en maakte met haar armen een erg on-Zweeds weids gebaar.
'Kom, Janne, we gaan. Ik beloof dat je in de schaduw mag zitten.'

Het nieuws werd die avond en de volgende ochtend ook voor een groot deel in beslag genomen door het weer en in de lokale media was een aanzienlijke hoeveelheid 'lokaal patriottisme' tot uiting gekomen. Het Småland van onze Heer was nog steeds de warmste plek op Zweedse bodem. Op de voorpagina van *De Barometer* werd Småland stoutmoedig tot de nieuwe Rivièra van Noord-Europa uitgeroepen, terwijl *Smålandsposten* zoals zo vaak wat terughoudender was, omdat iedere echte Smålander wist wat het risico was als je jezelf te veel op de borst klopte.

Net als in de grote ochtendkranten werden verschillende experts aan het woord gelaten. Experts die waarschuwden voor het broeikaseffect en experts die die theorie van de hand wezen door te verwijzen naar de historische langetermijnschommelingen in temperatuur en naar het voorbeeld dat er in de bronstijd in het noorden van Norrland wijndruiven werden geteeld. Verder gaven de kranten hun lezers verschillende medische adviezen.

In de schaduw blijven en kalm aan doen, alle onnodige lichamelijke inspanning vermijden, veel drinken en je hoofd met een pet of een hoed beschermen. Dit was vooral belangrijk als je op leeftijd was of nog erg jong, een hoge bloeddruk had of hartproblemen. En het sprak voor zich dat honden en kleine kinderen onder geen beding, zelfs niet voor heel even, in geparkeerde, afgesloten auto's mochten worden achtergelaten.

In de boulevardkranten was het hetzelfde als altijd. Na aan de verplichting te hebben voldaan en snel de meteorologische noodzakelijkheden te hebben opgesomd, hadden de kranten zich op wezenlijker zaken gericht, zoals het verband tussen de ondraaglijke hitte en de toename van het aantal geweldsmisdrijven deze zomer. Niet in de laatste plaats de Linda-moord.

Een van de geïnterviewde experts uit het panel van de allergrootste boulevarddraak had uiteengezet dat er een duidelijk verband bestond tussen de frequentie van seriemoorden en seriemoordenaars en de omgevingstemperatuur. Zijn eigen onderzoek had laten zien dat de kans op het eerste fenomeen toenam naarmate het warmer werd en in de zomer was de situatie kritieker dan in de winter, ongeacht of het Eskimo's of Hottentotten betrof. En dat in de vs de meeste bekende seriemoordenaars de zuidelijke staten Californië en

Florida als werkgebied verkozen boven de Midwest en de noordelijke deelstaten, was geen toeval. Hitte leidt tot geweld, vooral bij
psychisch zieke, instabiele en labiele misdadigers, concludeerde hij
tot besluit.

19

Het leven speelt een spelletje. Eerst moet ik voor de lunch met een chagrijnig wijf praten en daarna moet ik met een stel idioten eten omdat Rogersson kennelijk nog steeds met een ander wijf zit te ouwehoeren, dacht Bäckström. En alsof dat nog niet genoeg is, serveren ze stukgekookte pasta met een of andere smerige vissaus als lunch. Wat is er mis met een gewone stoofschotel met rooie bietjes, dacht hij. Skåne ligt goddomme vlak naast dit boerengat.

Knutsson en Thorén waren een stuk vrolijker. Het allervrolijkst was Knutsson, die inbrekers al had meegenomen in het registeronderzoek voordat de buurvrouw haar verhaal had gedaan in de grote ochtendkrant.

'Een vooruitziende blik, Knutsson,' zei Thorén lovend. 'Toen ik las wat ze allemaal gezegd heeft, was ik er meteen van overtuigd dat het waar is. Ik denk dat je helemaal gelijk hebt.'

'Vertel,' zei Bäckström. Stelletje idioten, dacht hij.

Volgens Thorén was het heel simpel.

'Typisch inbrekersgedrag. Eerst sluipt hij naar de bovenste etage waar de kans het kleinst is dat iemand die lager woont langsloopt.'

Om drie uur 's ochtends, midden in de vakantie moet dat risico werkelijk kolossaal zijn, dacht Bäckström, terwijl hij hem een aanmoedigend knikje gaf.

'Ja, en daarna heeft hij aangebeld om te kijken of er iemand thuis was en toen zijn haar honden gaan blaffen,' vervolgde Thorén.

'Of op het moment dat hij bij haar door de brievenbus keek,' viel Knutsson hem bij.

'En toen is hij ervandoor gegaan. Dieven haten honden,' legde Thorén uit.

En jij hebt kennelijk nooit op de afdeling Narcotica gewerkt, dacht Bäckström met een knikje.

'Wat is er mis met de etage eronder? Daar was geen kip,' zei Bäckström.

'Veel te dichtbij, omdat hij net de buurvrouw op de etage erboven gewekt had,' zei Knutsson vol overtuiging.

'De etage dááronder dan?' vroeg Bäckström.

'Die Pool was thuis,' wierp Thorén tegen. 'Alhoewel hij zijn deur ook best geprobeerd kan hebben.'

'Maar ik neig ertoe te denken dat hij meteen naar de begane grond is gegaan,' zei Knutsson. 'Om elk risico te mijden, bedoel ik.'

'Dus dan belt hij bij Linda aan?' vroeg Bäckström. Dit wordt steeds beter, dacht hij.

'Ja,' zei Knutsson. 'En hij kijkt door de brievenbus en zo, zoals ze altijd doen. Dat is de gebruikelijke modus bij dat soort lui. Hun gebruikelijke modus operandi dus.'

'En dan komt Linda en ze doet voor hem open,' zei Bäckström.

'Ja,' zei Knutsson. 'Ook al klinkt dat misschien een beetje raar. Op zich kan ze ook vergeten zijn de deur op slot te doen, maar na wat de technici gezegd hebben, lijkt dat niet erg waarschijnlijk.'

'Dat moet wel, omdat er geen braaksporen op de deur zitten,' zei Thorén. 'Ze moet de deur wel hebben opengedaan of vergeten zijn hem op slot te doen.'

'Wacht even,' zei Bäckström, terwijl hij zijn handen hief en een afwerend gebaar maakte. 'Alleen even om jullie gedachtegang te volgen, heren. Om drie uur 's ochtends komt een typische inbreker, zo'n junk met verse prikgaatjes en kwijl in zijn mondhoeken, hij belt bij Linda aan om te zien of die Ericson die op het naambordje staat misschien thuis is of hopelijk met vakantie. Terwijl die beesten van de buurvrouw op de derde etage als waanzinnigen tekeergaan. Dan belt ons diefje dus aan, tring, tring, tring. Daarna kijkt hij voor de zekerheid door de brievenbus. Linda, die weg is gegaan uit die danstent om thuis te gaan slapen en zover ik het begrepen heb van plan was om politieagent te worden, loopt naar de deur, kijkt door het spionnetje en wat ziet ze? Een typische inbreker. Wauw. Die moet ik binnenlaten. Hopsakee. Er valt hier een heleboel te jatten. Als hij maar belooft dat hij zijn schoenen uitdoet en ze in het schoenenrekje in de hal zet, zodat hij het binnen niet onnodig vies maakt. Zo ongeveer?'

Noch Thorén, noch Knutsson had iets gezegd. Bäckström was opgestaan, had zijn dienblad op de afwaskar gezet, een kop koffie met veel melk en suiker gehaald en deze meegenomen. Op weg naar zijn kamer had hij de hele tijd inwendig lopen vloeken.

Toen Rogersson en collega Salomonson bij de buurvrouw, Margareta Eriksson, aanbelden, was ze al bezet. Ze had bezoek van een verslaggever en een fotograaf van de op een na grootste boulevardkrant, die de scoop gemist had maar de hoop niet had opgegeven om een nieuwe invalshoek te vinden. Nu zaten ze in de keuken koffie te drinken.

'Dus het zou mij het beste uitkomen als jullie wat later op de dag terugkomen,' legde ze uit.

'Misschien doet u het liever op het politiebureau, mevrouw Eriksson,' zei Rogersson met vlakke stem en afwezige ogen. 'We kunnen een patrouillewagen sturen om u te halen. Noemt u maar een tijd.'

Bij nader inzien was het toch nog soepel verlopen en slechts enkele minuten later zat mevrouw Eriksson samen met Rogersson en Salomonson aan dezelfde keukentafel die de journalisten net hadden verlaten.

'Willen de heren misschien een kopje koffie?' vroeg hun gastvrouw, die kennelijk besloten had om te vergeten en vergeven.

'Ja graag, dat zou heerlijk zijn,' zei Salomonson vleierig en voordat Rogersson het aanbod had kunnen afslaan.

'Ja, ik begrijp dat jullie verbaasd zijn over dat artikel van gisteren,' zei mevrouw Eriksson, die zich, te oordelen naar haar gezichtsuitdrukking, niet helemaal op haar gemak voelde. 'Waarom ik niets heb gezegd toen ik met jullie collega's sprak, bedoel ik.'

Rogersson had alleen maar naar haar geknikt, terwijl Salomonson aandachtig in zijn koffie zat te roeren.

'Nu moeten jullie natuurlijk niet alles geloven wat er in de kranten staat,' zei mevrouw Eriksson met een nerveus lachje. 'Zeker niet en ik heb niet alles gezegd wat erin staat. Ik heb gezegd dat ik midden in de nacht wakker was geworden van het geblaf van mijn honden. Maar dat andere, dat iemand bij mij probeerde in te breken en dat ik hem de trap af heb horen rennen... dat heb ik niet gezegd. Als er zoiets gebeurd zou zijn, had ik de politie wel gebeld.'

'Gebeurt het vaker dat uw honden beginnen te blaffen als er iemand komt?' vroeg Salomonson.

Dat gebeurde inderdaad wel, volgens hun baasje. Soms sloegen ze aan als een van haar buren thuiskwam, vooral als dat laat op de avond was. En ook als er iemand buiten op straat lawaai maakte. 'Die afgrijselijke Pool' die ze helaas als buurman had, had er zelfs een klacht over ingediend bij de vereniging van eigenaren. Maar zonder succes, aldus de eigenaar van de honden, tevens voorzitter van de VvE. Maar inderdaad, vooral Peppe kon enorm waaks zijn.

'Hij heeft een hele zware blaf,' zei mevrouw Eriksson trots terwijl ze de grote labrador aaide, die zijn hoofd op haar schoot had gelegd. 'En dan doet de kleine Pigge meestal mee om zijn grote broer te helpen.'

'Wat deed u toen de honden begonnen te blaffen?' vroeg Rogersson.

Omdat ze lag te slapen en wakker was geworden van het geblaf, was ze eerst in bed blijven liggen luisteren. Daarna had ze tegen de honden gezegd dat ze op moesten houden met blaffen en omdat ze dat gedaan hadden, had ze begrepen dat er niets aan de hand was.

'Als er iemand voor de deur had gestaan, waren ze natuurlijk doorgegaan, ook als die persoon muisstil was geweest,' legde mevrouw Eriksson uit.

'De honden hielden op met blaffen,' constateerde Rogersson. 'Wat heeft u toen gedaan?'

Eerst was ze naar de hal geslopen en had ze door het spionnetje gekeken, maar ze had niets gehoord of gezien. Toen was ze weer naar bed gegaan en na verloop van tijd was ze weer in slaap gevallen. Dat was alles en ze bood nogmaals haar excuses aan dat ze hier niet eerder aan had gedacht toen ze de politie sprak. Waarom de journalisten geschreven hadden wat er in de krant stond, begreep ze 'eerlijk gezegd niet'.

Omdat jij met ze gesproken hebt en interessant wilde doen, dacht Rogersson, maar dat zei hij niet. Ze hadden het verhoor afgerond, bedankt voor de koffie en waren weggegaan. Rogersson had niet eens met een spreekverbod gezwaaid. Iedere echte politieman wist dat dat alleen maar een flauwe grap was.

Op de trap naar beneden waren ze twee technici tegengekomen die op weg waren naar boven om de voordeur van mevrouw Eriksson en eventuele andere oppervlakken die van belang konden zijn, op vingerafdrukken te onderzoeken.

'Als jullie een beetje opschieten en bij haar aanbellen, krijgen jullie een kop koffie,' zei Salomonson terwijl Rogersson alleen maar een knikje gaf en wat gromde.

Omdat ze toch in de buurt waren, hadden ze bij Gross aangebeld om te vragen of ook hij iemand aan de deur had gehad in de nacht van donderdag op vrijdag. Gross had geweigerd open te doen. Door de brievenbus had hij hun laten weten dat ze hem niet langer lastig moesten vallen.

'Ik heb journalisten op bezoek. Ik heb getuigen in mijn huis. Jullie zijn gewaarschuwd, heren,' zei Gross. 'Wegwezen!'

'Ja, dat was het wel ongeveer,' zei Rogersson. Hij keek op naar Bäckström en zuchtte.

'Wat denk je zelf?' vroeg Bäckström.

'Dat het vrouwtje midden in de nacht wakker is geworden van het geblaf van haar honden,' zei Rogersson. 'Wanneer precies, dat weet ze niet. Waarschijnlijk blaffen haar honden gewoon altijd. Ze gingen als idioten tekeer toen wij aanbelden.'

'Waarom liep ze dan naar de deur en keek ze door het spionnetje?' vroeg Bäckström listig. 'Doet ze dat elke keer als haar honden blaffen?'

'Nee, naar eigen zeggen in elk geval niet,' zei Rogersson. 'Wil je weten wat ik denk?' Rogersson slaakte vermoeid een zucht en Bäckström knikte.

'Het was midden in de nacht, het is zomer, ze heeft in de kranten gelezen over inbrekers die hun slag slaan en praktisch al haar buren zijn op vakantie. Dat lijkt me genoeg reden voor haar om te gaan kijken.'

'Maar waarom blaften die beesten dan?' drong Bäckström aan.

'Ik weet niets van honden. Moet je maar vragen aan een collega die bij de hondengeleiding werkt. De man zal ongetwijfeld blij zijn. Honden, da's het enige waar die lui aan denken.'

'Waarom blaften haar honden?' herhaalde Bäckström.

'Misschien sloegen ze gewoon aan omdat Linda thuiskwam. Ze schijnen allejezus goed te kunnen horen, als je hun baasje moet geloven. Oké, ik zie je in het hotel,' zei Rogersson.

'Vergeet de drankwinkel niet,' hielp Bäckström hem herinneren. 'Je hoeft voor mij niets te kopen. Het is wel voldoende als ik alle pilsjes die jij hebt opgedronken, van je terugkrijg.'

Voordat Bäckström het politiebureau verliet, had hij Enoksson van de technische afdeling nog gebeld om te vragen hoe het gegaan was met het onderzoek van de deur van mevrouw Eriksson.

'We hebben belicht en gekwast,' zei Enoksson. 'De deur, de deur-kruk, de brievenbus, de deurpost, interessante steunoppervlakken op de muur ernaast, de leuning langs de trap naar haar etage. De lift hadden we al gecheckt, zoals je je misschien herinnert.'

'En?' vroeg Bäckström.

'Niets,' zei Enoksson. 'Alleen haar eigen afdrukken. Het mens is vast eenzaam en wilde wat aanspraak hebben. Misschien dat ze daarom geprobeerd heeft interessant te doen.'

Toen Bäckström weer op zijn hotelkamer kwam, bleek dat hij zijn wasgoed had teruggekregen. De netjes ingepakte stapels namen zo goed als alle vrije ruimte in zijn kamer in beslag. Bovendien hadden ze, geheel volgens zijn instructies, de rekening als 'onderhoud van de uitrusting' op de grote nota gezet. Daarna was collega Rogersson opgedoken met een hele tray pils die hij nog schuldig was. Het lijkt wel kerstavond, dacht Bäckström en de gedachte om de kleine Carin te bellen om met haar te babbelen, had hij al uit zijn hoofd gezet.

'Er staan er nog een paar koud in de minibar,' zei Bäckström. 'Ik stel voor dat we die eerst soldaat maken voordat we gaan eten.'

20

Växjö, woensdag 9 juli

De dag was buitengewoon veelbelovend begonnen. De op een na grootste boulevardkrant weigerde zich gewonnen te geven. De verslaggevers waren uit op revanche en het was hun gelukt om meer van het verhaal van Marian Gross te maken dan zelfs hun hoofdredacteur had kunnen wensen. Twee hele pagina's naast elkaar, met een grote foto van de held van het verhaal, bibliothecaris Marian Gross, negenendertig jaar, volledig in overeenstemming met de kop van het stuk, 'HIJ JOEG DE SERIEMOORDENAAR OP DE VLUCHT'. Jezus, hoe heeft die fotograaf dat voor elkaar gekregen, dacht Bäckström. De kleine vetzak ziet er haast angstaanjagend uit. Ze moeten hem recht van onderen genomen hebben, dacht hij.

'Moet je horen,' zei Bäckström en hij begon uit het artikel voor te lezen.

'Wacht even,' onderbrak Thorén hem pietluttig. 'Hij is toch zesenveertig, niet negenendertig?'

'Kan me geen zak schelen,' zei Bäckström. 'Luister liever naar het volgende. Marian werd midden in de nacht wakker doordat iemand bij hem probeerde in te breken. Toen rende hij naar de hal. Door het spionnetje zag hij hoe een jongeman van een jaar of twintig het slot van zijn voordeur probeerde open te maken.'

'Welk slot?' vroeg Rogersson geïrriteerd. 'Hij had drie verschillende sloten op zijn deur toen ik daar gisteren was.'

'Hou nou toch op met dat gemierenneuk,' zei Bäckström en hij las verder. 'Toen vroeg ik waar hij mee bezig was, vertelt Marian, maar voordat ik open had kunnen doen om hem te pakken, vluchtte hij de trap af en verdween.'

'Kan hij een signalement geven?' vroeg Knutsson.

'Heel goed zelfs,' zei Bäckström. 'Hoewel het gezicht van de dader door de klep van een zogenaamde baseballpet werd afgeschermd, heeft onze Poolse vriend in elk geval gezien dat hij kortgeknipt haar had, zijn hoofd leek bijna kaalgeschoren, en dat hij er als een typische Zweed uitzag. Type voetbalhooligan, of in elk geval een fascist. Groot en breed. Ongeveer 1 meter 80, ongeveer twintig jaar. Gekleed in een groenbruin camouflagejack, een zwarte broek van een of ander glanzend materiaal, de broekspijpen in kistjes gestopt.'

'Interessant,' zei Lewin. Hij nam een slokje van zijn koffie terwijl hij onder de tafel de grote teen van zijn rechtervoet discreet van Eva Svanströms linkerenkel naar haar zonverbrande kuit liet gaan. 'Zijn kleding, bedoel ik. Als je bedenkt dat het buiten ruim 20 graden was.'

'Iets klopt hier niet,' zei Knutsson aarzelend terwijl hij zijn hoofd schudde.

'Vertel,' zei Bäckström gretig, hij legde de krant weg en leunde voorover om geen woord te missen.

'Dan zou de dader één trap omlaag zijn gerend en bij Linda hebben aangebeld,' verduidelijkte Thorén en hij schudde zijn hoofd.

'Hij was misschien al klaar met Linda,' suggereerde Bäckström hulpvaardig. 'En nu was hij zeg maar van plan om zich in het gebouw naar boven te werken.'

'Waarom heeft hij de politie niet gebeld?' vroeg Knutsson. 'Die Gross, bedoel ik.'

'Die vraag is hem feitelijk gesteld,' zei Bäckström met een grijns. 'Net als de meeste andere burgers in dit land heeft Gross totaal geen vertrouwen in de politie.'

'Vind je het gek?' zei Thorén. 'Als je bedenkt wat hij zelf allemaal heeft uitgehaald.'

'Ik geloof dit verhaal niet,' zei Knutsson en hij schudde resoluut zijn hoofd. 'Ik denk dat hij alles heeft verzonnen. Met het voorbehoud dat er natuurlijk iemand bij hem kan hebben aangebeld. Net als bij de buurvrouw, bedoel ik.'

'Ik denk niet dat we verder komen,' zuchtte Rogersson en hij stond op van tafel. 'Wil je dat ik hem óók nog een keer ondervraag?' Rogersson keek naar Bäckström.

'Draagt de paus een tulband? Werkt hoofdinspecteur Bäckström bij de buurtpolitie? Slaapt Dolly Parton op haar buik?' zei Bäckström en ook hij stond op.

21

Dezelfde ochtend kreeg het rechercheteam eindelijk het felbegeerde rapport over het DNA van de dader. Iedereen was bij het ochtendoverleg aanwezig en de stemming was geladen. Het DNA dat het hoofd van de technische afdeling presenteerde, was van zeer goede kwaliteit. Als ze de man die het op de plaats van het misdrijf had achtergelaten te pakken hadden weten te krijgen, zou de moord op Linda zijn opgelost zonder dat er nog ruimte bestond voor enige twijfel. Bewijstechnisch gezien was het zo overweldigend, dat het eigenlijk totaal oninteressant was wat hun dader eventueel nog over de zaak te vertellen zou hebben als hij eenmaal gepakt was.

Op acht verschillende plaatsen was zijn DNA aangetroffen. In de vorm van sperma op de bank in de woonkamer. In de vorm van verschillende lichaamssecreten op de donkerblauwe, in elkaar gefrommelde Jockey-onderbroek maat S, die onder dezelfde bank lag. In de vorm van sperma in de schede en de endeldarm van het slachtoffer. In de vorm van sperma op de wand van de douchecabine in de badkamer. In de vorm van bloed op de vensterbank. In de vorm van huidfragmenten op de rand van de vensterbank. En ten slotte nog op een plaats die de technici niet eerder genoemd hadden. In de hal hadden ze een paar witte sportschoenen gevonden, maat 42, van het merk Reebok. Uit het DNA dat het SKL had weten te isoleren, bleek dat het de schoenen van de dader waren.

'We twijfelden er aanvankelijk aan,' legde Enoksson uit. 'Daarom hebben we er niet eerder iets over gezegd. Maar Linda's moeder zei dat ze ze nog nooit had gezien, dus hebben we ze naar het SKL gestuurd en het bleek inderdaad te kloppen.'

Een Jockey-onderbroek en een paar Reebok-schoenen. Werden door honderden mannen gedragen en er waren miljoenen exemplaren van verkocht. Op zoek gaan naar de man die ze gekocht had, was geen optie. In plaats daarvan moesten ze ergens anders op focussen en volgens Enoksson en zijn collega's gaven de sporen die ze hadden veiliggesteld, in elk geval een goed beeld van wat er gebeurd was.

De dader komt door de voordeur binnen. Bijna alles wijst erop dat Linda hem heeft binnengelaten. Hij doet zijn schoenen uit en zet ze op het schoenenrekje in de hal.

Daarna belanden hij en zijn slachtoffer op de bank in de woonkamer, de dader trekt zijn broek en zijn onderbroek uit en krijgt op de bank een zaadlozing.

Vervolgens wordt de handeling naar de slaapkamer verplaatst. De dader bindt Linda's handen op haar rug vast, hij knevelt haar mond en ketent haar enkels aan het voeteneinde van het bed, waarschijnlijk in die volgorde. Daarna verkracht hij haar twee keer, eerst vaginaal, daarna anaal en beide keren krijgt hij een zaadlozing. Waarschijnlijk heeft hij tijdens de laatste verkrachting in de onderkant van haar rug zitten snijden. Tijdens of na de laatste handeling wurgt hij haar.

Daarna gaat hij naar de douche, neemt een douche, masturbeert en krijgt opnieuw een zaadlozing.

'Ten slotte is hij door het slaapkamerraam naar buiten gevlucht,' zei Enoksson. 'Hij werkt zich met zijn borst en zijn buik tegen het raamkozijn en de vensterbank naar buiten om de valhoogte te beperken,' vervolgde hij. 'Als hij naar buiten kruipt en het kozijn loslaat, schaaft hij zich aan de rand van de metalen vensterbank, die roestig en scherp is.'

De kleren die Linda aanhad in de nacht dat ze werd vermoord, hadden de technici ook geholpen om de loop der gebeurtenissen in kaart te brengen.

'Volgens de getuigen die haar in de bardancing hebben gezien, droeg ze de volgende kleding,' zei Enoksson. 'Een paar leren sandalen met een halfhoge hak en een leren riempje, dat boven de enkel was vastgemaakt. Een laag uitgesneden, vrij wijde lange broek van donkerblauw linnen. Een blouse van dezelfde stof, zonder kraag en met vijf knopen. De blouse zat niet in de broek. Over de blouse een zwart fluwelen vestje met zwarte borduursels, blauwe pareltjes en blauwe stras. Op haar rug droeg ze een blauw fluwelen rugzakje met riempjes en verstevigingen van blauw suède, zo eentje dat ook als een gewoon handtasje gedragen kan worden als je de riempjes verplaatst,' legde Enoksson uit.

'Tja,' zei Enoksson terwijl hij zich bij de haargrens op zijn hoofd krabde. 'Waar was ik gebleven... Ja,' vervolgde hij, 'daaronder droeg ze een zwart slipje en een zwarte bh. Een paar schoenen, een rugzak en in totaal vijf verschillende kledingstukken,' vatte hij kort samen. 'Nu wilde ik overgaan tot de kern van de zaak.'

Linda leek haar schoenen uit te hebben gedaan en haar tasje weggelegd zodra ze binnen was. De schoenen lagen uitgeschopt naast de deurmat en haar tasje stond een halve meter verderop tegen de muur. Het fluwelen vestje, de broek en de blouse bevonden zich in de woonkamer. Ze hingen netjes opgevouwen over de armleuning van een fauteuil. Het vestje onderop, dan de broek en de blouse bovenop.

Haar slipje en haar bh lagen daarentegen op de grond in de slaapkamer. Het slipje was heel, ten dele binnenstebuiten gekeerd en het lag aan de kant van het bed die het dichtst bij de woonkamer was. Haar bh lag aan de andere kant van het bed, hij was op de rug losgemaakt maar beide schouderbandjes waren kapotgetrokken.

'Het meest waarschijnlijke is dat de dader hem heeft uitgetrokken nadat hij haar handen op haar rug had vastgebonden,' zei Enoksson.

Het volgende punt in Enokssons presentatie was Linda's horloge en haar sieraden. Behalve het horloge aan haar linkerpols zou ze, volgens verschillende getuigen die de politie gesproken had, aan dezelfde pols ook een dun armbandje van goud hebben gedragen. Verder droeg ze drie verschillende ringen aan haar linkerhand en eentje aan de pink van haar rechterhand.

'Het horloge en vijf sieraden, dat is samen zes,' zei Enoksson. 'Alle zes voorwerpen lagen in de grote aardewerken schaal die op de salontafel in de woonkamer staat,' vervolgde hij, terwijl hij op het projectiescherm een dia te voorschijn klikte waarop de salontafel en de aardewerken schaal stonden afgebeeld. 'Onze interpretatie hiervan is dat ze haar horloge en haar sieraden zelf heeft afgedaan. Net zoals ze haar vestje, haar broek en haar blouse waarschijnlijk zelf heeft uitgetrokken.'

'Als jullie die schaal op tafel van dichterbij bekijken,' zei Enoksson terwijl hij een vergroting op het scherm te voorschijn klikte, 'dan zien jullie ook haar mobiele telefoon, die ons bij het volgende punt op het programma brengt, namelijk de inhoud van haar tasje.'

In Linda's tasje hadden ze alles gevonden wat gewoonlijk in een dergelijk tasje zat. In totaal 107 verschillende voorwerpen. Haar agenda, een leren portemonnee waar haar identiteitskaart van de politieschool in zat, haar rijbewijs, vier fotootjes van respectievelijk haar vader, haar moeder en twee van haar vriendinnen, haar eigen visitekaartje, vier visitekaartjes met andere namen, een bankpasje en diverse andere plastic pasjes, een lidmaatschapskaart, een kortingskaart, een VIP-kaart voor Grace, de bardancing van het Stadshotel in Växjö, en tevens eentje voor Café Opera in Stockholm.

In haar portemonnee zat ook geld: ruim 600 kronen aan Zweedse bankbiljetten, 32,50 kronen in de vorm van verschillende muntjes en 65 euro. In totaal een bedrag van ruim 1200 kronen. Verder zat er in de tas een etuitje met lippenstift, oogschaduw en andere make-up, een zakje keelpastilles met mintsmaak, lippenbalsem, een plastic doosje met tandzijde, een tandenstoker in een plastic hoesje, een luciferdoosje met in totaal twaalf lucifers, plus diverse bonnetjes en transactiebonnetjes van creditcardbetalingen van cafébezoekjes, de aanschaf van kleding en dergelijke. En ten slotte natuurlijk de gebruikelijke pluisjes en andere minuscule restanten die een nauwkeurige technicus van de recherche altijd onder in een tas vond, hoe netjes de eigenaar ervan ook was.

'Wat de make-up betreft,' zei Enoksson, 'die heeft ze niet van haar gezicht gehaald, wat van belang kan zijn met het oog op het gebeurde. Het zat nog op haar gezicht toen ze 's ochtends gevonden werd. Lippenstift, oogschaduw en iets waarvan ik vergeten ben hoe het heet. Het lijkt ook haar eigen make-up te zijn. Datgene waarvan ik ben vergeten hoe het heet, staat wel in het proces-verbaal. Niets opvallends.'

Ten slotte was er nog een sleutelbos met meerdere sleutels van de buitendeur en verschillende andere sloten van haar vaders landhuis. Een autosleutel van een twee jaar oude Volvo van het model S40, die Linda als eindexamencadeau had gekregen van haar vader. Netjes geparkeerd op de parkeerplaats voor de bewoners naast de flat. Nu stond hij op de binnenplaats van het politiebureau en het technisch onderzoek had niets opgeleverd.

'Ja,' zei Enoksson. 'Misschien vraagt iemand zich af waar de sleutel van haar moeders appartement gebleven is? Ook die lag in de schaal op de salontafel.'

Enoksson liet nog een close-up van de aardewerken schaal zien, waarin hij een rood pijltje had aangebracht dat naar een gewone lipssleutel met een witmetalen sleutelring wees. De eenvoudige verklaring dat hij in de schaal lag, was – volgens Enoksson – dat ze de sleutel van haar moeders appartement altijd in haar zak had, terwijl ze de dikke sleutelbos van haar vader in haar tasje bewaarde.

'Om het verhaal over de tas af te ronden,' zei Enoksson, 'het lijkt er niet op dat er iets uit is verdwenen. Het lijkt er evenmin op dat iemand haar bezittingen heeft doorzocht. Er lijkt dus geen roofmotief in het spel te zijn. Het geld in haar portemonnee, de sieraden in de aardewerken schaal en alleen al haar horloge, zo'n Rolex van goud en staal, had ze van haar vader gekregen toen ze achttien werd, schijnt ongeveer 60 000 kronen waard te zijn.'

Toen hij klaar was met de inhoud van Linda's tasje, was Enoksson verdergegaan met het presenteren van de verschillende attributen die de dader gebruikt had toen hij zijn slachtoffer verkrachtte, martelde en vermoordde. Concreet ging het om een stanleymes en vijf herenstropdassen. Alle hulpmiddelen werden op een dia getoond. Voor de dader was het heel handig geweest dat ze al in het appartement aanwezig waren toen het daar verscheen.

Het mes hadden de technici op de vloer van de slaapkamer gevonden, maar voordat het daar terecht was gekomen, had het met verschillende schildersspullen in een rode plastic emmer gezeten die in de keuken op het aanrecht stond. Een gewoon stanleymes dat gebruikt werd om behang, textiel of vloerbedekking te snijden. Een eensnijdend mes met een schuin, instelbaar snijvlak, met een snijdiepte van circa één centimeter en een scherpe punt aan het uiteinde van het blad.

'Dat is het mes waarmee hij haar bewerkt heeft,' zei Enoksson. 'Haar bloed zit op het mes en op het handvat, maar de vingerafdrukken van de dader ontbreken. Het lijkt erop dat hij het mes heeft afgeveegd aan het laken dat hij later over haar heen heeft gelegd.'

De vijf stropdassen hadden bovenin in een kartonnen doos gelegen die in de hal stond. Linda's moeder was bezig om allerlei oud beddengoed, oude handdoeken en kleding uit te zoeken om weg te doen.

Daartussen lagen de vijf stropdassen van een oud, smal model, die oorspronkelijk door de vader van het slachtoffer waren gekocht en die na de echtscheiding om onduidelijke redenen bij haar moeder terecht waren gekomen en bijna zouden zijn weggegooid, maar in plaats daarvan door de dader waren gebruikt om hun dochter vast te binden en te wurgen.

Drie van de vijf zaten nog aan Linda's lichaam vast toen ze gevonden werd. De eerste zat strak aangetrokken rond haar hals, met de knoop in de nek om het makkelijker te maken voor de dader, die toen hij haar wurgde schrijlings op de achterkant van haar dijen leek te hebben gezeten. De tweede was gebruikt om haar polsen op haar rug te binden. De derde zat om haar rechterenkel geknoopt. De vierde lag opgerold op de grond, er zaten sporen van Linda's speeksel en van haar tanden op, dus die had hij als mondknevel gebruikt. Waarschijnlijk had hij hem zelf weggenomen nadat hij haar gewurgd had. De vijfde stropdas zat om de bovenste dwarslat van het voeteneinde van het bed geknoopt en te oordelen naar de overige sporen, had die eerder om Linda's linkerenkel gezeten.

'Een erg triest verhaal,' vatte Enoksson samen en hij zette de projector uit.

'Hoe zit het met de overige sporen?' vroeg Bäckström. 'Haren, vingerafdrukken, andere afdrukken, vezels en van die microdingetjes die mensen als jij altijd op dit soort plekken vinden.'

Ze hadden heel wat gevonden, aldus Enoksson. Ze hadden een tiental verschillende haarmonsters veiliggesteld die ze naar het SKL hadden gestuurd. Gewoon hoofdhaar, lichaamshaar en schaamhaar.

'Het staat vast dat een deel ervan van onze dader afkomstig is,' zei Enoksson. 'Maar de analyses van deze monsters zijn nog niet klaar. We hebben het eenvoudigste eerst gedaan.'

Dit gold ook voor de vingerafdrukken, andere afdrukken en vezelsporen. Vooropgesteld dat ze de juiste persoon zouden vinden, zou een groot deel ervan ongetwijfeld met hem in verband kunnen worden gebracht.

'Als je bedenkt wat we al hebben, is het eigenlijk een beetje overbodig om alles te analyseren,' zuchtte Enoksson. 'Maar goed, liever te veel dan te weinig. Hoewel ik soms het idee heb dat er in dit land een ware sporenhysterie is uitgebroken. Komt vast door al die films die mensen op televisie zien.'

Je bent echt een kleine filosoof, Enok, dacht Bäckström.

'Heb je ons nog meer te bieden?' vroeg hij.

Enoksson leek te aarzelen. Hij schudde zijn hoofd.

'Zit nu niet stiekem iets achter te houden,' zei Bäckström. 'Voor de dag ermee, Enok. Lucht je hart, help je hardwerkende collega's op de werkvloer.'

'Nou,' zei Enoksson. 'Ik denk dat mijn collega's van de technische afdeling en ik in deze zaak nu wel zo'n beetje aan onze verplichtingen hebben voldaan. Toen ik met een collega van het SKL over ons DNA sprak... maar die conclusie is bij lange na niet zeker, want het onderzoek op dit gebied staat nog steeds in de... ja, in de kinderschoenen... en de kans dat het niet klopt is aanzienlijk, maar...'

'Enoksson,' zei Bäckström aanmanend. 'Wat zei die man van het SKL?'

'Het was een vrouw,' zei Enoksson. 'Maar volgens haar wijzen bepaalde dingen erop dat ons DNA geen typisch Scandinavisch DNA is. Het lijkt erop dat het DNA mogelijk afkomstig is van een dader met een andere oorsprong, om het zo maar te zeggen.'

Surprise, surprise, dacht Bäckström, die ermee volstond alleen maar te knikken.

Na een pauze om koffie te drinken en even de benen te strekken – Enokssons presentatie had bijna twee uur geduurd – had de forensisch patholoog-anatoom het overgenomen. Alles wat hij te melden had, was op geen enkele manier strijdig met de dingen die de politie zelf ook al bedacht had. Desalniettemin ging het om voorlopige gegevens. Zijn definitieve conclusies zouden ze pas over een paar weken krijgen, als alle analyses waren afgerond en als hij zelf voldoende over de zaak had nagedacht.

'Wat ik in dit stadium kan zeggen,' formuleerde de patholoog-anatoom uiterst voorzichtig terwijl hij met zijn papieren ritselde, 'is dat het slachtoffer om het leven is gekomen door verstikking ten gevolge van wurging. Dat de waarnemingen van de autopsie erop wijzen dat ze met de stropdas in kwestie is gewurgd en dat de dood ergens tussen drie en zeven uur in de nacht van donderdag op vrijdag is ingetreden.'

Zucht, dacht Bäckström.

'Dat de snijwondjes op haar linker- en rechterbil volgens de resultaten van de autopsie overeenkomen met het mes in kwestie...'

Zucht, steun, dacht Bäckström.

'Dat gelijksoortige verwondingen van slachtoffers de laatste jaren steeds vaker voorkomen in verband met dit soort misdrijven. De populaire uitdrukking "sporen van marteling" is volgens mij niet geheel misleidend, ook al zou ik me in mijn werk eigenlijk moeten onthouden van uitspraken over eventuele motieven bij de dader. Er zijn meerdere gevallen bekend waarbij de dader een mes, andere steekwapens of gloeiende sigaretten heeft gebruikt. Ik weet van twee Zweedse gevallen waarbij een stroomstootpistool gebruikt is...'

Hou toch op, man, dacht Bäckström.

'Dat er een relatief krachtige bloeding is ontstaan, ondanks de aard van de verwondingen, duidt erop dat het slachtoffer nog in leven was toen de verwondingen werden aangebracht en dat het slachtoffer waarschijnlijk hevig weerstand heeft geboden. Het lichaam pompt adrenaline, de bloeddruk stijgt aanzienlijk.'

Altijd nog iets, dacht Bäckström. Onze dader is dus niet zo gestoord dat hij een lijk martelt.

'Dat de verwondingen rond haar enkels en haar polsen goed overeenkomen met het materiaal dat is veiliggesteld in verband met het technisch onderzoek...'

Kan ik me zo voorstellen, dacht Bäckström en hij keek vanuit zijn ooghoeken op zijn horloge.

'Nou,' zei Bäckström een kwartier later, terwijl hij zijn veldheerblik over zijn troepen liet gaan. 'Wat zitten jullie hier te zitten? Naar buiten, zorg dat jullie die vuile rotzak vinden!'

22

Na het avondeten in het hotel had Bäckström zijn kerntroepen op zijn kamer bijeen laten komen om de zaak in alle rust door te kunnen nemen zonder dat een grote groep veldwachters hen voortdurend lastigviel met hun zotte ideeën.

'Laten we het punt voor punt doornemen, dan kun jij wel aantekeningen maken, Eva,' zei Bäckström, terwijl hij zich tot de enige vrouw in het gezelschap richtte. Waar heb je magere scharminkels voor, dacht hij.

'Ik ben klaar, chef,' kwetterde Svanström en ze hield haar notitieblok en pen omhoog.

'We beginnen bij het begin,' zei Bäckström. 'Hoe kwam hij binnen?' vroeg hij. Onderdanig is ze ook, dacht hij.

'Ze liet hem binnen,' zuchtte Rogersson, die ergens anders leek te zijn met zijn gedachten. 'Vlak nadat ze thuis is gekomen, belt hij bij haar aan en dan laat ze hem binnen. Het is niet alleen iemand die ze kent, het is ook iemand om wie ze geeft.'

'Of die ze in elk geval vertrouwt,' zei Thorén. 'Iemand die ze wel binnen durft te laten.'

'Die haar op zich heel goed om de tuin kan hebben geleid,' viel Knutsson hem bij.

'Ben je niet goed wijs, Erik?' zei Rogersson terwijl hij Knutsson aanstaarde. 'Dat geldt ook voor jou, Thorén,' zei hij en hij keek ook hem recht in de ogen. 'Ze gaat naar bed. Het is drie uur 's ochtends. Het eerste wat hij doet, is zijn schoenen uittrekken en ze op het schoenenrekje zetten. Ik denk niet dat het onze kleine Gross was die even langskwam om twee eetlepels Nescafé te lenen.'

'Iets heel anders,' zei Bäckström, die ineens door dezelfde gedachte werd getroffen die vermoedelijk ook de goede Rogersson kwelde. 'Wat denken jullie ervan om een avondpilsje te nemen?' Als het moet, kan ik het wel bij de werkgever declareren, dacht hij.

Voor deze ene keer leken ze het allemaal met elkaar eens te zijn. Bovendien waren de wonderen de wereld nog niet uit, want Thorén en Knutsson boden aan de voorraad te gaan halen die ze op hun kamer hadden staan.

'We hebben afgelopen vrijdag een hele tray gekocht, maar we hebben nog niet eens tijd gehad om eraan te beginnen,' legde Thorén uit.

Die twee zijn echt compleet mesjokke, dacht Bäckström.

'Oké,' zei Bäckström vijf minuten later en hij likte het heerlijke schuim van zijn bovenlip.

'Wat denk jij, Lewin?' Bäckström knikte aandachtig naar Lewin die ook aan iets anders leek te denken. Wakker worden, geile bok, dacht hij.

'Ik denk hetzelfde als Rogersson,' zei Lewin. 'Het was iemand die ze kende en die ze graag mocht. Ik denk ook niet dat ze iets hadden afgesproken. Hij dook gewoon onaangekondigd op.'

'Ik ben het met Janne eens,' zei Svanström. 'Geheel onverwacht duikt er iemand op die ze heel graag mag.'

Wie heeft jou iets gevraagd, dacht Bäckström.

'Hoe wist hij dan dat ze thuis was?' wierp Thorén tegen.

'Haar auto stond op straat geparkeerd, misschien heeft hij gezien dat er binnen licht brandde of misschien heeft hij er gewoon op gegokt dat ze thuis was.' Lewin haalde zijn schouders op.

'Oké dan,' zei Thorén, die bereid leek om over de kwestie te onderhandelen. 'Maar ik denk nog steeds dat hij haar om de tuin heeft geleid.'

'Met het oog op de afloop, bedoel je,' zei Rogersson, die nu eerder ironisch dan boos klonk. 'In dat opzicht ben ik het volledig met je eens. Ik denk niet dat Linda verwachtte dat het zo zou aflopen toen ze hem binnenliet.'

'En wat gebeurt er dan in de woonkamer?' vervolgde Bäckström. Het zijn net kinderen, dacht hij. Wat een gezanik.

'Ze trekt haar kleren uit, hij de zijne. Dan begint het,' zei Rogersson. 'Geheel vrijwillig als je het mij vraagt. Ze begint vast met het gewone klusje met de rechterhand. Hij is immers op de bank klaargekomen en ze schijnen geen speeksel van haar te hebben gevonden.'

'Wacht even,' wierp Thorén ertussen en hij gebaarde te stoppen door zijn handen omhoog te houden. 'Dat weten we niet. Misschien wilde ze alleen maar met hem op de bank zitten kletsen.'

'Precies,' zei Knutsson. 'Hij gaat naar de keuken om iets te halen, zegt dat hij een glas water gaat drinken, ziet het mes liggen, keert terug en zegt tegen haar dat ze wat hem betreft zijn uitgepraat.'

'Godsamme, wat ingewikkeld,' zuchtte Rogersson. 'Wat is er mis met een partijtje vrijwillige seks?'

'Ik ben geneigd het weer met Rogersson eens te zijn,' zei Lewin. 'Kleren netjes opgevouwen, dat ze waarschijnlijk de huissleutel uit de zak van haar vestje of haar broekzak heeft gehaald voordat ze de kleren opvouwde en over de stoelleuning legde. Dat is niet iets wat een dader zou hebben gedaan of waar zij aan gedacht zou hebben als ze een mes op haar keel had gehad.'

'Dat denk ik ook,' viel Svanström hem bij.

'Hij lijkt in elk geval meer haast te hebben gehad dan zij,' zei Knutsson. 'Daar zijn we het wel over eens, of niet? Hij rukt zijn broek van zijn lijf, gooit zijn onderbroek op de grond. Terwijl het meisje, Linda dus, het in een rustig tempo doet.'

'Ze wilde hem vast een beetje ophitsen,' zei Rogersson en hij haalde zijn schouders op. 'Als je bedenkt wat er gebeurt als ze in haar moeders bed beland zijn, lijkt dat haar boven verwachting gelukt te zijn.'

Niemand van de anderen had iets gezegd. Knutsson en Thorén hadden alleen maar aarzelend gekeken. Lewin leek vooral geïnteresseerd in het plafond van Bäckströms kamer, terwijl Svanström ijverig aantekeningen maakte.

'Bedoel je dat ze ook op dat punt heeft meegewerkt?' vroeg Bäckström. 'Dat het om een of ander seksspelletje zou gaan dat uit de hand is gelopen?' Hoewel ze zo'n keurig meisje lijkt te zijn, dacht hij.

'Het eerste wat er in de slaapkamer gebeurt, kan heel goed een gewone vrijpartij zijn geweest,' zei Rogersson. 'Volgens ome dokter had ze geen bijzondere verwondingen in haar vagina of eromheen. Ik hou het niet voor onmogelijk dat hij haar in die fase al een of twee stropdassen heeft aangepraat zonder dat ze heeft tegengesputterd. Ofwel toen, of later.'

'En dan?' vroeg Bäckström. Rogge is scherp, dacht hij. Ondanks het feit dat hij zit te zuipen alsof hij bij de collega's in Tallinn aan het werk is.

'Ik denk dat het dan godsgruwelijk uit de hand loopt,' zei Rogersson. 'Als hij haar van achteren wil nemen. Maar dan is het voor haar al te laat. Stevig vastgebonden, een mondknevel zodat ze niet kan schreeuwen en dan het mes om haar te laten doen wat hij zegt. Dat is het moment waarop ze alle verwondingen oploopt die ome dokter zo keurig beschreven heeft. Scheurtjes in de anale opening, striemen rond haar nek, haar bovenarmen, haar polsen en haar enkels. Als hij aan haar begint te rukken en te trekken en zij vecht om los te komen.'

'De hoofdzekering in het hoofd van onze dader is doorgeslagen,' verduidelijkte Bäckström.

'De hele stoppenkast is goddomme in de fik gevlogen bij die klootzak!' zei Rogersson met emotie in zijn stem. 'Is er trouwens nog meer bier?'

'Wie is hij?' Bäckström nam zijn manschappen op. 'Wie zoeken we?'

'De dader is waarschijnlijk een man,' zei Thorén plechtig. 'Ik maak natuurlijk maar een grapje,' voegde hij eraan toe. 'Ik moest denken aan de collega's van de DP-groep. Zo schrijven ze dat toch altijd in hun profielen? De dader is waarschijnlijk een man. Waarschijnlijk kent hij het slachtoffer, maar het kan tegelijkertijd niet worden uitgesloten dat hij het slachtoffer niet kent en dat hij haar in direct verband met het misdrijf heeft ontmoet,' vervolgde hij met bloedserieuze stem.

'Overweeg je om van baan te wisselen?' vroeg Bäckström. 'Een jongeman die Linda kent,' vervolgde hij en hij keek de anderen dwingend aan.

'Jong? Peter zei niet dat hij jong was,' zei Knutsson.

'Hoe oud is hij dan?' vroeg Bäckström. Het zijn net kinderen in de koppigheidsfase, dacht hij.

'Eh...' zei Knutsson, 'ergens tussen de twintig en vijfentwintig, iets ouder dan Linda.'

'Nou dan,' zei Bäckström. 'Dat zei ik toch?' Idioten, dacht hij. 'Hoe goed kent hij haar?'

'Ik denk het volgende,' zei Lewin en het klonk alsof hij over de kwestie had nagedacht. 'Eva en ik hebben het er namelijk voordat we gingen eten nog over gehad.'

'Ik luister,' zei Bäckström. Dus jullie praten ook met elkaar, dacht hij.

'Een jongeman, zo'n vijfentwintig, dertig jaar. Die Linda goed kent, zonder dat ze elkaar vaak hebben ontmoet. Die ze nog steeds erg leuk vindt, al was het misschien al een tijdje geleden dat ze elkaar voor het laatst hadden gezien. Iemand met wie ze in elk geval één keer eerder seks heeft gehad. Waarschijnlijk heel gewone seks, ik heb het idee dat haar voorkeur daarnaar uitgaat. Ik denk ook niet dat ze erg ervaren is op seksueel gebied. Ik heb onze patholoog-anatoom er na het overleg nog naar gevraagd en volgens hem is er geen enkele aanwijzing dat ze zich eerder met anale seks zou hebben beziggehouden of met meer gewelddadige, sadomasochistische varianten. Geen oude huidbeschadigingen of littekenweefsel of iets dergelijks. Bovendien denk ik dat ze hem vertrouwt. En dat ze elkaar een tijdje niet hebben gezien. Dan duikt hij plotseling weer op. Midden in de nacht.'

'Ze vindt hem nog steeds leuk genoeg om hem binnen te laten,' zei Svanström. 'Ik denk ook niet dat hij per se jong hoeft te zijn. Hij kan heel goed al wat ouder zijn.'

Dat had ik niet van Lewin gedacht, dacht Bäckström. Dat zijn klokkenspel het nog zo goed zou doen.

'Hij komt toch mooi vier keer in een dik uur klaar,' wierp hij tegen.

'Ja, da's een tijdje geleden,' zei Rogersson en het klonk alsof hij hardop dacht.

'Ik heb het idee dat hij onder invloed is geweest,' zei Lewin. 'Dat hij amfetamine of iets dergelijks naar binnen heeft gewerkt.'

'Ja, of misschien was het een oudere man die uit de pot Viagra had gesnoept,' gniffelde Thorén.

'Een verslaafde,' zei Rogersson weifelend. 'Ik kan dat niet helemaal rijmen met ons slachtoffer. Vooral als ik erin meega dat ze hem vertrouwde. Ik denk dat ze bijna een blind vertrouwen in hem heeft gehad. Zou ze een verslaafde werkelijk vertrouwd hebben?'

'Nee, geen verslaafde.' Lewin schudde zijn hoofd. 'Dan werkt het niet op die manier. Iemand die het een keertje geprobeerd heeft, die het misschien als seksdrug gebruikt.'

'Die Linda zou kennen en op wie ze zou vertrouwen,' zei Bäckström terwijl hij weifelend zijn hoofd schudde. 'En waar woont hij dan?' Ik kan net zo goed op een ander onderwerp overgaan, dacht hij.

'Hier in de stad,' zei Knutsson. 'In Växjö dus.'

'Of in de buurt van de stad, Växjö en omstreken,' verduidelijkte Thorén.

'Een man van rond de vijfentwintig, mogelijk iets ouder, die ze kent, iemand om wie ze geeft en die ze zonder voorbehoud vertrouwt. Die hier in de stad woont of in elk geval in de buurt van de stad. Die niet verslaafd is maar af en toe amfetamine naar binnen werkt, omdat hij weet hoe dat spul werkt en het gebruikt om flink los te gaan en zijn apparaat als een elektrische mixer tekeer te laten gaan,' vatte Bäckström samen. 'Of zouden we goddomme de pech hebben achter een collega aan te zitten? Een geschifte klootzak die zich alle dagen goed weet te houden, behalve die ene dag?'

'Die mogelijkheid heb ik al in mijn achterhoofd sinds ik hierheen kwam,' zei Rogersson. 'Al die geschifte collega's die je tegenkomt. Alle verhalen die je hoort. Dat zijn helaas niet alleen maar verzinsels.'

Lewin schudde weifelend zijn hoofd.

'Er zijn op zich wel ergere dingen gebeurd binnen het korps,' zei hij langzaam. 'Die gedachte heeft ook door mijn hoofd gespeeld. Maar ik geloof toch niet dat het klopt,' zei hij en hij schudde resoluut zijn hoofd.

'Waarom niet?' vroeg Bäckström. Omdat hij niet zo is zoals jij, dacht hij.

'Hij is me iets te onzorgvuldig,' zei Lewin. 'Alle sporen die hij achterlaat. Zou een collega niet een beetje achter zich hebben opgeruimd?'

'Hij schijnt het mes te hebben afgeveegd,' zei Bäckström. 'Misschien had hij geen tijd om op te ruimen,' vervolgde hij. 'Hij dacht dat er iemand thuiskwam.'

'Er klopt iets niet, maar ik kan er niet de vinger op leggen.' Lewin wreef met zijn rechterduim langs zijn wijsvinger. 'Maar goed.' Hij haalde zijn schouders op. 'Ik heb het wel eens eerder mis gehad.'

'Anders nog iets?' vroeg Bäckström en hij keek om zich heen. Of is het gelukkige moment eindelijk daar om in bed te duiken en een slaapmutsje te nemen, dacht hij.

'Ik denk dat het een aantrekkelijke man is,' zei Svanström plotseling. 'Onze dader dus. Linda was heel erg aantrekkelijk,' vervolgde ze. 'Bovendien leek ze erg op haar uiterlijk te letten, niet in de laatste plaats op haar kleding. Hebben jullie enig idee hoeveel die kleren die ze aanhad wel niet kosten? Ik denk dat hij net zo is als zij. Soort zoekt soort. Zo zeg je dat toch?'

Zeker, jij en Lewin zijn toch ook allebei hartstikke mager, dacht Bäckström.

Voordat Bäckström in slaap viel, had hij eerst zijn eigen reportertje van de lokale radio nog gebeld. Al was het alleen maar om de boel warm te houden.

'Ik heb begrepen dat jullie de analyseresultaten van het DNA binnen hebben,' zei Carin. 'Wil je daar niet iets over vertellen?'

'Ik weet niet waar je het over hebt,' zei Bäckström met kalme stem. 'Ben je laatst goed thuisgekomen?'

Dat was ze blijkbaar, zonder verder op details in te gaan. Ze stelde voor om elkaar gauw weer eens te zien en verzekerde dat ze nog steeds niet over werk hoefden te praten.

'Prima,' zei Bäckström. 'Lijkt me gezellig. Alleen is het op dit moment erg druk, dus misschien moet het nog een dagje wachten,' voegde hij eraan toe. Veel te makkelijk, dacht hij.

'Betekent dat dat de ontknoping nadert?' vroeg Carin. Ze klonk plotseling begerig.

'*You will be the first to know*,' zei Bäckström op zijn beste tv-Amerikaans.

23

Op donderdag nam Lewin het besluit nooit meer een boulevard-krant te lezen. Zijn besluit stond vast, was onherroepelijk en betrof *Aftonbladet*, *Expressen* en de twee kleinere, zo mogelijk nog kwaad-aardiger zusjes van de laatste, *Göteborgs-Tidningen* en *Kvällsposten*.

Het grote, prominent geplaatste artikel dat zijn misnoegen in het bijzonder gewekt had, was diezelfde dag in *Kvällsposten* verschenen. Vergeleken met al het andere dat in de boulevardkranten over de Linda-moord te lezen viel, was dit artikel op zich nog vrij onschul-dig. Micke van *Expeditie Robinson* was op de voorgrond getreden en had verteld: 'Ik sprak Linda in de nacht dat ze vermoord werd'.

'Robinson' Micke had in de hoedanigheid van realitysoap-ster af-komstig uit Växjö op donderdagavond 3 juli in het Stadshotel bijge-klust. Dezelfde avond dat Linda in de bardancing van het hotel was geweest, in de uren voordat ze vermoord werd. Hij was in het gezel-schap geweest van twee collega's uit dezelfde branche – Frasse van *De Farm* en Nina van *Big Brother* – en ze hadden samen de opdracht gekregen mee te helpen in de bar, zich op ongedwongen wijze on-der het publiek te mengen en in het algemeen bij te dragen aan de feeststemming.

Om een uur of tien 's avonds, ruim een uur voordat Linda bij het Stadshotel aankwam, had Micke, zwaar aangeschoten, met blote voeten en ontbloot bovenlijf op de bar staan dansen. Hij was onder-uitgegaan en had een heleboel glazen gebroken, waar hij vervolgens in had rondgekropen. Kwart over tien werd hij per ambulance naar het ziekenhuis in Växjö vervoerd om te worden opgelapt. Zijn maat Frasse was met hem meegegaan en had al vanuit de ambulance een hem bekende journalist gebeld. Het interview met Micke en Frasse werd gehouden terwijl ze in de wachtkamer van de Eerste Hulp za-ten, en de volgende ochtend, dezelfde ochtend waarop Linda ver-moord was aangetroffen en voordat het nieuws over de moord de kranten had bereikt, had *Kvällsposten* gekopt met een grote reportage over 'Robinson' Micke – bekend van *The Bar* en van de gewone *Expe-*

ditie Robinson en vanwege deze dubbele verdienste ook van de *Robinson* VIP – die de avond ervoor zou zijn overvallen en mishandeld in het Stadshotel in Växjö. Ondanks het feit dat hij in die stad geboren en getogen was en tegenwoordig een van de bekendste inwoners was.

Wat er verder die avond en in de nacht van donderdag op vrijdag gebeurd was, was naar aanleiding van de moord op Linda Wallin tot in detail door de politie uitgezocht.

Nadat het interview was afgerond en na nog een uur gewacht te hebben totdat de artsen eindelijk met zijn maat aan de slag zouden gaan, was 'Farm' Frasse het zat geweest en teruggegaan naar het Stadshotel. De portier had geweigerd hem binnen te laten, er was ruzie ontstaan, de politie was erbij gehaald en vlak voor middernacht was Frasse in een van de dronkemanscellen van de politie Växjö terechtgekomen, op het politiebureau aan de Sandgärdsgatan.

Een paar uur later had hij gezelschap gekregen van 'Robinson' Micke, die als een beest tekeer was gegaan op de Eerste Hulp, door de politie was opgehaald en in een andere dronkemanscel op hetzelfde politiebureau was gezet. Om een uur of zes 's ochtends hadden ze allebei het bureau mogen verlaten en steunend op zijn maat Frasse was een mank lopende Micke schuin het Oxtorget overgestoken en van het voor de politie interessante toneel verdwenen. Het was onduidelijk waar ze naartoe waren gegaan.

Deze feiten in aanmerking genomen, was wat hij een week na de moord in de krant vertelde – 'Ik sprak Linda in de nacht dat ze vermoord werd' – dus van het begin tot het einde gelogen. 'Robinson' Micke kon Linda de avond voor de moord niet gesproken hebben en zij had hem niet 'in vertrouwen verteld dat ze zich de laatste tijd vaak bedreigd had gevoeld vanwege haar baan bij de politie in Växjö.'

Omdat 'Farm' Frasse in dezelfde hachelijke situatie verkeerde als 'Robinson' Micke en bovendien op dezelfde gang met dronkemanscellen zat, kon ook hij Linda niet gesproken hebben in de nacht van de moord. Bleef de derde van het gezelschap over, 'Big Brother' Nina, die in elk geval in de bardancing was geweest totdat deze om een uur of vier 's ochtends dichtging.

Nina was al op vrijdagmiddag, de dag dat Linda gevonden was, door de politie gehoord en het had een hele poos geduurd voordat ze begreep dat de politie haar niet wilde spreken vanwege de vermeende overval op haar maat Micke. Van de moord op Linda wist ze helemaal niks. Ze kende haar niet, had haar nog nooit ontmoet en had al helemaal nooit met haar gesproken, niet op een eerder tijdstip en niet in de nacht van de moord.

De verslaggever die beide artikelen geschreven had, kon niet even onwetend zijn geweest, maar wat de anders uitermate zachtaardige Lewin vooral had gestoord, was dat de verslaggever zo onbehoorlijk was geweest om ook hem te betrekken bij de leugens die hij in elkaar had gedraaid. De dag voordat het tweede artikel verscheen, had hij Lewin gebeld om hem de kans te geven te reageren op de krachtige kritiek die 'Robinson' Micke op de politie had geuit. Wat had de politie gedaan om de bedreigingen te onderzoeken waar Linda het met 'Robinson' Micke over had gehad en waar deze de politie in Växjö onmiddellijk van op de hoogte had gesteld?

Lewin had geen commentaar willen geven en de verslaggever doorverwezen naar de woordvoerster van de politie Växjö. Of hij die aanbeveling had opgevolgd, was onduidelijk. Uit het artikel kwam alleen maar naar voren dat de krant contact had gehad met de verantwoordelijke voor het onderzoek, hoofdinspecteur Jan Lewin van de rijksrecherche, maar dat deze 'had geweigerd commentaar te geven op de ernstige kritiek op het werk van hem en zijn collega's'.

En na deze woorden had Jan Lewin zijn besluit genomen. Hij was niet van plan de rest van zijn leven ooit nog een Zweedse boulevardkrant te lezen.

24

Tijdens het ochtendoverleg van diezelfde dag kon Enoksson de eerste concrete onderzoeksresultaten presenteren.

Met behulp van het DNA van de dader hadden ze reeds een tiental personen uit het onderzoek kunnen afvoeren. Als eerste binnen en als eerste weer buiten was het ex-vriendje van Linda, gevolgd door een paar van Linda's klasgenoten die ze in de nacht van de moord in het Stadshotel had ontmoet en een zestal zware misdadigers die seksuele delicten hadden gepleegd en van wie de DNA-profielen al in het register van de politie waren opgeslagen. Leo Baranski was een van hen.

'Het is hetzelfde gevoel dat je op het platteland krijgt als je een vlijmscherpe zeis in je handen hebt,' zei Enoksson voldaan. 'Je haalt een paar keer flink uit, zwiep, zwiep, zwiep en weg is alles wat er niet thuishoort.'

'Oké,' zei Bäckström. 'Jullie horen wat Enok zegt. Nu zwaaien we met de zeis. Open die monden en zwiep, zwiep, zwiep! Wie een rein geweten heeft, heeft niets te vrezen. En rechtschapen mensen willen de politie altijd helpen, dus meewerken en wat wangslijm afstaan zal voor hen vast geen probleem zijn.'

'Maar wat als iemand toch niet mee wil werken?' riep een jong, lokaal talentje aan het andere eind van de tafel.

'Dan wordt het pas echt interessant,' zei Bäckström en hij grijnsde net zo breed als de grote boze wolf in het verhaal met de drie kleine biggetjes. Wat halen ze goddomme tegenwoordig bij het korps binnen, dacht hij.

Diezelfde ochtend was het hoofd van de rijksrecherche, C RKP Sten Nylander, in Växjö aangeland. Nylander kwam per helikopter, samen met zijn stafchef en zijn stafadjudant. De eenvoudiger manschappen van het bijstandsteam, die verantwoordelijk zouden zijn voor de praktische uitvoering van het werk, waren vooruit gereisd in de twee grote Amerikaanse militaire jeeps van het merk Hummer waar het team ook de beschikking over had.

Toen Nylander landde op Smålands Airport, een kleine tien kilometer buiten Växjö, was het ontvangstcomité al ter plaatse en zag het Nationale Bijstandsteam erop toe dat de omgeving gevrijwaard bleef van onbevoegden.

De korpschef was van zijn buitenhuis gekomen en had zijn korte broek en hawaïoverhemd verruild voor een grijs kostuum met stropdas, ondanks het feit dat het buiten bijna 30 graden was. Aan zijn zijde stond hoofdinspecteur Bengt Olsson in een keurig uniform en beiden zweetten als otters.

Nylander was daarentegen onberispelijk gekleed en bij hem was geen enkel spoortje van eigen lichaamssappen te bekennen. Ondanks het weer droeg hij dezelfde kleding als toen hij Bäckström de week daarvoor ontmoet had, plus een baldadig platgeslagen uniformpet die hij opzette op het moment dat hij uit de helikopter stapte. Het geheel werd gecompleteerd met een donkere, montuurloze zonnebril met spiegelglazen en een paardrijzweep. Vooral het laatste had onder de plaatselijke agenten zekere verbazing gewekt, omdat niemand een glimp van Brandklipparen had gezien.

Eerst hadden ze vanuit de jeep 'het terrein in kwestie' – Växjö en omstreken – verkend in verband met de op stapel staande arrestatie. In de eerste plaats om de omgeving 'af te tasten', in de tweede plaats om geschikte plekken te vinden waar ze hun troepen konden 'laten landen' en in de derde plaats, om 'de optimale plek' te bepalen om de dader op te pakken.

'Maar kunnen jullie zoiets werkelijk al weten van tevoren?' wierp de korpschef tegen, die achter in de jeep zat, ingeklemd tussen een zestal zwijgende figuren in camouflagepakken. 'Ik bedoel... we weten niet eens wie de man is. Nóg niet, bedoel ik,' voegde hij er verontschuldigend aan toe.

'Antwoord: ja,' zei Nylander vanaf zijn voorstoel en zonder ook maar zijn hoofd te draaien. 'Dat is gewoon een kwestie van planning.'

Een paar uur later waren ze klaar. Nylander had de bespreking op de kamer van de korpschef, de geplande lunch en de overige formaliteiten afgeslagen. Hij moest in verband met een andere, vergelijkbare zaak doorvliegen naar Gotenburg en de praktische details in Växjö konden zijn medewerkers heel goed met Olsson afhandelen.

'Maar ik wil graag mijn eigen mensen even spreken,' zei erkapé en een kwartier later stapte hij de afdeling van het rechercheteam binnen.

Wat is er verdomme aan de hand, dacht Bäckström toen hij het lawaai op de gang hoorde en een glimp opving van de eerste figuur in camouflagekleren. Is het oorlog of zo?

Nylander was in de deuropening gaan staan en had naar iedereen geknikt, als een olietanker die een golf doorklieft. Vervolgens had hij Bäckström apart genomen en hem zelfs een schouderklopje gegeven.

'Ik reken op je, Åström,' zei erkapé. 'Zorg dat hij gauw gepakt wordt.'

'Natuurlijk, chef,' zei Bäckström terwijl hij naar zijn eigen spiegelbeeld in de glazen van zijn hoogste baas terugknikte. Vriendelijk bedankt, Centenbak, dacht hij.

'Niets staat je in de weg om hem dit weekend al te pakken,' zei Nylander toen de korpschef en hij weer terug waren op het vliegveld. 'De jongens die het karwei zullen klaren, zitten al in de kazerne,' verduidelijkte hij.

'Ik ben bang dat het wel wat langer zal duren,' schreeuwde de korpschef omdat de piloot de motoren van de helikopter al warm liet lopen en hij nauwelijks kon horen wat hij zelf zei. Waarom zitten die lui in kazernes, dacht hij. Hebben ze tegenwoordig geen eigen huis meer?

'Jullie hebben het DNA toch,' zei Nylander. 'Waar wachten jullie nog op?'

De korpschef had alleen maar geknikt, omdat toch niemand hoorde wat hij zei of zich daarvoor leek te interesseren. Wat is er gaande, dacht hij. Hier bij mij, in Växjö?

Na de lunch was Bäckström even bij Olsson op zijn werkkamer langsgegaan omdat het hoog tijd was die flapdrol wat verstand bij te brengen. Het rode lampje brandde maar Bäckström was daar niet voor in de stemming, dus had hij geklopt en was hij gewoon naar binnen gestapt.

Olsson zat op zijn kamer met drie collega's van het Nationale Bijstandsteam maar leek zich niet helemaal op zijn gemak te voelen met zijn nieuwe gezelschap. In camouflagepakken geklede mannen die als twee druppels water op elkaar leken, hoewel twee van hen helemaal kaal waren terwijl de derde er blijkbaar genoegen mee had genomen zijn haar te millimeteren. Geen van hen had een vin verroerd toen Bäckström binnen kwam stampen.

'Hé hallo, Bäckström!' zei Olsson en hij ging snel staan. 'Sorry, wilt u ons even excuseren,' zei hij en hij trok Bäckström mee de gang op.

'Wat hebben ze naar ons toe gestuurd?' vroeg Olsson zodra hij de deur achter zich had dichtgedaan en terwijl hij nerveus zijn hoofd schudde. 'Wat is er aan de hand met de Zweedse politie?'

'Huiszoeking,' zei Bäckström dwingend. 'Het is hoog tijd voor een huiszoeking bij haar pappie thuis.'

'Spreekt voor zich,' zei Olsson met een flauw lachje. 'Ik ben er alleen nog niet aan toegekomen, zoals je wel zult begrijpen. Maar als je Enoksson zou willen vragen om zo dadelijk bij me langs te komen, dan regelen we het meteen.'

'Verder wil ik dat haar vader en haar moeder nog een keer gehoord worden,' zei Bäckström, die niet van plan was de ontstane situatie onbenut te laten.

'Uiteraard,' zei Olsson. 'Nu moeten ze ondertussen wel over de ergste schrik heen zijn. Zodat het zin heeft, bedoel ik,' voegde hij er ter verduidelijking aan toe. 'Je hebt de gedachte dat ze door een wildvreemde gek is gepakt, helemaal laten varen?'

'Ze is gepakt door iemand die ze kent,' zei Bäckström kortaangebonden. 'Hoe gek hij is, zal nog wel blijken.'

Olsson had alleen maar geknikt.

'Vraag Enoksson zo snel mogelijk bij me langs te komen,' herhaalde hij bijna smekend.

Enoksson had een witte laboratoriumjas en plastic handschoenen aan toen Bäckström de technische afdeling binnen stapte, maar zodra hij Bäckström in het oog kreeg, trok hij zijn handschoenen uit, legde ze op de grote laboratoriumtafel en schoof een stoel naar voren voor zijn bezoek.

'Welkom in onze hut,' zei Enoksson vriendelijk glimlachend. 'Wil je een kop koffie?'

'Heb ik net gehad,' zei Bäckström, 'maar bedankt.'

'Wat kan ik voor je doen?' vroeg Enoksson.

'Drugs,' zei Bäckström. Laat Olsson daar nog maar even zitten zweten, dacht hij.

Vervolgens had hij verteld wat hij en de andere collega's de avond ervoor hadden besproken.

'Collega Lewin heeft het idee dat hij misschien onder invloed is geweest,' zei Bäckström. 'Valt dat te achterhalen?'

Volgens Enoksson bestond er een redelijke kans dat dat moest lukken. Het bloed dat ze op de vensterbank hadden aangetroffen, was waarschijnlijk voldoende om die kwestie uit te zoeken. Hoe het met het sperma van de dader gesteld was, wist hij eerlijk gezegd niet, maar daar zou hij uiteraard nog naar kijken. De haren die men had veiliggesteld, boden ook zekere hoop.

'Als de hoofdharen die we gevonden hebben van de dader zijn, dan zou het SKL uitsluitsel moeten kunnen geven of hij bijvoorbeeld cannabis gebruikt heeft. Tenminste, als hij dat al een tijdje gebruikt.'

'En als hij alleen gebruikt heeft voordat hij zich op Linda stortte?' vroeg Bäckström.

'Twijfelachtig,' zei Enoksson en hij schudde zijn hoofd. 'Wat voor drugs denk je aan?'

'Amfetamine of iets dergelijks,' zei Bäckström.

'Aha,' zei Enoksson. 'Dat idee hebben meer mensen,' zei hij zonder daar verder op in te gaan. 'Ik beloof dat we ernaar zullen kijken. Over Linda hebben we vanochtend bericht gekregen van het lab,' vervolgde hij, terwijl hij in een stapel papieren bladerde die hij voor zich op de grote laboratoriumtafel had liggen. 'Hier is het,' zei hij en hield een van de papieren omhoog.

'Ik luister,' zei Bäckström.

'0,10 promille in het bloed uit haar dijbeen en 0,20 in de urine, wat in gewoon Zweeds betekent dat ze hooguit aangeschoten was toen ze in het Stadshotel was en praktisch nuchter toen ze overleed.'

'Verder niets?' vroeg Bäckström. Met een beetje geluk hebben ze samen pilletjes zitten snoepen, dacht hij hoopvol.

'Niets,' zei Enoksson en hij schudde zijn hoofd. 'De zogenaamde drugsscreening was negatief voor het bloed uit haar dij en cannabis, amfetamine, opiaten en cocaïnemetabolieten waren niet aantoonbaar in de urine aanwezig,' las Enoksson met zijn bril op het puntje van zijn neus. 'Linda lijkt helemaal clean te zijn geweest, zoals de collega's op de afdeling Narcotica dat plegen te zeggen,' concludeerde Enoksson.

Je kunt niet alles hebben, dacht Bäckström.

'Nog een vraagje,' zei Bäckström. 'Als je tijd hebt?'

'Tuurlijk,' zei Enoksson.

'Wie is hij?' vroeg Bäckström. Neem maar even rustig de tijd, dacht hij. Olsson zit daar wel goed.

'Ik dacht dat dat jouw werk was, Bäckström,' zei Enoksson ontwijkend. 'Je bedoelt het schoenenrekje en zo, dat het iemand moet zijn die ze kent?'

'Jep,' zei Bäckström.

'Ik begrijp wat je denkt,' zei Enoksson. 'Maar hij lijkt ook flink geschift te zijn. Zou Linda werkelijk met zo iemand zijn omgegaan?'

'Je mag er wel even over nadenken,' zei Bäckström ruimhartig. Ze leren het ook nooit, dacht hij.

'Tja,' zei Enoksson en hij keek plotseling uiterst zorgelijk. 'Dit is echt een vreselijk drama. Het heeft ook mij diep geraakt, terwijl ik dacht dat ik het meeste al wel had gezien.'

'Ja,' zei Bäckström tevreden. 'Onze gemeenschappelijke kennis Lo heeft vast een hele hoop te doen.'

'Het is triest,' constateerde Enoksson. 'Misschien komt het doordat ik oud begin te worden, maar als je niet eens naar foto's van een plaats delict kunt kijken, moet je niet bij de technische recherche gaan. Dan worden het geen goeie foto's en wij zijn toch degenen die ze moeten maken,' voegde hij eraan toe.

'Dat begrijp ik,' zei Bäckström. Welke idioot wil er nou technicus worden, dacht hij.

'En het is slechts weinigen van ons vergund om steun en troost te kunnen vinden bij de Heer,' zei Enoksson met een milde glimlach.

'Dus dat heb je gehoord,' zei Bäckström met een grijns. 'Bedankt voor de tip.'

'Ja, het is triest,' zei Enoksson en hij slaakte een zucht. 'Waar is het biechtgeheim gebleven? Dat mensenwerk broddelwerk is, dat is trouwens niet een direct citaat uit de bijbel maar een toespeling op de tekst in hoofdstuk 13 van de eerste brief van Paulus aan de Korinthiërs. Dat weet trouwens iedere echte Smålander. Maar is het werkelijk nodig dat de politie alle stukken openstelt voor publieke bezichtiging? Kom mee, dan zal ik je laten zien wat ik bedoel.'

Enoksson stond op, liep naar zijn computer en begon net zo snel te typen als een veertig jaar jongere computernerd.

'Dit is een van onze gewone internetkranten,' zei Enoksson en hij wees naar het beeldscherm. 'Hier kun je alle gruwelijkheden lezen die zelfs onze boulevardkranten niet durven te publiceren. Ze schijnen trouwens dezelfde eigenaar te hebben. Gewurgd met de stropdas van haar vader,' las Enoksson. 'Dat is de kop en in het artikel kun je zo ongeveer alles lezen wat we gisteren tijdens het overleg behandeld hebben. Inclusief de schoenen. Hoewel ze het schoenenrekje lijken te hebben gemist. Was misschien niet interessant genoeg.' Enoksson slaakte opnieuw een zucht en zette zijn computer uit.

Je bent echt een kleine filosoof, Enok, dacht Bäckström.

'O ja, nog iets,' zei Bäckström. 'Olsson wilde je spreken. Het ging over een of andere huiszoeking bij de vader van het slachtoffer thuis.'

Het loopt als een trein, dacht Bäckström, die rechtstreeks naar zijn maat Rogge was gelopen en tegen hem had gezegd dat het hoog tijd was om Linda's ouders nog een keer te horen en dat het zoals altijd op grondige wijze moest gebeuren.

'Dan kan ik het het beste zelf doen,' zei Rogersson.

'En dan moeten we ook haar sociale contacten natrekken. We moeten elke hond die ze ook maar gesproken heeft een wattenstokje in zijn smoel douwen. Dan hoeven we tenminste niet bij iedereen in de stad wangslijm af te nemen,' legde Bäckström uit.

'Haar vader, haar moeder, haar vriendinnen en klasgenoten, vrienden en bekenden van haar en de familie, hun buren, haar docenten op de politieschool, mensen die hier op het bureau werken, iedereen die afgelopen donderdagnacht in die danstent was en een broek aanhad. Zelfs figuren die liever een jurk dragen, ook al hebben ze iets wat uitsteekt. Je begrijpt wel wat ik bedoel,' zei

Bäckström en hij haalde diep adem.

'Begrepen,' zei Rogersson. 'Maar haar moeder kunnen we toch wel laten zitten? Om wangslijm af te nemen, bedoel ik. Hoe dan ook lijkt het me dat je collega Sandberg wel wat versterking mag sturen.'

'Suggesties?' vroeg Bäckström op een chefachtig toontje.

'Knutsson, Thorén, of allebei. Geen van die twee is nou direct een kandidaat voor de Nobelprijs, maar ze zijn in elk geval godsgruwelijk precies.'

Je moet het doen met wat je hebt, dacht Bäckström. Was dat niet wat Jezus zei toen hij brood en vis aan zijn vriendjes uitdeelde?

'Heb je een momentje?' vroeg Anna Sandberg een kwartier later, terwijl ze vragend naar Bäckström keek, die boven de papierstapels op zijn geleende bureau uittorende.

'Natuurlijk,' zei Bäckström hartelijk en hij wees naar de enige lege stoel in de kamer. Wie zegt er nou nee tegen een paar heerlijke prammen, dacht hij.

'Ik heb begrepen dat ik versterking krijg,' zei Anna en ze klonk ongeveer net als haar collega en baas, hoofdinspecteur Olsson.

'Inderdaad,' knikte Bäckström. Dus mag ik dan nu even een glimlach ontvangen alsjeblieft, dacht hij.

'Maar je wilt nog steeds dat ik verderga met het in kaart brengen van Linda's persoon en haar sociale contacten?' vervolgde ze. 'Je was niet van plan mij in te ruilen voor iemand anders, bedoel ik,' zei Anna terwijl ze uitdagend naar hem knikte.

'Natuurlijk niet,' zei Bäckström. 'Je mag Thorén en Knutsson lenen. Aardige jongens. Je moet ze gewoon kort houden en mochten ze moeilijk doen, dan geef je maar een gil, dan zal ik ze wel even een uitbrander geven.' Nu krijgen we zeker weer dat gezeur over de gelijke behandeling van mannen en vrouwen, dacht hij.

'Dan ben ik wel tevreden,' zei Anna terwijl ze opstond. 'Je hebt de gedachte dat ze door een gewone gek gepakt is, helemaal losgelaten?' vroeg ze plotseling.

'Losgelaten, losgelaten,' zei Bäckström vaag en haalde zijn schouders op. 'Nog iets,' zei hij. 'Die agenda die je me beloofd had. Die ben je toch niet vergeten?'

'Ik zal hem meteen halen,' zei Anna en ze liep weg.

Waarom loopt ze nou zo te mokken, dacht Bäckström.

Een heel gewone zwarte agenda in een misschien iets minder gewoon rood leren foedraal met rechtsonder in gouden letters de naam van de eigenares, Linda Wallin. Cadeautje van haar vader, dacht Bäckström en hij begon de agenda door te bladeren op jacht naar mannelijke kennissen.

Een halfuur later was hij klaar. In de agenda stond alles wat erin hoorde te staan. Korte aantekeningen over bijeenkomsten, lessen, lezingen en oefeningen op de politieschool. Enkele afspraken in verband met haar zomerbaantje bij de politie, dat na het weekend van midzomer was begonnen. Terugkerende bezoekjes aan haar moeder in de stad. Korte notities over een zevendaagse reis naar Rome, die ze begin juni samen met haar vriendin en klasgenootje 'Kajsa' gemaakt had. Geen opvallende privékwesties, helemaal niets onthullends. En de persoon die vaker genoemd werd dan alle anderen samen, was haar vader, 'pappie' of alleen maar 'pap'. Na het bezoek aan Rome 'papa' genoemd, maar veertien dagen later alweer terug als 'pap'. Verder haar klasgenootjes en vooral haar beste vriendinnen, 'Jenny', 'Kajsa', 'Ankan' en 'Lotta'.

De op een na laatste aantekening was van donderdag 3 juli. Een week oud dus en daar had Linda geschreven dat ze moest werken tussen 09.00 en 17.00 uur en dat zij en 'Jenny' plannen hadden voor die avond. 'Feesten?' De laatste notities die, te oordelen naar haar handschrift en de gebruikte pen, waarschijnlijk op hetzelfde moment gemaakt waren als de notities voor de donderdag, betroffen haar werktijden voor de vrijdag, '13.00-22.00', en een doorgetrokken streep voor de zaterdag en de zondag, die aangaf dat ze dan vrij zou zijn.

Als er niet iets anders tussen was gekomen, dacht Bäckström, die zich plotseling op onverklaarbare wijze somber voelde. Kom op, man, dacht hij en rechtte zijn rug.

In de maand januari stonden in totaal vier notities over iemand die 'Noppe' werd genoemd, maar omdat Bäckström al wist dat dat de koosnaam was voor haar ex-vriendje, die op grond van zijn DNA al uit het onderzoek was afgevoerd, had hij er niet veel betekenis aan gehecht dat diezelfde Noppe kennelijk Linda's misnoegen had gewekt en wel in zo'n hoge mate dat hij vereerd was met de enige negatieve emotionele uitlating in de hele agenda. 'Noppe is altijd al een minkukel geweest!' constateerde zijn ex-vriendin op maandag 13 januari.

Ja ja, dacht Bäckström. En eigenlijk was er maar één ding dat hij niet begreep. Niet iets wat bijster spannend was, maar hij kon het net zo goed meteen vragen voordat hij aan zijn vrije avond zou beginnen en terug zou lopen naar het hotel. Ze kan net zo goed naar mij toe komen, ik ben per slot van rekening haar baas, dacht hij en hij reikte naar de telefoon.

'Bedankt voor het lenen,' zei Bäckström vriendelijk en hij overhandigde de agenda aan collega Sandberg.

'Heb je iets interessants gevonden?' vroeg ze. 'Iets wat ik gemist heb, bedoel ik?'

Wat is er verdomme met haar aan de hand? Nog steeds zo chagrijnig, dacht Bäckström.

'Er is één ding dat ik niet helemaal begrijp,' zei Bäckström.

'Wat dan?' vroeg Anna.

'Zaterdag 17 mei. De nationale feestdag van die Noren,' zei Bäckström en hij knikte naar de agenda.

'Ja ja,' zei Anna aarzelend en ze bladerde naar de pagina in kwestie. 'Ronaldo, Ronaldo, Ronaldo, magische naam,' las Anna.

'Ronaldo uitroepteken, Ronaldo uitroepteken, Ronaldo uitroepteken. Magische naam vraagteken,' corrigeerde Bäckström haar. 'Wie is Ronaldo?' vroeg hij.

'O, nu begrijp ik het,' zei Anna en plotseling glimlachte ze. 'Dat moet die voetballer zijn, die gozer die zo goed is. Hij speelde vast een of andere bekerwedstrijd in de Europese competitie die dag. Ik weet zeker dat de collega's van de technische afdeling dat al gecheckt hebben. Hij schijnt drie keer gescoord te hebben, als ik het me goed herinner. Ik meen dat ik tijdens de eerste presentatie al genoemd heb dat Linda een van de beste voetballende meiden van de politieschool was. De wedstrijd werd op tv uitgezonden. Ze heeft vast gekeken. Ingewikkelder dan dat zal het wel niet zijn.'

'Hmm,' morde Bäckström. Jeetje, wat ben jij opeens spraakzaam, dacht hij terwijl hij gegrepen werd door de volgende gedachte, die helaas sneller was dan zijn verstand.

'Was ze niet gewoon een befteef?' zei Bäckström. Kut, dacht hij, maar toen was het al te laat.

'Pardon?' zei Anna en ze keek hem met grote ogen aan. 'Wat zei je? Hoe noemde je haar?'

'Een mooie meid, geen vriendjes, hield erg van voetbal, had een hele hoop vriendinnen. Was ze niet gewoon lesbisch, was ze niet een lesbienne,' verduidelijkte Bäckström. Of hoe die wijven zichzelf ook noemen, dacht hij.

'Nu moet je toch effe dimmen!' zei Anna verhit en kennelijk zonder aan het rangverschil te denken. 'Ik heb zelf gevoetbald. En ik heb ook een man en twee kinderen. Dat heeft er helemaal niks mee te maken,' zei ze terwijl ze hem kwaad aankeek.

'In dit soort gevallen heeft het seksleven van het slachtoffer er altijd mee te maken,' zei Bäckström en toen hij zag dat ze niet van plan was zich gewonnen te geven, had hij zijn hand geheven en een afwerend gebaar gemaakt. 'Vergeet maar wat ik gezegd heb, Anna,' zei hij. 'Vergeet het.'

'Dat is te hopen,' zei Anna boos. Ze pakte de agenda en liep weg.

Iets klopt hier niet, dacht Bäckström en hij haalde pen en papier te voorschijn. 'Ronaldo! Ronaldo! Ronaldo!' en meteen daaronder 'Magische naam?'.

Maar Joost mag weten wat, dacht Bäckström en hij staarde naar de woorden die hij net had opgeschreven. Bovendien is het hoog tijd om naar het hotel te gaan, voor het eten nog even plat te gaan en misschien een pilsje of twee achterover te slaan, dacht hij.

'Dit heb ik in haar agenda gevonden,' zei Bäckström enkele uren en enkele pilsjes later. Hij liet het briefje naar Rogersson dwarrelen. 'Van 17 mei dit jaar.'

'Ronaldo, Ronaldo, Ronaldo, magische naam,' las Rogersson. 'Gaat vast over die voetballer. Een of andere wedstrijd die ze op tv heeft gezien. Ze hield toch erg van voetbal? Waarom vraag je je dit af?'

'Laat maar,' zei Bäckström en hij schudde zijn hoofd. Laat maar, dacht hij.

25

Växjö, vrijdag 11 juli – zondag 13 juli

Het ochtendoverleg van vrijdag was voornamelijk over een oude politionele gedachte gegaan die doorgaans vaker bleek te kloppen dan de nog oudere these dat een moordenaar dikwijls op de begrafenis van het slachtoffer verschijnt. Met het oog op wat hun dader allemaal had gedaan toen hij Linda van het leven beroofde, was het niet onwaarschijnlijk dat hij in aansluiting op de moord ook andere misdrijven had gepleegd. Interessante, verwante misdrijven die qua tijd en plaats in de buurt lagen van de moord en in het beste geval gepleegd waren toen hij op weg was naar Linda's huis of daarvandaan vluchtte.

De rechercheurs Knutsson en Thorén hadden alle aangiften, mededelingen over politioneel ingrijpen en zelfs gewone parkeerboetes die van woensdag 2 juli tot en met dinsdag 8 juli in de database van de politie terecht waren gekomen, boven water gehaald. De oogst was mager, zelfs die van de parkeerboetes. Veel autobezitters waren op vakantie en hadden hun auto meegenomen. Ook veel parkeerwachters waren op vakantie. Dat was op zich niet vreemd en in de wijk waar het appartement van Linda's moeder lag, had de politie in de week in kwestie niet één parkeerboete uitgeschreven. Wat ze daar überhaupt ook te zoeken hadden, want bijna alle bewoners hadden een privéparkeerplaats.

Verder waren die week in totaal 102 aangiften bij de politie Växjö binnengekomen: dertien fietsendiefstallen, vijfentwintig diefstallen of kruimeldiefstallen in warenhuizen en winkels, tien inbraken in appartementen, villa's, kantoren en bedrijfsruimtes, tien auto-inbraken, vijf vernielingen van auto's, twee autodiefstallen, vier gevallen van fraude, één geval van verduistering, twee gevallen van misbruik van bevoegdheid met dezelfde eiser, drie gevallen van belastingfraude, tien zwaardere verkeersovertredingen, waarvan vijf rijden onder invloed, en in totaal zeventien geweldsdelicten.

De laatste groep omvatte acht mishandelingen, zeven bedreigingen of gevallen van intimidatie en één geval van geweld tegen een ambtenaar in functie. De helft van deze aangiften betrof ruzies en vechtpartijen tussen echtgenoten, een kwart speelde tussen mensen die elkaar kenden en het resterende kwart was direct gerelateerd aan cafébezoek. En dan was er natuurlijk nog een moord, de moord op aspirant-agent Linda Wallin, in de vroege ochtend van vrijdag 4 juli.

Deze stad is je reinste Chicago, dacht Bäckström en hij slaakte een zucht.

'En, zit er iets interessants tussen?' vroeg Bäckström die probeerde niet zo ongeïnteresseerd te klinken als hij was.

'Het delict dat geografisch gezien het dichtst bij de plaats van de moord ligt, is een van de twee autodiefstallen. Het betreft een oude Saab die gestolen is op een parkeerterrein aan de Högstorpsvägen bij Högstorp, aan de zuidzijde van het bosgebied ten oosten van de plaats delict. Hij is ongeveer twee kilometer ten zuidoosten van de moordplaats gestolen. In de buurt van weg 25 richting Kalmar,' vertelde Knutsson.

'De meest gestolen auto van Zweden,' vulde Thorén aan. 'Oude Saabs,' verduidelijkte hij. 'Het enige probleem is dat er pas afgelopen maandag aangifte is gedaan van diefstal. Drie dagen na de moord dus.'

'Die rotzak heeft misschien eerst een paar dagen in dat bos gekampeerd. Hij heeft van de gelegenheid gebruikgemaakt om onderweg een beetje te zonnebaden en te zwemmen,' suggereerde Bäckström en hij kon in elk geval een paar brede grijnzen van zijn medewerkers incasseren.

'We hebben natuurlijk gecheckt of de datum van de aangifte klopt met de datum van het delict,' voegde Thorén eraan toe. 'Erik heeft de eigenaar gebeld en met hem gesproken,' zei hij met een hoofdknik naar Knutsson.

'Volgens hem had de auto daar het hele weekend gestaan. Hij had een buurman gesproken die hem had gezien,' zei Knutsson. 'Hij was trouwens een gepensioneerde piloot. De eigenaar dus, niet die buurman. Hij was zelf op het platteland geweest en het was zijn oude auto. De wagen stond meestal op de parkeerplaats. Zelf reed hij tegenwoordig in een nieuwe Mercedes rond. Wat dat er dan ook mee te maken heeft,' zei Knutsson en hij knikte bevestigend naar Bäckström.

Ja, dacht Bäckström. Wat heeft dat er nou mee te maken?

'Dat was alles?' vroeg Bäckström. Zucht, dacht hij.

'Ja,' zei Thorén.

'Als je wilt, kunnen we het nog wel verder uitzoeken,' stelde Knutsson bereidwillig voor.

'Laat maar,' zei Bäckström. We hebben wel wat beters te doen, dacht hij. 'Wat zitten jullie hier te zitten?' vervolgde hij terwijl hij zijn rechercheteam aankeek. 'De vergadering is afgelopen. Had ik dat nog niet gezegd? Ga wat nuttigs doen! En als je niet weet wat je moet doen, help dan mee om alle kerels bij wie nog wangslijm moet worden afgenomen van de lijst af te voeren,' zei Bäckström en hij stond op. Volslagen incompetent, dacht hij. En jezus, wat was het warm, ondraaglijk warm. En hij had nog minstens acht uur te gaan tot het eerste koude pilsje van die dag.

Dezelfde ochtend had Enoksson samen met een van zijn collega's huiszoeking gedaan op Linda's kamer in het landhuis van haar vader buiten Växjö. Ook hun baas, hoofdinspecteur Olsson, was meegegaan, ondanks het feit dat Enoksson nog geprobeerd had dat op subtiele wijze te voorkomen.

'Je bent hier veel harder nodig,' zei Enoksson. 'Wees gerust, Bengt. Mijn collega's en ik regelen dit wel even.'

'Toch denk ik dat het beter is als ik meega,' besloot Olsson. 'Ik ken de man immers en dan kan ik van de gelegenheid gebruikmaken om wat met hem te praten en te vragen hoe het met hem gaat.'

Zo kun je ook wonen, dacht Enoksson toen ze de grote hal van het landhuis, waar Linda samen met haar vader gewoond had, binnen stapten. Althans, waar ze de meeste tijd gewoond had, dacht hij. Als ze niet in de stad was en bij haar moeder bleef slapen, omdat ze tot laat moest studeren of werken of gewoon uit wilde gaan.

'Henning Wallin,' stelde Linda's vader zich voor toen hij hen binnenliet. Hij had alleen maar een kort knikje gegeven en leek Olssons uitgestoken hand niet eens gezien te hebben. 'Ik ben Linda's vader,' zei hij. 'Maar dat wisten jullie al wel, neem ik aan.'

Ze lijkt op haar vader, dacht Enoksson. Lang, tenger, blond en ondanks zijn gesloten gezicht leek hij aanmerkelijk jonger dan de vijfenzestig jaar die hij was.

'Fijn dat je ons kunt ontvangen,' zei Olsson.

'Eerlijk gezegd begrijp ik niet wat jullie hier komen doen,' zei Henning Wallin.

'Het is alleen maar routine, zoals je zult begrijpen,' legde Olsson uit.

'Jazeker,' zei Henning Wallin. 'Dat heb ik begrepen en als ik meer wil weten, hoef ik alleen de boulevardkranten maar te lezen. Jullie wilden Linda's kamer zien? Hier is de sleutel,' vervolgde hij en hij gaf hem aan Enoksson. 'Die gang daar, de laatste deur aan de kant van het meer,' zei hij en hij maakte een hoofdbeweging om de richting aan te wijzen. 'Doe de deur op slot als jullie weer weggaan en geef mij de sleutel terug.'

'Heb je misschien...' begon Olsson.

'Als jullie me willen spreken, zit ik op mijn kantoor,' zei Henning Wallin kortaf.

'Dat wilde ik net vragen,' zei Olsson. 'Heb je misschien twee minuten?'

'Twee minuten,' zei Wallin. Hij keek om een of andere reden op zijn horloge, ging hem voor en liep zonder om te kijken de trap op naar de bovenste verdieping, met Olsson in zijn kielzog.

De deur van Linda's kamer zat op slot. Hoogstwaarschijnlijk op slot gedaan door haar vader die hun de sleutel had gegeven. De gordijnen voor de twee ramen die uitkeken op het meer, zaten dicht en de kamer lag in het halfduister.

'Wat zeg jij, zullen we de gordijnen opendoen?' stelde Enokssons collega voor.

'Doen we, dan hoeven we niet met elektriciteit te rommelen,' besloot Enoksson. Bovendien is hier toch al opgeruimd, dacht hij.

'Linda woonde aanzienlijk groter dan al mijn kinderen bij elkaar,' constateerde de collega toen hij de gordijnen had opengedaan en het licht de grote kamer binnen viel. 'Ze lijkt ook erg ordelijk en netjes te zijn geweest,' voegde hij eraan toe. 'Zo ziet de kamer van mijn oudste dochter er nooit uit.'

'Tja,' zei Enoksson. 'Haar vader schijnt een oude werkster te hebben, misschien moeten we maar eens met haar gaan praten.' Het is niet alleen netjes, dacht hij. Het brede bed leek met schoon beddengoed te zijn opgemaakt, Linda's bureau was bijna minutieus opgeruimd. De kussens op de bank lagen precies zo geschikt als in fotoreportages in woontijdschriften. Dit is niet langer Linda's kamer, dacht Enoksson, dit is een mausoleum ter nagedachtenis aan haar.

'En, hebben jullie iets interessants gevonden?' vroeg Olsson, toen ze twee uur later in de dienstwagen plaatsnamen om terug te rijden naar het bureau.

'Hoe bedoel je?' vroeg Enoksson.

'Nou, persoonlijke dingen en zo,' zei Olsson vaag. 'Een dagboek had ze niet volgens haar vader. In elk geval niet een waar hij van af wist,' verduidelijkte hij.

'Nee, niet een waar hij van af wist,' zei Enoksson. 'Dat heb ik begrepen.'

'En ik kan me echt niet voorstellen dat hij over zoiets zou liegen,' zei Olsson. 'Waarschijnlijk had ze gewoon geen dagboek. Ik heb zelf twee kinderen en geen van hen heeft een dagboek. Hebben jullie haar computer trouwens nog gecheckt?'

Waar haalt hij de energie vandaan, dacht Enoksson.

'Jawel,' zei zijn collega, omdat Enoksson de vraag niet gehoord leek te hebben. 'We hebben haar computer gecheckt. We hebben naar vingerafdrukken gezocht en de harddisk bekeken, dus wees gerust.'

'Hebben jullie iets interessants gevonden?' drong Olsson aan.

'Op de computer, bedoelt u?' zei de collega van Enoksson met een glimlach, omdat Olsson veilig en wel op de achterbank van de wagen zat.

'Ja, op haar computer bedoel ik,' herhaalde Olsson.

'Nee,' zei Enoksson. 'Ook daar niets interessants. Sorry, wil je me even excuseren, Bengt,' zei hij en hij pakte zijn mobieltje om zijn vrouw te bellen, maar vooral om zijn baas stil te krijgen.

'En, Enok,' zei Bäckström terwijl hij vragend naar Enoksson knikte. 'Hebben jullie een dagboek gevonden?'

'Eh... nee,' antwoordde Enoksson met een flauw lachje.

'En haar vader dacht dat ze er niet eens een had gehad,' zei Bäckström.

'Dat zei hij inderdaad,' bevestigde Enoksson. 'Hij zei dat we het maar aan Linda's moeder moesten vragen. Dat wilde hij zelf niet doen. Hij had haar amper nog gesproken na de echtscheiding tien jaar geleden en daarvoor maakten ze alleen maar ruzie.'

'Ja,' zei Bäckström met gevoel. 'Vrouwen kunnen bijzonder lastig zijn.'

'Mijn vrouw niet,' zei Enoksson met een glimlach. 'Je moet wel voor jezelf spreken, Bäckström.'

Ja, wie zou dat anders doen, dacht Bäckström.

's Middags had de afdeling Personeelszaken in Stockholm Bäckström opgebeld. Aangezien het bijna weekend was, wilden ze hem erop attenderen dat hij en Rogersson bijna aan het maximum aantal toegestane overuren zaten.

'Alleen maar een tip voor het weekend,' legde de medewerkster van Personeelszaken uit. 'Zodat jullie straks niet het risico lopen voor niets te moeten werken, mocht de hel losbarsten,' verduidelijkte ze.

'Hier pakken we mensen op, of het nu weekend is of doordeweeks,' zei Bäckström. In tegenstelling tot luiwammesen zoals jij en al die andere bureaucraten, dacht hij.

'Maar in het weekend gebeurt er toch nooit iets? Het is zomer en de zon schijnt,' ging de vrouw van Personeelszaken door. 'Neem toch vrij, Bäckström. Ga naar buiten, ga zwemmen of wat dan ook.'

'Bedankt voor de tip,' zei Bäckström en hij legde de hoorn erop. Zwemmen, dacht hij. Ik zou goddomme niet eens meer weten hoe dat moet.

Rogersson had daarentegen geen enkel bezwaar gehad om vrijaf te nemen.

'Ik was toch al van plan vrij te nemen,' zei hij. 'Ik wou de dienstwagen pakken en naar Stockholm gaan. Ga anders mee, kunnen we de stad in. Ik vind dat de pilsjes in Stockholm tig keer beter smaken dan in dit boerengat.'

Dat komt vast doordat je ze dan niet meer gratis krijgt, dacht Bäckström.

'Ik denk dat ik hier blijf,' zei Bäckström. 'Maar je zou me misschien een dienst kunnen bewijzen.'

'Wat voor dienst?' vroeg Rogersson en hij keek hem argwanend aan.

'Hier heb je de sleutels van mijn flat,' zei Bäckström en hij overhandigde ze aan Rogersson voordat deze de kans kreeg serieus tegen te stribbelen. 'Of je even een kijkje wilt nemen bij Egon,' legde Bäckström uit. 'Geef hem wat te vreten. Alles staat op het potje, het is belangrijk dat je de instructies volgt,' voegde hij eraan toe.

'Nog meer?' vroeg Rogersson. 'Moet ik hem nog de groeten doen van zijn baasje, een praatje met hem maken, hem meenemen de stad in, of wat?'

'Een beetje vreten is wel genoeg,' zei Bäckström.

Toen Bäckström weer terug was op zijn hotelkamer en zijn vochtbalans had hersteld, had hij Carin gebeld. Merkwaardig genoeg nam ze niet op, hoewel ze hem in de loop van de dag meerdere malen had gebeld. Zelf was hij niet het type dat berichtjes op antwoordapparaten insprak. In plaats daarvan had hij nog een paar pilsjes genomen, gegarneerd met enkele borreltjes om de situatie beter te kunnen overdenken. Bij gebrek aan beter was hij na een tijdje naar het restaurant afgedaald. Zelfs zijn collega's schitterden door afwezigheid. Knul en Tut zaten vermoedelijk op de kamer van de een of van de ander over de zaak te discussiëren, terwijl Svanströmpje hoogstwaarschijnlijk haar benen rond het middel van Lewin had geslagen en aan heel andere dingen lag te denken. Het enige wat er in hun hoofdjes omgaat, dacht Bäckström en hij bestelde een groot glas cognac bij de koffie om nog beter na te kunnen denken.

Terwijl Bäckström probeerde om met behulp van gegiste en gedestilleerde druiven het nadenken te vergemakkelijken, werd ongeveer gelijktijdig een stille tocht gehouden ter nagedachtenis aan Linda Wallin. Een week nadat ze vermoord was, op de dag waarop ze eenentwintig zou zijn geworden als ze nog in leven was geweest. Een paar honderd inwoners van Växjö liepen van het Stadshotel naar het huis waar ze was vermoord, langs dezelfde weg die het einde vormde van haar levenspad. Het was geen weer voor fakkels, in plaats daarvan hadden ze buiten bij de ingang van de flat een lichtkrans gemaakt van brandende waxinelichtjes, waar bloemen werden gelegd en een grote foto van het slachtoffer werd geplaatst. De gouverneur had een korte toespraak gehouden. Haar ouders waren er te slecht aan toe geweest om erbij te kunnen zijn, maar meerdere politiemensen van het rechercheteam hadden meegelopen in de tocht en nog meer politiemensen waren op de been geweest om toezicht te houden, zodat zij en de overige rouwenden niet zouden worden gestoord. Bäckström en zijn collega's hadden niet deelgenomen aan de tocht, wat louter het resultaat was van een principebesluit dat een paar jaar eerder was genomen: de medewerkers van Rijksmoordzaken zouden zich enkel en alleen met werkzaamheden bezighouden die gemotiveerd werden door hun werk of opdracht. En ongeveer op hetzelfde moment dat de korte ceremonie was afgelopen, verliet Bäckström de bar van het hotel.

Omdat er verder toch niets gebeurde, was hij weer naar zijn kamer teruggegaan. Hij had de kleine Carin nog een keer gebeld – nog steeds alleen haar antwoordapparaat – en op het moment dat hij ophing, had hij eindelijk het eerste constructieve idee van de avond gekregen. Tijd voor een pornofilm, dacht Bäckström, maar shit, hoe regel ik dat zo goed en discreet mogelijk, zodat hij niet op de rekening van mijn kamer komt te staan?

Al na vier seconden wist hij het antwoord. Moet van de cognac komen, dacht Bäckström. Hij liep naar de receptie, leende de sleutel van Rogerssons kamer, gooide zich op diens pas opgemaakte bed en koos van de twee kanalen voor volwassenen het kanaal dat volgens het programmaoverzicht het meest veelbelovend leek. Vervolgens had hij zijn meegebrachte pilsjes soldaat gemaakt, net als het laatste restje uit de fles Baltische wodka die hij ook bij zich had, plus de twee kleine flesjes wijn die om onduidelijke redenen in de minibar op Rogerssons kamer waren achtergebleven. O wat zijn we blij, o wat zijn we blij, dacht Bäckström, die nu al zo ver heen was dat hij beurtelings een van zijn ogen moest bedekken om zijn blik op het hardwerkende achterlijf van de vrouwelijke hoofdpersoon op het tv-scherm te kunnen fixeren. En in deze toestand moest hij op een gegeven moment onder zeil zijn gegaan, want toen hij weer wakker werd, scheen de meedogenloze zon recht op zijn buik – kennelijk was hij vergeten de gordijnen dicht te doen. Het was al bijna tien uur 's ochtends en de televisie liet nog steeds hetzelfde deinende achterwerk zien als toen hij de avond ervoor in slaap was gevallen.

Nadat hij snel gedoucht had en schone kleren had aangetrokken, was hij naar beneden gegaan om te ontbijten. Het restaurant was bijna helemaal leeg. De enigen die er zaten, helemaal achterin in het gebruikelijke hoekje, waren collega Lewin en de kleine Svanström. Waar zijn goddomme al die aasgieren, dacht Bäckström terwijl hij een flinke portie roerei en knakworstjes op zijn bord laadde, die hij, met het oog op de vorige avond, aanvulde met een paar ansjovisfilets en een handje van de paracetamol die de attente restauranthouder naast de zoute haring had gezet.

'Is deze plaats vrij?' vroeg Bäckström terwijl hij ging zitten. 'Is het zoals ik hoop dat het is, of heeft iemand hier in het gebouw rattengif neergelegd?' vroeg hij en hij wees naar alle lege tafeltjes.

'Als je je afvraagt waar al die journalisten zijn, vermoed ik dat je niet naar teletekst hebt gekeken,' zei Lewin.

'Vertel,' zei Bäckström, hij prikte twee ansjovisfilets op zijn vork en stopte ze samen met drie paracetamolletjes in zijn mond. Hij spoelde na met een paar flinke slokken sinaasappelsap, waarna hij een luid 'aaah' uit zijn keel liet ontsnappen.

'Gisteravond laat was er een groot bruiloftsfeest in Dalby, vlak bij Lund. Kort voordat het bruidspaar zou gaan dansen, verscheen de ex-vriend van de kersverse bruid op het feest. Hij had een automatisch geweer bij zich en schoot het hele magazijn leeg,' vertelde Lewin.

'En, hoe liep het af?' vroeg Bäckström. Fenomenale knakworsten hebben ze hier, dacht hij. Zodra je je mes erin zet, spat het vet je recht in je smoel.

'Zoals gewoonlijk,' zei Lewin. 'Ik heb de collega's in Malmö gebeld en volgens hen zijn de bruid, de bruidegom en de moeder van de bruid dood, en een stuk of twintig gasten zijn gewond naar het ziekenhuis afgevoerd. Verdwaalde en afketsende kogels en kogelfragmenten en rondvliegende delen van het interieur.'

'Zigeuners,' zei Bäckström, meer als hoopvolle constatering dan als vraag.

'Ik moet je helaas teleurstellen,' zei Lewin, die plotseling tamelijk afgemeten klonk. 'Vrijwel alle betrokkenen schijnen uit de streek te komen. Ook de schutter, die groepsleider is bij de burgerbescherming en nog steeds op vrije voeten is trouwens.'

Je kunt niet alles hebben. Maar wat is er verdomme met de Zweedse volkshumor gebeurd, dacht Bäckström.

'Wil je nog meer weten?' voegde Lewin eraan toe.

'Waar zijn Knul en Tut?' vroeg Bäckström.

'Waarschijnlijk op het bureau,' zei Lewin, hij ging staan en legde zijn servet weg. 'Omdat Eva en ik vrij zijn, waren we van plan naar zee te gaan om te zwemmen.'

'Succes. Jullie allebei,' zei Bäckström. En vergeet niet om je vrouw en je man en de kinderen de groeten te doen, dacht hij.

Omdat hij niets anders te doen had, was Bäckström na de lunch even een kijkje gaan nemen op het werk. Er hing een matte sfeer, wat ook wel te verwachten was zonder zijn aanwezigheid, maar Knutsson en Thorén zaten allebei op hun plek achter de computer. IJverig tikkend als twee *speedy* spechten, dacht Bäckström.

'Hoe gaat het, jongens?' vroeg Bäckström. Ik ben hoe dan ook de baas, dacht hij.

'Het gaat z'n gangetje, dank voor de interesse,' zei Knutsson.

Volgens Knutsson lag het onderzoek een beetje stil vanwege het weekend, maar de DNA-controles verliepen volgens plan. In totaal hadden ze nu bij een stuk of vijftig personen wangslijm afgenomen. Ze hadden allemaal vrijwillig meegewerkt, niemand had moeilijk gedaan en de helft van hen was al van de lijst afgevoerd. Op het SKL werd onder hoge druk gewerkt en de moord op Linda had de hoogste prioriteit van alle zaken die afgehandeld moesten worden.

'De overige resultaten krijgen we komende week,' zei Thorén. 'Verder komen er de hele tijd nieuwe DNA-monsters binnen. We krijgen die vent wel te pakken, vooral als het is zoals jij denkt, Bäckström.'

Ja, hè hè, dacht Bäckström. Natuurlijk is het zoals ik denk. Wat is het probleem?

'Wat gaan jullie vanavond doen?' vroeg Bäckström. Ik heb goddomme geen keus, dacht hij.

'Een hapje eten,' zei Thorén.

'Op een rustige plek,' vulde Knutsson hem aan.

'Daarna waren we van plan naar de bioscoop te gaan,' zei Thorén.

'Er draait hier in de stad een hele goeie film in de herhaling,' legde Knutsson uit.

'Bertolucci, *1900*,' zei Thorén.

'Deel een,' verduidelijkte Knutsson. 'Die is veruit het beste. Deel twee is af en toe een beetje te langdradig. Wat jij, Peter?'

Het moeten twee flikkers zijn, dacht Bäckström. Wat zijzelf en hun collega's ook beweren over alle vrouwen die ze hebben gehad, het moeten flikkers zijn. Welke idioot reist er nou naar Växjö om daar naar de bioscoop te gaan?

Toen Bäckström na een korte stop op een terrasje aan de Storgatan en twee halve liters weer terugkwam bij het hotel, belde hij Rogersson op zijn mobiel.

'Hoe is het?' vroeg Bäckström.

'Prima hoor,' zei Rogersson. 'Hoewel de kleine Egon niet meer zo fit leek,' voegde hij eraan toe. 'Wil je de korte of de lange versie?'

'De korte,' zei Bäckström. Jezus, wat krijgen we nou, dacht hij.

'In dat geval heeft hij zijn riemen binnengehaald, hij is zeg maar klaar met roeien,' stelde Rogersson.

'Jezus, wat zeg je nou!' riep Bäckström ontdaan. Egon, dacht hij.

'Hij lag met zijn buik omhoog en ik heb hem aangeraakt, maar hij verroerde geen vin,' zei Rogersson.

'Jezus,' zei Bäckström. 'En wat heb je toen gedaan?'

'Ik heb hem door de plee gespoeld,' zei Rogersson. 'Wat had je zelf gedaan? Had je hem naar het forensisch lab willen sturen?'

'Maar waar kan hij in godsnaam aan gestorven zijn?' zei Bäckström. Eten had hij in elk geval meer dan genoeg, dacht hij.

'Misschien was hij depressief,' zei Rogersson grinnikend.

Zaterdagavond had Bäckström een wake gehouden voor Egon. Op zondag had hij uitgeslapen, hij had het ontbijt gemist en al zijn resterende krachten gebruikt voor een late lunch. Het ergste verdriet was over en 's middags had hij opnieuw een poging gedaan om Carin te pakken te krijgen, maar het enige wat hij aan de lijn kreeg, was dezelfde opgewekte stem op haar antwoordapparaat.

Wat is er verdomme aan de hand, dacht Bäckström en hij opende nog een blikje van zijn meegebrachte bier. Het is net alsof het niemand meer iets kan schelen en er is in elk geval geen hond die zich om een eenvoudige diender bekommert, dacht hij. En dan was dit ook nog zijn laatste blikje.

26

In de vroege ochtend van maandag 14 juli, de nationale feestdag van Frankrijk, had het hoofd van de rijksrecherche de korpschef van de regio Växjö gebeld en hij was beledigend geweest.

De korpschef zelf was vroeg opgestaan, had ontbeten en had daarna de aangename schaduw aan de achterkant van zijn mooie buitenhuis opgezocht. Hij had een comfortabele ligstoel uitgeklapt bij de hoge, stenen fundering en daar zat hij in alle rust de ochtendkrant te lezen, terwijl hij af en toe een slokje nam van een glas eigengemaakt frambozensap met veel ijs. Op het steigertje bij het meer lag zijn vrouw plat op haar buik te zonnebaden. Ze zijn anders dan wij, dacht de korpschef liefdevol en op hetzelfde moment was zijn mobieltje gegaan.

'Nylander,' zei Nylander kortaangebonden. 'Hebben jullie hem al gevonden?'

'Het speurwerk is in volle gang,' antwoordde de korpschef. 'Maar de laatste keer dat ik mijn collega's sprak, hadden ze hem nog niet gevonden, nee.'

'Er loopt in Skåne een gek vrij rond, gewapend met een automatisch geweer,' zei het hoofd van de rijksrecherche. 'Ik heb het hele bijstandsteam ernaartoe gestuurd om hem te pakken. Zonder waarschuwing vooraf zijn we in fase rood beland en omdat jij en je zogenaamde collega's nog geen ene reet hebben uitgevoerd, zal ik ze nog een keer moeten hergroeperen als ze naar Växjö moeten.'

'Ja, ik begrijp wat je bedoelt,' wierp de korpschef tegen, 'maar het zit zo...'

'Hebben jullie überhaupt de moeite genomen om te checken of het niet om dezelfde man gaat?' onderbrak erkapé hem.

'Nu begrijp ik niet helemaal wat je bedoelt,' zei de korpschef.

'Alsof het zo moeilijk is om dat te begrijpen,' gromde Nylander. 'Zo ver is het niet tussen Växjö en Lund, en in de wereld waarin ik leef, is dit onmiskenbaar een merkwaardige samenloop van omstandigheden.'

'Ik weet zeker dat een van ons het al gecheckt heeft, of er een verband bestaat, bedoel ik,' antwoordde de korpschef. 'Als je wilt...'

'Is Åström daar,' zei erkapé plotseling.

'Hier?' vroeg de korpschef. Hij zal Bäckström wel bedoelen, wat die man dan ook bij mijn buitenhuis te zoeken zou hebben, dacht hij. 'Nee, Bäckström is niet hier,' antwoordde hij. 'Ik zit op het platteland. Ik heb alleen maar mijn mobieltje bij me,' legde hij uit.

'Op het platteland!' riep erkapé. 'Jij zit op het platteland?'

'Ja,' zei de korpschef maar voordat hij nog iets had kunnen zeggen, had Nylander kennelijk al opgehangen.

Knutsson en Thorén hadden klaarblijkelijk niet het hele weekend in de bioscoop doorgebracht. Na het ochtendoverleg waren ze naar Bäckströms kamer gekomen om hun laatste bevindingen te rapporteren.

'We hebben nog eens nagedacht over wat je laatst zei, Bäckström. Dat we niet kunnen uitsluiten dat het om een collega gaat,' zei Knutsson.

'Ja, of een collega in wording,' zei Thorén.

'Waar willen jullie heen?' zei Bäckström. Stelletje idioten, dacht hij.

Volgens Knutsson en Thorén was de gedachte op zich helemaal niet zo raar. Onder Amerikaanse seriemoordenaars waren verscheidene voorbeelden te vinden van figuren die hun slachtoffers om de tuin hadden geleid door zich voor politieman uit te geven. Het bekendste voorbeeld in de moderne geschiedenis van de recherche was volgens dezelfde bronnen Ted Bundy.

'Het moet een wondermiddel zijn om het vertrouwen van een meisje te winnen,' zei Knutsson.

'Om te zeggen dat je van de politie bent,' vulde Thorén hem aan.

'Kan wel wezen,' zei Bäckström. 'Maar als we nu eens beginnen met mensen die daadwerkelijk bij de politie zitten. Dan hoeven we ons niet druk te maken over een eventuele nepcollega die midden in de nacht bij een toekomstig collega naar binnen zou zijn geslopen,' voegde hij er geïrriteerd aan toe. Achterlijke idioten, dacht hij.

Ook onder de echte politiemensen was wel het een en ander te vinden. Als ze teruggingen in de tijd, vonden ze bijvoorbeeld de landelijk bekende Hurva-man, ex-collega Tore Hedin, die elf personen had vermoord, nadat hij was geschorst omdat hij zijn vriendin handboeien had omgedaan.

'Die zaak herinner je je vast nog wel, Bäckström. Dat was in jouw tijd, in 1952,' zei Knutsson onschuldig.

'Misschien zouden we kunnen beginnen met Växjö, hier en nu,' antwoordde Bäckström nors.

'In dat geval hebben we tien namen van collega's en collega's in wording,' zei Thorén en hij gaf hem een lijst met gegevens.

'Zes van hen waren in dezelfde danstent als Linda in de nacht dat ze vermoord werd,' viel Knutsson hem bij. 'Drie collega's en drie aspirant-agenten, van wie er twee zich vrijwillig hebben gemeld, DNA hebben afgestaan en al van de lijst zijn afgevoerd.'

'Dat zijn de namen die zijn doorgestreept en waar een vinkje voor staat,' legde Thorén uit.

'We hebben ze voor de volledigheid in het overzicht meegenomen,' zei Knutsson.

'Ja ja,' zei Bäckström. 'En die anderen dan?' vroeg hij. 'Waarom is bij hen nog geen wangslijm afgenomen?'

Dat was onduidelijk, aldus Knutsson en Thorén. De verklaring moest waarschijnlijk worden gezocht in het feit dat zij, volgens de korte verhoren die collega Sandberg met hen had gehouden, ná drie uur nog in de bardancing zouden zijn geweest, het tijdstip waarop de dader bij Linda thuis opdook. De aspirant-agent had de danstent naar eigen zeggen iets voor vieren verlaten. Hij was alleen geweest en rechtstreeks naar huis gegaan. Nuchter uiteraard. De drie collega's waren daarentegen gebleven tot de tent dichtging. Zij hadden bij de uitgang afscheid genomen en ieder was naar zijn eigen huis gegaan. In hoeverre zij nuchter waren en eventuele andere details werden buiten beschouwing gelaten, maar het stond vast dat het eerder vijf uur was geweest dan vier uur.

'Aan m'n reet,' zei Bäckström met emotie. 'Zijn het flikkers of zo?'

'Hoe bedoel je, Bäckström?' vroeg Thorén.

'Volgens de verhoren in elk geval wel,' zei Knutsson. 'Is het gegaan zoals zij zeggen, bedoel ik.'

'Vier collega's die nadat ze uit zijn geweest alleen naar huis gaan. Zijn jullie niet goed snik?'

'Een van hen is alleen nog maar aspirant hoor, hij ging als eerste naar huis,' verduidelijkte Thorén. 'Maar ik begrijp wat je bedoelt.'

'Ja, dat is mij nog nooit overkomen,' benadrukte Knutsson. 'Maar dit is natuurlijk Växjö.'

'Het zal wel,' zei Bäckström. 'Iets heel anders,' voegde hij eraan toe. 'Jullie hebben deze lijst toch niet aan collega Sandberg laten zien?'

Te oordelen naar hun gelijktijdig en eenstemmig schuddende hoofden hadden ze dat niet gedaan en eigenlijk vooral vanwege de vier overige namen op de lijst.

'Wat hebben zij dan op hun geweten?' vroeg Bäckström terwijl hij een snelle blik op de lijst wierp. Niet een die ik ken, dacht hij.

Het was een gemengd gezelschap, aldus Knutsson. De eerste van de vier werkte bij de ordepolitie in de buurgemeente, maar had ook meerdere malen een tijdelijke betrekking gehad als schietinstructeur op de politieschool in Växjö. Een paar jaar geleden had een van zijn leerlinges aangifte gedaan van ongewenste intimiteiten, brieven en telefoontjes met de gebruikelijke uitnodigingen. De aangifte was al na een maand weer ingetrokken, het meisje was met haar opleiding gestopt. Toen de medewerkers van Intern Onderzoek contact met haar opnamen, weigerde ze mee te werken, dus werd het onderzoek naar de schietinstructeur gesloten. De instructeur was overigens nog steeds in functie en afgelopen mei had hij nog samen met Linda en haar klasgenoten op de schietbaan gestaan.

'Hij schijnt erg geliefd te zijn, als collega en als schietinstructeur,' zei Knutsson. 'Maar dat is wel duidelijk.' Knutsson haalde zijn schouders op.

De aangifte tegen collega nummer twee was nog ouder. In verband met hun echtscheiding ruim vijf jaar geleden had zijn toenmalige echtgenote aangifte tegen hem gedaan wegens mishandeling. Ook die aangifte was ingetrokken en na verloop van tijd geseponeerd.

'Hoewel hij een maand lang geschorst is geweest,' zei Thorén. 'Zolang het onderzoek liep. Daarna heeft hij met behulp van de vakbond een schadevergoeding gekregen van de werkgever. Ze zijn nu trouwens gescheiden. Hij en zijn ex,' voegde Thorén eraan toe.

'En wat doet hij nu?' vroeg Bäckström. Al die wijven zijn ook hetzelfde, dacht hij.

'Hij is uiteraard weer terug op zijn werk,' zei Knutsson, die lichtelijk verbaasd keek.

'De volgende,' zei Bäckström. Fijn om te horen, dacht hij.

De derde van de collega's had in zijn vrije tijd jongeren getraind in voetbal, ijshockey, handbal en zaalhockey. Zelf was hij in zijn jonge jaren een succesvol teamsporter geweest, hij had gevoetbald in de eredivisie en geijshockeyd in de tweede divisie. Een van de teams die hij trainde, was een voetbalelftal met meisjes van dertien tot vijftien jaar. De ouders van een van die meisjes hadden aangifte tegen hem gedaan omdat hij zich meerdere malen voor hun dochter zou hebben uitgekleed. Ten eerste in de kleedkamer bij verschillende trainingen en ten tweede toen hij met de meisjes en een aantal van de ouders een week op trainingskamp was.

Het was een geruchtmakende geschiedenis geworden, die zelfs de koppen op de voorpagina van de boulevardkranten had bereikt. Het juridische bewijs bleek echter mager en ook deze zaak werd uiteindelijk geseponeerd. Het meisje dat hem had beschuldigd, was gestopt met voetbal en was met de rest van het gezin naar een andere plaats verhuisd. De collega en trainer tegen wie aangifte was gedaan, was ondanks de massale steun van de overige jongeren en hun ouders gestopt als trainer. Daarna had hij meer dan een halfjaar in de ziektewet gezeten, voordat hij weer aan het werk ging. Tegenwoordig werkte hij op het politiebureau van Växjö en hield hij zich alleen met administratieve taken bezig.

'Het lijkt echt een triest verhaal te zijn,' zei Thorén. 'Ze hebben hem zijn dienstwapen afgenomen, omdat ze bang waren dat hij zich voor de kop zou schieten toen zijn vrouw er met de kinderen vandoor ging.'

'En de laatste?' vroeg Bäckström. Op die fiets. Vrouwlief pakt de kinderen en gaat ervandoor, dacht hij.

'Die collega lijkt een beetje simpel, om het zo maar te zeggen,' zei Knutsson en hij keek lichtelijk verrukt toen hij dat zei. 'Om kort te gaan, twee jaar geleden heeft zijn toenmalige verloofde aangifte tegen hem gedaan. Zij werkte in een kapsalon in Alvesta, een kilometer of twintig hiervandaan, en ze lijkt zeg maar niet de enige te zijn geweest. De collega's noemden hem trouwens Hitsige Henriksson, of Hitsige Henki.'

'Hij heet Henrik Henriksson, die collega dus,' legde Thorén uit.

'Waar was ze dan kwaad om?' vroeg Bäckström. Lijkt me een leuke vent, dacht hij.

'Volgens de eisende partij deed collega Henriksson haar altijd handboeien om als ze met elkaar naar bed gingen en het zouden ook nog de handboeien van zijn werk geweest zijn,' zei Knutsson.

'Jesses, dat is toch het toppunt!' zei Bäckström met een grijns. 'Had hij dan zelf geen handboeien?'

Volgens Knutsson en Thorén bleek dat in elk geval niet uit het vooronderzoek waar zij kennis van hadden genomen, want daar werd uitsluitend over 'handboeien van het werk' gesproken. Ook deze zaak was trouwens geseponeerd. De kapster was naar Gotenburg verhuisd en volgens bronnen had ze nu een eigen kapsalon en een nieuwe verloofde. Opvallend aan deze geschiedenis was dat collega Henriksson haar een halfjaar later was gevolgd en nu bij de politie in Mölndal werkte, vlak bij Gotenburg.

'Ik sprak een andere collega die ik ken in Gotenburg en hij wist heel goed wie Hitsige Henriksson was. Hij werkt bij de patrouilledienst en wordt nog steeds Hitsige Henriksson of Hitsige Henki genoemd. Het schijnt er niet minder op te zijn geworden, om het zo maar te zeggen,' zei Thorén.

'Wat heeft hij deze zomer gedaan, behalve rondgeneukt?' vroeg Bäckström.

'Hij is sinds midzomer vrij,' zei Thorén.

'Wangslijm!' zei Bäckström. 'Klinkt niet direct als Linda's type, maar beter een te veel dan een te weinig.'

'Plus die vier die in die danstent waren,' voegde hij eraan toe. 'Plus die andere drie, de schietinstructeur, de vrouwenmepper en de snikkelzwaaier. Ik wil van hen allemaal wangslijm hebben en wat Sandbergje daarvan vindt, zal me werkelijk aan m'n reet roesten.'

'Nog één ding,' zei Bäckström voordat ze hadden kunnen wegglippen uit zijn kamer. 'Zorg dat ook wangslijm wordt afgenomen bij die vette Pool.'

'Collega Lewin zit nog met die kwestie in zijn maag,' zei Thorén. 'Maar hij heeft een plannetje dat hij aan de officier van justitie wil voorleggen.'

Lewin, dacht Bäckström. Misschien heeft ons Svanströmpje hem opgehitst?

Na het onaangename gesprek met het hoofd van de rijksrecherche had de korpschef een tijdje in gedachten verzonken gezeten. De goede Nylander lijkt helemaal uit balans te zijn, dacht hij. Terwijl hij over de kwestie nadacht, was hij naar de steiger gelopen om even bij zijn vrouw te kijken.

'Je bent toch niet in de zon in slaap gevallen, schatje?' zei hij bezorgd. 'Je hebt toch wel voldoende beschermingsfactor opgedaan?'

Zijn vrouw had alleen maar afwerend met haar hand gewapperd en haar hoofd geschud.

Ze lijkt helemaal uitgeput, de stakker, dacht de korpschef.

Daarna had hij zijn medewerker Olsson gebeld om te vragen of hij onderzocht had of er een eventueel verband bestond tussen de tragedie in Skåne en hun eigen gruwelijkheden in Växjö. Volgens Olsson was het een grappig toeval, want hij was net van plan geweest zijn baas te bellen om te vertellen dat hij vroeg in de ochtend al contact had opgenomen met de collega's in Skåne om die kwestie uit te zoeken. Nader bericht zou in de loop van de dag volgen.

'Fijn om te horen,' zei de korpschef. Olsson is echt een rots in de branding, dacht hij toen hij de hoorn had opgelegd. Als zo'n rotspilaar op Gotland, ook al komt hij uit Småland. Stevig staat hij daar in weer en wind, dacht de korpschef en hij voelde zich bijna een beetje poëtisch.

Bäckström had collega Sandberg bij zich geroepen, hoewel hij haar ondertussen al spuugzat begon te worden.

'Ga zitten,' zei Bäckström met een hoofdknik naar de lege stoel. 'Ik wil dat bij alle collega's die in die danstent waren, wangslijm wordt afgenomen. Ook bij die aspirant.'

Sandberg had natuurlijk bezwaar gemaakt. Al die wijven zijn ook hetzelfde, dacht Bäckström, en bij nader inzien begon ook dit exemplaar er hier en daar al aardig verlept uit te zien.

'Maar geen van hen is daar vóór halfvier weggegaan,' zei Sandberg. 'Dat kun je in het proces-verbaal van mijn verhoren lezen. Bovendien was ik er zelf ook en ik heb ze die avond allemaal gesproken, meerdere malen zelfs. En toen ik om een uur of vier wegging, waren alle drie de collega's er nog. Onze aspirant-agent ging iets eerder weg. Hij kwam ons trouwens nog gedag zeggen, voordat hij wegging.'

'Ja ja,' zei Bäckström en knikte zwaar. 'Ik snap alleen niet wat dat ermee te maken heeft.'

'Volgens wat er bij het ochtendoverleg gezegd is, en ik dacht dat jij en Enoksson allebei op die lijn zaten, zou de dader al om drie uur bij Linda thuis zijn verschenen,' zei Sandberg.

'Maar dat weten we niet zeker,' zei Bäckström. 'Het enige wat oom dokter kan zeggen, is dat ze tussen drie en zeven uur is overleden.'

'Maar als hij er om vijf uur vandoor is gegaan, toen de krant kwam,' hield Sandberg vol. 'En als je bedenkt wat hij allemaal heeft gedaan, hoe moet hij daar dan ooit tijd voor hebben gehad?'

'Dat weten we ook niet,' zei Bäckström. 'Dat is wat we denken. Dus zorg ervoor dat ze allemaal wangslijm afstaan. Vrijwillig uiteraard en zo snel mogelijk.'

'Begrepen, Bäckström.' Sandberg keek hem pissig aan.

'Goed zo,' zei Bäckström. 'En dan zijn er nog drie bij wie wangslijm moet worden afgenomen.' Die geile bok in Gotenburg kunnen de collega's daar wel voor hun rekening nemen, dacht hij.

'Bij wie dan?' vroeg Sandberg en ze keek hem met een waakzame blik aan.

'Andersson, Hellström, Claesson,' zei Bäckström. 'Namen die je kent?'

'Dan ben ik bang dat we problemen krijgen,' zei Sandberg. 'Ik hoop dat je beseft dat er een grote kans bestaat dat Claesson zich van het leven berooft als je hem bij deze geschiedenis betrekt.'

'Daarom is het juist zo'n goed idee dat hij de kans krijgt zijn handen zo snel mogelijk in onschuld te wassen,' zei Bäckström. 'Dan hoeft hij ook niet een hele hoop geroddel in de wandelgangen te horen.'

Na een lichte lunch met salade, vis, zongedroogde tomaten en een flesje mineraalwater was de korpschef uitgedacht en had hij een oude kennis gebeld die bij de Zweedse inlichtingendienst, de *Säpo*, werkte, op de afdeling Staatsveiligheid.

'Ik vind het niet makkelijk om hierover te praten,' begon hij. Tien minuten later had hij het hele verhaal verteld.

'Hij lijkt helemaal uit balans te zijn,' vatte de korpschef samen.

Volgens zijn kennis was het heel goed dat hij contact had opgenomen. Zonder ook maar één woord te fluisteren over de reden, was het ambtshalve legitiem, een interessante kwestie en bovendien van groot belang voor de staatsveiligheid.

'Het zou natuurlijk het beste zijn als je op papier zou zetten wat je net verteld hebt,' zei de kennis van de korpschef. 'We zullen het uiteraard de hoogste graad van geheimhouding toekennen, dus daar hoef je je geen zorgen om te maken.'

'Liever niet,' zei de korpschef en hij klonk net zo onzeker als hij zich voelde. 'Ik had gehoopt dat dit telefoongesprek afdoende zou zijn. Ik heb expres jou gebeld, omdat we elkaar kennen.'

'Dat begrijp ik heel goed,' zei de kennis en hij klonk bijna hartelijk. 'Laat maar zitten. Dit informele gesprekje is wel genoeg.'

'Fijn,' zei de korpschef. 'En mocht de situatie op de spits gedreven worden, dan zal ik natuurlijk voor mijn woorden instaan.'

'Uiteraard, uiteraard, iets anders was niet eens bij me opgekomen,' zei de kennis en hij klonk zo mogelijk nog hartelijker.

Nadat ze afscheid hadden genomen, was de korpschef naar de steiger gelopen om zich er nogmaals van te verzekeren dat zijn vrouw niet in de zon in slaap was gevallen. Dat was ze niet. Daarentegen had ze zich omgedraaid. Zijn kennis van de Säpo had de opnameapparatuur die aan zijn telefoon zat aangesloten, uitgezet. Hij had de diskette met het gesprek eruit gehaald en aan zijn secretaresse gegeven en haar gevraagd om onmiddellijk een gewaarmerkte uitdraai te regelen.

27

De volgende dag was het eindelijk gelukt om een DNA-monster van Linda's buurman, bibliothecaris Marian Gross, te bemachtigen. Op zich geloofde niemand binnen het rechercheteam serieus dat hij de dader was, maar nu ging het om het principe en de goede zaak. Niemand, en al helemaal niet zo'n figuur als Gross, zou de dans kunnen ontspringen door tegen te stribbelen. Hoofdinspecteur Jan Lewin had de vrouwelijke officier van justitie gesproken die de oude aangifte tegen Gross in behandeling had. Hij had haar op de juridische mogelijkheden van die aangifte gewezen en het was absoluut niet moeilijk geweest haar over te halen. Integendeel, ze had eerder haar verbazing geuit dat ze dat detail nog niet hadden afgehandeld. Hoe het ook zij, ze hoefden hem alleen maar op te halen en als hij het monster niet vrijwillig af wilde staan, mochten ze het toch bij hem afnemen.

Von Essen en Adolfsson waren met de opdracht belast en na het gebruikelijke proeftrapje tegen de deur had Gross vrijwillig opengedaan. Hij had zijn schoenen aangetrokken en was meegegaan naar het politiebureau. Net als de keer daarvoor had hij onderweg geen woord gezegd.

'Ja, Gross,' zei Lewin terwijl hij hem vriendelijk aankeek. 'De officier van justitie heeft besloten dat we een DNA-monster bij je af moeten nemen. Zover ik het begrepen heb, kunnen we dat op twee manieren doen. Óf je stopt zelf dit stokje met het plukje watten in je mond en haalt het voorzichtig langs de binnenkant van je wang, óf we laten een arts komen die je in je arm prikt terwijl mijn collega's hier toezicht houden.'

Gross had niets gezegd. Hij had hen alleen maar kwaad aangekeken.

'Ik maak uit je zwijgen op dat ik een arts moet laten komen,' zei Lewin en hij klonk nog even vriendelijk als daarvoor. 'Jongens, nemen jullie doctor Gross maar mee en stop hem in de cel zolang we op de arts wachten.'

'Ik eis dat ik het zelf mag doen!' schreeuwde Gross en hij reikte naar het reageerbuisje met het wattenstaafje dat op Lewins bureau lag. Toen het allemaal achter de rug was, had hij Lewins aanbod om naar huis gebracht te worden, afgeslagen en snel het bureau verlaten.

Een paar uur later had hij weer van zich laten horen door iemand anders te sturen die bij de receptie van het politiebureau aangifte kwam doen van grove overtreding binnen een gerechtelijk onderzoek, gericht tegen de vrouwelijke officier van justitie, hoofdinspecteur Olsson, hoofdinspecteur Lewin, plaatsvervangend politie-inspecteur Von Essen en politieagent Adolfsson. De receptionist had de aangifte bij de interne post gelegd om hem door te sturen naar de afdeling Intern Onderzoek en alles was in grote lijnen weer bij het oude zodra Gross het politiebureau in Växjö verlaten had.

Over het geheel genomen verliep het DNA-onderzoek boven verwachting goed. Een jong lid van het rechercheteam, dat geïnteresseerd was in statistiek, had op het mededelingenbord een groot stuk papier opgehangen waarop de vorderingen van het onderzoek in een tabel werden weergegeven. De kolom die het aantal personen uit Växjö en omgeving bij wie wangslijm was afgenomen toonde, was de honderd al gepasseerd. De helft van hen was door het SKL gecheckt en ze konden allemaal worden afgevoerd. Behalve Gross had niemand serieus tegengestribbeld. Een paar lokale relschoppers hadden zelfs uit eigen beweging contact opgenomen met de politie om hun medewerking te verlenen.

De enige wolk aan de forensische hemel bestond in feite uit de eigen collega's.

De drie die in de bardancing waren geweest, hadden aanvankelijk geweigerd mee te werken. Na een gesprek onder vier ogen waren twee van hen door de knieën gegaan, terwijl de derde contact had gezocht met de vakbond en nog steeds weigerde mee te werken. Naar eigen zeggen overwoog hij bovendien een klacht in te dienen bij de procureur-generaal, in elk geval tegen Bäckström en de overige zogenaamde collega's van de rijksrecherche. Al was het alleen maar om hun op die manier wat juridische kennis bij te brengen. Met de aspirant-agent lag het een stuk eenvoudiger. Ondanks herhaalde telefoontjes naar zijn huis en zijn mobiel hadden ze hem niet te pakken kunnen krijgen. Ze hadden meerdere berichten ingesproken, maar hij had niets van zich laten horen.

Olsson was bezorgd, vooral over de drie collega's bij wie Bäckström op grond van hun oude verdiensten wangslijm af wilde nemen. Wat de collega betrof die zijn vrouw had mishandeld en de schietinstructeur die zijn leerlinge met vunzige voorstellen had lastiggevallen, had Olsson persoonlijk geen enkel bezwaar, zoals hij Bäckström toevertrouwde.

'Onder ons gezegd, ik had graag gezien dat ze allebei ontslagen waren,' verduidelijkte Olsson.

Wat heeft dit in godsnaam met jou en mij te maken, dacht Bäckström en hij gaf alleen maar een knikje.

Met de ex-voetbaltrainer lag het daarentegen heel anders. Ten eerste kende hij hem persoonlijk en kon hij voor hem instaan. De man was onschuldig en er was hem een groot onrecht aangedaan. Ten tweede wilde hij niet de verantwoordelijkheid op zich nemen hem zelfs maar te vragen vrijwillig DNA af te staan.

'Ik wil zijn dood niet op mijn geweten hebben,' legde Olsson uit. 'Hij is nog steeds zwaar depressief, zoals je wel zult begrijpen.'

'Natuurlijk, wie niet,' zei Bäckström. 'Maar ik meen gehoord te hebben dat jongeren nooit liegen als het om seksuele vergrijpen gaat.'

Olsson was de eerste om dat ten volle te beamen. Dat was helemaal waar, maar in dit geval waren het eerder haar ouders die achter het verhaal zaten. En mocht het zo zijn dat het meisje toch alles zelf verzonnen had, dan was zijn ten onrechte aangeklaagde collega en goede vriend in dat geval de uitzondering die de regel bevestigde.

'Ik hoop dat je daar begrip voor hebt, Bäckström,' zei Olsson.

'Natuurlijk,' zei Bäckström. 'We hopen toch allemaal een dader te pakken te krijgen met wie we het goed kunnen vinden. Had je nog iets anders?' Misschien moeten we bij jou ook wangslijm afnemen, dacht hij.

Olsson had nog iets op zijn hart. Die gek uit Dalby die nog steeds op vrije voeten was, ondanks het feit dat het Nationale Bijstandsteam de omgeving met een kordon had afgezet en systematisch, meter voor meter, had uitgekamd.

'Jij denkt niet dat het onze man kan zijn,' zei Olsson en hij keek Bäckström hoopvol aan.

'Ik zag dat onze geliefde boulevardkranten op dezelfde lijn zaten,' zei Bäckström. 'Ze verwezen naar een hooggeplaatste bron hier op het bureau. Als ik je woorden als een vraag moet opvatten, ben ik niet degene met wie ze gesproken hebben.'

'Natuurlijk niet, Bäckström,' verzekerde Olsson hem met klem. 'Ik bedoel, wat vind je van de hypothese zelf?'

'Ik denk dat die hooggeplaatste bron hier op het bureau net zo geschift is als zijn vriendjes van de krant,' zei Bäckström.

's Avonds had Carin gebeld en gevraagd waarom hij niets van zich had laten horen. Zelf was ze het weekend weggeweest en had haar oude moeder bezocht, maar dat betekende niet dat Bäckström haar niet had kunnen bellen om een berichtje achter te laten op haar antwoordapparaat.

'Het is een beetje veel geweest de laatste tijd,' zei Bäckström ontwijkend. Hoezo haar oude moeder bezocht? Smoesjes, dacht hij.

'Heb je wat te vertellen?' vroeg ze en ze klonk precies als altijd wanneer ze die vraag stelde.

'Nja,' zei Bäckström. 'Het is meer privé. Mijn huisdier is dood. Ik had een vriend gevraagd om voor hem te zorgen terwijl ik met deze moordzaak bezig was, maar dat is blijkbaar niet zo goed gegaan.'

'Jeetje, wat naar,' zei Carin en ze klonk geschokt. 'Was het een hond of een kat?'

Wie denkt ze wel dat ik ben, dacht Bäckström. Alleen mietjes en wijven hebben een kat.

'Een hond,' loog Bäckström. 'Een rakkertje. Een levendig beestje. Egon heette hij.'

'God, wat triest,' zei Carin, die te oordelen naar de toon waarop ze sprak zowel een dierenvriend als een diep meelevend gevoelsmens was. 'Een puppy en wat een schattige naam. Dan begrijp ik dat je verdrietig bent. Kun je er misschien wat meer over vertellen? Wat is er gebeurd?'

'Hij is verdronken,' zei Bäckström. 'Sorry, ik kan even niet...'

'Ik begrijp het, je kunt er nog niet over praten,' zei ze.

'Laten we morgen even bellen,' stelde Bäckström voor. 'Bel me als je zin hebt om een hapje te eten.' Gestoorde wijven, dacht hij.

Bäckström had Rogersson ontweken, omdat veel erop wees dat hij de kleine Egon om het leven had gebracht. Rogersson leek daarentegen niet eens te merken dat Bäckström hem ontweek. Hij gedroeg zich net als anders. Zo zijn die lui altijd, echte psychopaten, dacht Bäckström, ze denken alleen maar aan zichzelf. Rogersson leek echter een iets gecompliceerder moordenaar te zijn, want net op dat moment klopte hij bij Bäckström op de deur. Een heel bescheiden klopje voor Rogerssons doen. Komt vast door zijn slechte geweten, dacht Bäckström. En als een soort verzoeningsgebaar had hij ook nog een tas met koude biertjes en een praktisch onaangeroerde fles whisky meegenomen.

'Zit je hier een beetje te pruilen,' zei Rogersson en omdat Bäckström geen rancuneus type was, was het ze gelukt om geleidelijk aan op de gebruikelijke wijze hun verhouding te normaliseren en terug te keren naar de verbondenheid die er toch altijd was geweest.

'Proost, op Egon,' zei Rogersson.

'Proost, makker,' zei Bäckström. 'Op Egon,' zei hij plechtig. Hij ging staan en hief zijn glas.

De ochtend nadat Rogersson en hij een wake hadden gehouden voor Egon, had hij dan eindelijk een verdachte in het vizier gekregen die die naam waard was. Je zou er haast een beetje religieus van worden, dacht Bäckström toen hij de welbekende vibraties voelde.

28

Nog voor het ochtendoverleg had Thorén zijn kennis bij de politie Gotenburg gebeld en hem gevraagd te helpen om bij Hitsige Henriksson wangslijm af te nemen. Zijn kennis had beloofd in elk geval een poging te zullen doen en weer van zich te laten horen zodra hij dat gedaan had.

Vervolgens had hij Hitsige Henriksson op zijn mobiel gebeld en hem meteen te pakken gekregen. Ondanks het vroege tijdstip zat Hitsige Henriksson al op een terrasje bij Marstrand de meisjes te bekijken. Hoe hij het deze zomer had gehad, vroeg Thoréns kennis, die van mening was dat het altijd het beste was een beetje voorzichtig te beginnen, ongeacht welk onderwerp er behandeld moest worden. Werkelijk fantastisch, aldus Hitsige Henriksson. Hij had de hele vakantie langs de westkust getoerd. Hij was in Strömstad bij de Noorse grens begonnen en vervolgens via Lysekil, Smögen en een aantal kleinere plaatsjes, waarvan hij de namen al had weten te verdringen, zuidwaarts gereden. Nu zat hij op de kade bij Marstrand, een kilometer of twintig ten noorden van Gotenburg.

'Het is echt ongelofelijk,' zei Hitsige Henriksson gelukzalig. 'Er zitten hier ik weet niet hoeveel meiden. Er komt geen eind aan. En wat een weertje. Bespaart bovendien een hoop tijd.'

Hitsige Henriksson vond het helemaal geen probleem om vrijwillig een DNA-monster af te staan. Hij had dat al meerdere malen gedaan in verband met verschillende vaderschapskwesties in Zweden en in de rest van de wereld, en hij was er altijd goed van afgekomen.

'Het is echt fantastisch,' zei Hitsige Henriksson en hij klonk nog gelukzaliger. 'Ik ben nog geen een keer de lul geweest. Het lijkt wel alsof ik immuun ben voor dat soort ongein.'

Om tijd te winnen waren ze overeengekomen dat Hitsige Henriksson – zodra er een gaatje vrijkwam in zijn overvolle programma –

even bij het kantoor van de buurtpolitie in Marstrand langs zou gaan om het beloofde monster achter te laten.

Waar dat dan ook goed voor mag zijn, dacht Thoréns kennis toen hij ophing.

Adolfsson en Von Essen waren niet bij het ochtendoverleg aanwezig geweest, omdat ze de opdracht hadden gekregen als speciale DNA-patrouille van het onderzoek op pad te gaan. Ook zij waren de dag succesvol begonnen. Eerst hadden ze de schietinstructeur, een oude bekende van Adolfsson die bij dezelfde jachtploeg zat, afgehandeld. Gesterkt door dit succes, hadden ze de collega opgezocht die in de bardancing was geweest en eerder geweigerd had mee te werken. Hij zat thuis te schaven aan de aanklacht die hij bij de procureur-generaal wilde indienen, maar nadat Adolfsson en Von Essen hem tot rede hadden gebracht, had ook hij eieren voor zijn geld gekozen.

'Wat gaan we nu doen?' vroeg Adolfsson. Gustaf is toch de baas, dacht hij.

'Nu doen we die aspirant-agent die blijkbaar weigert de telefoon op te nemen,' zei Von Essen. 'Dan hebben we al die lieden die tegelijk met Linda in de bardancing waren tenminste gehad,' verduidelijkte hij.

Bij het ochtendoverleg hadden ze eerst de terugkerende overzichtsrapporten besproken en het vooral over de DNA-tests gehad. Voor één keer leken bijna alle aanwezigen het met elkaar eens te zijn. Als het niet op een andere manier lukte, dan zou hun dader vroeg of laat hun DNA-net in zwemmen. De enige die zijn twijfels had geuit, was Lewin.

'Er kleeft een groot risico aan zoiets,' zei Lewin bedachtzaam, terwijl hij een hoofdknik gaf in de richting van de grafiek op het mededelingenbord met het aantal afgenomen DNA-monsters.

'Hoe bedoel je?' vroeg Olsson.

'Er bestaat een risico dat we de sturing in het speurwerk kwijtraken,' zei Lewin. 'Het is eerder gebeurd en het zal vast nog wel eens gebeuren, dat we de dader niet vinden hoewel we zijn DNA hebben. Ik kan jullie zo uit de losse pols een stuk of zes actuele voorbeelden geven.'

Spreek voor jezelf, vuile muiter, dacht Bäckström. Zelf was hij van plan bij iedereen in de wereld wangslijm af te nemen, als dat nodig was.

'Wat vind jij ervan, Bäckström?' Olsson wendde zich tot Bäckström.

'Ik heb dit al eens eerder gehoord,' zei Bäckström kortaf. 'Merkwaardig genoeg van dezelfde man,' voegde hij eraan toe, waarmee hij een aantal blije gezichten incasseerde. 'Het komt er nu op aan iedereen af te voeren die niets met de zaak te maken heeft,' vervolgde hij. 'Zo snel mogelijk. Een betere sturing kun je als je het mij vraagt niet krijgen.' En als jij jouw zaakjes regelt, dan regel ik de rest wel, dacht Bäckström terwijl hij Lewin boos aankeek.

Iedereen rond de tafel had instemmend geknikt en Lewin had alleen maar zijn schouders opgehaald. Vervolgens hadden ze het onderwerp laten rusten en waren ze gaan discussiëren over de beloning die Linda's vader wilde uitloven.

'Hij heeft zowel mij als de korpschef gebeld,' zei Olsson en om een of andere reden ging hij rechtop zitten. 'Zelf ben ik bang dat het misschien een verkeerd signaal uitzendt... ik bedoel, als we zo vroeg al... want er zijn amper twee weken verstreken... als we dan nu al een beloning uit zouden loven.'

Jezus, wat een gezeur, dacht Bäckström en als hij daar niet de halve dag wilde zitten, kon hij maar beter zelf zeggen wat hij ervan vond.

'Het zit zo,' zei Bäckström. 'Als het iemand is die ze kent, dan vinden we hem sowieso wel, ongeacht of hij het aan iemand anders heeft verteld die het misschien aan ons zou willen vertellen als hij of zij er een paar kronen voor krijgt. En als het om een echte gek gaat, zoals sommigen schijnen te denken, dan heeft hij waarschijnlijk niemand aan wie hij het kan vertellen en dan zijn we ook niet geholpen met een beloning. Als het om een gewone junk gaat, dan kun je er donder op zeggen dat al zijn vriendjes het nu al weten en dan zou het mogelijk het onderzoek wat kunnen versnellen, maar vroeg of laat komen we er toch wel achter wie de dader is.'

'Moet ik je woorden zo interpreteren dat het in elk geval niet nadelig zal zijn voor het onderzoek?' vroeg Olsson voorzichtig.

'Om wat voor bedrag gaat het?' vroeg Bäckström. Interpreteer het zoals je zelf wilt, idiote oetlul, dacht hij.

'Haar vader stelde een miljoen kronen voor. Om mee te beginnen,' zei Olsson en het werd plotseling doodstil in de zaal.

'Wat is dat voor achterlijk gedoe!' zei Bäckström. Die pa van haar moet helemaal geschift zijn. Geef het geld liever aan mij, dacht hij.

'Wat kost een shot hier in de stad?' vroeg Rogersson plotseling en hij knikte naar een van de lokale collega's die was ingehuurd van de afdeling Narcotica.

'Hangt ervan af wat je wilt hebben,' zei de drugsrechercheur. 'Hetzelfde als in Stockholm, denk ik. Vanaf 500 kronen, als je heroïne wilt. Amfetamine kun je voor een paar honderd krijgen. Stuff is nagenoeg gratis als je via Kopenhagen reist.'

'Wat moeten die lui dan in godsnaam met een miljoen?' zei Bäckström. 'Straks zitten we allemaal onder de luizen als al die geschifte junks hierheen komen met al hun zotte verhalen. Geen beloning!' zei Bäckström en hij stond op. 'En als jullie verder niets hebben, stel ik voor dat we maar eens wat gaan doen.'

Na de lunch had Bäckström zich op zijn kamer opgesloten en het rode lampje aangedaan om alleen te kunnen zijn met zijn gedachten. Ik zou hier eigenlijk een bed neer moeten zetten, dacht hij. Op het bureau gaan liggen deed hij nu al jaren niet meer, bovendien had hij op deze kamer niet eens een goed kussen. Misschien moet ik even een klusje in de stad verzinnen, dacht hij, maar op hetzelfde moment werden zijn hoopgevende gedachten onderbroken door een discreet klopje op zijn deur.

'Binnen!' brulde Bäckström. Dan zal ik je wel even de les lezen, kleurenblinde klootzak, dacht hij.

'Ik ben niet kleurenblind,' zei Adolfsson verontschuldigend. 'En mijn collega ook niet,' zei hij met een knikje naar Von Essen die vlak achter hem stond. 'Maar we hebben iets wat we graag met u willen bespreken. Het lijkt niet geheel oninteressant.'

Die jongen zal het nog ver schoppen, dacht Bäckström terwijl hij joviaal naar zijn enige bezoekersstoel wees.

'Ga zitten jongen,' zei Bäckström. 'Haal jij maar even een stoel van de gang,' zei hij met een hoofdknik naar Von Essen. Als je niet op de grond wilt zitten, arrogant stuk vreten, dacht hij.

'Barst maar los,' zei Bäckström aanmoedigend tegen Adolfsson.

'Er schoot ons opeens iets te beginnen,' zei Adolfsson. 'Dat wat die griet van het SKL tegen Enoksson had gezegd, waar hij ons bij het ochtendoverleg over vertelde. Dat het DNA van onze dader geen typisch Scandinavisch DNA zou zijn. Dat we dus eigenlijk gewoon een buitenlander zoeken.'

'Adolfs gedachten gaan vaak in die richting,' zei Von Essen luchtig terwijl hij zijn nagels inspecteerde.

'Ik luister,' zei Bäckström terwijl hij Von Essen een kwade blik toewierp. En jij houdt je bek, dacht hij.

'Het gaat om een klasgenoot van haar, van de politieschool. Erik Roland Löfgren heet hij. Dat is die jongen die in dezelfde danstent was als Linda in de nacht dat ze vermoord werd en die we nog niet te pakken hebben gekregen om DNA af te nemen.'

'Erik Roland Löfgren?' Bäckström knikte aarzelend. 'Klinkt verdomd exotisch.'

'Desalniettemin woont hij meestentijds hier in de stad. We hebben de jongeman ook op zijn huisadres opgezocht om hem een wattenstaafje te offreren, doch helaas was hij niet ter plaatse,' stelde Von Essen vast, die zich niets van de kwade blik leek aan te trekken.

'En nu hou jij je bek, Von Essen,' zei Bäckström op zijn hoffelijkste manier. 'Ga door,' zei hij met een knikje naar Adolfsson.

'Het is in feite nog veel beter dan het lijkt,' zei Adolfsson en hij overhandigde Bäckström een foto. 'Dit is de foto van zijn identiteitskaart van de politieschool. Het is dus geen negatief,' voegde hij er met een stralend gezicht aan toe.

Zo zwart als de nacht, dacht Bäckström toen hij de foto bekeek. En op hetzelfde moment voelde hij de oude, welbekende vibraties.

'Wat weten we over hem?' vroeg Bäckström terwijl hij achteroverleunde in zijn stoel.

Een klasgenoot van Linda van de politieschool, vijfentwintig jaar oud, geadopteerd, op zesjarige leeftijd uit Frans West-Afrika hierheen gekomen, bij deftige Zweedse ouders terechtgekomen en op de koop toe een paar oudere Zweedse broertjes en zusjes gekregen.

'Zijn adoptievader is geneesheer-directeur van het ziekenhuis in Kalmar, zijn moeder is rector op een middelbare school, eveneens in Kalmar. Chique lui, om het zo maar te zeggen. Wel iets anders dan een eenvoudige jongen van het platteland zoals ik,' zei Adolfsson, die de zoon was van een van de herenboeren in de provincie en was opgegroeid op de familieboerderij buiten Älmhult.

'Wat weten we nog meer?' vroeg Bäckström. Zes jaar toen hij uit donker Afrika hierheen kwam en wat hij daar allemaal geleerd heeft, kan alleen iemand als Brundin bedenken. Dit wordt steeds beter, dacht hij.

'Redelijke cijfers, niet uitmuntend, maar goed genoeg voor iemand als hij om aangenomen te worden op de politieschool,' zei Adolfsson. 'Als u begrijpt wat ik bedoel,' voegde hij er om een of andere reden aan toe.

'Wat heeft hij voor hobby's?' vroeg Bäckström en hij wierp een waarschuwende blik naar Von Essen, die zijn ogen ten hemel sloeg.

'Hij kan niet van de dametjes afblijven en hij schijnt geweldig te kunnen voetballen,' zei Adolfsson.

'Hij speelt in het voetbalelftal van de school,' verduidelijkte Von Essen. 'Schijnt veruit de beste speler te zijn. Hij heet dus Erik Roland Löfgren. Zijn roepnaam is Roland maar iedereen noemt hem Ronaldo. Dat is dus zijn koosnaam. Ik kan me voorstellen dat dat een verwijzing is naar die Braziliaanse profvoetballer,' concludeerde Von Essen en hij keek alsof hij de voorkeur gaf aan een beschaafder soort vrijetijdsbesteding dan voetbal.

'Iedereen noemt hem Ronaldo,' zei Bäckström langzaam, en omdat het kwartje van de agenda in zijn hoofd al was gevallen, vibreerde plotseling de hele kamer waarin hij zat.

'Nu doen we het volgende, jongens,' zei Bäckström en om zijn woorden kracht bij te zetten leunde hij over het bureau naar voren en keek hij ze om beurten strak aan.

'Ten eerste,' zei Bäckström terwijl hij een mollige wijsvinger omhoogstak. 'Geen woord hierover tegen iemand anders. Dit bureau is goddomme zo lek als een zeef,' verduidelijkte hij. 'Ten tweede wil ik dat jullie alles over hem en zijn contacten met Linda tot op de bodem uitzoeken. Nog steeds zonder dat er een hond achter komt.'

Bäckström benadrukte wat hij net gezegd had door naast zijn wijsvinger ook zijn rechtermiddelvinger op te steken.

'Ten derde. Doe niets wat hem bang zou kunnen maken. Laat hem met rust. Probeer hem niet te zoeken, we vinden hem sowieso wel.' Als de tijd daar rijp voor is, dacht hij.

'Begrepen, baas,' zei Adolfsson.
'Pico bello,' zei Von Essen.

Zodra Adolfsson en Von Essen weg waren, had hij Knutsson en Thorén bij zich geroepen. Hij had uitgelegd waar het om ging en verteld hoe ze het aan moesten pakken.

'Dat is wat mij betreft geen probleem,' zei Knutsson.

'Het zal fijn zijn om niet meer elke stap die we zetten in de boulevardkranten te hoeven lezen,' viel Thorén hem bij.

'Aan de slag dan,' zei Bäckström. Eindelijk gebeurt er iets, dacht hij.

'Maar zou hij 'm niet allang gesmeerd zijn?' vroeg Knutsson. 'Als hij het is, bedoel ik.'

'Aangezien hij klaarblijkelijk niet thuis is en de telefoon niet opneemt,' verduidelijkte Thorén. 'We kunnen immers niet uitsluiten dat hij het is.'

'Precies, daarom wilde ik voorstellen te beginnen met het checken van zijn mobiel,' zei Bäckström. Achterlijke idioten, dacht hij.

Een goede baas moet kunnen delegeren, dacht Bäckström en legde zijn voeten op het bureau zodra hij weer alleen was op zijn kamer. En besluiten kunnen nemen, dacht hij. Bijvoorbeeld om een afwezigheidsberichtje in te toetsen op zijn telefoon, weg te glippen naar zijn hotelkamer, een koud biertje te drinken en een paar uurtjes door te brengen in de armen van Morpheus. In het ergste geval, mocht de hel losbreken, dan moesten zijn trouwe medewerkers hem maar bellen. Hij was toch de baas.

29

Na het ochtendoverleg van donderdag keerde een tevreden Bäckström terug naar zijn kamer om ongestoord over de zaak na te kunnen denken.

Het zag er bijzonder veelbelovend uit. Het DNA-onderzoek in Växjö en omgeving verliep nog steeds boven verwachting goed. Zeer binnenkort zouden reeds driehonderd mensen vrijwillig DNA hebben afgestaan en ruim de helft van hen kon al worden afgevoerd. Ook het onderzoek naar Linda's klasgenoot Erik 'Ronaldo' Löfgren was goed op gang gekomen. Adolfsson had Bäckström al gebeld en verteld dat hij en collega Von Essen heel wat nuttigs boven tafel hadden weten te krijgen, waar ze later op de dag verslag van zouden uitbrengen. Zelfs Knul en Tut leken het een en ander te hebben uitgezocht.

'Die voetbalwedstrijd hebben we geloof ik opgehelderd,' zei Knutsson.

'Niet samen met iemand hier op het bureau, hoop ik,' antwoordde Bäckström.

'Absoluut niet,' zei Thorén en hij keek haast een beetje geschokt.

'Dat zou niet best wezen. We hebben het rechtstreeks met onze eigen interne inlichtingendienst afgehandeld,' legde Knutsson uit. 'Met een collega die we allebei kennen en vertrouwen.'

Volgens de collega van de interne inlichtingendienst van de rijksrecherche had de slechts achtentwintig jaar oude levende legende Ronaldo zijn taak zoals gewoonlijk eervol verricht op zaterdag 17 mei, de dag waarop hij en zijn ploeggenoten van Real Madrid in de Spaanse voetbalcompetitie een wedstrijd tegen hun gezworen aartsvijand FC Barcelona hadden gespeeld. Maar hij had niet drie doelpunten gemaakt. Hij had één keer gescoord en een voorzet gegeven voor een tweede doelpunt en na de wedstrijd had het internationale tv-publiek hem voor de zoveelste keer uitgeroepen tot de beste speler van de wedstrijd.

'Maar daar gaat het niet om,' zei Knutsson.

'Dat de collega's hier in Växjö ernaast zaten, omdat zij zeiden dat hij drie doelpunten zou hebben gemaakt,' verduidelijkte Thorén.

'Waar gaat het dan wél om?' vroeg Bäckström.

Volgens de analyticus van de interne inlichtingendienst die Linda's notitie had bestudeerd, moest de uitdrukking 'Magische naam?' vermoedelijk als volgt worden geïnterpreteerd: ten eerste had degene die de woorden had geschreven, een vraag gesteld, ten tweede was die vraag waarschijnlijk retorisch bedoeld.

'En wat betekent dat godbetert in normaal Zweeds?' vroeg Bäckström.

'Dat het om een vraag gaat waarop het antwoord al gegeven is,' legde Knutsson uit.

'Zoals bij die oude klassieker, je weet wel, Bäckström,' zei Thorén. 'Die over de paus. Heeft de paus een leuke muts?'

'Ja ja, precies,' zei Bäckström. Zijn Knul en Tut idioten? dacht hij.

De retorische vraag verwees ook niet alleen naar de persoon 'Ronaldo', die bij iedereen ter wereld bekend was of in elk geval bij iedereen die van voetbal hield, maar naar het collectief van mensen met dezelfde voornaam.

'En wat mag daar dan wel niet mee bedoeld worden?' vroeg Bäckström terwijl hij zijn armen spreidde. Die achterlijke academici helpen het hele korps nog naar de filistijnen, dacht hij.

'Er zijn er minstens twee die Ronaldo heten,' legde Knutsson uit. 'De voetballer Ronaldo, die verkozen wordt tot de beste speler van de wedstrijd. En een andere Ronaldo, die een andere inspanning verricht, van vergelijkbare kwaliteit en waarschijnlijk verband houdend met de wedstrijd in kwestie.'

'Maar dan snap ik het helemaal,' zei Bäckström. 'Waarom zeiden jullie dat niet meteen? Linda heeft naar die wedstrijd met de Ronaldo van al die idiote voetbalgekken zitten kijken, terwijl haar eigen kleine Ronaldo haar op de bank neukte. Zit ik er ver naast als ik denk dat hij het drie keer met haar heeft gedaan?'

'Zo zou je het ook kunnen uitdrukken,' zei Thorén afgemeten.

'Volgens de analyticus die we gesproken hebben, is dit inderdaad de meest waarschijnlijke interpretatie. Ja dus,' verduidelijkte Knutsson. 'Ook al heeft hij het niet direct op die manier geformuleerd.'

'Stuur die hufter dan op cursus, zodat hij normaal leert praten,' zei Bäckström. 'Hoe gaat het trouwens met het opsporen van de mobiele telefoongesprekken?'

'Goed,' zei Thorén. 'Er zit schot in.'

'Maar zoiets kost natuurlijk wel tijd,' verduidelijkte Knutsson.

'Wanneer?' vroeg Bäckström.

'In het weekend,' antwoordde Thorén.

'Als het meezit morgen, anders pas zondag,' preciseerde Knutsson.

'Ik hoor nog van jullie,' zei Bäckström en hij wees naar de deur.

Toen Bäckström in het personeelsrestaurant zat te lunchen, was collega Sandberg naar hem toe gekomen en ze had gevraagd of ze bij hem mocht gaan zitten.

'Tuurlijk,' zei Bäckström met een knikje naar een lege stoel. Binnenkort ziet ze er net zo verlept uit als al die andere wijven, dacht hij.

'Is het goed als ik duidelijke taal spreek?' vroeg Sandberg terwijl ze hem aankeek.

'Ik spreek altijd duidelijke taal,' zei Bäckström en hij haalde zijn schouders op.

'Oké dan,' zei Sandberg en het leek alsof ze zich schrap zette.

'Ik ben een en al oor,' zei Bäckström. Maar ik hoor niets.

'Ik geloof niet in het afnemen van wangslijm bij een heleboel collega's,' zei Sandberg.

'Ik vind juist dat het zo lekker loopt. Die twee jonge collega's van de ordepolitie die we hebben ingehuurd, zijn geweldig efficiënt,' zei Bäckström.

'Voordat ik politieagent werd, wist ik niet dat er zulke mensen bestonden. Ik had in elk geval gehoopt dat dat zo was. Nu weet ik dat ik het helaas mis had.' Sandberg keek Bäckström ernstig aan. 'Voor mij...'

'Politieagent is niet iets wat je wordt,' onderbrak Bäckström haar. 'Politieagent is iets wat je bent. Adolfsson en die Von Essen zijn politieagenten. Zo simpel is het. Doel je op een collega voor wie je een zwak hebt?' vervolgde hij. Dit begint echt leuk te worden, dacht hij.

'Alle collega's van wie de analyseresultaten binnen zijn, hebben we kunnen afvoeren,' zei Sandberg.

'Ja, dat moet toch heerlijk voor ze zijn,' zei Bäckström met een grijns.

'Ik kan echt niet naar collega Claesson gaan en hem vragen om vrijwillig een DNA-monster af te staan. Niet na wat hij heeft doorgemaakt en als je weet hoe hij zich voelt.' Sandberg schudde haar hoofd en keek Bäckström ernstig aan.

'Verder nog iets?' vroeg Bäckström terwijl hij demonstratief op zijn horloge keek.

'Ja, wat denk jij zelf dan?'

'Dat het wel goed komt. Ik zal Adolfsson of iemand anders vragen,' zei Bäckström en hij stond van tafel op. Zuig daar maar even op, kleine teef, dacht hij toen hij zijn dienblad op de afwaskar zette.

'Hoe heb je die ouwe in godsnaam zover gekregen dat hij mee wil werken aan een verhoor?' vroeg Bäckström twee uur later, toen hij samen met Rogersson in de auto zat, op weg naar het huis van Linda's vader.

'Ik heb hem gebeld en gevraagd of we langs mochten komen om met hem te praten,' zei Rogersson.

'En dat was geen probleem?'

'Nee, absoluut niet,' antwoordde Rogersson terwijl hij zijn hoofd schudde.

Het verhoor met Linda's vader had ruim twee uur geduurd. Ze hadden in zijn werkkamer op de bovenste verdieping van het landhuis gezeten. Bäckström had overwogen zijn mond gehouden en Rogersson het gesprek laten voeren. Hij had ermee volstaan af en toe een losse vraag te stellen. Ze hadden het over Linda's hobby's, haar sociale contacten en haar vrienden gehad, en ze hadden gevraagd of er iets of iemand was waarvan haar vader dacht dat het belangrijk was dat zij het wisten. Twee onderwerpen hadden ze zorgvuldig gemeden. Ten eerste het bestaan van een eventueel dagboek of andere privéaantekeningen, ten tweede de vraag hoe het met hem ging.

Na ruim een uur had hij gevraagd of hij hun iets kon aanbieden. Koffie, of iets anders?

'Als ik hier niet voor mijn werk zou zitten, had ik om een koud pilsje gevraagd,' zei Bäckström met een glimlachje. 'Rogersson neemt wel genoegen met iets fris, hij moet ons nog terugrijden.'

'Dat valt wel te regelen,' zei Linda's vader, hij stond van de bank op en opende een oude toogkast die in een hoek van de werkkamer stond. 'Niet alles is wat het lijkt,' voegde hij eraan toe toen hij Bäckströms verbaasde gezicht zag.

In de kast stond een groot aantal flessen en glazen in verschillende modellen en bovendien een koelkastje met ijs, mineraalwater, frisdrank en bier.

'Ik was zelf van plan een biertje te nemen,' zei Henning Wallin. 'Ik stel voor dat de heren mij daarin volgen. In het ergste geval moeten jullie maar teruglopen naar Växjö. Of ik kan mijn bediende vragen om jullie te brengen.'

'Klinkt goed,' zei Bäckström. De man overleeft dit wel, dacht hij, ook al ziet hij eruit als een uitgescheten klokkenhuis en heeft hij de helft van zijn gezicht eraf geschaafd toen hij zich vanochtend probeerde te scheren.

'Ken je deze jongen?' vroeg Bäckström en hij overhandigde Linda's vader een foto van Erik Roland Löfgren. Hoog tijd om ter zake te komen, dacht hij.

Haar vader bekeek de foto aandachtig. Hij knikte.

'Dat is toch die klasgenoot? Ik meen dat ze hem Ronaldo noemen.'

'Kende Linda hem goed?' vroeg Rogersson.

'Nee, ik geloof het niet. Dan had ze dat wel verteld. Zelf heb ik hem maar één keer ontmoet.'

Rogersson knikte naar hem ten teken door te gaan.

'Hij was hier afgelopen voorjaar een keer,' zei Henning Wallin. 'Ik weet nog dat ik hem een hand heb gegeven. Zelf was ik uitgenodigd voor een diner in de stad. Ik geloof dat ze naar een voetbalwedstrijd zouden gaan kijken. Linda heeft... had... ongelofelijk veel kanalen op haar tv.'

'Maar je kunt je hem nog wel herinneren,' zei Rogersson.

'Ja,' zei Henning Wallin. 'Het is er zo een die je niet gauw vergeet. Tenminste, als je zo'n vader bent als ik,' voegde hij er om een of andere reden aan toe. 'Maar ik begrijp waar jullie heen willen. Ik ben er vrij zeker van dat Linda geen relatie met hem had. Dat andere, daar bemoei ik me niet mee.'

'Je hebt hem niet als onaangenaam of bedreigend ervaren?' vroeg Rogersson.

'Eerder een beetje kruiperig,' zei Henning Wallin. 'Geen jongen die ik als schoonzoon zou willen,' voegde hij eraan toe. Plotseling schudde hij zijn hoofd en drukte zijn duim en wijsvinger tegen zijn ogen.

'Ik was niet van plan te vragen hoe het met je gaat,' zei Bäckström. 'Ik heb zelf ook iemand... iemand die me heel dierbaar was... en die hetzelfde is overkomen als Linda. Dus ik weet hoe je je voelt.'

'Werkelijk?' Linda's vader keek Bäckström verbaasd aan.

'Ja,' zei Bäckström ernstig. 'Daarom zit ik niet door te zagen over hoe je je voelt. Is het goed als we verdergaan?'

'Ja,' zei Henning Wallin. 'Het gaat wel weer. Voor ik het vergeet, ik heb aangeboden een beloning uit te loven. Zouden jullie daarmee geholpen zijn?'

'Nee,' zei Bäckström en hij schudde zijn hoofd.

'Waarom niet?' vroeg Linda's vader.

'Omdat ik weet dat we hem toch wel te pakken krijgen,' zei Bäckström en hij schonk hem zijn politieblik.

'Prima,' zei Henning Wallin. 'Maar bel me als mocht blijken dat jullie toch een beloning nodig hebben.'

'Ik heb hier een lijst met namen van personen die Linda kende of ontmoet heeft,' zei Rogersson. 'Zit er iemand bij die je kent?'

Henning Wallin had de lijst met personen uit Linda's omgeving snel doorgekeken. Hij had geen dingen toe te voegen die ze nog niet wisten en de enige op wie hij wat commentaar had gegeven, was een van de buren, Marian Gross.

'Dat is toch die buurman,' zei Henning Wallin. 'Ik herinner me dat Linda het over hem heeft gehad. Volgens haar beschrijving was het een uitzonderlijk onaangenaam mannetje. Hij moet daar na mijn tijd zijn komen wonen.'

'Heb je zelf in die flat gewoond?' vroeg Rogersson. 'Waar het gebeurd is, bedoel ik.'

'Ik was de eigenaar van het pand,' zei Henning Wallin. 'Ik heb het na de scheiding aan Linda's moeder gegeven. Daarna heeft zij er een vereniging met koopwoningen van gemaakt. Ze heeft zich altijd erg voor geld geïnteresseerd.'

'Maar je hebt daar zelf nooit gewoond?' herhaalde Rogersson.

'Nee. Een van mijn Zweedse bedrijven heeft er een tijdje een kantoor gehad, maar ik heb zelf amper een voet in dat gebouw gezet, behalve toen ik het kocht. Denken jullie niet dat hij het kan zijn? Die Gross?'

Rogersson haalde zijn schouders op.

'We checken iedereen die gecheckt moet worden,' zei hij.

'We schrappen niemand uit het onderzoek voordat we heel zeker zijn van onze zaak,' benadrukte Bäckström. 'Degene die overblijft, zetten we achter slot en grendel. Voor altijd.'

'Wanneer is het zover?' vroeg Henning Wallin.

'Binnenkort,' zei Bäckström. 'Voor we weggaan, kun je me zeggen waar de pl... waar het toilet is? 's Middags bier drinken is duidelijk een beetje te veel voor een oude diender,' loog hij.

'Je mag mijn badkamer wel even gebruiken,' zei Henning Wallin. 'De eerste deur links.'

'Ik geloof dat we bijna klaar zijn,' zei Rogersson toen Bäckström verdwenen was om zijn blaas te legen. 'Zijn er nog dingen die we naar jouw idee vergeten zijn te bespreken? Iets wat je nog zou willen toevoegen?'

'Grijp die gek die het gedaan heeft,' zei Henning Wallin. 'De rest regel ik zelf wel.'

'We doen ons best,' zei Rogersson.

'Je bent niet te dronken om te rijden?' vroeg Bäckström een kwartier later, toen ze op weg terug waren naar Växjö.

'Nee,' zei Rogersson. 'Dat word ik meestal niet van één biertje. Iets heel anders. Ik wist niet dat je een dochter had die gewurgd is.'

'Dat heb ik niet gezegd,' wierp Bäckström tegen. 'Een persoon die me heel dierbaar was, heb ik gezegd.'

'Als je Egon bedoelt, die heb ík in elk geval niet gewurgd. Het leek alsof hij verdronken was. Bovendien dacht ik dat het een goudvis was.'

'Ik dacht aan Gunilla,' zei Bäckström. Ik durf te wedden dat hij iets met Egon heeft uitgehaald, dacht hij. Waarom zou hij het anders de hele tijd over hem hebben?

'Welke Gunilla?' vroeg Rogersson geïrriteerd.

'Je weet wel, Gunilla. Van de Gunilla-moord,' legde Bäckström uit. 'Zij is toch gewurgd.'

'Maar jezus... dat was een hoer!' zei Rogersson.

'Maar een verdomd leuke, vrolijke meid,' zei Bäckström. 'Ik ben haar een paar keer op de tippelzone tegen het lijf gelopen toen ze nog levend en wel was. Bovendien werkte het toch. Heb je niet gezien dat Linda's vader meteen opknapte toen hij hoorde dat hij een lotgenoot had? Hebben we trouwens bewijszakjes in de auto?'

'We hebben alles in deze pokkewagen,' zei Rogersson. 'In het handschoenenkastje,' voegde hij eraan toe.

'Tatarataa!' zei Bäckström, die al een plastic zakje had gepakt en met enige moeite een bebloed papieren zakdoekje uit zijn zak viste.

'Dus daarom moest je naar de plee,' concludeerde Rogersson.

'Ja, niet omdat ik moest pissen,' zei Bäckström vergenoegd. 'Haar pappie had het in de badkamer in de prullenbak gegooid.'

'Weet je, Bäckström, je bent niet goed snik. Op een dag zal de duivel je te pakken krijgen. En hij zal je persoonlijk komen halen.' Rogersson knikte nadrukkelijk.

30

Adolfsson en Von Essen zaten op Bäckströms kamer te wachten toen hij terugkwam op het politiebureau. Adolfsson sprong van zijn stoel op toen Bäckström binnenstapte. Zijn collega volstond echter met een beleefde draaiing van lichaam en hoofd als algemeen blijk van vriendelijke bedoelingen.

'Ik hoop dat u het niet erg vindt dat we hier binnen zijn gaan zitten,' zei Adolfsson. 'We wilden niet als uithangbord op de gang staan wachten.'

'Ga zitten, Adolf, ga zitten, het is oké,' zei Bäckström joviaal, terwijl hij zelf luid puffend ging zitten en zijn voeten op het bureau legde. Die jongen zal het echt heel ver schoppen, dacht hij.

Erik Roland Löfgren was al verhoord op de avond van de dag dat Linda vermoord was. Het verhoor was telefonisch afgenomen op zijn mobiel door politie-inspecteur Anna Sandberg. Volgens het proces-verbaal had het verhoor ruim twintig minuten geduurd. Het was over drie voor de hand liggende zaken gegaan, en omdat het proces-verbaal een samenvatting was van het gesprek, nam het amper twee kantjes in beslag.

'Löfgren vertelt dat Linda en hij klasgenoten waren op de politie-academie in Växjö, maar dat ze niet privé met elkaar omgingen. Buiten school hadden ze elkaar enkele malen ontmoet in verband met sociale activiteiten van de academie en verder waren ze elkaar wel eens tegengekomen in restaurants en andere uitgaansgelegenheden in Växjö...'

'Löfgren vertelt verder dat hij Linda niet echt goed kende maar dat ze in zijn ogen een vrolijke, aardige meid was, dat ze van sport hield, dat ze een leuke studiegenote was en dat iedereen in de klas haar aardig vond. Zover hij weet heeft ze nooit iets gehad met iemand van de opleiding of iemand die hij kent. Volgens Löfgren ging ze vooral met haar vriendinnen om...'

'Over de desbetreffende avond in het Stadshotel vertelt Löfgren onder andere het volgende. Hij kwam op donderdagavond om een uur of tien samen met twee klasgenoten van de politieacademie bij de bardancing aan en is daar vrijdagochtend om ongeveer kwart voor vier weer weggegaan. Daarna is hij rechtstreeks naar huis gewandeld en naar bed gegaan, omdat hij beloofd had in het weekend zijn ouders op te zoeken in hun buitenhuis op Öland en omdat hij zijn slaap hard nodig had om daarheen te kunnen rijden. Tijdens zijn bezoek aan het Stadshotel heeft hij gezien dat Linda er ook was, maar ze hebben elkaar alleen maar kort gegroet, omdat hij bij een groepje van zijn vrienden zat. Het was er erg druk, maar Löfgren zegt dat hem die avond niets bijzonders is opgevallen. Verder wil hij nog kwijt dat wat er met zijn klasgenoot gebeurd is, hem erg geraakt heeft.'

'Ja, dat is in het kort wat hij gezegd heeft,' zei Von Essen en hij knikte naar Bäckström.
   'Maar er zit ook nog een supplement bij het proces-verbaal,' zei Adolfsson.
   'Inderdaad,' zei Von Essen met een kalm knikje, 'daar kom ik nu op. Collega Sandberg die hem verhoord heeft, heeft een supplement aan het proces-verbaal toegevoegd. Ze schrijft het volgende... ik citeer... "ondergetekende, die zelf op de avond in kwestie in de bardancing van het Stadshotel aanwezig was... wat ik om dertien uur vijftien vandaag mondeling aan de leider van het vooronderzoek, hoofdinspecteur Bengt Olsson, heb medegedeeld... getuigt dat Löfgren die avond naar mij en mijn groepje is toegekomen en dat hij iets voor vier uur 's ochtends afscheid heeft genomen en vertelde dat hij naar huis zou gaan om te gaan slapen omdat hij de volgende dag vroeg op moest. Naar eigen zeggen omdat hij van plan was het weekend naar zijn ouders te gaan in het buitenhuis van de familie. Ik heb Löfgren ook een keer eerder ontmoet, toen ik op de politieacademie een lezing heb gegeven over geweld binnen het gezin... Ex officio... inspecteur Anna Sandberg".'

'Wat moeten we hiervan denken?' vroeg Bäckström terwijl hij hen listig aankeek.

'Tja, dat hij haar amper kende, dat klopt helaas niet,' zei Adolfsson.

'Beste jongen,' zei Von Essen en hij tikte hem zachtjes op zijn arm. 'Je kunt ze niet allemaal hebben en als je er eentje verliest, staan er nog duizend anderen in de rij,' voegde hij er troostend aan toe. 'Adolf had een oogje op ons slachtoffer,' legde Von Essen uit. 'Hij heeft een keertje met haar geflirt toen ze achter de balie bij de receptie stond.'

'O, op die fiets,' grinnikte Bäckström. 'Misschien moeten we bij jou ook wat wangslijm afnemen, Adolf?'

'Dat detail heb ik al met Enoksson afgehandeld,' zei Adolfsson en hij klonk voor de verandering kortaf.

'Waarom?' vroeg Bäckström nieuwsgierig. Waarom, dacht hij.

'Omdat ik haar gevonden heb. Ik heb op de plaats van het delict rondgeslopen. Niet dat ik over haar heen heb staan kwijlen, maar ik heb haar wel aangeraakt om te controleren of ze dood was,' zei Adolfsson. 'Bovendien heb ik zelf aan Enok voorgesteld om een wattenstaafje in mijn mond te stoppen. Vrijwillig.'

'En hij deed wat je zei,' glimlachte Bäckström.

'Ja,' zei Adolfsson.

'Verstandige vent,' constateerde Bäckström. 'Maar om terug te komen op het onderwerp, hoe goed kende onze eigen kleine Rolando het slachtoffer dan wel?'

'Volgens wat hij een paar van zijn vrienden verteld heeft, zou hij met haar naar bed zijn geweest,' zei Adolfsson. 'Dat zal helaas wel kloppen. Wilt u de details horen?'

'Aha,' zei Bäckström. 'Laat die details maar zitten. Vrouwen zijn niet goed wijs. Wat vrouwen betreft, iets heel anders. Jullie collega Sandberg, hoe is zij eigenlijk?'

'Niet een van mijn favorieten,' zei Adolfsson. 'Ze is trouwens ook geen collega van me, zoals u zegt. Ze is getrouwd met een politieagent. Wat dat voor man is, onttrekt zich aan mijn oordeel. Hij werkt als wijkagent in Kalmar, dus ik vrees het ergste.'

'Dat we onze reserves hebben bij collega Sandberg kan mogelijk te maken hebben met het feit dat ze aangifte tegen ons heeft gedaan wegens een overtreding in dienstverband,' zei Von Essen. 'We zouden een van haar beschermelingen mishandeld hebben bij een arrestatie. Dat was ergens afgelopen voorjaar.'

'Wat had hij gedaan dan?' vroeg Bäckström.

'Niet hij, zíj,' zei Adolfsson. 'Ze probeerde de baron in zijn nek te bijten toen we haar in de wagen wilden zetten, en omdat ze HIV-positief is, vond ik het het beste om haar vast te binden en een muilkorf om te doen,' zei Adolfsson.

'Ik wist niet dat jullie muilkorven in de wagen hadden,' zei Bäckström. 'Klinkt praktisch.'

'Ik heb mijn jasje uitgedaan en dat om haar hoofd geknoopt,' zei Adolfsson. 'Zelfs de verraders van de afdeling Intern Onderzoek hadden er niets op tegen.'

'Goed, nu doen we het volgende, en laat geen hond buiten deze kamer hier iets van horen,' zei Bäckström. Hij haalde zijn voeten van het bureau en leunde naar voren om wat hij wilde zeggen kracht bij te zetten.

31

Skåne, zaterdag 19 juli – zondag 20 juli

Aan het begin van de week was het hoofd van de rijksrecherche naar Skåne gevlogen om de jacht op de gevaarlijkste crimineel van Zweden persoonlijk te kunnen leiden. De gek van Dalby, een massamoordenaar, en in de wereld van mensen als Nylander hoogstwaarschijnlijk ook een seriemoordenaar. Om in de buurt te zijn van het onderzoeksgebied in kwestie, Dalby en omstreken, waar zijn trouwe manschappen van het Nationale Bijstandsteam hun posities al hadden ingenomen, had hij zich in het Grand Hotel in Lund ingekwartierd.

Daar had men eerst de slechte smaak gehad om hem de naar de schrijver Fritiof Nilsson Piraten vernoemde suite aan te smeren, maar nadat hij in klare taal duidelijk had gemaakt welke gevechtssituatie er aan zijn bezoek ten grondslag lag, hadden ze de suite verruild voor een gewone tweepersoonskamer met ligbad. Die achterlijke burgers ook, die begrijpen geen snars van kritieke situaties, dacht Nylander.

Zaterdagavond laat had er zich helaas een klein incident voorgedaan op zijn hotelkamer.

Nylander was moe nadat hij meer dan vijftien uur in het veld had doorgebracht, de hitte was ondraaglijk geweest, het eten en drinken maar matigjes. Voordat hij naar bed ging, wilde hij zijn dienstwapen ontladen, of juist laden – de exacte omstandigheden werden nooit helemaal opgehelderd – en had hij per ongeluk een schot gelost dat de spiegel in de badkamer had geraakt. Omdat de schade wel leek mee te vallen, had Nylander zijn tanden gepoetst, het pistool meegenomen en onder zijn hoofdkussen gelegd, waar hij hem altijd had liggen als hij ambtshalve elders sliep. Daarna was hij onder de wol gekropen en hij sliep al bijna, toen hij wakker werd omdat iemand hard op zijn deur stond te bonzen.

Ongelukkigerwijs bleek de verdwaalde kogel in het televisietoestel van de kamer ernaast terecht te zijn gekomen. Zijn buurman, die nogal paniekerig van aard was, was wild schreeuwend en slechts gekleed in een Donald Duck-onderbroek naar de receptie gerend. Het personeel van het hotel had onmiddellijk de politie gebeld en verteld dat er 'wild geschoten werd in de kamer van het hoofd van de rijksrecherche'. Twee minuten later was de eerste patrouillewagen van de politie in Lund ter plaatse en voor de zekerheid was ook een patrouille-eenheid uit Malmö onderweg.

Vervolgens was de situatie helemaal uit de hand gelopen. Hoewel Nylander zelf rustig en systematisch uiteen had gezet wat er was gebeurd en eenieder had aangeraden naar zijn eigen plek terug te keren, had men daar niets van willen weten. De plaatselijke collega's waren stomweg niet professioneel genoeg geweest om de ontstane situatie het hoofd te kunnen bieden. Ze hadden zijn dienstwapen in beslag genomen en hem voor verhoor meegenomen naar het politiebureau in Lund, ondanks het feit dat het midden in de nacht was. Na het verhoor hadden ze hem eindelijk naar het hotel teruggebracht.

'Ik ben helaas genoodzaakt dit zwart op wit te zetten,' zei Nylander, terwijl hij de aanvoerder van de patrouille-eenheid strak in de ogen keek toen ze hem buiten de entree van het hotel afzetten.

'Doe dat, Nylander,' zei de aanvoerder instemmend met een zwaar Skånsk accent. 'Als je maar belooft dat je je handen boven de dekens houdt.'

De volgende ochtend hadden ze de gezochte gek gevonden. Hij lag in een vissershutje in de buurt van Åhus. Dat hij door de eigenaar van het hutje was gevonden en niet door het bijstandsteam, kwam waarschijnlijk doordat hij zich op een totaal andere plek bevond dan waar men gezocht had. Te oordelen naar de stank en de hoeveelheid maden leek hij daar al meerdere dagen te hebben gelegen.

'De schoft heeft de loop in zijn mond gestopt en vervolgens afgevuurd,' vatte het hoofd van Nylanders bijstandsteam samen.

'Zorg dat er wangslijm bij hem wordt afgenomen en dat de collega's in Växjö op de hoogte worden gebracht,' zei Nylander. Stelletje veldwachters, dacht hij. Je moet ook alles zelf doen.

32

Växjö, zondag 20 juli

Zondagavond laat klopten Knutsson en Thorén op de deur van Bäckströms hotelkamer. De collega's in Stockholm hadden het eerste onderzoek naar het mobieltje van aspirant-agent Erik Roland Löfgren afgerond.

'Zijn ze er in het weekend mee bezig geweest?' vroeg Bäckström verbaasd.

'Ze wilden vast overuren maken, net als iedereen,' antwoordde Knutsson.

'Is hij er nog, of is hij 'm gesmeerd?' vroeg Bäckström. Ik hoop dat die hufter 'm gesmeerd is, dacht hij en hij voelde plotseling de welbekende vibraties.

'Te oordelen naar de gesprekken zit hij sinds het midden van de week op Öland,' zei Thorén. 'Daarvóór lijkt hij hier in Växjö te hebben gezeten.'

'Het laatste mobiele gesprek ging via de telefoonmast bij Mörbylånga,' verduidelijkte Knutsson. 'Zijn ouders hebben daar in de buurt een zomerhuis, dus hij zit daar vast lekker te zonnebaden.'

'En, hebben jullie nog iets interessants gevonden?' vroeg Bäckström. Idioten, dacht hij. Waarom zou iemand als Löfgren moeten zonnebaden?

'Ik denk het wel,' zei Thorén en hij keek tamelijk opgetogen.

'Het lijkt erop,' viel Knutsson hem met een lachje bij.

'Nou, wat dan?' vroeg Bäckström. 'Is het geheim of zo?'

'Collega Sandberg schijnt meerdere malen achter hem aan te hebben gebeld,' vertelde Thorén. 'De eerste keer op de dag dat Linda vermoord werd.'

'Ja, hè hè,' zei Bäckström en hij slaakte een zucht. 'Wat dus niet zo vreemd is omdat ze hem toen telefonisch verhoord heeft.' Stelletje achterlijke idioten, dacht hij.

'Dat dachten wij eerst ook,' zei Thorén.

'Tot we er wat dieper over nadachten,' legde Knutsson uit.

'Tjonge jonge,' zei Bäckström nors. Wie denken ze verdomme wel niet dat ze zijn, dacht hij.

Volgens het proces-verbaal van het verhoor dat collega Sandberg had opgemaakt en ondertekend, zou ze vrijdag 4 juli tussen 19.15 en 19.35 uur een telefonisch verhoor hebben gehouden met aspirant-agent Roland Löfgren.

'Ze belde naar zijn mobiel. Waarschijnlijk vanaf haar telefoon op het politiebureau in Växjö, omdat het gesprek via de telefooncentrale van het bureau is gegaan,' zei Thorén.

'Zo dom ben ik nou ook weer niet,' zei Bäckström. 'Wat is het probleem?'

'Het gesprek is wat aan de korte kant,' zei Knutsson en hij keek Bäckström listig aan. 'Het wordt al na vier minuten afgebroken. Om 19.19 uur.'

'Ja, en?' zei Bäckström. 'Hij heeft haar waarschijnlijk gewoon gevraagd om hem op zijn vaste telefoon te bellen. Slechte ontvangst, de batterij was misschien bijna leeg. Weet ik veel.' Hoe dom kan een mens zijn, dacht hij. 'Hebben jullie zijn vaste telefoon al gecheckt?' voegde hij eraan toe.

'Daar wordt aan gewerkt,' zei Thorén. 'Het betreft een normaal Telia-abonnement met een aansluiting op zijn studentenkamer in een grote villa aan de Doktorsgatan in het centrum van Växjö. Die villa is van een arts die een eigen praktijk heeft hier in de stad, waarschijnlijk een oud-collega van zijn vader. Het abonnement staat alleen niet op naam van de jongen maar op naam van zijn pa, dus het is wat lastig om toestemming te krijgen.'

'Dan moeten ze dat maar zien op te lossen,' zei Bäckström. 'Wat is het andere probleem?'

'Kort samengevat,' zei Knutsson...

Kort samengevat was het probleem het volgende. Om 19.20 uur had iemand opnieuw Löfgrens mobiel gebeld via de centrale van het politiebureau, maar er werd niet opgenomen. Daarna waren er nog eens vijf gesprekken vanaf hetzelfde nummer op zijn mobiel binnengekomen en te oordelen naar de lengte van de gesprekken waren ze allemaal in de voicemail terechtgekomen. Het laatste telefoontje werd vlak na middernacht gepleegd. In de loop van de volgende vijftien dagen was er nog tien keer via de centrale van het politiebureau naar Löfgrens mobiel gebeld en waarschijnlijk was geen van deze telefoontjes beantwoord.

Alsof dit nog niet genoeg was, had collega Sandberg hem ook nog vijf keer vanaf haar mobiele diensttelefoon gebeld en het leek erop dat ook die telefoontjes onbeantwoord waren gebleven. Ten slotte had ze hem nog een keer vanaf haar eigen mobieltje gebeld.

'Dat was afgelopen donderdagmiddag, vlak na de lunch,' zei Knutsson. 'Het lijkt erop dat ze elkaar toen gesproken hebben. Het gesprek duurt negen minuten.'

'Wonderlijk,' constateerde Bäckström. Waar is dat mens in godsnaam mee bezig? Was dat niet ongeveer het moment dat ze bij mij in het personeelsrestaurant opdook, dacht hij.

'Ja, het is wel een beetje vreemd,' was Thorén het met hem eens.

'Lichtelijk mysterieus, zou ik zeggen, mocht iemand mij toevallig vragen,' zei Knutsson.

'Laten we er een nachtje over slapen,' besloot Bäckström. Wat is er in godsnaam aan de hand, dacht hij.

'Nog één ding,' zei Bäckström voordat ze naar buiten hadden kunnen glippen. 'Geen woord hierover tegen iemand anders.'

'Natuurlijk niet,' zei Knutsson.

'*Very hush hush*,' viel Thorén hem bij en hij knipoogde met zijn rechteroog terwijl hij zijn rechterwijsvinger voor zijn lippen hield.

'Wat?' vroeg Bäckström. Zijn die idioten ook nog vrijmetselaar of zo, dacht hij.

'*Very hush hush*, ssssst dus,' vertaalde Knutsson. 'Zoals in die film over onze collega's in Los Angeles in de jaren vijftig. *LA Confidential.*'

'Daar is er eentje die dat zo zegt, *very hush hush*,' legde Thorén uit. 'Een goeie film. Naar een roman van James Ellroy. Die zou je eigenlijk moeten zien, Bäckström.'

Er is geen andere verklaring mogelijk, het moeten flikkers zijn, dacht Bäckström vlak voordat hij in slaap viel. Sinds het overige deel van de mensheid televisie en video had, gingen alleen flikkers nog naar de bioscoop. Flikkers, en wijven natuurlijk. Zelfs jongeren gaan niet meer naar de bioscoop, dacht Bäckström en op dat moment moest Klaas Vaak hem overmand hebben, want toen hij zijn ogen weer opendeed, was het buiten al licht en zocht dezelfde onverbiddelijke zon zich een weg naar binnen door de kieren in het gordijn voor het raam van zijn kamer.

Vandaag ga ik die klootzak tot lijm koken, dacht Bäckström toen hij onder de douche stond en zich liet verkwikken door het koude water aan het begin van weer een nieuwe dag in zijn leven als rechercheur bij Rijksmoordzaken.

33

Hoofdinspecteur Jan Lewin las nu alleen nog *Smålandsposten*. Hij wilde hoe dan ook een krant lezen om op de hoogte te blijven van de kijk van de media op de wereld in het algemeen en de moord op Linda Wallin in het bijzonder.

Het sprak voor zich dat ook in de grote lokale ochtendkrant het nieuws gedomineerd werd door de moord op Linda, maar wat erin stond was praktisch gespeend van speculaties en beduidend evenwichtiger en terughoudender dan in de meeste andere media. Ondanks het feit dat de krant vanwege zijn nauwe banden met Växjö en omstreken en de mensen die daar woonden, waarschijnlijk dieper geraakt was door de tragedie die Linda en haar familie was overkomen dan de grootstedelijke kranten en hun verslaggevers.

De krant had bovendien ook nog ruimte voor andere dingen. Een beetje troost in alle menselijke misère, op deze maandagochtend, in de vorm van een artikel over de waarschijnlijk grootste aardbei ter wereld, die de voorpagina deelde met het laatste nieuws over de Linda-moord.

De aardbei stond met een foto in de krant. Uiteraard ontbrak het klassieke lucifersdoosje niet als vergelijkingsmateriaal en daaruit kon je opmaken dat de aardbei zo groot was als een kleine bloemkool of misschien een flinke mannenvuist. In de krant stond een vrij lang interview met de man achter deze kwekersprestatie, Svante Forslund, tweeënzeventig jaar, en een iets korter interview met zijn vrouw, Vera, eenenzeventig jaar.

Svante Forslund was bijna tien jaar met pensioen. Vroeger had hij als leraar biologie en scheikunde op een middelbare school in Växjö gewerkt. Samen met zijn vrouw woonde hij nu het hele jaar door in de buurt van Alvesta in het huis dat vroeger het zomerverblijf van de familie was. De grote hobby van het echtpaar Forslund was tuinieren. Hun lapje grond was ongeveer een halve hectare groot en bevatte bijna alles wat kweekbaar was en bedoeld om de mens zowel voedsel als vreugde te schenken. Er stonden bloemen, kruiden, medicinale planten, fruitbomen en alle mogelijke soorten groente. Er stonden aardappels, alle denkbare wortelgewassen en nog meer gezonde dingen. Uiteraard ook bijenkorven om het voortbestaan van hun eigen paradijsje te garanderen. En last but not least stonden er meerdere varianten van de *Fragaria ananassa* en juist aardbeien waren Svante Forslunds grote passie in het leven.

De aardbei in kwestie was een Amerikaanse kruising van recente datum, *Fragaria monstrum americanum*, de Amerikaanse monsteraardbei. Forslund had het exemplaar in de week na midzomer in het oog gekregen. Toen was hij al aanzienlijk groter dan de andere aardbeien in dezelfde rij planten.

Forslund had meteen besloten een speciaal ontwikkelingsprogramma in gang te zetten. De overige aardbeien aan dezelfde plant had hij verwijderd om onnodige voedselconcurrentie tegen te gaan. Hij had bijzondere maatregelen getroffen in de vorm van bewatering en bemesting en de plant waaraan hij groeide had hij extra beschermd tegen aantasting door insecten, larven, vogels, hazen en reeën. Veertien dagen later, toen de aardbei volgens Forslund zijn optimale grootte had bereikt, was hij geoogst, gefotografeerd en in de krant gekomen.

Los van de horticulturele waarde zag Svante Forslund ook een enorm financieel potentieel in zijn reuzenaardbei. De bedrijfsmatige aardbeienteelt in Zweden omvatte tegenwoordig 2350 hectare en als men systematisch in zijn reuzenaardbeien uit de vs zou investeren, zou het totale volume aan gekweekte vruchten per jaar volgens Forslund binnen enkele jaren met bijna vierhonderd procent kunnen toenemen. Op hetzelfde areaal verbouwd en met maar iets hogere kosten voor bewatering en bemesting.

Zijn vrouw Vera was ook aan het woord gekomen in het krantenartikel en zij was beduidend minder enthousiast. Kort samengevat vond zij dat de monsteraardbei van haar man waterig en smakeloos was, ze zou hem nooit van haar leven in haar keuken gebruiken. In Vera Forslunds wereld moest een aardbei smaken zoals hij smaakte toen ze nog klein was. Haar eigen favoriet was een lokale variant die een donkerrode, vrij kleine vrucht voortbracht met stevig vruchtvlees, flink zoet en met de verrukkelijke smaak van wilde bosaardbeitjes. De planten had ze van haar ouders geërfd en hoewel haar man een hedendaagse Linnaeus was, was het hem niet gelukt om haar aardbei nader te classificeren. Hoe het ook zij, de aardbei vormde een van de hoofdingrediënten van haar beroemde aardbeientaart, waar ze haar kinderen, kleinkinderen en overige naasten en dierbaren elke zomer op trakteerde.

Een eenvoudige Zweedse zomertaart, waar de lezers van *Smålands-posten* tot besluit het recept van kregen. Een dun gesneden taartbodem, besprenkeld met haar zelfgemaakte aardbeienlikeur, rijkelijk besmeerd met aardbeienjam van dezelfde aardbei, veel slagroom erop, langs de randen bedekt met dunne plakjes aardbei en ten slotte een bijzonder mooi exemplaar boven op de taart, als kroon op haar schepping.

Klinkt eenvoudig en lekker. Ongeveer zoals de taarten die mijn moeder maakte toen ik klein was, dacht Lewin en hij besloot het artikel uit te knippen en bij de rest van zijn reisherinneringen van zijn bezoek aan Växjö te stoppen.

34

Het vrijwillige DNA-onderzoek in Växjö en omstreken leek een waar succes te worden. Heel binnenkort zou men het vierhonderdste DNA-monster kunnen afnemen. Het SKL had extra middelen ingezet op de Linda-moord en ongeveer de helft van de personen die DNA hadden afgestaan, kon al uit het onderzoek worden afgevoerd.

'Hoe gaat het met onze collega's en collega's in wording?' vroeg Olsson om een of andere reden.

'Wel goed,' zei Knutsson en hij wierp een blik in zijn papieren. 'We hebben acht monsters binnengekregen, allemaal vrijwillig. De eerste vier hebben we al kunnen afvoeren. Er zijn er twee van wie we nog geen DNA hebben.'

'Ja, een van die twee zou ik voor mijn rekening nemen, dus die komt nog,' onderbrak Olsson hem. 'Daar hoeven jullie je geen zorgen om te maken. Die neem ik voor mijn rekening,' voegde hij er snel aan toe.

'En dan hebben we nog een aspirant-agent die nog geen wangslijm heeft afgestaan. Eens even kijken,' zei Knutsson en hij deed net alsof hij in zijn papieren las. 'Zat bij Linda in de klas, zou de nacht in kwestie in dezelfde danstent zijn geweest. Volgens de namenlijst van de politieschool heet hij Erik Roland Löfgren.'

'Achter hem heb ik al aan gebeld. Meerdere malen,' zei Sandberg.

'En?' vroeg Bäckström. Vertel nu verdomme eens wat je in je schild voert, dacht hij.

'Het is zomer en vakantietijd, daarom kon ik hem eerst waarschijnlijk niet te pakken krijgen, maar uiteindelijk heb ik hem eind vorige week aan de lijn gehad,' zei Sandberg. 'Hij zat bij zijn ouders in hun buitenhuis op Öland en hij heeft beloofd contact op te nemen zodra hij weer in Växjö is.'

'Tjonge, dat is erg sympathiek van hem,' bromde Bäckström. 'Dus wanneer mogen we hem verwachten? In de herfst, als het studiejaar weer begint? Het is denk ik het makkelijkst als we onze collega's in Kalmar vragen naar Öland te gaan om bij hem wangslijm af te nemen.'

'Ik beloof dat ik weer achter hem aan zal zitten,' zei Sandberg. 'Ik beloof het. Laten we niet vergeten dat het vrijwillige medewerking betreft. Er bestaat geen verdenking tegen hem, bedoel ik.'

'Zorg dat we zijn wangslijm krijgen,' zei Bäckström. 'Leg ons agentje in de dop maar uit waar het om gaat. Anders zal ik hem persoonlijk gaan halen en dan hebben we het over bloed, niet meer over wattenstaafjes.'

'Het komt vast wel goed,' zei Olsson. 'Het zal wel loslopen. Laten we ons nu niet over zo'n klein detail opwinden.'

'Ik ben absoluut niet opgewonden,' zei Bäckström. 'Zeg die hufter dat als hij werkelijk van plan is politieagent te worden, hij op moet houden zich te gedragen alsof hij een crimineel is die ergens van wordt verdacht. Deze tip komt uit een goed hart en als jullie verder niks hebben, heb ik zelf nog wel het een en ander te doen,' zei Bäckström terwijl hij van tafel opstond.

's Middags had Olsson om een gesprek met Bäckström verzocht.

'Zou ik misschien een paar woorden met je kunnen wisselen, Bäckström?' vroeg Olsson. 'Ik zou wel wat wijze raad van een ervaren collega kunnen gebruiken.'

De Snikkelzwaaier, dacht Bäckström. Je hebt hem gevraagd om wangslijm af te staan en nu heeft hij zich thuis op de zolder verhangen en wil je bij ome Bäckström uithuilen.

Het bleek om een heel ander probleem te gaan. In Växjö heerste na de moord op Linda een grote onrust, vooral onder jonge vrouwen. Vanuit maatschappelijk oogpunt was de kwaliteit van leven er voor een grote groep mensen op achteruitgegaan.

'Kunnen mensen überhaupt nog de straat op zonder voortdurend bang te hoeven zijn om overvallen te worden?' vatte Olsson het kort samen.

'Interessante vraag,' zei Bäckström. Dit is beter dan ik gehoopt had, dacht hij.

'Het is al jaren geleden dat wij van de politie zoiets konden garanderen,' zei Olsson. 'Onze middelen zijn niet eens toereikend meer voor het allernoodzakelijkste.'

Wat dat dan wel mag wezen in dit boerengat, dacht Bäckström. Verkeerd geparkeerde auto's en weggelopen honden?

'Ja, het is triest,' viel Bäckström hem met een zucht bij.

'We hebben er met een groepje over na zitten denken of we niet een alternatieve oplossing konden verzinnen en Lo heeft dit idee in feite uitgebroed,' zei Olsson.

'Ik luister met spanning,' zei Bäckström, hij knikte bloedserieus terwijl hij vooroverleunde. Onze eigen kleine broedkip, ik doe het bijna in m'n broek, dacht hij.

'Mannen in Växjö tegen Seksueel Geweld,' zei Olsson. 'Gewone, fatsoenlijke, normale mannen, medemensen, of medemannen om het zo uit te drukken. Het was feitelijk iemand van het project die dat woord opperde... medeman... een medemens en tevens man, die 's avonds en 's nachts in de stad rondloopt en alleen al door zijn aanwezigheid het gevoel van veiligheid in de stad verhoogt. Ze kunnen bijvoorbeeld aanbieden om vrouwen die alleen zijn, van een uitgaansgelegenheid naar huis te escorteren,' verduidelijkte Olsson.

Wat een fenomenale versiertruc, dacht Bäckström. Zelfs de kleine Lo zal vast een medeman kunnen vinden die voldoende slechtziend is om hem mee te kunnen lokken naar haar kamertje en op een slecht nummertje te trakteren.

'Wat vind jij ervan, Bäckström?' herhaalde Olsson.

'Lijkt me een fantastisch idee,' zei Bäckström. Hoe dom kan een mens zijn, dacht hij.

'Je denkt niet dat er een risico bestaat dat mensen het als een soort burgerwacht zullen opvatten?' vroeg Olsson plotseling een tikkeltje bezorgd. 'Of nog erger, dat kwaadwillende personen de groep voor hun eigen belang zullen misbruiken?'

'Dat risico is denk ik niet zo groot,' zei Bäckström. 'Vooropgesteld dat jullie goed in de gaten houden wie zich aanmeldt.' En ervoor zorgen dat mensen als Hitsige Henriksson en de Snikkelzwaaier niet worden toegelaten, dacht hij.

'Mooi,' zei Olsson die er blij en opgelucht uitzag. 'Zou je misschien jouw kijk op de zaak willen komen toelichten als ons projectgroepje de eerstvolgende keer bij elkaar komt?'

'Natuurlijk wil ik langskomen om mijn visie te geven. Het zou niet best wezen als dat niet zo was,' zei Bäckström. 'Als jullie denken dat ik iets voor jullie kan betekenen,' voegde hij er bescheiden aan toe. Ik hou het haast niet meer, dacht hij.

Het onderzoek van Adolfsson en Von Essen naar aspirant-agent Löfgren bleek in het weekend met onverminderde kracht te zijn doorgegaan. Het belastende materiaal over Löfgren begon zich al aardig op te hopen. Volgens wat hij zelf aan meerderen van zijn mannelijke klasgenoten zou hebben verteld, zou hij het hele voorjaar een seksuele relatie hebben gehad met Linda, tot aan het eind van het studiejaar, halverwege de maand juni.

Maar omdat de jongeman veel waarde hechtte aan zijn vrijheid, had hij besloten hun geheime relatie te beëindigen. Volgens Löfgren was Linda naar zijn smaak wat te opdringerig en veeleisend geworden. Geen groot drama toen hij het uitmaakte, op geen enkele manier, nog steeds volgens dezelfde zegsman. Hij had haar gewoon vriendelijk te kennen gegeven dat ze voortaan plaats moest nemen in de lange rij geïnteresseerde jonge vrouwen. Hoe zij daarop gereageerd had, was niet bekend. Ze scheen met geen woord over de kwestie tegen haar vriendinnen te hebben gerept en een nieuw vriendje of een nieuwe geliefde – als je hem zo tenminste had kunnen noemen – leek ze niet te hebben gehad.

'Wat hij in Sandbergs verhoor zegt, klopt dus niet,' zei Bäckström.

'Nee,' zei Adolfsson en hij schudde zijn hoofd. 'Maar het is ook geen gewone opschepperij. Die jongen heeft hier in de stad al heel wat vrouwen verslonden. We hebben een aantal van hen gesproken. Hij schijnt kutzwager van half Småland te zijn,' zei Adolfsson en hij slaakte een diepe zucht toen hij het laatste zei.

'Zover bekend is hij haar laatste bedpartner,' constateerde Von Essen. 'Is dat in dit soort gevallen niet vaak een hint wie de mogelijke dader is?'

'Heel goed!' riep Bäckström. 'Dit is beter dan goed, dit is heel belangrijk,' verzekerde hij. Die edelman is kennelijk toch niet helemaal achterlijk, dacht hij.

'Goed gedaan, jongens,' vervolgde Bäckström. 'Met een beetje geluk ligt het niet ingewikkelder. Hoe praten zijn dametjes eigenlijk over hem? Pakt hij ze altijd flink aan?'

'De welbekende geur van leer, latex en kettingen,' zei Von Essen, hoewel ook hij geboren en getogen was op het Smålandse platteland. 'Nee,' zei hij, 'dat is niet iets waar mensen in de stad over praten. Maar hij schijnt in elk geval niet de aanbevolen uitrusting te dragen als hij de bloemetjes buitenzet, om het zo maar te zeggen.'

Löfgren was jong, goedgebouwd en goedgetraind, hij was charmant en erg aantrekkelijk. In aanmerking genomen dat hij nog maar vijfentwintig was, scheen hij op seksueel gebied over een ruime ervaring en veel talent te beschikken. Volgens een van hun vrouwelijke informanten was hij bovendien net zo goed uitgerust als de mythe van de zwarte man voorschreef. De stereotype hoofdrolspeler in de nachtmerries van de blanke man.

'Ronaldo is een echte *Sex Machine*,' zei ze met een gelukzalige glimlach. 'Als je je echt helemaal suf wilt neuken, kun je geen betere vinden. Het is groots. En heftig, echt heftig.'

Net als met een goede schutter, had Adolfsson gedacht toen hij met haar sprak. Het vereist oefening, talent en een goedgevulde buks.

'Ongeveer zoals jij, Patrik,' voegde Adolfssons informant er plotseling aan toe. 'Het probleem met jou is alleen dat jij zo iemand bent op wie je nog valt ook. Weet je nog die keer, toen je mij die jachttoren zou laten zien, waar je je eerste eland had geschoten?'

'Zouden we even bij het onderwerp kunnen blijven?' zei Adolfsson. En liefst bij zaken waar ik over kan schrijven, dacht hij.

Ongewone seks? Afwijkende seks? Kinky seks? Dominantie? Sadisme?

'Niet met mij in elk geval,' antwoordde hun informant en ze haalde haar schouders op. 'Je wordt natuurlijk een beetje nieuwsgierig als al je vriendinnen het zo vaak over hem hebben. Ik ben ook niet van plan met hem te trouwen. Alleen seks. En daar is hij gruwelijk goed in.'

'Maar natuurlijk,' voegde ze eraan toe, 'als ik zoiets had gewild, dan weet ik bijna zeker dat hij het gedaan had. Hij had absoluut geen nee gezegd. Ik denk dat ik het hem niet eens had hoeven vragen. Dan had hij dat uit zichzelf wel begrepen. Seks is zeg maar echt zijn ding.'

Maar verder waren ze niet gekomen.

'Ik durf er mijn kop onder te verwedden dat het een doortrapte, zieke klootzak is,' zei Bäckström wellustig. Wat wel zal blijken als we zijn klerenkast ondersteboven keren, dacht hij, en de oude, welbekende vibraties waren op dat moment zeer sterk aanwezig.

Bäckström begon zich al aardig thuis te voelen in het Stadshotel in Växjö. Het ergste gemis na het overlijden van Egon was onverwacht snel overgegaan en de laatste dagen had hij niet eens meer aan hem gedacht. Als hij terugkwam van zijn zware, dagelijkse werkzaamheden op het politiebureau, was zijn hotelkamer schoongemaakt en zijn bed verschoond. Voordat hij 's ochtends het hotel verliet, moest hij alleen niet vergeten de handdoeken van de dag ervoor in de badkamer op de grond te gooien, zodat de milieuextremisten onder het personeel ze niet weer zouden ophangen maar hem nieuwe, frisse handdoeken zouden geven. Bovendien werd het de hoogste tijd alle gedragen kleren in te leveren om gewassen en gestreken te worden. Ditmaal geheel volgens het reglement, omdat hij er tijdens het werk in had getranspireerd.

Vrij snel had hij vaste routines ingebouwd. Zodra hij binnen was, eerst een koud pilsje. Vervolgens een tukje, dan nog een pilsje op zijn kamer en daarna een hapje eten. Voor het slapengaan en het vertrek naar dromenland eerst wat vormend geleuter met collega Rogersson, nog een paar pilsjes, eventueel een of twee bescheiden borreltjes. En om zijn doordeweekse dag wat extra kleur te geven de inmiddels terugkerende telefoongesprekjes met zijn eigen reporter van de lokale radio. Zodat ze kon klagen dat hij nooit tijd leek te hebben om iets af te spreken, hoewel ze hem plechtig had beloofd niet over het werk te zullen praten.

Zoals deze avond bijvoorbeeld.
'Het is een beetje druk nu,' zei Bäckström.
'Jij strooit alleen maar met beloftes, Bäckström,' zuchtte Carin.
Ze moet een gerucht hebben opgevangen over de supersalami, zo erg zit ze aan te dringen, dacht Bäckström en op hetzelfde moment hoorde hij een welbekend klopje op zijn deur.
'Ik moet ophangen,' zei Bäckström. 'Moet ergens mee aan de slag. We bellen.'

Rogersson had een sixpack koude pilsjes bij zich en leek in een buitengewoon goed humeur te zijn.

'Ik heb net met de collega's in Stockholm gebabbeld,' zei Rogersson en hij grijnsde met heel zijn magere, getekende gezicht. 'Ze hadden een onwaarschijnlijk verhaal over Centenbak, dat hoofdinspecteur Åström volgens mij bijzonder zou waarderen.'

'Ik luister,' zei Bäckström. Pas op jij, drankorgel, dacht hij.

Het verhaal dat Rogersson vertelde, bevatte alle gebruikelijke toevoegingen die verhalen bevatten zodra ze van mond tot mond zijn gegaan. Dit verhaal was tussen de badkamerspiegel in het Grand Hotel en Rogerssons rode oortjes al verschillende monden gepasseerd.

'Een bloedbad zoals destijds op het Stureplan in Stockholm. Hij schijnt het halve hotel aan diggelen te hebben geschoten,' rondde een tevreden grijnzende Rogersson vijf minuten later zijn verhaal af.

'Hij is vast met zijn kin in de trekkerbeugel blijven haken toen hij zijn wapen schoon wilde maken,' suggereerde Bäckström. 'Als het jou of mij overkomen was, hadden we allang bij de collega's in Malmö in de nor gezeten.'

'Is het leven rechtvaardig?' zei Rogersson, hij schudde zijn hoofd en schonk de laatste druppels uit het eerste blikje in zijn glas.

'Slaapt Dolly Parton op haar buik?' viel Bäckström hem bij.

'Vreemd dat er niet één regel over in de kranten heeft gestaan,' zei Rogersson.

'Dat valt wel te regelen,' zei Bäckström en ook hij glimlachte. 'Ik ga wel even een praatje maken met collega Åström, dan kan hij het aan een van onze bekendste Aaseters doorgeven.'

35

De volgende ochtend had in *Smålandsposten* een vrij lang artikel gestaan over een magnifieke cultuurstrijd die in de stad was uitgebroken. Jan Lewin had meteen besloten het stuk uit te knippen en toe te voegen aan zijn reisherinneringen.

Ulf G. Grimtorp, hoofdofficier van justitie en tegenwoordig tevens parlementslid voor de christen-democraten, was in de aanval gegaan tegen de populistische en op lange termijn moralistisch verderfelijke culturele visie die het beleid van de afdeling Cultuur van de gemeente Växjö volgens zijn stellige mening kenmerkte.

Eén project had zijn misnoegen in het bijzonder gewekt. Het richtte zich op jonge allochtone vrouwen in de gemeente. Het werd het fiets-zwemproject genoemd en had kort samengevat tot doel jonge allochtone vrouwen te leren fietsen en zwemmen. In juni had men een zomerkamp van drie weken georganiseerd, in een rustieke, landelijke omgeving, met een eigen meertje, instructeurs, fietsen en zwembandjes. Alle veertien cursisten die aan het project hadden deelgenomen, hadden leren fietsen en zwemmen en hadden de eindtest met glans gehaald.

Drie van hen waren door de krant geïnterviewd. Zij getuigden unaniem dat ze dankzij hun nieuwe fysieke vaardigheden zich ook verder konden ontwikkelen op intellectueel gebied. Dat ze zich konden bevrijden uit de patriarchale ketenen die hen en hun zusters belemmerden. Dat hun moed, vrijheid en zelfrespect toenamen en dat zo aan de meest basale voorwaarden werd voldaan om zich ook met traditionele, culturele belangen en waarden bezig te kunnen houden.

Bengt A. Månsson, de gemeenteambtenaar van de afdeling Cultuur die verantwoordelijk was voor dit project en voor andere zogenaamde bijzondere projecten, noemde het fiets-zwemproject een enorm succes dat zijns gelijke niet kende.

'Als iemand van mening is dat dit niets met cultuur te maken heeft, dan heeft hij of zij niets begrepen van wat cultuur eigenlijk inhoudt,' constateerde projectleider Månsson. Voor de winter stond overigens een vervolgproject gepland, waar mensen zouden kunnen leren skiën en schaatsen, het ski-schaatsproject.

Volgens parlementslid Grimtorp was het allemaal dikke flauwekul. Het eerstgenoemde project was een slecht en doorzichtig voorwendsel van links-radicale mannelijke cultuursnobs om van het zuurverdiende geld van de belastingbetaler te gaan zonnebaden in het gezelschap van jonge vrouwen.

'200 000 kronen!' bulderde Grimtorp. 'Wat heeft dat nu met cultuur te maken?'

Geld dat volgens Grimtorps stellige mening ten goede moest komen aan het stadstheater in Växjö, het plaatselijke kamerorkest en de bibliotheek met haar verschillende activiteiten. Om nog maar te zwijgen van het feit dat het project ook een aanslag deed op de subsidiegelden die bestemd waren voor de vele jonge, veelbelovende glaskunstenaars, schilders en beeldhouwers in Växjö en omgeving.

Die Grimtorp lijkt me een sneu figuur, dacht Jan Lewin en om een of andere reden waren zijn gedachten afgedwaald naar die zomer, bijna vijftig jaar geleden, toen hij zijn eerste echte fiets kreeg. Een rode Crescent Valiant. Ongetwijfeld dezelfde Valiant als in de stripverhalen over Prins Valiant. Hij had zijn vader ernaar gevraagd en zijn vader had verteld over de edele ridder Prins Valiant.

Prins Valiant had heel lang geleden geleefd, in de tijd dat er nog geen fietsen waren. In plaats daarvan had Valiant een paard gehad. Een krachtige, rode hengst die net zo weerspannig en moeilijk te besturen was geweest als Jan Lewins eerste fiets. Het paard heette Arvak, vertelde Jan Lewins vader, en hij was vernoemd naar een ander paard dat Arvakr heette, het paard dat volgens de IJslandse mythologie de zon langs de hemel voorttrok en dat het heel erg druk moest hebben gehad die zomer, bijna vijftig jaar geleden, toen Jan Lewin had leren fietsen.

Dit en nog veel meer kon je lezen in de strip over Prins Valiant, die in het weekblad *Allers* was verschenen. Jan Lewin en zijn vader waren een hele avond bezig geweest om een hoop kisten en dozen op de zolder van de oude schuur bij hun zomerhuisje te doorzoeken. Ze hadden zeker honderd tijdschriften gevonden, die allemaal over de edele ridder Prins Valiant verhaalden, en voordat Jan Lewin in slaap viel, lazen hij en zijn vader altijd een stripverhaal, soms twee, over het spannende leven van de Prins.

Toch is het raar, had Jan gedacht. Zelf had hij een fiets die Crescent Valiant heette en die vernoemd was naar prins Valiant, want dat had papa verteld. Prins Valiant had daarentegen een rode hengst gehad die Arvak heette, omdat er in die tijd nog geen fietsen waren. Maar hoe kwam het dan dat zijn rode fiets niet Valiants Arvak, maar Crescent Valiant heette? En wie was Crescent?

Misschien was Crescent zijn voornaam, had Jan Lewin gedacht, Prins Crescent Valiant. De volgende ochtend zou hij het zijn papa, die bijna alles wist, vragen, maar daarna was hij in slaap gevallen en zover hij het zich nu, bijna vijftig jaar later, kon herinneren, was het er nooit meer van gekomen om de vraag te stellen. Wel herinnerde hij zich dat hij er nog veelvuldig over had nagedacht, want echt simpel leek het niet, hoewel hij op zevenjarige leeftijd al wist wat mythologie was.

36

Dezelfde ochtend waarop het culturele debat in *Smålandsposten* woedde, had de daderprofielgroep zijn analyse van de moord op Linda Wallin per mail opgestuurd en het profiel van de dader als aanhangsel bijgevoegd. Bovendien had het hoofd van de DP-groep, hoofdinspecteur Per Jönsson, laten weten dat hij en een van zijn medewerkers vlak na de lunch in Växjö zouden aankomen om 's middags hun bevindingen direct met de leden van het recherche-team te bespreken.

Bäckström had de ochtend doorgebracht met het lezen van het twintig pagina's lange rapport, terwijl hij steunen en zuchten afwisselde. Wat het misdrijf betreft, hebben ze in elk geval bedacht wat iedere weldenkende politieagent ook zelf had kunnen bedenken, dacht Bäckström.

Dat de dader geen geweld had gebruikt om het appartement binnen te komen, dat hij een bekende van het slachtoffer was, dat het samenzijn relatief vredig leek te zijn begonnen, zeker gezien wat er daarna gebeurde. Dat het slachtoffer en de dader om te beginnen seks hadden gehad op de bank in de huiskamer, maar zonder dat het slachtoffer, vrijwillig of onder dwang, geslachtsgemeenschap had gehad met de dader. Dat ze daarna naar de slaapkamer waren gegaan, waar het geweld en de seksuele handelingen hevig waren geëscaleerd. Dat de dader haar gewurgd had tijdens of na de laatste anale penetratie, dat hij naar de douche was gegaan, gemasturbeerd had en alles van zich had afgespoeld en dat hij ten slotte de plaats van het misdrijf door het raam van de slaapkamer had verlaten.

Daarna was het tijd geweest voor de gebruikelijke mitsen en maren, waar geen moordrechercheur die die naam waardig was in de praktijk iets aan had, maar die hij voor zijn nachtelijke angstdromen bewaarde. Zodoende kon niet worden uitgesloten dat Linda vergeten was de deur op slot te doen, dat de dader de woning was binnen geslopen of dat hij haar met een smoesje zover had gekregen dat ze hem had binnengelaten. Dat hij haar van meet af aan met een mes op de keel – bijvoorbeeld het mes dat op de plaats van het delict was aangetroffen – gedwongen had haar sieraden en horloge af te doen, haar kleren uit te trekken en onder bedreiging van grof geweld mee te doen aan verschillende seksuele activiteiten. Vanaf het allereerste begin op de bank in de woonkamer tot in het bed op de slaapkamer, waar ze gewurgd was. En dat de dader in het ergste geval iemand was die ze nooit eerder had ontmoet.

Gezien het profiel dat was bijgevoegd en in aanmerking genomen wie het slachtoffer was, was het laatstgenoemde het meest waarschijnlijke. Volgens het profiel was de dader een man van tussen de twintig en dertig jaar. Hij woonde in de buurt van de plaats van het misdrijf, had daar vroeger gewoond of was er op een andere manier nauw mee verbonden. Hij was waarschijnlijk vrijgezel, eerdere relaties waren moeizaam verlopen, hij werd door zijn omgeving als eigenaardig ervaren, had moeite om sociale contacten te onderhouden en zelfs om langere tijd met een en dezelfde persoon om te gaan. Hij was werkloos of had een of ander tijdelijk baantje.

Bovendien was hij psychisch ernstig gestoord. Zijn persoonlijkheid vertoonde duidelijk chaotische en irrationele trekken. Hij had grote problemen met vrouwen. Vanwege traumatische ervaringen in zijn kindertijd koesterde hij haat jegens vrouwen, terwijl noch hijzelf, noch zijn omgeving zich daar bewust van hoefde te zijn. En hij was absoluut geen gewone seksuele sadist met sterk ontwikkelde seksuele fantasieën.

Hij had een explosief karakter. Bij het minste of geringste kon hij de controle over zichzelf verliezen en hij werd snel gewelddadig. Eigenschappen die zich ongetwijfeld eerder in verschillende situaties hadden geopenbaard, wat er sterk voor pleitte dat hij al in de registers van de politie moest voorkomen wegens verschillende geweldsdelicten alsmede drugsgerelateerde delicten. Last but not least was hij fysiek tot veel in staat. Hij was sterk genoeg om een twintigjarige vrouw te overmannen en te wurgen. Een vrouw die toch aspirant-agent was en beter in vorm dan de meeste anderen, ongeacht geslacht, en twintig kilo meer dan haar eigen gewicht kon heffen als ze met halters trainde. Tegelijkertijd was hij lenig genoeg om vanaf een hoogte van vier meter uit een raam te springen.

En dan zet hij ook nog zijn schoenen op het schoenenrekje in de hal. Keurig netjes naast elkaar en geen mens schijnt hem gezien te hebben toen hij wegsloop. Had hij maar maatje 55 gehad, dacht Bäckström en hij slaakte een diepe zucht.

Toch leek hoofdinspecteur Per Jönsson een diepe indruk te hebben gemaakt op de gekwalificeerde meerderheid van zijn publiek, toen hij ruim een uur later zijn verhaal afsloot om ruimte te laten voor vragen.

'Ik kan me zo voorstellen dat jullie heel wat vragen hebben,' zei Jönsson en hij glimlachte vriendelijk naar de groep. 'Ga jullie gang. Voel je vrij om vragen te stellen over alles waar jullie over hebben nagedacht.'

Mooi, dacht Bäckström, misschien zou je dan kunnen beginnen met uit te leggen waarom alle echte politiemensen bij Rijksmoord je 'Pelle de Joker' noemen.

'Als niemand anders iets op het hart heeft, kan ik misschien beginnen,' zei Olsson na snel met een leidersblik de tafel te hebben rondgekeken.

Wauw, Olsson, dacht Bäckström. Vraag maar aan die eikel hoe het komt dat de DP-groep door de collega's op Rijksmoord het 'X-files archief' wordt genoemd.

'Allereerst wil ik je bedanken dat je de tijd hebt genomen om hierheen te komen,' begon Olsson. 'Maar vooral voor je uitermate interessante presentatie. Ik, en velen hier om de tafel met mij, ben ervan overtuigd dat de analyses van jou en je collega's van doorslaggevende betekenis zullen zijn voor het onderzoek.'

Maar niet voor ons echte politiemensen, dacht Bäckström. Want ik hoop toch niet dat het zo erg wordt dat we onze hoop straks op Pelle de Joker en zijn ideetjes moeten vestigen, dacht hij.

'Eén ding valt me vooral op als ik jullie rapport lees,' vervolgde Olsson. 'Namelijk jullie beschrijving van de dader. Ik kan er niets aan doen, maar ik heb nog steeds het idee dat het om een outcast moet gaan, een jongeman met een zwaar crimineel verleden.'

'Ja, er spreekt inderdaad veel voor dat we zo'n figuur zoeken,' was

Jönsson het met hem eens. 'Maar tegelijk is het beeld nog verre van eenduidig,' voegde hij er snel aan toe.

'Omdat het meeste erop wijst dat Linda heeft opengedaan en hem heeft binnengelaten, bedoel je,' zei Enoksson.

'Ja, jawel, hoewel het wel eens voorkomt dat mensen vergeten om de deur achter zich op slot te doen als ze thuiskomen,' zei Jönsson. 'Of dat het slachtoffer al te naïef is en iemand binnenlaat die ze achteraf gezien nooit binnen had moeten laten.'

'Ja, hoe komen we daar nu achter,' zei Enoksson en het klonk alsof hij hardop dacht.

'Ik heb ook een vraag, als dat goed is,' zei Adolfsson plotseling, hoewel hij helemaal achter in de zaal plaats had genomen.

'Ga je gang,' zei Jönsson en hij toonde zijn meest democratische glimlach.

'Ik moest denken aan wat ze bij het SKL hebben gezegd. Dat het DNA van de dader laat zien dat we een lander zoeken,' zei Adolfsson.

'Een lander?' vroeg Jönsson en hij keek vragend naar degene die de vraag gesteld had.

'Ja, geen Smålander dus,' verduidelijkte Adolfsson. 'Een ander soort lander, om het zo uit te drukken.'

'Ik begrijp wat je bedoelt,' zei Jönsson, die plotseling een zeer gereserveerde houding aannam. 'Ik denk dat we erg voorzichtig moeten zijn met dat soort hypotheses. We hebben het hier over onderzoek dat nog in de kinderschoenen staat, om het zo maar te zeggen,' zei Jönsson.

'Maar het profiel komt anders erg goed overeen met veel landers die we hier in de stad hebben,' ging de jonge Adolfsson door. 'Heel erg goed zelfs. Ik werk bij de ordepolitie, dus ik weet waar ik het over heb.'

'Ik geloof dat we op dit punt niet verder komen,' zei Jönsson. 'Maar zelf zou ik zoals gezegd erg voorzichtig zijn met dergelijke conclusies. Nog meer vragen?'

Een heleboel, zoals zou blijken. In totaal had het drie uur in beslag genomen. Drie uur naar de kloten, dacht Bäckström toen het eindelijk was afgelopen.

'Goede vlucht, Pelle,' zei Bäckström en hij schonk hem zijn meest

233

joviale glimlach toen Jönsson hun gedag zei. 'Vergeet niet je maten op het archief de groeten te doen.'

'Dank je, Bäckström.' Jönsson knikte kort en leek minder goedgemutst dan Bäckström.

's Avonds, na de warme maaltijd, had Bäckström zijn trouwe volgelingen nogmaals op zijn hotelkamer bijeengeroepen. Rogersson was al op de hoogte gebracht en net als Bäckström had ook hij de aangename vibraties gevoeld toen hij kennis had genomen van wat Bäckström te vertellen had. Adolfsson en Von Essen waren ook uitgenodigd, omdat zij het meeste werk hadden verricht en omdat het altijd beter was het verhaal uit de eerste hand te horen. Eigenlijk ging het er alleen om Lewin en de kleine Svanström in de zaak in te wijden, hoewel hij op voorhand wist wat Lewin ervan zou denken.

Had ik gelijk of had ik gelijk, dacht Bäckström toen Lewin tien minuten voor de afgesproken tijd op zijn deur klopte om onder vier ogen enkele woorden met hem te kunnen wisselen.

'Kan ik je ergens mee helpen, Lewin?' vroeg Bäckström vriendelijk glimlachend naar zijn gast.

'Ik weet het niet, Bäckström,' zei Lewin. 'Ik heb het eerder gezegd en ik zeg het nu nog een keer. Het kan gewoon echt niet dat je op eigen houtje onderzoek doet binnen een onderzoek en dat je dat voor het merendeel van je collega's geheimhoudt.'

'Jij leest het liever de hele tijd in de krant,' zei Bäckström.

'Doe niet zo belachelijk,' zei Lewin. 'Natuurlijk wil ik dat niet. Net zomin als jij of iemand anders. Maar als je bedenkt welke keuze we hebben, zou ik persoonlijk liever met het laatste proberen te leven dan me met praktijken bezig te houden waar jij mee bezig lijkt te zijn.'

'Weet je wat,' zei Bäckström en hij glimlachte geruststellend naar zijn gast. 'Ik stel voor dat je eerst even luistert naar wat Adolfsson en zijn maat en Knutsson en Thorén te vertellen hebben.'

'Alsof dat wat zou veranderen,' zei Lewin en hij haalde zijn schouders op.

'Als je dat gedaan hebt, wil ik je vragen te beslissen hoe we verdergaan met het onderzoek,' zei Bäckström.

'Meen je dat?' vroeg Lewin verbaasd.

'Jazeker,' zei Bäckström. Zo, daar kan hij wel even mee vooruit, dacht hij.

Eerst hadden Von Essen en Adolfsson de resultaten van hun onderzoek gepresenteerd.

'Hij is voorzover bekend de laatste bedpartner van Linda en hij liegt daarover in het verhoor,' vertelde Von Essen. 'Volgens wat hij zelf gezegd heeft en wat anderen verteld hebben, verlaat hij het hotel in zijn eentje, ergens tussen halfvier en vier uur. Als hij snel loopt, kan hij binnen vijf minuten bij Linda thuis zijn, en hij heeft geen alibi opgegeven voor die nacht.'

'De schoenen, de onderbroek,' zei Lewin. 'Hebben zijn vrouwelijke kennissen daar nog opmerkingen over gemaakt?'

'Gezien het feit dat de leiding van het onderzoek daar nog niet mee naar buiten is gekomen, hebben we er niet naar gevraagd,' zei Adolfsson. 'Bovendien gaat het om het soort kleding dat zo ongeveer de helft van de Zweedse mannen draagt in deze tijd van het jaar.'

Lewin volstond met te knikken.

Daarna hadden Knutsson en Thorén verslag gedaan van hun bevindingen en zelfs Lewin had zorgelijk gekeken toen ze vertelden over het eerste telefoongesprek dat collega Sandberg met aspirant-agent Löfgren had gevoerd.

'Als je ziet wat er in de samenvatting staat, begrijp ik niet goed hoe ze het voor elkaar heeft gekregen al die vragen binnen vier minuten af te handelen,' zei Knutsson.

'Een geweldig efficiënte vrouw,' zei Thorén enthousiast.

'Maar we kunnen niet uitsluiten dat ze hem op zijn vaste telefoon heeft gebeld,' zei Lewin.

'Nee,' zei Thorén.

'Nog niet,' zei Knutsson. 'Bij Telia doen ze moeilijk, omdat zijn vaste telefoon op naam van zijn vader staat. Onze gebruikelijke contactpersoon krabbelde terug.'

'Wat vind jij?' vroeg Bäckström terwijl hij Lewin listig aankeek. 'Hoe moeten we hier volgens jou mee verder?'

'Het klinkt absoluut aanlokkelijk, íets klopt hier niet,' gaf Lewin toe. 'Ik stel voor dat ik morgenochtend vroeg met de officier van justitie ga praten,' vervolgde hij. 'Ze lijkt me zowel bekwaam als betrouwbaar. Ze zal ongetwijfeld besluiten dat we de jongen op kunnen pakken voor verhoor zonder oproep vooraf. En mocht hij dwars blijven liggen, dan moet ze hem maar meedelen dat hij verdacht wordt van een strafbaar feit, zodat we zijn DNA af kunnen nemen,. wat hij er zelf ook van vindt.'

'Lijkt me een uitstekend plan,' zei Bäckström met een glimlach. 'Regel jij de officier van justitie, dan zorg ik ervoor dat een van onze jongens even flink inslaat, zodat we het kunnen vieren als dat rotzakje eindelijk achter slot en grendel zit.'

37

Zodra Rogersson over het bloedbad in het Grand Hotel in Lund had verteld, was hoofdinspecteur 'Åström' vertrouwelijk gaan fluisteren met drie verschillende journalisten. Desondanks was er geen regel over deze schokkende gebeurtenis in de kranten verschenen. Die rottige aasgieren kunnen de boel niet eens meer schoonhouden, dacht een slechtgehumeurde Bäckström.

In plaats daarvan gingen de boulevardkranten en de gewone kranten die ochtend over het oude bekende. De massamoordenaar van Dalby was, nadat de van tranen vervulde gesprekken met de naaste rouwenden waren afgeraffeld, inmiddels doorverwezen naar de wereld van het korte persbericht. De Linda-moord had de leiding weer genomen en het gedrang rond het ontbijtbuffet in het Stadshotel in Växjö was aanzienlijk toegenomen.

Bij het ochtendoverleg bleken ze de vierhonderd DNA-monsters te zijn gepasseerd en ze waren hard op weg naar een nieuw Zweeds record van vrijwillige deelname aan forensisch onderzoek. Weer vijftig mensen die zich onder het vaandel hadden opgesteld, hadden mogen inrukken omdat hun DNA niet klopte. Een van hen was Linda's buurman Marian Gross, en daar treurde niemand om, Bäckström, die al een beduidend betere dader paraat had, al helemaal niet. Bovendien had hoofdinspecteur Olsson een veelbelovend idee voor het vervolg.

Met het profiel van de DP-groep als uitgangspunt had Olsson een aantal demografische berekeningen uitgevoerd, waaruit gebleken was dat ze van niet meer dan hoogstens vijfhonderd mensen in Växjö en omstreken DNA af zouden hoeven nemen om alle mensen die met het profiel overeenkwamen te dekken. Nadat hij met een statisticus van de gemeente had gesproken, had hij begrepen dat het er zelfs nog beter voorstond.

'Hij had het over iets wat hij verwachtingswaarde noemde,' legde Olsson uit. 'Dat is van die wiskundige hocus pocus, maar als ik het goed begrepen heb, dan hoeven we waarschijnlijk maar bij de helft van vijfhonderd mensen DNA af te nemen, dat wil zeggen, als we het volkomen willekeurig doen.'

Wat loopt hij nu godverdomme weer te zeiken, dacht Bäckström na de vergadering. Volgens zijn berekeningen was het op dit moment voldoende als ze het DNA van één persoon afnamen.

'Als je een doodgewone, deugdelijke tip van een oude diender wilt, stel ik voor dat je je tot de buitenlanders beperkt,' zei Bäckström.

'Wees niet bang, beste Bäckström,' zei Olsson, die in een ongebruikelijk goed humeur leek te zijn. 'Ook ik loop al een tijdje mee en ik heb mijn pappenheimers wel leren kennen. *Ich kenne auch meine Pappenheimer,*' voegde hij er trots aan toe in zijn beste schoolduits, dat hij had verworven op een cursus van de volksuniversiteit die hij en zijn vrouw tegenwoordig volgden, nadat ze vorig jaar zomer een wijnreis in het Rijndal hadden gemaakt. 'Vergeet je niet dat je hebt beloofd op onze bijeenkomst te komen?' bracht hij hem in herinnering.

'Wees gerust,' zei Bäckström. Wat paphamers hier dan ook mee te maken mogen hebben, dacht hij.

Na het ochtendoverleg had hoofdrechercheur Jan Lewin met hun vrouwelijke officier van justitie en hun vooronderzoeksleider, hoofdinspecteur Olsson, gesproken. Bäckström daarentegen had geschitterd door afwezigheid, wat Lewin prima had gevonden.

'Er is dus iets vreemds met die jongeman,' zei Lewin toen hij klaar was met zijn verhaal.

'Is het voldoende als we hem zonder oproep vooraf laten halen?' vroeg de officier van justitie.

'Ja,' zei Lewin. 'Maar als hij dan nog steeds weigert mee te werken, wil ik toch wangslijm bij hem af laten nemen. Al was het alleen maar om hem uit het onderzoek te kunnen afvoeren.'

'Als hij blijft liegen en zich zo kinderachtig blijft gedragen, zal ik hem laten aanhouden en als hij in de bak zit om zijn situatie te overdenken, kan hij meteen vingerafdrukken en bloed afgeven,' zei de officier. 'Het gaat hier wel om een moordzaak en ik ben helemaal niet blij met zijn gedrag.'

'Maar is dat nou echt nodig?' wierp Olsson tegen, terwijl hij ongemakkelijk ging verzitten. 'Ik bedoel, het is toch een van onze eigen aspiranten en hij lijkt in geen enkel opzicht op de dader uit de analyse van de DP-groep. Ik zou dan niet...'

'Dan komt het heel goed uit dat ik hier de beslissingen neem,' onderbrak de officier van justitie hem. 'De DP-groep,' snoof ze. 'Die analyses zijn over het algemeen pure fantasie. Voorzover ik weet hebben ze nog nooit één zaak opgehelderd. Niet voor mij in elk geval.'

's Middags was Bäckström zijn belofte nagekomen en had hij deelgenomen aan de constituerende vergadering van het bestuur van de pas opgerichte vereniging Mannen in Växjö tegen Seksueel Geweld. Bäckström had koffie, worteltjestaart en koekjes gekregen en de voorzitter van de vereniging, de psycholoog en psychotherapeut Lilian Olsson, was de vergadering begonnen met hem warm welkom te heten.

'Nou, je collega Olsson en mij heb je al ontmoet,' zei Lo. 'Bengt heeft trouwens toegezegd om plaatsvervangend bestuurslid van ons kleine bestuur te zijn. De rest heeft elkaar nog niet ontmoet en omdat jij onze gast bent, zou jij misschien kunnen beginnen je aan de overige bestuursleden voor te stellen. Dat zijn Moa, onze tweede Bengt,' zei ze en ze glimlachte naar een lange, blonde slungel die net zo gelukzalig terug glimlachte, 'en onze derde Bengt, Bengt Axel,' vervolgde ze met een vriendelijk knikje naar een kleine, donkere en magere figuur aan het hoofd van de tafel.

'Dank je dat ik hier aanwezig mag zijn, Lo' zei Bäckström, hij vouwde zijn handen over zijn dikke buik en glimlachte extra vroom naar de drie zojuist genoemden. Drie flapdrollen in een broek en eentje in een soort roze hemdjurk. En ontzettend praktisch, want al die flapdrollen blijken Bengt te heten, dacht hij.

'Goed,' vervolgde Bäckström en hij rekte zijn klinkers omdat hij het klappen van de zweep in dergelijke gezelschappen inmiddels wel kende.

'Ik heet dus Evert Bäckström... maar al mijn vrienden noemen me gewoon Eve,' loog Bäckström, die zijn hele leven geen enkele echte vriend had gehad en die al Bäckström werd genoemd toen hij nog op de lagere school zat.

239

'Wat kan ik verder nog zeggen,' zei Bäckström. 'Nou... ik werk dus als rechercheur bij de afdeling Moordzaken van de rijksrecherche... en zoals zo vaak in mijn leven hebben zeer tragische omstandigheden me op de plek gebracht waar ik nu ben.' Bäckström knikte zwaarmoedig en zuchtte. Daar hebben die flapdrollen wat lekkers om op te sabbelen, dacht hij.

'Dank je, Eve,' zei Lo met warme stem. 'Nou... laten we eens verdergaan met onze medemannen. Ga je gang, Bengt,' zei Lo en ze knikte naar de kleine, magere, donkerharige figuur die ineengedoken aan het korte einde van de tafel achter zijn koffiekop en worteltjestaart zat.

'Dank je, Lo,' zei Bengt en hij schraapte nerveus zijn keel. 'Nou... ik heet dus Bengt Månsson en ik werk dus met cultuurzaken in de gemeente, waar ik verantwoordelijk ben voor zogenaamde bijzondere projecten en daar komt onze nieuwe vereniging dus in beeld als een van onze gesubsidieerde projecten.'

Een echt lieverdje en wat lijkt hij ontzettend op die emancipatiedroplul in de regering. Die kerel wiens moeder het met haar paard hield, hoe heette hij ook alweer, dacht Bäckström, die zijn geheugen niet belastte met andere namen dan die van boeven, bandieten en gewone collega's.

'Nou, dat kan geen gemakkelijke taak zijn,' zei Bäckström. 'Al die projecten, bedoel ik,' voegde hij eraan toe.

'Nee,' gaf Bengt Månsson toe en hij zag er meteen wat vrolijker uit. 'Het is heel wat werk en zelf probeer ik vooral om de kosten in de gaten te houden, zodat ze niet uit de hand...'

'Dan zal ik nu het woord maar geven aan onze tweede Bengt,' onderbrak Lo hem. Ze leek hier om onduidelijke redenen niet nader op in te willen gaan en ze knikte naar de vriend van de zojuist afgesnauwde Bengt. Deze was blond en had blauwe ogen, was dubbel zo groot als kleine Bengt, en op een wonderlijke manier slaagde hij erin om over zowel de tafel als de stoel waarop hij zat heen te hangen, terwijl hij tegelijkertijd een volmaakte warmte en medemenselijkheid uitstraalde.

'Nou, ik heet dus Bengt Karlsson en ik ben voorzitter van de mannenopvang in Växjö,' zei grote Bengt. 'Wij bieden dus advies, ondersteuning en ook gedragstherapie aan mishandelende mannen hier in de stad,' vervolgde hij. 'Mishandelend, niet mishandeld,' verduidelijkte hij. 'En zoals jullie ongetwijfeld begrijpen, heb ik ook geen gebrek aan werk.'

Dat kan ik me voorstellen, met al die gemene wijven hier, dacht Bäckström. En jij had vroeger ook losse handjes, dacht hij, want als het op zulke diagnoses aankwam, was hij net zo zeker van zijn zaak als een districtsarts in de provincie die patiënten met de bof moest onderscheiden van patiënten die alleen maar last handen van gezwollen keelamandelen.

'Nou, dan is alleen mijn persoontje nog over,' kwetterde de vrouw in de roze hemdjurk.

Persoontje, dacht Bäckström. Zo klein ben je anders niet. Je bent drie keer zo groot als het persoontje Lo, als dat enige troost kan bieden, dacht hij.

'Ik heet dus Moa, Moa Hjärtén. En je vraagt je vast af wat zo iemand als ik dan doet, niet waar, Eve,' vervolgde ze.

Voorzitter van de vrouwenopvang, van de slachtofferopvang en alle andere belachelijke bloedendehartenopvangcentra die er maar bestaan, dacht Bäckström, terwijl hij haar bemoedigend toeknikte.

'Nou, ik ben dus de voorzitter van de vrouwenopvang in de stad, ik ben voorzitter van de slachtofferopvang... en wat doe ik nog meer...'

Had ik gelijk of had ik gelijk, dacht Bäckström.

'Ja,' vervolgde Moa. 'Verder heb ik een particulier beschermdwonenproject voor verkrachte en mishandelde vrouwen. Maar voor meer dingen heb ik geen tijd.'

Gefeliciteerd, dacht Bäckström. Als je een particuliere instantie bestiert, kun je niet helemaal achterlijk zijn.

Daarna had de nieuwe vereniging de mogelijkheid gehad om te genieten van hoofdinspecteur Bäckströms expertise als een van de voornaamste landelijke experts op het gebied van grof geweld. Zoals collega Olsson hem al had verteld, waren ze vooral ongerust over twee zaken. Dat ze beschouwd zouden worden als een burgerwacht en dat ze het gevaar liepen om mannen met kwaadwillende, schimmige en misschien wel criminele bedoelingen aan te trekken.

Bäckström deed zijn best hen gerust te stellen.

'Om samen te vatten wat ik al zei, geloof ik niet dat jullie je daar ongerust over hoeven te maken,' besloot Bäckström die, hoewel hij een religieus man was, tegen het einde misschien toch wat al te pompeus klonk.

'En wat het tweede punt betreft, geloof ik dat jullie zo veel kennis van de inwoners van Växjö hebben dat jullie in staat zijn het kaf van het koren te scheiden,' voegde hij eraan toe. En wat jou betreft, mannetje, zal ik er persoonlijk op toezien dat je wordt nagetrokken in onze registers, dacht hij, terwijl hij extra vriendelijk glimlachte naar bestuurslid Bengt Karlsson.

Na de vergadering had het bestuur van de vereniging representanten van de media ontmoet, maar Bäckström had zijn medewerking hieraan ontzegd door zich te beroepen op de policy van de rijksrecherche bij dergelijke kwesties.

'Hoe graag ik ook mee zou doen, het mag dus niet,' zei Bäckström met dezelfde vrome glimlach als twee uur eerder, toen het allemaal was begonnen.

Lo en haar vrienden hadden hier alle begrip voor gehad en Bäckström was teruggekeerd naar de lokalen van het rechercheteam om zijn eigen steentje bij te dragen.

'Kun je deze vent eens natrekken?' vroeg Bäckström, terwijl hij een papiertje met de naam en de beschrijving van Bengt Karlsson overhandigde.

'Natuurlijk,' zei Thorén verbaasd. 'Sorry dat ik het vraag, maar waarom wil je hem natrekken? Is dat niet die...'

'Very ssst,' grijnsde Bäckström met zijn rechterwijsvinger voor zijn lippen.

Toen hij groen licht van de officier van justitie had gekregen, had Lewin Von Essen en Adolfsson naar Öland gestuurd om aspirant-agent Löfgren op te halen. Volgens de laatste telefoongesprekken die hij met zijn mobiel had gevoerd, zat hij waarschijnlijk in het zomerhuis van zijn ouders buiten Mörbylånga. Omdat Adolfsson hem zou halen, had Bäckström zijn dienstwagen aan hem geleend. Bovendien had hij hem goede raad gegeven voor onderweg.

'Voer het adres in de computer in, dan vindt de auto het zelf,' zei Bäckström. 'En als jullie die klootzak op zijn donder moeten geven, doe dat dan buiten de auto, zodat de stoelen niet onder het bloed komen te zitten.'

'Een nieuw record,' constateerde Adolfsson anderhalf uur en honderdzeventig kilometer later toen hij de auto voor de oprijlaan van het zomerhuis van de familie Löfgren parkeerde. Een groot geel huis van klassiek model met knerpende grindpaden, schaduwrijke bomen en een formidabel uitzicht over de Kalmarbaai. Op het grasveld voor het huis stond bovendien de man die ze kwamen halen. Gekleed in shorts, een mouwloos T-shirt en hardloopschoenen was hij druk bezig zijn lange, gespierde benen te stretchen.

'Waar kan ik de heren mee van dienst zijn?' vroeg aspirant-agent Löfgren vriendelijk.

'We willen even met je praten,' antwoordde Adolfsson al net zo vriendelijk.

'Dat moet morgen dan maar, want nu ga ik een rondje lopen,' zei Löfgren, terwijl hij zwaaide en met snelle passen wegliep in de verkeerde richting ten opzichte van Växjö.

Von Essen was in een reflex achter hem aan gerend en het strekte tot zijn eer dat hij aspirant Löfgren honderden meters in het vizier had weten te houden voordat deze door het terrein was opgeslokt en zijn achtervolger dubbelgeklapt van de inspanning stond te hijgen.

'25 graden in de schaduw en toch moet jij zo nodig proberen een zwarte man bij te houden,' zei Adolfsson, die toen zijn collega terugkwam bij het huis, comfortabel achterovergeleund in een tuinstoel zat.

'Heb je zijn ouders gesproken,' vroeg Von Essen met een hoofdbeweging naar het huis.

'Niemand thuis, lijkt het,' zei Adolfsson.

'We bellen Lewin,' besloot Von Essen.

'Hoezo ervandoor?' zei Lewin vijf minuten later door de telefoon.

'Hoezo ervandoor?' herhaalde Olsson weer tien minuten later.

'Ervandoor. Hij ging er dus vandoor?' vroeg de officier van justitie nog een kwartier later via haar mobiele telefoon.

'Hij ging er gewoon vandoor,' verduidelijkte Lewin. 'En wat doen we nu?'

'Wat doen we nu?' herhaalde Olsson toen Lewin hem voor de tweede maal binnen een halfuur belde.

'De officier van justitie heeft besloten dat we er een nachtje over slapen en als we hem morgen niet te pakken krijgen, vaardigen we een opsporingsbevel uit,' zei Lewin.

'Waarom hebben jullie die klootzak niet ingehaald en doodgemept!' brulde Bäckström, wiens gezicht net zo rood was als dat van Von Essen een paar uur eerder, hoewel Bäckström de hele middag niet uit zijn bureaustoel was opgestaan.

'Daar was de situatie niet echt naar, als u begrijpt wat ik bedoel,' zei Adolfsson.

'We willen toekomstige verhoren immers niet op de tocht zetten door mensen in het wilde weg neer te schieten,' viel Von Essen hem bij met de verzoenende toonval die behoorde tot zijn edele waarmerk.

Pas maar op, jij achterlijke sukkel, dacht Bäckström, terwijl hij boosaardig naar zijn collega de baron keek. Zelf had ik geen seconde getwijfeld om honden en helikopters te vorderen en die brug naar Öland af te zetten.

38

De ochtend daarop las Bäckström bij het ontbijt voor het eerst in zijn leven *Smålandsposten*. De grote lokale ochtendkrant had een groot gedeelte aan de pas opgerichte Vereniging van Mannen in Växjö tegen Seksueel Geweld gewijd en Bäckströms aandacht werd vooral getrokken door een foto van het bestuur van de vereniging, die de helft van de voorpagina in beslag nam. In het midden stond de voorzitter Lo Olsson, aan haar rechter- respectievelijk linkerzijde stonden Moa Hjärtén en hoofdinspecteur Bengt Olsson. Ze werden geflankeerd door de kleine Bengt Månsson en de twee keer zo grote Bengt Karlsson. Ze keken allemaal met een ernstig gezicht recht in de camera, terwijl ze elkaars handen vasthielden.

Jezus, wat een stel idioten, dacht Bäckström verrukt.

De krant scheen Bäckströms mening echter niet te delen. De vereniging werd over de hele linie positief beschreven, er werd zelfs aandacht aan besteed in het redactionele gedeelte van de krant, waar de hoofdredacteur de politie in een ongewoon poëtisch geformuleerd artikel vergeleek met 'een hek waarvan de spijlen te ver uit elkaar staan, dat bescherming moet bieden tegen een steeds boosaardiger buitenwereld'. Volgens dezelfde schrijver waren particuliere initiatieven op het gebied van misdaadpolitiek niet alleen noodzakelijk, maar werd het ook hoog tijd dat deze serieus werden genomen. 'Ook wij die hier in dit anders zo vredige Växjö wonen, moeten ons realiseren dat de strijd tegen de voortdurend toenemende en steeds zwaardere misdaad eigenlijk Ieders Verantwoordelijkheid is,' rondde hij zijn bijdrage af.

Waar halen ze al die onzin goddomme vandaan, dacht Bäckström. Hij stopte de krant in zijn zak om zich ongestoord een breuk te kunnen lachen zodra hij zich had opgesloten op zijn werkkamer.

Lewin had zoals zo vaak de nacht in Eva Svanströms bed doorgebracht, maar nadat zij in slaap was gevallen, had hij nog een uur liggen piekeren over waar de jonge Löfgren eigenlijk mee bezig was. Zodra hij weer op zijn werk was, had hij verschillende onderzoeksrapporten te voorschijn gehaald, hij had ze grondig gelezen en na nog wat te hebben nagedacht, meende hij zo'n beetje te weten hoe de vork in de steel zat. Maar omdat hij het wel eens eerder mis had gehad, had hij toch Von Essen en Adolfsson bij zich geroepen en gevraagd of ze iets voor hem wilden controleren.

'Ik heb hier een oude tip en ik wil dat jullie die voor mij natrekken. Ik heb hem trouwens nog aangestipt op het ochtendoverleg van zondag 6 juli. Het is niet bepaald opwindend, maar ik zou toch graag willen dat jullie die informant voor mij horen. Hij heet Göran Bengtsson. Hier hebben jullie alle gegevens,' zei Lewin en hij gaf het briefje uit het dossier aan Von Essen.

'Geel-blauwe Gerri, ja, die kennen we wel,' zei Von Essen en hij schudde zijn hoofd.

'Pardon,' zei Lewin. 'Hoe noemde je hem?'

'Geel-blauwe Gerri, zo wordt hij hier in de stad genoemd,' legde Adolfsson uit.

'Ten eerste is hij politiek gezien lichtelijk besmet, zoals dat zo mooi heet,' vervolgde Adolfsson, 'ten tweede...'

'... door de bruine kleuren op het politieke palet, om het zo maar te zeggen,' wierp Von Essen ertussen.

'... ten tweede heeft hij flink op zijn donder gehad toen hij en zijn maten een paar jaar geleden onze nationale feestdag zouden vieren hier in Växjö,' vervolgde Adolfsson. 'Er waren allemaal relschoppers van de Antifascistische Actie en dat soort groepen hierheen gekomen en Gerri en zijn maten hebben heel wat klappen gehad. Voordat we de situatie onder controle hadden, hadden ze hem al net zo geel en blauw geslagen als zijn geliefde vlag,' rondde hij zijn verhaal af en hij grijnsde om de een af andere reden enthousiast.

'Hij beweert dat hij Linda gezien heeft, samen met een grote ne... met een grote, zwarte man,' corrigeerde Lewin zichzelf. 'Om een uur of vier 's ochtends, in de nacht van de moord.'

'Jawel, maar dat is voor hem geen ongewone observatie en aspirant Löfgren is bij lange na niet de enige zwarte man in dit vreedzame stadje,' zei Von Essen. 'Niet meer, om het zo maar te zeggen.'

'Ik wil toch dat jullie naar hem toe gaan om hem te horen. En dan wil ik ook dat jullie een fotoconfrontatie doen en dat jullie met

Löfgren beginnen,' zei Lewin en hij overhandigde hun een doorzichtig plastic mapje met foto's van negen zwarte jongemannen, waaronder Löfgren.

'Daarna doen jullie Linda en het is belangrijk dat jullie het in die volgorde doen,' benadrukte Lewin en hij gaf hun nog een plastic mapje met negen foto's van blonde, jonge vrouwen, waarvan één van hun slachtoffer, Linda Wallin.

Op hetzelfde moment dat Von Essen en Adolfsson bij Geel-blauwe Gerri's sjofele eenkamerflat in Araby in het centrum van Växjö aanbelden, liep aspirant-agent Erik Roland Löfgren naar de balie van de receptie op het politiebureau. Hij had een advocaat uit Kalmar bij zich, een oude vriend van de familie, en hij kwam net op het nippertje, want de officier van justitie had kort daarvoor besloten een opsporingsbevel uit te vaardigen.

Geelblauwe Gerri zat achter zijn computer een computerspel te spelen dat hij had gedownload van de homepage van de Amerikaanse organisatie WAR, *White Aryan Resistance*. Een van de computernerds van WAR had een etnische variant van de oude klassieker *Desert Storm* *I-III* gemaakt en Gerri was helemaal door het dolle heen toen Von Essen en Adolfsson op bezoek kwamen.

'Nieuw record!' riep hij met rode wangen van opwinding. ''k Heb goddomme in een halfuurtje driehonderdnegenentachtig haakneuzen neergeknald!'

'Heb je misschien even tijd om te praten?' vroeg Adolfsson.

'Tuurlijk help ik jullie,' zei Geel-blauwe Gerri. 'Da's de plicht van iedere Zweedse staatsburger. Het is oorlog. We moeten de rijen sluiten als we niet willen dat die buitenlanders winnen,' verduidelijkte hij.

Löfgren was niet zo enthousiast als Gerri. Hij zat in de verhoorkamer met Rogersson als ondervrager en Lewin als getuige. In het begin was hij bijna net zo formeel geweest als zijn meer dan twee keer zo oude juridische raadsman.

'Waarom denk je dat we je willen spreken, Löfgren?' begon Rogersson nadat hij de gebruikelijke formaliteiten op het bandje had ingesproken.

'Ik had gehoopt dat jullie me dat zouden vertellen,' zei Löfgren met een beleefd knikje.

'Dat heb je zelf nog niet bedacht?' vroeg Rogersson.

'Nee,' zei Löfgren en hij schudde zijn hoofd.

'Dan zal ik het je vertellen,' zei Rogersson. 'Ik kan me voorstellen dat je erg nieuwsgierig bent.'

Löfgren had enkel maar een knikje gegeven en leek opeens meer op zijn hoede dan nieuwsgierig.

''k Heb godverdomme tig keer gebeld om te vragen of er nog iets met mijn tip gedaan werd. Tuurlijk heeft die nikker het gedaan,' zei Geel-blauwe Gerri. 'Een van jullie collega's zit hem vast te beschermen. Het wemelt plotseling van de allochtone wouten. Check die lui, dan heb je de moordenaar zo.'

'Wat heb je gedaan toen je hen zag?' vroeg Von Essen.

''k Heb die Linda gegroet. Ik herkende haar, ja. Ik heb haar wel eens op het jutenbureau gezien.'

'Wat heb je toen gezegd, iets preciezer bedoel ik,' drong Von Essen aan.

''k Heb haar gevraagd of ze niets beters te doen had dan in haar nest aan een dropstaaf te liggen lurken,' zei Gerri en hij keek hen met een enthousiaste glimlach aan. 'Ja, en 'k heb ook nog iets over het HIV-risico gezegd. Goddomme man, die dropkabouters zijn gewoon wandelende biologische bommen, als je bedenkt wat voor shit ze allemaal met zich meedragen.'

'En wat gebeurde er toen?' onderbrak Adolfsson hem.

'Die nikker werd helemaal gek maar hij hield zich in en zijn kop werd compleet blauw. En toen dacht ik, zo eentje durf je niet eens aan te raken, dan ga je dood aan herpes. In het beste geval. Dus toen ben 'k maar afgetaaid.'

'En toen was het ongeveer vier uur en dat alles vond plaats op de Norra Esplanaden, ongeveer vijfhonderd meter van het Stadshotel,' zei Von Essen.

'Antwoord: ja,' stemde Gerri in. 'Een uur of vier of zo, ten noorden van die rotonde waar de dokterscentrale ligt.'

'We hebben een paar foto's meegenomen en willen dat je die bekijkt,' zei Von Essen. 'Herken je een van deze personen?' vroeg hij en hij legde de foto's van Löfgren en de acht anderen op tafel.

'In het verhoor dat een van mijn collega's met je gehouden heeft, ontken je stellig dat je een seksuele relatie zou hebben gehad met Linda,' zei Rogersson. 'Volgens jouw woorden zou ze gewoon een klasgenoot zijn geweest.'

'We zaten op de politieschool in dezelfde klas. Maar dat wisten jullie toch al?'

'Jawel,' zei Rogersson. 'Dat weten we. Bovendien weten we dat je seks met Linda hebt gehad. Waarom heb je dat niet verteld?'

'Ik weet niet waar je het over hebt,' antwoordde Löfgren dwars. 'Ik heb geen relatie met haar gehad.'

'Een eenvoudige vraag,' zuchtte Rogersson. 'Ben je met Linda naar bed geweest? Ja of nee.'

'Ik snap niet wat dat ermee te maken heeft,' zei Löfgren. 'Bovendien praat ik niet over dat soort dingen. Zo'n type ben ik niet.'

'Volgens je vrienden ben je juist wel zo'n type,' zei Rogersson. 'We hebben met een stuk of wat van hen gesproken en volgens hen zou je maanden hebben lopen opscheppen over alle keren dat je Linda genaaid hebt.'

'Gelul,' zei Löfgren. 'Ik praat nooit over dat soort dingen, dus dat is gewoon gelul.'

'Gelul zeg je,' zei Rogersson. 'Maar als je niet met haar naar bed bent geweest, dan hoef je alleen maar "nee" te antwoorden.'

'Je begrijpt geloof ik niet eens wat ik zeg,' zei Löfgren.

'Ik begrijp precies wat je zegt,' zei Rogersson. 'Bovendien weet ik dat je gelogen hebt tijdens een politieverhoor en nu kan ik met eigen oren horen hoe je het antwoord op een eenvoudige, directe vraag ontwijkt.'

'Die er geen bal mee te maken heeft. Ik heb Linda niet vermoord. Jullie zijn niet goed snik als jullie dat denken.'

'Gezien het feit dat je onschuldig bent, heb je er vast niets op tegen om een wattenstaafje door je mond te halen zodat we je DNA hebben en je uit het onderzoek kunnen halen,' zei Rogersson en hij wees didactisch naar het kleine reageerbuisje met het wattenstaafje dat naast de bandrecorder lag.

'Dat ben ik absoluut niet van plan,' zei Löfgren. 'Omdat ik onschuldig ben en omdat jullie geen enkele verdenking tegen mij hebben. Het enige waar dit over gaat, want dat is precies waar het over gaat, is dat jullie proberen om van een zwarte collega in wording af te komen,' zei Löfgren en hij zag er net zo verontwaardigd uit als hij klonk. 'Dat is exact waar dit over gaat. Al het andere is alleen maar bullshit.'

'En ik zeg dat je liegt en het feit dat je tegenover de politie liegt in een moordonderzoek dat bovendien over een van je klasgenoten gaat, is voor mij en mijn collega's reden genoeg om verdenkingen tegen je te koesteren,' zei Rogersson. 'Voor ons is dat het enige waar het over gaat.'

'Dat is dan jullie zaak,' zei Löfgren fel. 'Jullie luisteren niet eens naar...'

'Niet alleen van ons,' onderbrak Rogersson hem. 'De officier van justitie vraagt zich hetzelfde af als wij.'

'Sorry dat ik onderbreek,' wierp de advocaat ertussen, 'maar het zou interessant zijn om te horen wat het standpunt van de officier van justitie is in deze kwestie.'

'Haar standpunt is heel simpel,' zei Rogersson. 'Als Löfgren blijft liegen en blijft weigeren om te vertellen wat er werkelijk gebeurd is, bestaat er in haar ogen voldoende verdenking tegen hem om tot arrestatie over te gaan.' Rogersson wisselde een blik met Lewin die knikte.

'Dan wil ik aan het proces-verbaal toevoegen dat ik haar opvatting niet deel,' zei de advocaat.

'Het staat genoteerd,' zei Rogersson. 'En ik neem aan dat u weet dat u niet bij de politie moet zijn als u in beroep wilt gaan tegen dat besluit. Een laatste vraag aan jou, Roland, voordat je gearresteerd wordt...'

'Ik heb een alibi,' onderbrak Löfgren hem. 'Is dat iets wat politiemensen van jouw generatie nog hebben moeten leren? Wat een alibi is, bedoel ik?'

'Dat is 'm,' zei Geel-blauwe Gerri, hij glimlachte triomfantelijk en hield de foto van Erik Roland Löfgren omhoog.

'Het heeft geen haast, Gerri,' zei Von Essen. 'Neem gerust de tijd.'

'Als je het mij vraagt zien ze er allemaal hetzelfde uit,' wierp Adolfsson ertussen. 'Hoe weet je het zo zeker?'

'Jullie praten met een expert,' zei Geel-blauwe Gerri tevreden. 'Ik ben net zo goed in negers als Eskimo's in sneeuw en Lappen in rendieren. Neem deze bijvoorbeeld,' zei Gerri en hij zwaaide met de foto van Löfgren.

'Typisch een blauwe neger. Afrika, volgens mij. Maar niet zomaar Afrika, we hebben het hier niet over Eritrea of Soedan of Namibië of Zimbabwe en we hebben het al helemaal niet over Bosjesmannen of Masai. We hebben het niet eens over Kikuyo, Uhuru, Watutsi, Wambesi, Zoeloe of...'

'Wacht even, wacht even,' onderbrak Adolfsson hem terwijl hij zijn handen afwerend omhooghield. 'Over welk deel van Afrika hebben we het wel? Laat die negers waar we het niet over hebben maar zitten.'

'Als je 't mij vraagt hebben we het over West-Afrika, Ivoorkust, ik gok voormalig Frans West-Afrika, nikkers van die Fransozen,' zei Geel-blauwe Gerri en hij knikte, alsof hij wist waar hij het over had.

'Bedankt voor je hulp,' zei Von Essen. 'Dan hebben we nog één vraagje. Of je ook even naar deze meidenfoto's wilt kijken.'

'Hou toch op, Graaf,' zei Geel-blauwe Gerri. 'Probeer toch eens te luisteren naar wat ik zeg. 'k Heb met die meid gebabbeld toen ik op het jutenbureau was, dat heb ik toch gezegd. Zij was het. Dat weet ik honderd procent zeker.'

'Wie van hen was het dan?' vroeg Adolfsson en hij knikte naar de foto's van Linda en de acht andere jonge vrouwen.

'Vertel,' zei Rogersson. 'Vertel over je alibi.'

'Ik was niet alleen toen ik bij het hotel wegging. Ik was samen met iemand anders en we gingen naar mijn huis,' zei Löfgren. 'Ik was tot ongeveer tien uur 's ochtends met die persoon samen.'

'In het verhoor zeg je dat je alleen naar huis ging,' constateerde Rogersson. 'Dus dat was ook een leugen? Geef mij dan een naam, hoe heet de persoon die met jou mee naar huis ging?'

'Ik heb al gezegd dat ik geen namen noem,' zei Löfgren.

'Dat is dan amper een alibi,' zuchtte Rogersson. 'In elk geval niet volgens wat ik over alibi's geleerd heb. Van het weinige dat ik moest leren, weet ik nog dat de docenten er altijd op hamerden dat het belangrijk was te weten wie de persoon was die het alibi verschafte.'

'Ik noem geen namen,' herhaalde Löfgren. 'Is dat nou echt zo moeilijk te begrijpen?'

'En, wat zeggen jullie, jongens,' zei Geel-blauwe Gerri terwijl hij de foto die hij eruit had gepikt omhooghield.

'Weet je heel zeker dat zij het is?' vroeg Von Essen en hij wisselde een blik met Adolfsson.

'Hoezo heel zeker? Honderd procent, dat heb ik toch gezegd. 'k Heb zeker een paar keer met haar gebabbeld, als ik effe een kijkje kwam nemen bij jullie op het jutenbureau. Is trouwens een echte bitch, als jullie willen weten wat ik van haar vind.'

'Eén ding is best grappig,' zei Rogersson en hij keek Löfgren af-wachtend aan.

'Wat is er dan zo grappig?' vroeg Löfgren. 'Volgens mij is hier niets grappigs aan.'

'Je vrienden zeggen dat je hebt lopen opscheppen over alle keren dat je Linda genaaid hebt. Dat zijn je eigen woorden, dat je Linda genaaid hebt. Bovendien heb je nog wat andere, grovere uitdruk-kingen gebruikt, die ik jou en je advocaat zal besparen.'

'Dat is dan hun zaak,' zei Löfgren. 'Ík heb niets gezegd.'

'Maar toen je uit het Stadshotel wegging, zou je tegen hen heb-ben gezegd dat je alleen naar huis ging. Er is zelfs iemand die je alleen weg heeft zien gaan. Je zou naar huis gaan om te gaan slapen, had je gezegd.'

'Ja, wat is daar dan mis mee? Ik hoef hier toch niet te zitten ver-dedigen wat anderen hebben gezegd? Bovendien lijkt iemand jullie te willen spreken,' constateerde Löfgren en hij knikte in de rich-ting van de deur die net na een discreet klopje voorzichtig een klein stukje werd opengedaan.

'Heb je twee minuten, Lewin?' vroeg Von Essen, die in de deurope-ning stond.

'Deze truc is zo oud als de weg naar Rome,' zei Löfgren te-gen zijn advocaat. 'Een van de docenten op school heeft ons ver-teld...'

'Twee minuten,' zei Lewin; hij stond op, liep de kamer uit en deed de deur zorgvuldig achter zich dicht.

'Ik geloof dat we een probleempje hebben,' zei Von Essen tegen Le-win.

'Dat idee heb ik al sinds vanochtend,' zei Lewin en hij slaakte een zucht.

'Wat heb ik je gezegd,' zei Löfgren triomfantelijk terwijl hij zijn advocaat op zijn arm tikte. 'Vijf minuten, niet twee. Wat heb ik je gezegd?'

'Sorry dat ik de heren moet onderbreken,' zei Lewin en hij keek om een of andere reden naar Rogersson.

'Heb ik het correct begrepen dat je de naam weigert te noemen van de persoon die je volgens jou een alibi kan verschaffen?' vervolgde Lewin.

'Fijn dat je het eindelijk begrepen hebt,' zei Löfgren. 'Helemaal correct. Dat is niet mijn werk maar dat van jullie.'

'Ik ben blij dat we het in elk geval over één ding eens zijn,' zei Lewin. 'Dan wil ik je bij dezen mededelen, en het is nu 14.05 uur, vrijdag 18 juli, dat de officier van justitie heeft besloten je te arresteren. Het verhoor wordt hiermee afgebroken en zal op een later tijdstip worden voortgezet. De officier heeft ook besloten dat we je vingerafdrukken en een DNA-monster moeten nemen.'

'Maar wacht even,' zei de advocaat snel. 'Is het niet beter dat ik eerst de kans krijg in alle rust met mijn cliënt te spreken, dan kunnen we dit probleempje vast op een andere manier oplossen.'

'Ik stel voor dat u dat rechtstreeks met de officier van justitie afhandelt,' zei Lewin.

'Jezus, wat had jij opeens haast, Lewin,' zei Rogersson vijf minuten later pissig, toen ze alleen achter waren gebleven in de kamer.

'Dat zou jij ook hebben gehad,' zei Lewin.

'Waarom dan?' vroeg Rogersson. 'Had je me nog een uurtje gegeven, dan had ik de naam van zijn zogenaamde alibi, voorzover die al bestaat, eruit weten te persen en het ook voor elkaar gekregen dat hij een wattenstaafje in zijn mond had gestopt.'

'Dat was precies waar ik bang voor was,' zei Lewin. 'Dat we met een hele hoop papierwerk te maken zouden krijgen.'

'Ik begrijp niet wat je bedoelt,' zei Rogersson.

'Ik wilde het je net gaan vertellen,' zei Lewin.

'Ik luister met spanning,' zei Rogersson, hij glimlachte zuinigjes en leunde comfortabel achterover in zijn stoel.

'Ja, godallemachtig,' grijnsde Rogersson vijf minuten later. 'Wanneer was je van plan dit aan Bäckström te vertellen?'

'Nu,' zei Lewin. 'Zodra ik hem te pakken weet te krijgen.'

'Dan wil ik erbij zijn,' besloot Rogersson. 'Dan kunnen we elkaar helpen dat vette mannetje in toom te houden als hij zich op het meubilair afreageert.'

Dit wordt een fenomenale dag, dacht Bäckström. Nog maar tien minuten geleden had hij Adolfsson en Von Essen op de gang voorbij zien komen met een beteuterde Löfgren tussen zich in en het was overduidelijk dat ze richting de cellen liepen. En alsof dat nog niet genoeg was, was Thorén plotseling op zijn kamer verschenen om verslag uit te brengen van het registeronderzoek naar Bengt Karlsson van de Vereniging van Mannen in Växjö tegen Seksueel Geweld.

'Die Karlsson lijkt een heel gemeen ventje te zijn geweest. Absoluut geen aardige kerel,' zei Thorén.

'Hoe bedoel je?' vroeg Bäckström. Wat heb ik eigenlijk nog met die vent te schaften nu die neger al in de nor zit, dacht hij.

'Hij staat in totaal elfmaal in het strafregister vermeld,' vatte Thorén samen. 'Het was kennelijk zijn specialiteit om de vrouwen te mishandelen met wie hij iets had.'

'De juiste man op de juiste plaats,' concludeerde Bäckström tevreden. Definitief de juiste man om die kleine Lo ervanlangs te geven en ook die oetlul van een Olsson, dacht hij.

'Het enige probleem is dat de laatste vermelding van negen jaar terug is,' zei Thorén.

'Hij heeft vast geleerd hoe het moet,' zei Bäckström. 'Tegenwoordig legt hij er een badstoffen handdoek tussen voordat hij begint te slaan. Haal alle bagger die je over die vent kunt vinden boven water,' zei hij ter afronding omdat Lewin en Rogersson in de deuropening stonden en eruitzagen alsof ze nodig hun ei kwijt moesten.

'Kom binnen jongens, kom binnen. De jonge Thorén wilde net weggaan,' zei Bäckström.

'Nou, vertel!' zei Bäckström gretig zodra Thorén de deur achter zich had dichtgedaan. 'Hebben jullie die neger zichzelf vast laten lullen? Ik zag dat hij naar de gevangenis werd gebracht door Adolfsson en die gehandicapte edelman, die hij overal mee naartoe sleept.'

'Ik moet je helaas teleurstellen, Bäckström,' zei Lewin. 'Maar Rogersson en ik zijn er allebei vrij zeker van dat Löfgren niet de man is die we zoeken.'

'Da's een goeie,' zei Bäckström en hij grinnikte verrukt. 'Wat heeft hij dan in de bak te zoeken?'

'Daar kom ik zo op,' zei Lewin, 'maar begin maar vast aan het idee te wennen dat hij onschuldig is.'

'Hoezo?' vroeg Bäckström terwijl hij steun zocht tegen de rugleuning van zijn stoel.

'Hij heeft een alibi,' zei Rogersson.

'Een alibi,' snoof Bäckström. 'Wie zou hem dat dan in godsnaam gegeven moeten hebben? Martin Luther King of zo?'

'Dat wil hij niet zeggen,' zei Lewin. 'Daarom hebben we hem in de cel gestopt, voordat hij zich zou bedenken.'

'Maar Lewin heeft al bedacht hoe de vork in de steel zit,' zei Rogersson gelukzalig.

'Over wie hebben we het dan?' vroeg Bäckström, hij boog zich voorover en staarde hen met smalle oogjes aan.

'We denken dat het als volgt is gegaan,' zei Lewin. 'De jonge Löfgren verlaat het Stadshotel om kwart voor vier 's ochtends. Hij vertelt iedereen die het maar wil horen dat hij in zijn eentje naar huis gaat om te slapen. Een paar straten verderop blijft hij wachten op de vrouw met wie hij in de bardancing in het grootste geheim een afspraak heeft gemaakt. Zij verschijnt even na vieren. Daarna gaan ze samen naar Löfgrens huis en wijden zich dan hoogstwaarschijnlijk aan hetgeen waar mensen zich, gezien de gegeven omstandigheden, gewoonlijk mee bezighouden in dergelijke situaties,' zei Lewin tot besluit en hij slaakte een zucht.

'En wie is zij?' vroeg Bäckström hoewel hij het antwoord al vermoedde.

'Collega Anna Sandberg, volgens een getuige die we gesproken hebben,' zei Lewin.

'Ik vermoord die teef!' brulde Bäckström en hij vloog uit zijn stoel omhoog. 'Ik ga haar goddomme...'

'Dat ga je helemaal niet,' zei Rogersson terwijl hij zijn hoofd schudde. 'Je gaat gewoon rustig zitten voordat je een hersenbloeding krijgt of iets ergers.'

Wat dat dan ook mag zijn, dacht Bäckström en hij liet zich in zijn stoel terugzakken. Ze moet dood, dacht hij.

Aspirant-agent Löfgren had het cellencomplex van de politie Växjö al mogen verlaten voordat de celdeur achter hem dicht had kunnen slaan. Ruim een uur later zat hij samen met zijn advocaat in de auto, op weg naar het buitenhuis van zijn ouders op Öland. Hij had de officier van justitie met de hand op het hart beloofd dat hij daar de komende tijd zou zitten en dat hij de telefoon zou opnemen, mocht de politie in Växjö hem om een of andere reden willen spreken. De officier van justitie had hem ook nog enkele wijze woorden meegegeven. Zonder verder op details in te gaan, had ze hem het advies gegeven om zijn beroepskeuze in alle rust te overdenken. Wat Löfgren had achtergelaten, waren zijn vingerafdrukken, een wattenstaafje met DNA, bovendien, als extra bonus, een paar haarmonsters en hoogstwaarschijnlijk was alles volstrekt waardeloos met het oog op de moordzaak die men probeerde op te lossen.

Terwijl de collega uit Växjö die verantwoordelijk was voor de intake, de praktische dingen met Löfgrens vingerafdrukken en DNA regelde, ruimde Lewin de brokstukken achter zichzelf en zijn collega's op. Eerst had hij alle directe betrokkenen binnen Bäckströms geheime operatie een belofte van geheimhouding af laten leggen en daarna had hij politie-inspecteur Sandberg opgezocht om een paar serieuze woorden met haar te wisselen.

Bäckström was ondertussen al een beetje bedaard. De ergste woede was voorbij, hoewel hij nog steeds rondkroop in de brokstukken van zijn veelbelovende onderzoeksopzet, die door zijn incompetente en ronduit criminele collega's aan gort was geslagen. Bij wijze van uitzondering voelde hij zich erg moedeloos, zo slecht en onrechtvaardig als hij behandeld was. En dan ook nog omgeven door een stel idioten, hoog tijd voor iets beters, dacht hij vijf minuten later, toen hij de zinderende hitte buiten het politiebureau in liep om via de dichtstbijzijnde drankwinkel naar het zachte bed op zijn hotelkamer met airconditioning te gaan.

Bäckström begon met de twee koude pilsjes die nog in zijn minibar stonden, vooral om plaats te maken voor de blikjes die hij net had ingeslagen en zonder dat die behaaglijke rust zich in zijn hoofd en lichaam wilde nestelen. In het ergste geval heeft die trut van een Sandberg niet alleen mijn onderzoek maar ook mijn hele zielenleven gesaboteerd, dacht Bäckström. Bij gebrek aan iets beters zette hij de televisie aan en ging hij met een half oog naar een cultureel programma liggen kijken, waarin volgens de programmering gediscussieerd zou worden over de moord op Linda Wallin, maar waar in feite alleen maar de gebruikelijk sukkels elkaar stroop om de mond zaten te smeren.

'Robinson' Micke, bekend van de gewone *Expeditie Robinson* en *Robinson VIP*, tevens tweedejaarsstudent aan de filmacademie in Malmö, had subsidie aangevraagd om een documentaire te maken over de moord op Linda. De afdeling Cultuur van de gemeente Växjö had zijn verzoek botweg afgewezen, maar nu had hij een particuliere investeerder gevonden die beloofd had geld beschikbaar te stellen. Het manuscript was in grote lijnen klaar en de rol van Linda zou gespeeld worden door een jonge vrouw die Carina Lundberg heette, maar die bij het Zweedse volk beter bekend was als 'Big Brother' Nina. Zij had zowel aan *Big Brother* meegedaan als aan de realitysoap *Jonge ondernemers*, die op het nieuwe financiële kanaal werd uitgezonden, ze had een tijdje op de toneelschool gezeten en nu mocht ze haar bijdrage leveren aan het culturele aanbod van de publieke omroep. Micke en zij kenden elkaar bovendien goed en ze vertrouwde blindelings op haar toekomstige regisseur, hoewel haar rol als moordslachtoffer verre van makkelijk zou zijn. Ze zag er misschien nog wel het meest tegen op om de lesbische scènes te spelen, vooral die scènes waarin zij en haar tegenspeelster in politie-uniform gekleed moesten gaan.

Jezus, wat zegt ze nou, dacht Bäckström, hij zette het geluid wat harder en ging rechtop in bed zitten.

'Ja, heel veel van die jonge vrouwelijke agenten zijn lesbo,' legde Nina uit. 'Bijna allemaal trouwens. Een vriendin die bij de politie zit, heeft me dat verteld.'

'Ik heb het opgezet als een klassieke driehoek,' verduidelijkte Micke. 'We hebben Linda en de vrouw van wie ze houdt, die dus ook agent is en die Paula heet. Verder hebben we de man, de dader, de moordenaar met al zijn haat, jaloezie en eenzaamheid. En zijn castratieangst. Het is Strindberg, het is Norén, het is... gewoon klassiek mannelijk drama.'

'Ja, dat is inderdaad waar het op uitdraait,' viel de programmaleider hem enthousiast bij. 'Dat is precies waar het over gaat. De zoveelste gecastreerde man.'

Het is niet genoeg om al die stompzinnige idioten tot lijm te koken, dat is veel te zachtaardig, dacht Bäckström. Hij zette de televisie uit en op hetzelfde moment ging de telefoon, hoewel hij beneden bij de receptie nog zo had gezegd dat hij geen telefoontjes zou aannemen.

'Ja,' bromde Bäckström.

Godsamme, da's het toppunt, dacht hij toen hij de hoorn oplegde.

Het bestuurslid van de Vereniging van Mannen in Växjö tegen Seksueel Geweld, Bengt Karlsson, had de interesse van rechercheur Peter Thorén zodanig gewekt, dat hij zich genoodzaakt zag om Knutsson in de zaak in te wijden, ondanks het feit dat hij aan Bäckström had beloofd de kwestie geheim te houden. Hoewel dat vast niet meer geldt na wat Bäck zelf met die arme aspirant-agent heeft uitgehaald, dacht Thorén.

Bengt Karlsson was tweeënveertig jaar oud. Tussen zijn twintigste en zijn drieëndertigste was hij in totaal elf keer veroordeeld wegens geweldpleging tegen in totaal zeven verschillende vrouwen met wie hij iets had en die tussen de dertien en zevenenveertig jaar oud waren toen de misdrijven werden gepleegd. De veroordelingen betroffen zware mishandeling, mishandeling, bedreiging, dwang, seksuele dwang, seksueel misbruik en seksuele intimidatie, wat Karlsson onder meer zeven verschillende gevangenisstraffen had opgeleverd van bij elkaar opgeteld vier jaar en zes maanden, waarvan hij ongeveer de helft had uitgezeten.

'Interessante gozer,' zei Knutsson instemmend, nadat hij snel het overzicht had doorgelezen dat Thorén had opgesteld met behulp van alle databestanden, alle computers en alle elektronische vaardigheid waar ze binnen het onderzoek inmiddels over beschikten.

'Maar waarom is hij ermee gestopt?' vroeg Thorén. 'De laatste veroordeling is van negen jaar geleden. Daarna wordt er in de registers met geen woord meer over hem gerept.'

'Verandering van modus operandi?' suggereerde Knutsson. 'Herinner je je nog die bankrover die op het opblazen van pinautomaten was overgegaan? Hij heeft zo ongeveer twaalf automaten op kunnen blazen voordat we erachter kwamen dat hij het was. Zelf reisde hij de scholen af om lezingen te geven waarin hij vertelde hoe het hem gelukt was om met zijn criminele verleden te breken.'

'Misschien is hij van vrouwen die hij heel goed kende, met wie hij iets had en met wie hij had samengeleefd, overgegaan op vrouwen die hij niet kent,' zei Thorén en het klonk alsof hij hardop nadacht.

'Heel goed mogelijk,' zei Knutsson. 'Hoogstwaarschijnlijk zelfs. Maar er was nog iets, wat me net te binnen schoot. Herinner je je nog die lezing, die die collega van de FBI afgelopen voorjaar op de politieacademie hield?'

'Ja,' zei Thorén. 'Dat ging toch alleen maar over seksmaniakken? Dat was het stokpaardje van die FBI-collega, als ik het goed begrepen heb. Dat was zo ongeveer het enige wat er in zijn hoofd omging. Seksmaniakken.'

'Dan weet je misschien ook nog wat hij zei over het type seriemoordenaar dat kat en muis speelt met zijn rechercheurs. Dat die lui er een enorme kick van krijgen om dicht in de buurt te zitten van de mensen die op ze jagen.'

'Dat weet ik nog precies,' zei Thorén. Zou het echt zo simpel zijn, dacht hij en op hetzelfde moment voelde hij dezelfde soort vibraties die zijn oudere collega, hoofdinspecteur Bäckström, gevoeld had bij aspirant-agent Erik Roland Löfgren.

'Wangslijm,' zei Knutsson. 'We moeten absoluut wangslijm afnemen bij die man. Maar hoe krijgen we dat voor elkaar zonder de overige bestuursleden, inclusief collega Olsson, op de kast te jagen?'

'Dat is al geregeld,' zei Thorén met zekere trots. 'Er bleek nog oud DNA van Karlsson bij onze collega's in Malmö te liggen. Hij is meegenomen in een of ander routineonderzoek dat vijf, zes jaar geleden naar aanleiding van de Jeanette-moord is gedaan. Hoewel die zaak nog steeds niet is opgelost, dus daarin moet hij onschuldig zijn geweest.'

'Maar waarom hebben ze zijn DNA dan niet weggegooid?' vroeg Knutsson.

'Zoiets gooi je toch niet zomaar weg,' zei Thorén verontwaardigd. 'Het SKL had het natuurlijk weggegooid, want daar zijn ze verplicht om dat te doen, maar de collega's in Malmö hadden een kopie van de analyseresultaten in het onderzoeksdossier bewaard. Ik heb het al gekregen en heb het per fax doorgestuurd naar het SKL.'

Bäckström was op bed blijven liggen, met alleen wat kussens in de rug ter ondersteuning en had erg veel weg van een hartpatiënt met overgewicht. Net goed voor haar, de teef, dacht hij terwijl hij met een mollig, krachteloos handje in de richting van de minibar wapperde.

'Als je een koud pilsje wilt, Anna, staat er wel eentje in de minibar daar,' zei Bäckström. Had je niet gedacht hè, vuile criminele teef, dacht hij.

'Heb je niet iets sterkers?' vroeg Anna Sandberg. 'Ik dacht er voor vandaag een punt achter te zetten en ik blijf toch in de stad slapen. Ik kan wel wat sterkers gebruiken.'

'Whisky, wodka, staat op die plank daar,' zei Bäckström terwijl hij wees. Wat is er verdomme aan de hand, dacht hij.

'Dank je,' zei Anna Sandberg en ze schonk een bijna Rogeriaanse dosis in haar glas. 'Hoef je zelf niets?' vroeg ze terwijl ze vragend met Bäckströms eigen whiskyfles zwaaide.

Wat is er verdomme aan de hand, dacht Bäckström. Eerst saboteert ze mijn onderzoek, dan komt ze mijn kamer binnen gestormd en een minuut later staat ze me mijn eigen drank aan te bieden, dacht hij.

'Een kleintje dan,' zei Bäckström.

Inspecteur Anna Sandberg kwam haar excuses aanbieden. Ze was ongelofelijk stom bezig geweest – dat waren haar eigen woorden – en Bäckström was de eerste stop op haar canossagang. Als ze al iets ter verdediging had aan te voeren, dan was het misschien dat Löfgren haar door de telefoon had beloofd dat hij als een echte gentleman alles zou regelen en onmiddellijk een DNA-monster af zou staan. Geheel vrijwillig, in wezen totaal overbodig, maar met het oog op wat er gebeurd was, was dat de eenvoudigste uitweg voor hen beiden.

Dat ze niets tegen Bäckström had gezegd en niet meteen alle

kaarten op tafel had gelegd toen Löfgren, ondanks zijn belofte, weigerde DNA af te staan, was eigenlijk alleen maar een blijk van menselijke zwakte geweest. In de eerste plaats had ze tegen beter weten in gehoopt dat Löfgren zijn verstand zou gebruiken en haar uit een op z'n zachtst gezegd pijnlijke situatie zou redden, in de tweede plaats had ze geen flauw idee gehad wat Bäckström en zijn collega's allemaal van plan waren. Ook al had ze er na het gesprek met Lewin alle begrip voor wat Bäckström en zijn collega's hadden gedaan.

'Dus er is een flink aantal mensen met wie ik moet praten. Met jou, Bäckström, met Olsson en met mijn man. Niet in de laatste plaats met mijn man,' zei Sandberg, ze schudde haar hoofd en nam een flinke slok uit haar glas.

Jezus, wat zegt ze nou, dacht Bäckström. Die wijven zijn echt niet goed bij hun hoofd.

'Ben je niet goed wijs,' zei Bäckström. 'Je bent toch niet van plan dit aan Olsson te vertellen?'

Kennelijk was ze dat wel. Ze kon de koe net zo goed bij de horens vatten en haar schaamte overwinnen, in het ergste geval moest ze maar stoppen bij de politie en iets anders gaan doen.

'Daar ga ik me niet mee bemoeien,' zei Bäckström. 'Maar wat ik niet begrijp, is waarom je het aan Olsson zou moeten vertellen.'

'Voordat hij er zelf achter komt,' zei Sandberg verbeten. 'Dat gun ik hem niet. Dat gun ik niemand anders trouwens.'

'Zeg me als ik het mis heb,' zei Bäckström, 'maar ik heb het dus over hoofdinspecteur Bengt Olsson. De rechercheur van rituele moorden uit de binnenlanden van Småland, die elke keer als hij van de plee opstaat, in ernstig gepieker verstrikt raakt als hij ontdekt dat hij met een stuk papier in z'n hand staat.'

'Jij vindt dus niet dat ik het aan Olsson moet vertellen?' vroeg Sandberg, die er opeens vrij opgetogen uitzag.

'Nee,' zei Bäckström en hij schudde zijn hoofd. 'En ook niet aan iemand anders die iets weet, want Lewin en Rogersson hebben al met hen gepraat, dus zij zullen alleen maar hun hoofdjes schudden als jij probeert met ze te praten. Zet het uit je hoofd,' zei Bäckström. Vrouwen zijn echt niet goed wijs, dacht hij.

'En mijn man dan?' vroeg Sandberg. 'Hij is ook een collega, maar dat wist je al.'

'Raakt hij er opgewonden van als hij zoiets hoort?' vroeg Bäckström met een gezicht dat lichte afkeer verried. Aangezien hij bij de buurtpolitie werkt, vrees ik het ergste, dacht hij.

'Dat kan ik me nauwelijks voorstellen,' zei Sandberg.

'Nou dan,' zei Bäckström en hij haalde zijn schouders op. 'Wat niet weet, wat niet deert.'

Anna Sandberg knikte bedachtzaam.

'Mag ik er nog een?' vroeg ze terwijl ze haar lege glas hief.

'Natuurlijk,' zei Bäckström ruimhartig en hij hield zijn eigen glas omhoog. 'Geef mij er ook maar een. Een kleintje.'

Jammer dat Lo er niet bij is, dan had ze het een en ander kunnen leren van een echte, ouderwetse gebedsgenezer, dacht Bäckström. Collega Sandberg zag er bijvoorbeeld al een stuk beter uit, als een ander mens. Zelfs haar tieten waren weer bijgekomen en begonnen hun oude, goede vorm terug te krijgen. Na slechts twee borreltjes en een paar wijze woorden, dacht hij.

'Laat toch zitten, Sandberg,' zei Bäckström en hij hief zijn glas. 'Politieagent is niet iets wat je wordt, het is iets wat je bént. En een echte politieagent valt een andere politieagent nooit af.' Zelfs niet als het een wijf betreft dat eigenlijk nooit politieagent had mogen worden, dacht hij.

's Avonds, na de gebruikelijke maaltijd in het hotel, waren Bäckström en Rogersson naar Bäckströms kamer teruggegaan om het zaakje rustig en volgens een vast patroon door te praten en erover na te denken hoe ze het beste verder konden gaan, nu ze met de jonge Löfgren op een dood spoor bleken te zitten. Na verloop van tijd was de voorraad bier en sterke drank op en Bäckström was zelfs zo afgepeigerd geweest, dat hij geen puf meer had gehad om met Rogersson mee naar beneden te gaan om de avond in de bar af te sluiten. De zaterdag had hij gebruikt om uit te slapen en natuurlijk had het luie, onbetrouwbare hotelpersoneel misbruik gemaakt van zijn onpasselijkheid en zijn kamer niet schoongemaakt en ook zijn vieze handdoeken niet vervangen.

39

Terwijl Bäckström in zijn onopgemaakte bed in het Stadshotel lag te slapen, vond er in de nacht van zaterdag op zondag een nieuwe overval op een vrouw plaats, midden in het centrum van Växjö, op slechts een paar honderd meter afstand van het hotel. Het slachtoffer was een negentienjarige vrouw die na een feest alleen naar huis was gegaan. Toen ze rond drie uur 's nachts de voordeur opendeed van het gebouw aan de Norrgatan waar ze woonde, had een onbekende man haar van achteren aangevallen, de hal in geduwd, op de grond gesmeten en geprobeerd te verkrachten. Het slachtoffer had geschreeuwd en gevochten voor haar leven. Een paar buren waren wakker geworden van het lawaai en de dader was weggerend.

Binnen vijftien minuten draaide alles op volle toeren. Het slachtoffer was al naar het ziekenhuis gebracht. De plaats van het misdrijf was afgezet, de dienstdoende onderzoekers en technici waren ter plaatse om getuigen te verhoren en naar sporen te zoeken. Alles bij elkaar reden er drie patrouilles van de ordepolitie in de buurt rond om uit te kijken naar verdachten, er was versterking onderweg en de telefoons van de Linda-onderzoekers waren gaan rinkelen. Hoofdinspecteur Olsson stond met de hoorn tegen zijn oor gedrukt in zijn zomerhuisje en probeerde met zijn vrije hand zijn broek aan te trekken, terwijl hij zich afvroeg waar hij zijn autosleutels had gelaten. Hoofdinspecteur Bäckström had rustig verder geslapen. Door eerdere ervaringen wijs geworden had hij zijn mobiele telefoon uitgezet en de stekker van de telefoon in zijn kamer eruit getrokken.

Toen hij de volgende ochtend beneden kwam voor het ontbijt en Rogersson vertelde wat er was gebeurd, was alles al min of meer voorbij en bleken de omstandigheden bij nadere inspectie bijzonder vaag te zijn.

'Ik heb zojuist met collega Sandberg gesproken,' zei Rogersson.
'En wat zei ze?' vroeg Bäckström.

'Dat er een luchtje zat aan de eisende partij,' zei Rogersson. 'Sandberg dacht dat ze alles waarschijnlijk had verzonnen.'

Die Sandbergje toch, potverdomme, dacht Bäckström. Soms kun je toch verdomd raar opkijken.

Die avond had Bäckström zijn eigen radioreporter gebeld, maar net als het vorige weekend had hij alleen haar antwoordapparaat te pakken gekregen. Hoezo moedertje, dacht Bäckström en bij gebrek aan beter had hij eten en pils naar zijn kamer laten brengen en had hij de halve nacht langs de televisiekanalen liggen zappen, voordat hij eindelijk in slaap was gevallen.

Jan Lewin was weer gaan dromen.

Zweden, halverwege de jaren vijftig. De zomer waarin Jan Lewin zeven werd, in de herfst voor het eerst naar school zou gaan en zijn eerste, echte fiets kreeg. Een rode Crescent Valiant.

Het zomerhuisje van opa en oma op Blidö in de scherenkust van Stockholm. Mama, papa en hijzelf. De zon schijnt dag in dag uit aan een wolkenloze hemel. 'Een echte indianenzomer,' zegt papa en deze zomer lijkt papa's vakantie nooit op te houden.

'Waarom heet het indianenzomer, papa?' vraagt Jan Lewin.

'Zo noem je dat,' antwoordt papa, 'als het een heel warme en lange zomer is.'

'Maar wat heeft het met indianen te maken?' dringt Jan aan. 'Waarom noem je het een indianenzomer?'

'Ze hebben meestal vast beter weer dan wij,' antwoordt papa en daarna lacht hij en woelt hem door zijn haar en als antwoord is dat goed genoeg. De zomer waarin papa hem had leren fietsen.

Grindwegen, brandnetels in bosjes en greppels. De geur van teer. Papa, die achter hem rent om de bagagedrager van zijn fiets vast te houden, terwijl hijzelf het stuur in zijn zweterige handjes vastklemt en zo hard als hij kan trapt met zijn spichtige, bruinverbrande benen.

'Nu laat ik je los,' roept papa, en hoewel hij weet dat hij tegelijkertijd moet sturen en trappen, lukt dat gewoon niet. Of hij trapt, of hij stuurt, en soms krijgt papa hem niet op tijd te pakken. Geschaafde knieën, blauwe schenen, brandende brandnetels, distels en doorns die hem steken.

'Nu proberen we het weer, Jan,' zegt papa en hij woelt door zijn haar en daar zit hij weer.

Sturen en trappen, sturen en trappen, en papa laat hem los en deze keer is hij er niet op tijd bij als Jan omvalt.

En als hij zich omdraait, staat niet zijn vader daar om hem overeind te helpen en door zijn haar te woelen, maar zijn grijnzende collega Bäckström.

'Hoe stom kun je zijn, Lewin,' zegt Bäckström. 'Je houdt goddomme toch niet op met trappen omdat ik je niet duw.'

Daarna was hij wakker geworden, de badkamer in geslopen en hij had het koude water laten stromen, terwijl hij zijn ogen en slapen masseerde.

40

Växjö, maandag 28 juli – maandag 4 augustus

Tijdens het eerste ochtendoverleg van het rechercheteam van die week had de vooronderzoeksleider van de politie, hoofdinspecteur Bengt Olsson, het genoegen mee te delen dat ze een nieuw Zweeds record hadden gevestigd. Het Olssonse DNA-offensief in Växjö en omstreken denderde op volle kracht voort en dit weekend waren ze de vijfhonderd vrijwillige monsters al gepasseerd. Bovendien hadden ze er nog een paar waarbij de herkomst van het DNA-monster onduidelijk was omdat het onder andere bestond uit een stukje pruimtabak, een bebloed papieren zakdoekje, een gewoon klokhuis en een eerder analyseresultaat van het SKL waarvan het volgnummer was afgeschermd.

De toekomstige collega, aspirant-agent Löfgren, was met behulp van het gebruikelijke wattenstaafje afgevoerd, terwijl hun collega met de psychische problemen waarschijnlijk hetzelfde te wachten stond op basis van zijn gezonde eetgewoonten en zonder dat hij er ook maar iets van had gemerkt. Om een of andere reden had Lewin van de gelegenheid gebruikgemaakt om te vertellen over het vorige record dat ze zojuist hadden verbroken. Hij en Rijksmoord waren er toen namelijk ook bij geweest. Een vrouwenmoord in Dalarna, de Petra-moord, waarbij ze tot op heden van amper vijfhonderd mensen wangslijm af hadden weten te nemen, hoewel de zaak inmiddels al jaren oud was, nog steeds onopgehelderd en in de praktijk gesloten. Daarna had Lewin helaas besloten een veel te lange, persoonlijke uitweiding over het onderwerp te houden.
'Ik herinner me mijn eerste onderzoek naar de moord op een jonge vrouw nog goed,' zei Lewin en het klonk eigenlijk alsof hij hardop tegen zichzelf praatte. 'Het is nu bijna dertig jaar geleden, dus velen van jullie waren indertijd nog niet eens geboren. De Kataryna-moord, zoals die in de kranten werd genoemd. In die tijd had-

den we nog niet eens van DNA gehoord en we wisten allemaal dat als we de zaak wilden oplossen, we het bijna altijd zelf moesten doen en wel op de oude, vertrouwde manier, zonder hulp van een hele hoop forensische laboratoriumonderzoeken en wetenschappelijke methodes. Forensisch laboratoriumonderzoek was iets waar die lui in de rechtbank zich mee bezighielden als wij van de gewone politie de kerel die het gedaan had al gepakt hadden.'

'Sorry, Lewin,' onderbrak Bäckström hem, terwijl hij op zijn horloge wees. 'Wat zeg je ervan om je punt nog voor de lunch te maken. Wij hebben namelijk nog wat te doen.'

'Zo meteen,' zei Lewin onaangedaan. 'In die tijd was het oplossingspercentage van moordonderzoeken meer dan zeventig procent. Tegenwoordig lossen we aanzienlijk minder dan de helft van de moorden op. Ondanks alle nieuwe technieken en methodes, en zelf vind ik het moeilijk te geloven dat onze zaken tegenwoordig zo veel moeilijker zouden zijn dan vroeger.' Lewin knikte bedachtzaam.

'Waar ligt dat dan aan, denk je?' vroeg collega Sandberg plotseling. 'Je zult er wel veel over nagedacht hebben.'

'Ik heb er inderdaad wat over nagedacht,' zei Lewin. 'Dat DNA bijvoorbeeld. Als het werkt, is het natuurlijk een fenomenaal hulpmiddel. Als het goed DNA is, zoals in deze zaak bijvoorbeeld, en als we de drager ervan te pakken weten te krijgen.'

'Wat is het probleem dan?' hield Sandberg aan.

'Als het echt goed DNA is, loop je het risico dat je je zo laat meeslepen, dat je al het andere nalaat en de sturing in het speurwerk kwijtraakt,' zei Lewin zuchtend. 'Dat ouderwetse, fatsoenlijke, systematische politiewerk,' voegde hij er hoofdschuddend en met een zwak glimlachje aan toe.

'Als je wilt vinden waar je naar zoekt, moet je niet als een kip zonder kop rondrennen,' zei collega Sandberg glimlachend.

'Ja, zo zou je het misschien ook kunnen zeggen,' zei Lewin en hij kuchte zacht.

Als laatste punt van het ochtendoverleg had Sandberg verslag uitgebracht van wat ze inmiddels wisten over de poging tot aanranding in de nacht van zaterdag op zondag.

'Er is zo veel onduidelijk, dat ik onderhand het idee heb dat ze alles verzonnen kan hebben,' zei Sandberg.

'Maar waarom zou ze dat doen,' wierp Olsson tegen. 'Dat soort dingen verzin je toch niet?'

'Daar kom ik zo op,' zei Sandberg en plotseling klonk ze onmiskenbaar als haar twintig jaar oudere collega hoofdinspecteur Jan Lewin.

Er waren geen getuigen die de aanranding in de hal van het gebouw hadden gezien of zelfs maar een glimp van de dader hadden opgevangen. Er was geen spoortje technisch bewijs, hoewel Enoksson en zijn collega's de vermeende plaats van het misdrijf en de nabije omgeving letterlijk hadden gestofzuigd. Het enige wat ze hadden, was het verhaal van het slachtoffer zelf over de aanval die ze had weten af te slaan door krachtig weerstand te bieden – zo zou ze de aanvaller onder meer hebben gebeten en gekrabd – plus haar eigen beschrijving van de schuldige.

'Er is toch niets mis met het signalement,' hield Olsson aan. 'Ik vind het een ontzettend goed signalement. Wat zei ze ook alweer? Eén dader, ongeveer twintig jaar, fors postuur, goedgetraind, ongeveer 1,80 meter, zwart baseballpetje, zwart T-shirt, zakkige, zwarte trainingsbroek, van die witte sportschoenen en verder heeft hij tatoeages op beide armen. Een soort brede, zwarte spiralen, waarschijnlijk draken of slangen op beide bovenarmen, die doorlopen tot op zijn onderarmen en pas bij de polsen eindigen. Hij had haar bedreigd in het Engels maar met zo'n sterk accent dat ze ervan overtuigd is dat het geen Engelsman of Amerikaan is. Waarschijnlijk een Joegoslaaf of zo. Het is geen geheim, in elk geval niet voor degenen die hier zitten, dat ze er helaas heel vaak zo uitzien. Het begint in feite een behoorlijk probleem te worden,' rondde Olsson af.

'Ja, het is een geweldig goed signalement,' viel Sandberg hem bij. 'Met het oog op wat haar is overkomen, heeft ze haar ogen werkelijk niet in haar zak gehad.'

'Ik ben het met je eens, Olsson,' grijnsde Bäckström. 'Het lijkt me een fit en bijdehand meisje. Het komt perfect overeen met het profiel dat wij hebben gekregen. Bovendien blijkt ze de tijd te hebben gevonden om op te draven bij beide boulevardkranten en op televisie om te vertellen hoe verschrikkelijk het was. Nog even en ze is weervrouw bij TV 3 of laat haar voorgevel zien op de Farm.'

'Dank je, Bäckström,' zei Sandberg om een of andere reden. 'Dat is inderdaad een van de dingen die me zijn opgevallen. Normaliter brengen meisjes die zoiets hebben meegemaakt het niet eens op zichzelf in de spiegel te zien. Ze zijn niet eens in staat het er met goede vrienden over te hebben. Ze willen alleen maar met rust gelaten worden.'

Na aspirant-agent Löfgren was Bäckström uit de as herrezen. Hij had zijn volgende prooi al uitgekozen en zich snel weer met vuur in de strijd geworpen. Direct na het overleg had hij de jonge Thorén terzijde genomen om te horen hoe het er voorstond met bestuurslid Karlsson.

'Je had volkomen gelijk, Bäckström. Die meneer Karlsson blijkt geen aangenaam type,' zei Thorén, waarna hij de resultaten van zijn nasporingen snel samenvatte.

'Van die klootzak moet wangslijm afgenomen worden,' zei Bäckström begerig.

'Dat is al geregeld,' zei Thorén, waarna hij met dezelfde slagvaardigheid vertelde over de eerdere prestaties van de collega's in Malmö.

'Waarom heb je me hier verdomme niet eerder over geïnformeerd?' vroeg Bäckström nors. 'Is het geheim of zo?'

'Geen tijd voor gehad,' antwoordde Thorén opgewekt. 'Daarom doe ik het nu.'

Volslagen idioot, volkomen incompetent, dacht Bäckström. Rent rond als een kip zonder kop.

'Ga zitten, Lewin, ga zitten,' zei Bäckström hartelijk, terwijl hij naar de bezoekersstoel voor zijn bureau wees. 'Hoe gaat het met je structuurtjes? Begin je er orde in te ontdekken?'

'Het komt zeker in orde,' zei Lewin neutraal.

Zelf had hij ook twee concrete voorstellen die een stap in die richting zouden kunnen zijn. Ten eerste moest er opnieuw met Linda's moeder gesproken worden. De twee verhoren die eerder met haar waren gehouden, waren niet diepgravend genoeg, aldus Lewin. Als hij het kritisch wilde stellen, zei hij dat de verhoren in grote lijnen niets hadden opgeleverd wat ze niet uit hadden kunnen vinden zonder met haar te praten. Verder wilde hij dat ze een nieuwe poging ondernamen met aspirant-agent Löfgren.

'Je weet dat ik altijd naar je luister,' zei Bäckström joviaal. Hoewel je bezig was om het halve korps te bevuilen met die rotneger, dacht hij.

'Ik stel voor Linda's moeder opnieuw te laten verhoren door Rogersson,' zei Lewin. 'Rogersson is in dit soort gevallen immers een buitengewoon zorgvuldige man.'

'En dat is toch opmerkelijk,' stemde Bäckström met hem in. 'Gezien het feit dat hij zuipt als een Rus en aan één stuk door naar de plee holt.'

'Daar weet ik niets van,' zei Lewin kortaf. 'Maar jij bent op dit punt misschien beter geïnformeerd dan ik, Bäckström.'

'Er wordt heel wat afgepraat, om het zo maar te zeggen,' zei Bäckström grijnzend. 'En die neger dan? Wie neemt die voor zijn rekening,' vervolgde hij.

'Als je aspirant-agent Löfgren bedoelt, ik was eigenlijk van plan dat zelf te doen,' zei Lewin. 'Ik heb de indruk dat hij misschien makkelijker praat nu hij afgevoerd is.'

'Ongetwijfeld. Deze keer zul je alleen maar wat meters hoeven maken,' viel Bäckström hem bij. En jij, Lewin, krijgt vroeg of laat vast een keer de Nobelprijs, dacht hij.

41

Linda's moeder bevond zich in haar zomerhuisje op Sirkön bij het meer Åsnen, een kilometer of twintig ten zuiden van Växjö. Ze was in gezelschap van een vriendin en volgens haar deed ze haar best dag na dag te doorstaan. Omdat ze had begrepen dat de politie haar graag wilde spreken, zou ze toch proberen zo goed als ze kon mee te werken.

'Breng haar mijn dank over,' zei Rogersson. 'Mijn collega en ik zijn over ongeveer een uur bij haar.'

'Hebben jullie een routebeschrijving nodig?' vroeg de vriendin.

'Dat komt wel goed,' zei Rogersson. 'In het ergste geval bellen we weer. Wil je haar hartelijk bedanken voor haar medewerking?'

Bäckström had besloten Rogersson te vergezellen. Hij had zin om er even uit te zijn en wat te bewegen. Bij voorkeur in een aangename dienstwagen met airconditioning, terwijl hij en Rogersson ongestoord wat konden vuilbekken over alle niet aanwezige idioten die anders donkere schaduwen over zijn bestaan wierpen. Daarnaast was hij best benieuwd naar Linda's moeder.

'Daar aan je linkerhand heb je het meer,' zei Rogersson een halfuur later met een knikje in de richting van het blauwe water dat tussen de berken in de warmtenevel schitterde. 'Nu is het nog maar een kilometer of tien naar Sirkön. Een klassiek gebied voor mensen zoals jij en ik, Bäckström.'

'Ik dacht dat alle brandewijn in Skåne werd gemaakt,' zei Bäckström, die zich al merkbaar fitter begon te voelen ondanks de onverdiende slagen en stoten die hij de afgelopen tijd had moeten incasseren.

'Zweedse misdaadgeschiedenis,' verduidelijkte Rogersson. 'Een van de meest besproken verdwijningen van de afgelopen honderd jaar. Zeker van hetzelfde niveau als Viola Widegren in 1948. Hier is de kleine Alvar Larsson op een koude en winderige ochtend in april 1967 uit zijn ouderlijke woning verdwenen,' zei Rogersson bijna plechtig. 'Een paar jaar geleden heb ik een interessant artikel over de zaak gelezen in het *Scandinavisch Jaarboek Criminaliteit*. Het klonk niet echt als moord. Dus vermoedelijk is hij tijdens het buitenspelen in een meer gedonderd en verdronken.'

'Daar geloof ik geen zak van,' zei Bäckström. 'Natuurlijk is hij vermoord. Door zo'n pedo. Het wemelt vast van die types hier. Die zitten in hun kleine rode huisjes kinderporno van internet te halen.'

'In 1967 waarschijnlijk niet,' zei Rogersson. 'Van internet, bedoel ik.'

'Dan hielden ze zich wel met andere smeerlapperij bezig,' zei Bäckström. 'Zaten ze op hun buitenplee te rukken bij een stapel blaadjes vol naakt zwemmende padvindertjes, weet ik het.'

'Jij lijkt wel veel te weten, Bäckström,' zei Rogersson. 'Maar wat ik vooral waardeer, is toch je mensbeeld. Je bent echt een warm mens.'

Wat is er in godsnaam mis met die Rogersson, dacht Bäckström. Hij zal wel een flinke kater hebben. Nu maar hopen dat Linda's moedertje net zo royaal met pilsjes is als haar vader.

Een rood zomerhuisje met witgeverfde hoeken, een oude boom die zijn schaduw wierp op de grindoprit voor het huis waar ze hun auto parkeerden, een vlaggenstok, een prieel met seringen, een bijgebouwtje met 'wc' op de gevel, een steigertje, een botenhuis met sauna en een eigen strandje aan het meer. Over het grote erf liepen keurig aangeharkte paadjes waar zorgvuldig geselecteerde strandstenen de randen van de netjes gemaaide grasmat markeerden.

Het Zweedse zomerhuisje in een notendop en ze waren uiteraard buiten rond de tafel in het prieel gaan zitten. Geen pilsjes natuurlijk, maar volkomen vanzelfsprekend een grote kan zelfgemaakt zwartebessensap met veel ijs, hoge glazen met een voet, ongetwijfeld van een nabijgelegen glasfabriek en tegen de prijs van een aantal trays gewone pils. En als jij en je ogen niet op een totaal andere plaats waren geweest, dan zou je een verdomd lekker wijfie zijn, dacht Bäckström en hij knikte vroom naar Linda's moeder. Lotta Ericson. Vijfenveertig jaar oud en in normale gevallen zou je haar dat bij lange na niet geven, dacht hij.

'Je moet het meteen zeggen als het je ook maar iets te veel

wordt,' zei Bäckström met zijn allermildste stem.

'Dat komt vast wel goed,' antwoordde Linda's moeder, en als ze die ogen niet had gehad, had ze bijna opgewekt geklonken.

Ik vraag me af, schatje, hoeveel valium jij eigenlijk naar binnen hebt gewerkt sinds je wakker werd, dacht Bäckström.

De daaropvolgende drie uur had rechercheur Jan Rogersson op bijzonder overtuigende wijze bewezen dat hij inderdaad de grondigheid bezat waar zijn collega hoofdinspecteur Lewin van had getuigd.

Eerst had hij haar naar Linda gevraagd. Naar haar kindertijd en jeugd. Naar de jaren in de Verenigde Staten, de scheiding en hoe het was toen ze met z'n tweetjes terugkeerden naar Zweden.

'Een vrolijk en opgewekt meisje dat iedereen aardig vond en door iedereen aardig gevonden werd, en zo is het eigenlijk altijd geweest met Linda, ook toen ze ouder werd...'

'Een moeilijke periode in ons leven...', 'je aanpassen aan een nieuwe omgeving...', 'Linda kreeg nieuwe vriendinnetjes, begon op een nieuwe school...', 'zelf begon ik met een nieuwe baan als docent en volgde daarnaast een opleiding...', 'toen ik mijn man ontmoette, werkte ik als secretaresse... zo hebben we elkaar leren kennen...', 'later, toen we getrouwd waren, Linda geboren was en we in de vs woonden, was ik vooral een luxepoppetje...', 'ik verveelde me in elk geval, hoewel Henning zich als een vis in het water voelde, en degene die Linda en ik het minst van al zagen, dat was nu net haar vader...', 'zelfs zijn schaduw zagen we nauwelijks...'

'Maar natuurlijk, in financieel opzicht was ik zeker bevoorrecht. We waren weliswaar getrouwd op huwelijkse voorwaarden, maar het eerste wat hij deed toen Linda en ik teruggingen naar Zweden, was mij dat pand geven waar... waar het is gebeurd... en daar woonden we tot Linda plotseling... ze zat toen al in de vierde klas... simpelweg besloot dat nu het haar vader uitkwam thuis te komen, ze bij hem zou gaan wonen, buiten de stad... hoewel ze zodra ze in de stad was natuurlijk toch bij mij was...'

Vriendjes?

'De eerste was een klein, donker jongetje dat bij Linda in de klas zat toen we in de vs woonden... Linda was nog maar zeven, net als hij... hij heette Leroy en hij was zo schattig dat je hem wel op kon eten... dat was Linda's eerste echt grote liefde...'

En daarna? Vriendjes met wie ze een seksuele relatie had gehad?

Niet zo veel, volgens haar moeder, maar met het voorbehoud dat Linda altijd erg terughoudend was over die dingen. De langste relatie die ze had gehad, had ongeveer een jaar geduurd en was een halfjaar geleden uitgegaan.

'De zoon van bekenden van de familie. Een van de weinige bevriende gezinnen die ik ben blijven zien na de scheiding van mijn ex-man. Ook een schat van een jongen, hij wordt Noppe genoemd, al heet hij Carl-Fredrik. Ik denk dat Linda gewoon op hem uitgekeken was, er gebeurden ook zo veel nieuwe dingen toen ze op de politieschool begon.'

Kon Linda lastig zijn, kon ze ruziemaken, had ze misschien vijanden, was het zelfs mogelijk dat iemand haar kwaad zou willen doen?

Niet in de wereld van haar moeder. Niet als het ging om haar geliefde dochter, want als zij op haar ergst was, was ze zoals andere pubermeisjes heel vaak waren – dat had ze begrepen van haar vriendinnen met dochters van dezelfde leeftijd – maar Linda was zelden zo. Slechte kanten? Linda kon erg eigenwijs zijn. Bovendien was ze wat naïef. Een beetje te eerlijk, ze schatte andere mensen positiever in dan ze eigenlijk verdienden.

Tijdens de twintig jaar als rechercheur bij Moordzaken had Rogersson honderden verhoren gehouden met verwanten van slachtoffers van moord. Daarom was het geen toeval dat Linda's moeder zelf het laatste punt op zijn vragenlijst was en het was vast evenmin toeval dat ze op precies dezelfde manier reageerde als alle anderen voor haar. Waarom wilde hij het over haar hebben? Ze had toch niets met de moord op Linda te maken? Ze was zelf slachtoffer. Iemand had haar haar enige dochter ontnomen en ze werd geacht verder te leven met haar verdriet als enige metgezel.

Rogersson had haar de gebruikelijke antwoorden gegeven. Dat het erom ging Linda's moordenaar te vinden. Dat hij geen moment dacht dat Linda's moeder iets met het misdrijf te maken had, maar dat de reden van dergelijke vragen was dat hij soms dingen ontdekte die de moeder van een vermoorde dochter niet zag, omdat haar verdriet haar het zicht belemmerde. Ze had het beter gedaan dan de meeste mensen.

Had ze na de scheiding nog nieuwe relaties gehad? Hadden sommigen van haar vrienden belangstelling gehad voor haar dochter? Had ze mensen ontmoet die haar mogelijk kwaad zouden willen berokkenen door haar dochter te pakken te nemen?

Uiteraard had ze mannen ontmoet na de scheiding. Een flink aantal zelfs, maar dat waren allemaal korte en zelfs eenmalige verbintenissen geweest en de laatste was inmiddels al weer jaren geleden. Een van haar collega's, een collega van een van haar vriendinnen, nog iemand die ze via haar werk had leren kennen en zelfs de gescheiden vader van een van haar vroegere leerlingen. Plus een aantal kortstondige affaires met andere mannen en met name tijdens vakanties in het buitenland. Op een van hen was ze erg gesteld geraakt en ze hadden een tijdje contact gehouden. Het was uiteindelijk niets geworden en het was bij telefoongesprekken en mail gebleven, steeds sporadischer, totdat het was stilgevallen.

Dat moet een flikker geweest zijn, dacht Bäckström. Een blinde flikker.

Het idee dat een van deze mannen haar dochter vermoord zou kunnen hebben, was ondenkbaar voor haar. De simpele reden daarvoor was dat ze daar niets te zoeken hadden, niet in dit verband, dat ze niet dat soort mannen had ontmoet, dat het merendeel van hen Linda niet eens had ontmoet en dat een aantal van hen niet eens wist dat ze een dochter had.

'Ze moet een volslagen idioot tegen het lijf zijn gelopen,' zei Linda's moeder. 'Ik zei het toch, Linda dacht te goed over mensen. Ze kon soms zelfs erg naïef zijn.'

'Wat hadden we daar in godsnaam te zoeken?' vroeg Bäckström toen ze in de auto op weg naar het bureau waren. 'Als je het mij vraagt, heeft dit geen drol opgeleverd.' Daar kun je het mee doen, zorgvuldige etter, dacht hij.

'Met dat sap was niets mis, in aanmerking genomen dat het sap was,' wierp Rogersson tegen. 'Even had ik de indruk dat ze toch iets begon te vermoeden, dat er haar iets begon te dagen. Iets wat door haar hoofd ging.'

'Wat zou dat in godsnaam dan geweest zijn,' zei Bäckström. Rogge is niet alleen een zuipschuit, hij is nog helderziend ook, dacht hij.

'Geen flauw idee,' antwoordde Rogersson. 'Het was vooral een gevoel. Ik heb het eerder mis gehad.' Rogersson haalde zijn schouders op. 'Het is nu natuurlijk ook een chaos in haar kop. Ik vraag me af hoeveel rustgevende troep ze in haar hebben gepropt.'

'Als je het mij vraagt, was ze helemaal van de wereld,' zei Bäckström. Zoals zo'n beetje alle vrouwen, maar dan wel een heel stuk knapper, dacht hij.

'Misschien juist een reden om later terug te gaan en nogmaals met haar te praten,' zei Rogersson.

'Het was anders wel een verdomd lekker wijfie,' zei Bäckström. 'Zodra ze weer normaal is, bedoel ik. Als een doodgewoon vrouwtje dus,' verduidelijkte hij. 'Laat me weten als je er weer heen gaat, dan ga ik mee.'

42

Hoewel aspirant-agent Löfgren als een blad aan een boom was omgedraaid en zich uiterst bereidwillig had opgesteld, hoewel het verhoor in een dik uur was afgehandeld en hoewel hij zich op alle wezenlijke punten aan de waarheid leek te hebben gehouden, vond Lewin toch dat hij zich de eerste keer dat hij hem had ontmoet, toen hij voornamelijk tegen hen tekeer was gegaan, van zijn beste kant had laten zien.

Op het moment dat Erik 'Ronaldo' Löfgren uit het moordonderzoek was afgevoerd, leek hij ook heen te zijn over zijn gentleman-achtige reserves om verslag uit te brengen van zijn seksuele omgang met Linda. De eerste keer was half mei geweest, bij Linda thuis, in het landhuis van haar vader buiten de stad. De uitgesproken reden van hun ontmoeting was dat ze samen naar een voetbalwedstrijd op televisie zouden kijken. Het was meer dan dat geworden en daar waren ze nog een maand mee doorgegaan, tot aan het einde van het studiejaar op de politieacademie, toen het uitging. Ze hadden elkaar vier, vijf keer zonder anderen ontmoet, en met uitzondering van de eerste keer waren ze steeds in Löfgrens woning in Växjö geweest. Eén keer waren ze naar de bioscoop geweest, een andere keer naar een tearoom, maar ze hadden vooral televisie en video gekeken, gerelaxt en met elkaar geseskst.

'En wie van jullie heeft het uitgemaakt?' vroeg Lewin.

Dat was niet helemaal duidelijk, aldus de jonge Löfgren. Het was eigenlijk gewoon uitgegaan, maar als er dan iemand het initiatief had genomen, dan was hij dat.

'Het was gewoon niet echt opwindend,' zei Löfgren, terwijl hij zijn schouders ophaalde. 'Linda was een leuke en aardige meid, best knap ook, en er was niet echt iets mis met de seks, maar een toppertje was het ook niet. Het was niet zo dat ik onrustig lag te woelen als ze er niet was. Dus ik stelde voor dat we de film terug zouden draaien en weer gewoon vrienden zouden zijn. Zelfs geen seksvrienden.'

Met wat voor soort seks hadden ze zich beziggehouden? Aan wat voor soort seks gaf Linda de voorkeur? En wie had het initiatief genomen als daar sprake van was in dat deel van hun relatie?

Gewone seks, normale seks, niet bijzonder vaak of bijzonder weinig, naar Löfgrens oordeel, en degene die ervoor had gezorgd dat er iets gebeurde, was hij natuurlijk zelf.

'Ze had ook een goede conditie en zo en ze kwam klaar, als ik maar met haar bezig ging. Ik stuurde en zij liftte mee, om het zo maar te zeggen. Het was niet slecht, maar het was ook niet top. Ik weet dat je niet zo over haar hoort te praten, nu ze dood is, maar omdat het nu eenmaal zo belangrijk is voor jullie... Misschien een zes, een zesenhalf eventueel, op een schaal van één tot tien, maar dat komt voor een groot deel doordat ze behoorlijk aantrekkelijk was. Ten eerste was ze niet erg ervaren en ten tweede... en ja, ik weet dat het wat hard klinkt om dat zo te zeggen... maar ze had die schittering niet.'

'Ik heb natuurlijk begrepen dat je een ervaren man bent op het gebied van vrouwen en dat is ook precies de reden dat ik je deze vraag stel.' Lewin knikte bedachtzaam naar Löfgren, hoewel hij het liefst de stoel waarop hij zat op zijn kop kapot had willen rammen.

'Je had niet de indruk dat Linda eigenlijk op zoek was naar wat hardere seks? Als je haar nu serieus op had willen winden, bedoel ik.'

'Nee,' zei Löfgren verbaasd. 'Dat zou ik dan gemerkt hebben. Ik bedoel, als ze dat had gewild, had ze dat natuurlijk gekregen. Ik ben er honderd procent zeker van dat ze het gewone standaardprogramma wilde, en dat kreeg ze ook.'

Linda's eerdere vriendjes, haar overige contacten met haar ouders, vrienden, vriendinnen, bekenden, ongeacht geslacht?

Daar hadden ze het niet zo vaak over gehad. Haar vorige vriendje had ze trouwens wel genoemd. Een regelrechte ramp als minnaar, volgens wat Linda aan Erik Roland Löfgren had verteld. Wat vrienden, vriendinnen en bekenden betrof, hadden ze het vooral over Linda's vriendinnen gehad. Niet zo gek ook, vond Löfgren, omdat hij een flink aantal van hen kende en bovendien met twee van hen naar bed was geweest.

'Wist Linda dat?' vroeg Lewin.

'Nee, ben je gek, Lewin? Dat wist niemand. Dat is de basisregel: vertel die dingen nooit aan meisjes. Het is een typisch meidending,' constateerde Löfgren. 'Alleen meiden vertellen elkaar dat soort dingen. Ik bedoel, als ik het zou doen met de vriendin van een van mijn vrienden, dan zou ik niet zo achterlijk zijn om dat aan hem te vertellen. Dat is wanhopig smeken om nieuwe knieschijven.'

'Dus Linda kan heel goed hebben geweten dat jij met twee van haar vriendinnen naar bed bent geweest,' constateerde Lewin.

'Ze zei er in elk geval niets over,' zei Löfgren nors. 'Maar: ja.' Hij haalde zijn schouders op. 'Meisjes ouwehoeren zo veel.'

Volgens Löfgren was er één persoon die meer voor Linda leek te betekenen dan zo'n beetje alle anderen bij elkaar, namelijk haar vader.

'Typisch een vaderskindje,' zei Löfgren. 'Alles draaide om die pa van haar. Deels kreeg ze alles waar ze maar naar wees. Ze hoefde er niet eens om te vragen. Het was puur Beverly Hills. Ik weet niet of jullie hem ontmoet hebben, maar ze lijken... of ja, leken ontzettend op elkaar. Als ze even oud waren geweest, zou je gedacht hebben dat ze een tweeling waren. Hij belde haar ook aan één stuk door. Op een avond dat ze bij me was, belde hij haar drie keer op haar mobiel. En dan begonnen ze met elkaar te ouwehoeren hoewel ze eigenlijk niets hadden om over te ouwehoeren. Dag kind, daar ben ik weer, hoi pap, ik was nog iets vergeten te zeggen, meisje. De hele riedel, weet je wel.' Löfgren deed het na door een denkbeeldige hoorn tegen zijn oor te houden.

'Je mocht Linda's vader niet,' zei Lewin.

'Ík was het probleem niet,' snoof Löfgren. 'Dat was hij eerder.'

'Ik dacht dat je hem maar één keer gezien had,' zei Lewin.

'Dat was meer dan genoeg,' zei Löfgren. 'Ik zag meteen wat hij van me vond. Van mensen zoals ik, bedoel ik.'

'Hoe bedoel je?' vroeg Lewin.

'Zo'n buitenlander,' zei Löfgren. 'In zijn wereldje was al het andere niet interessant. Iemand als ik was bij voorbaat al fout. Het is vast geen toeval dat hij jaren in de vs heeft gewoond. Linda's pa was een echte racist.'

'Maar Linda zelf was dat toch niet,' bracht Lewin ertegenin.

'Nee, bij haar was het juist zo dat je types als ik sympathiek móest vinden. Ik ben er honderd procent zeker van dat ze dat echt ook vond. Dat ze types als ik echt sympathiek vond omdat ze waren zoals ik. Hoe leuk denk je dat dat is?'

'Hadden Linda en jij het hierover?' vroeg Lewin hem. Dat zal niet echt leuk zijn geweest, als het waar is, dacht hij.

Eén keer, volgens Löfgren. Toen had hij namelijk gezegd wat hij van haar vader vond en dat hij zeker wist dat het een racist was.

'Ze was woest,' zei Löfgren. 'Op zich was ze het met me eens, maar het enige waar ze het over had, was dat het niet de fout van die ouwe was. Eigenlijk. Het was een soort generatiekwestie en eigenlijk was hij de liefste man die je maar kon bedenken en voor hem ging het alleen om individuele personen en de individuele mens, en dat soort bullshit.'

'En haar moeder?' vroeg Lewin. 'Wat vond ze van haar moeder?'

'Niet zo veel, als je het mij vraagt,' zei Erik Roland met een lachje. 'Ze maakten waanzinnig veel ruzie en ik heb zelfs een keer naar ze geluisterd toen ze elkaar per telefoon in de haren vlogen. Twee wilde katten.'

'Ik dacht dat Linda best vaak bij haar moeder was.'

'Als ze in de stad was, ja, en als ze wist dat haar moeder niet thuis was. Anders ging ze liever naar pappie. Soms ging ze zelfs van het café hier in de stad met de taxi naar huis, naar haar papa, hoewel dat zeker vijfhonderd ballen kostte.' Löfgren schudde zijn hoofd.

'Waarom was ze zo kwaad op haar moeder?' vroeg Lewin.

'Ik denk dat dat ook over haar vader ging, hij was een soort god voor haar,' zei Roland. 'Ik weet dat ze liep te zeiken over dat haar moeder haar vader had verlaten, dat ze alleen maar geïnteresseerd was in zijn geld en zo. Dat haar ma die arme papa had bedrogen en dat het haar moeders schuld was dat hij een hartaanval had gekregen, dat soort verhalen.'

'Heb je Linda's moeder wel eens ontmoet?' vroeg Lewin.

'Eén keer,' zei Löfgren en hij glimlachte. 'Ik heb haar een keertje gegroet in de stad, toen Linda en ik en nog een hele groep vrienden van school eens even lekker gingen stappen. Dat was afgelopen lente. Voordat we iets met elkaar kregen. Maar toen heb ik haar alleen gegroet. Haar moeder, bedoel ik.'

'Wat voor indruk had je van haar?' vroeg Lewin.

'Ze leek me hartstikke oké. Ze is lerares, geloof ik.' Löfgren knikte.

'Was er meer dat je opviel?' vroeg Lewin. Je houdt iets achter, dacht hij.

'Oké,' zei de jonge Löfgren grijnzend. 'Ze was een ontzettend lekker ding. Ik bedoel, ze moet toch minstens veertig zijn, ik zeg er geen nee tegen.'

'Leg dat eens uit aan een oude man,' zei Lewin.

'Als je het over die schittering hebt,' zei Roland. 'Als je het mij vraagt, is Linda's moeder een dikke tien, als je begrijpt wat ik bedoel. Ik was niet op de vlucht geslagen, als ze me een directe vraag had gesteld.'

'Ik geloof dat ik begrijp wat je bedoelt,' zei Lewin.

'Dat spoorde nou niet helemaal,' zei Roland. 'Linda's ma en Linda, bedoel ik. Ze leken absoluut niet op elkaar. Linda was een lief en leuk meisje, een goeie vriendin. Maar haar moeder! Als je het hebt over een vet heftige vrouw. Als je het hebt over een reisje naar plaatsen waar je nog nooit bent geweest.'

'Dus dat zeg jij ervan,' zei Lewin bedachtzaam knikkend. Dus dat zeg jij ervan, dacht hij.

43

De Vereniging van Mannen in Växjö tegen Seksueel Geweld werd door de lokale media zeer positief ontvangen, en hoewel het zomer was en vakantietijd, hadden een stuk of vijftig mannen zich opgegeven om hun medewerking te verlenen. Praktisch gezien waren dat er aanzienlijk meer dan waar eigenlijk behoefte aan was. Het uitgaansleven in Växjö was, zeker 's zomers, niet bepaald hectisch, om het zacht uit te drukken, en om een evenwicht tussen middelen en behoefte te bereiken, waren de vrijwilligers verdeeld over de verschillende dagen van de week. Ook was besloten dat Medemannen van de vereniging in teams van twee over de straten en pleinen van de stad zouden patrouilleren. Dit bood naast organisatorische voordelen ook andere pluspunten. Deels met het oog op de veiligheid van de Medemannen zelf, deels met het oog op de interne controle, voor het geval dat ondanks alles een kwaadwillende persoon door het oog van de naald van de vereniging was gekropen.

Men had zich ook aangepast aan het weer, met witte t-shirts die op de borst en de rug bedrukt waren met de tekst MEDEMAN in rode blokletters. Een eenvoudige manier om de voor de preventieve werking zo belangrijke zichtbaarheid te verhogen. Tegelijkertijd een positief herkenningsteken voor degenen die beschermd en geholpen moesten worden. Zelfs een soort legitimatie die je niet eens uit je zak hoefde te halen als het erop aan zou komen.

Besloten was om de communicatie zo simpel mogelijk te houden door de Medemannen die dezelfde wacht liepen het telefoonnummer van de leden van de andere patrouilles in hun mobiele telefoon te laten zetten voordat ze de stad in gingen. Uiteraard werd ook een speciaal alarmnummer van de politie toegevoegd, voor het geval er sprake zou zijn van een acute situatie. Ten slotte was men ook vooruitziend geweest met het oog op toekomstige ontwikkelingen. Om het werk te kunnen voortzetten in de herfst, als het weer naar verwachting anders was, was bij een confectiezaak in de provincie een bestelling geplaatst voor windjacks met uitneembare voering en hetzelfde logo. Last but not least, zeker in het zuinige Småland: de belangstelling van diverse sponsoren was zo groot dat iedereen eigenlijk in een overall had moeten rondlopen om ze allemaal een plaatsje te geven.

Tegen deze achtergrond was het natuurlijk bijzonder betreurenswaardig dat zich al in de eerste week van de vereniging een vervelend incident voordeed, dat in het ergste geval zeer ongelukkig had kunnen aflopen. In de nacht van dinsdag op woensdag hadden twee bestuursleden van de vereniging, die samen met twee andere teams patrouilleerden in de sector tussen het kerkhof Tegnérkyrkogården, de dokterscentrale, de brandweerkazerne en de domkerk, geprobeerd te bemiddelen bij een ruzie tussen een zestal jongeren buiten de McDonald's aan de Storgatan, ter hoogte van de Liedbergsgatan.

Alle betrokkenen hadden een allochtone achtergrond en allemaal, behalve de twee over wie de ruzie eigenlijk ging, waren het jongens of jongemannen. Bestuurslid Bengt Karlsson had in eerste instantie geprobeerd de verhitte gemoederen te sussen door met hen te praten. Dat was de eerste stap in het drietrapsmodel voor conflicthantering van waaruit werd gewerkt: dialoog – actieve bemiddeling – fysiek ingrijpen.

Desondanks waren twee van hen toch met elkaar op de vuist gegaan, geestdriftig aangemoedigd door de anderen, ongeacht geslacht, en in die situatie zagen Karlsson en zijn collega zich genoodzaakt om direct over te gaan tot punt drie uit het DAF-model, en ze hadden geprobeerd de vechtersbazen uit elkaar te halen. Het resultaat van hun bijdrage was aanzienlijk geweest. De twee vechtersbazen hadden zich onmiddellijk verzoend. Samen met hun aanmoedigende publiek hadden ze zich vervolgens met vereende krachten op de twee Medemannen gestort en als Karlssons collega-Medeman niet al in fase één alarm had geslagen via zijn mobiele telefoon, had het bijzonder slecht af kunnen lopen.

Binnen enkele minuten was een van de Medemannenteams aan komen rennen vanaf het station, en ze hadden geprobeerd zo goed ze maar konden te helpen met de aanbevolen technieken. Ongeveer tegelijkertijd arriveerde er een surveillancewagen met daarin Von

Essen en Adolfsson. Vanwege de krappe personele middelen van de Växjöse politie hadden ze zich in hun uniform moeten hijsen om een extra dienst te draaien bij de surveillanceafdeling van de ordepolitie. Agent Adolfsson was als eerste ter plaatse, en hoe hij en zijn collega te werk waren gegaan was niet duidelijk, maar binnen een halve minuut waren alle betrokkenen uit elkaar gehaald en had Adolfsson de twee actiefste deelnemers tegen de vlakte gewerkt.

'Afgelopen met dat gezeik,' zei Adolfsson, 'en de rest blijft staan zodat mijn collega jullie in kan rekenen.'

Na nog een kwartier parlementeren en nadat de namen van alle zes de allochtone jongeren en de vier Medemannen waren genoteerd, had Adolfsson het gezelschap met een ferm armgebaar ontbonden.

'Jullie gaan die kant op,' zei Adolfsson tegen de jongeren, terwijl hij in noordelijke richting naar Dalbo wees. Dat was met het oog op het gezelschap de beste gok, omdat daar de allochtonenflats van Växjö stonden.

'En jullie gaan de andere kant op,' zei Von Essen tegen de Medemannen van Växjö, terwijl hij in de richting van het ziekenhuis wees.

'Maar wij moeten toch in het centrum patrouilleren,' protesteerde een van de Medemannen. 'Wat hebben we in Zuid te zoeken?'

'Ik stel voor dat jullie omlopen,' zei Von Essen diplomatiek. 'Hoe is het eigenlijk met je neus?'

Het zichtbare, lichamelijke letsel van de betrokkenen beperkte zich gelukkig tot de bloedneus die een van de Medemannen had opgelopen toen hij geslagen werd door een van de jongens die hij probeerde te helpen. Spijtig genoeg was hij in het heetst van de strijd in de knuisten van Adolfsson beland, en onmiddellijk daarna plat op zijn rug, en zijn nek en rug deden nog steeds pijn.

'Als je wilt, rijden we je naar de eerste hulp, of naar huis als je dat liever hebt,' zei Adolfsson. 'We hebben ook een verbanddoos in de auto. Houd je hoofd achterover en haal rustig adem.'

'Het is niet zo makkelijk zoals je misschien wel begrijpt,' zei Von Essen vergoelijkend, terwijl hij de gewonde Medeman een kompres aanreikte. 'Om in het heetst van de strijd de goeden van de slechte te scheiden als ze in dezelfde kluwen liggen te rollebollen, als je begrijpt wat ik bedoel.'

De getroffen Medeman begreep het precies. Hij had geen enkele klacht, over niemand. Nooit van zijn leven zou hij aangifte doen tegen een puberjongen die hem per ongeluk op zijn neus had geslagen en van een aangifte tegen politieagent Adolfsson, die alleen maar had geprobeerd hem te helpen, zou hij niet eens durven dromen.

'Zo veel stelt zo'n bloedneusje ook niet voor,' zei de Medeman dapper glimlachend. 'Het was gewoon een ongelukkig misverstand.'

44

In het rechercheteam verliep het werk volgens plan. Vooral wat betreft de DNA-monsters van mogelijke daders ontwikkelde alles zich zo veelbelovend dat zelfs Bäckström kon leven met een enkele tegenslag. Zowel de pruimtabak als het papieren zakdoekje konden worden afgevoerd en het enige wolkje aan de forensische hemel bestond wellicht uit Bengt Karlssons geanonimiseerde analyseresultaat. Het was per kerende fax teruggekomen van het SKL en een geïrriteerde en overwerkte technicus had er de vraag aan toegevoegd of degenen die zich bezighielden met het Linda-onderzoek niet konden lezen want 'Zoals reeds blijkt uit eerdere berichten van het SKL komt het DNA-profiel van dit monster niet overeen met het DNA-profiel dat in het onderzoek in kwestie actueel is'.

Ongelukkigerwijs had Olsson toevallig naast hun fax gestaan toen het bericht binnenkwam en zodoende had hij het aan Adolfsson gegeven en hem gevraagd het samen met de overige berichten in het dataregister op te bergen.

'Ik zie dat de naam onleesbaar gemaakt is. Adolfsson, heb jij enig idee over wie dit gaat?' vroeg Olsson nieuwsgierig omdat hij zijn eigen geheime activiteiten in verband met het Claessonse klokhuis nog vers in het geheugen had.

'Dat is toch dat stuk ongeluk van een Bengt Karlsson? Die kerel van de vereniging,' antwoordde Adolfsson.

'Maar wie heeft hem hier dan in hemelsnaam bij betrokken?' vroeg Olsson verontwaardigd.

'Ga eens met Bäckström praten, hij weet vast meer,' zei Adolfsson, terwijl hij zijn schouders ophaalde. 'Ik stop hem er in elk geval tussen in het alfabet. Onder de K van Kalle en Karlsson.'

Olsson was direct naar Bäckström gegaan en had hem dezelfde vraag gesteld als Adolfsson. Hoe kon iemand in vredesnaam op het idee komen om Bengt Karlssons DNA te laten onderzoeken? Volgens Bäckström was het antwoord op die vraag heel simpel. Een vluchtige blik in hun eigen register zou zelfs voor een gewone burger voldoende zijn om te begrijpen dat het een ambtsmisdrijf zou zijn om zo eentje als Karlsson niet te controleren. Bäckström was in zijn meest diplomatieke humeur en zodoende had hij de voor veldwachters ietwat gevoelige term veldwachter bewust vermeden, hoewel zelfs een veldwachter als Olsson zou moeten snappen dat gewone burgers, in tegenstelling tot gewone veldwachters, zich gelukkig onmogelijk konden bemoeien met het doen en laten van echte politiemannen.

Ook Olsson had geprobeerd zich verdraagzaam op te stellen. In het geval van Karlsson kon je je in de huidige situatie makkelijk laten misleiden door Karlssons verhaal, aldus Olsson. Na zijn laatste veroordeling had Karlsson vrijwillig en op eigen initiatief meegedaan aan een zeer succesvol project van de open afdeling van het Sankt Sigfrid. Daar hadden ze met behulp van de allernieuwste wetenschappelijke technieken op het gebied van gedragsmodificatie geprobeerd om het criminele patroon bij hardnekkige geweldenaars te doorbreken en uitgerekend Karlsson was hun meest geslaagde geval ooit. Van binnen tot buiten was hij tegenwoordig een andere man. Bengt Karlsson was veranderd van een gesloten vuist in geopende armen en hij was inmiddels al vele jaren een van de actiefste deelnemers aan de strijd om mishandelende mannen terug te helpen naar een normaal functionerend bestaan.

'Ik begrijp dat het moeilijk is om dit aan te nemen, Bäckström, maar Bengt Karlsson is tegenwoordig de aardigste man die je je maar voor kunt stellen. Hij zou de hele wereld wel in zijn armen willen sluiten,' besloot Olsson.

'Ik hoor wat je zegt, Olsson,' zei Bäckström. Maar Linda lijkt hij gemist te hebben, dacht hij.

'Ik wil weten wat je er zelf van denkt, Bäckström,' zei Olsson ernstig. 'Wat denk jij, in het diepst van je hart?'

'Dat een vos zijn streken nooit verliest,' zei Bäckström grijnzend.

Helaas was ook collega Lewin zich steeds merkwaardiger gaan gedragen, hoewel hij bij Rijksmoordzaken werkte en beter had moeten weten. Lewin was bij diverse collega's langsgegaan om eigenaardige vragen te stellen, iets wat duidelijk wees op de risico's om in structureel geprakkiseer te belanden, dacht Bäckström.

Eerst had Lewin een lang gesprek met Rogersson gehad dat voornamelijk over Linda's moeder ging en niet over het slachtoffer van de moord. Bovendien had hij het over eigenaardige details gehad, zoals waar moeder en dochter eigenlijk hadden gewoond na de scheiding en hun terugkeer uit de vs tien jaar geleden.

'Volgens wat ze zelf in het verhoor heeft gezegd, heeft ze al die tijd op hetzelfde adres gewoond,' zei Rogersson.

Wat is daar vreemd aan?

'Ik zal het checken bij Svanström,' zei Lewin, die erg discreet met zijn privéleven omging en er niet over peinsde haar Eva te noemen tegenover andere mannen als ze er zelf niet bij was.

'Doe dat, Lewin,' zei Rogersson, terwijl hij om een of andere reden grijnsde. 'Ga jij maar eens met Svanströmpje praten. Verder nog iets?' voegde hij er met een demonstratieve blik op zijn horloge aan toe.

Nog één ding, aldus Lewin. Of Rogersson zo vriendelijk wilde zijn om Linda's moeder te bellen en haar nog één aanvullende vraag te stellen.

'Ik denk dat jij dat het beste kunt doen, Rogersson, omdat jij haar al eens hebt ontmoet,' lichtte Lewin zijn vraag toe.

'De vraag,' zei Rogersson. 'Wat wou je weten?'

'Of je zou willen bellen om te vragen of ze een hond heeft gehad,' zei Lewin.

'Een hond,' zei Rogersson. 'Je wilt weten of ze een hond hebben gehad. Wil je weten of ze een bepaald soort hond hebben gehad, of is een willekeurige hond ook goed?'

'Het was maar een idee dat in me opkwam,' zei Lewin ontwijkend. 'Bel haar maar gewoon om te vragen of ze een hond heeft gehad.'

'Ik vraag me af waarom hij zich dat afvraagt,' zei Bäckström toen hij en zijn maat op zijn hotelkamer zaten en net begonnen waren met de gebruikelijk voorbereidingen op het weekend. 'Denk je niet dat hij er gewoon helemaal doorheen zit? Lewin is altijd al een rare gast geweest. Ik heb hem in al die jaren nog nooit een echt biertje naar binnen zien gieten.' Het is me wat met zo'n rothond, dacht Bäckström. Ach, schijt ook.

'Waarschijnlijk heeft hij zijn kop tegen het hoofdeinde van het bed gestoten toen hij die kleine Svanström besprong,' grijnsde Rogersson hoofdschuddend.

'En, had ze een hond?' vroeg Bäckström, die net aan dit kleine detail dacht. 'Linda's ma, bedoel ik.'

'Nee,' zei Rogersson simpelweg. 'Ze had nog nooit een hond gehad. Ze hield niet van honden. Ook niet van katten, trouwens. Linda heeft weliswaar een paard gehad, maar dat stond bij het landhuis van haar vader en niet in het appartementje in de stad, dus verder dan dat zijn we niet gekomen.'

Ondanks de voortdurende bemoeienis van veldwachter Bengt Olsson, ondanks collega Jan Lewins structurele onbegrijpelijkheden en ondanks de makkelijke manier die de notoire vrouwenmishandelaar Bengt Karlsson negen jaar geleden blijkbaar had gevonden om figuren als Olsson om de tuin te leiden, had Bäckström het hele weekend een uitstekend humeur gehad. En toen hij maandagochtend onder de douche stond, was hij zelfs in gezang uitgebarsten.

'Ik neem DNA van de hele wereld... wat DNA voor jou en wat DNA voor mij,' neuriede Bäckström, terwijl het koude water over zijn vette lichaam sijpelde en hij zijn oksels en andere hoekjes en gaatjes extra goed inzeepte om onaangename luchtjes later op de dag te voorkomen.

De politiehunk van het jaar, dacht Bäckström tevreden toen hij een eindbezichtiging hield in de badkamerspiegel. Nu moeten de dametjes opletten.

45

Stockholm, maandag 4 augustus

Maandagochtend vroeg had het Nationale Bijstandsteam een relatief grote oefening gehouden bij het politiehoofdkwartier Kronoberg aan Kungsholmen te Stockholm. De straten rondom het politiebureau waren afgesloten, maar 'wegens praktische redenen en rekening houdend met de omwonenden' was ervoor gekozen die omwonenden of andere reeds aanwezigen niet te evacueren. Er waren dientengevolge toeschouwers in overvloed die het gebeuren konden volgen en al binnen enkele minuten waren de eerste cameraploegen van de gebruikelijke televisiezenders ter plaatse.

In totaal vier leden van het Bijstandsteam hadden zich, gekleed in zwarte overalls, zwarte maskers en de gebruikelijke bewapening, vanaf het dak langs de voorgevels van de dichtst bij de straat gelegen gebouwen laten zakken. Ter hoogte van de negende verdieping hadden ze – aan de doffe explosies te oordelen – kleine hoeveelheden springlading rond de vensters aangebracht en ze opgeblazen, en vervolgens waren ze het gebouw binnen geklommen. De telefoons in de telefooncentrale van het bestuur van de rijkspolitie stonden roodgloeiend, er was al een speciale perswoordvoerder ter plaatse en alle representanten van de media hadden te horen gekregen dat het in feite een gewone coupoefening was in het kader van het zogenaamde Elf-september-project.

Het Nationale Bijstandsteam trainde op mobilisatie in het geval van een coup op de leiding van de Zweedse politie, en meer details konden niet verstrekt worden, aangezien het om eenvoudig te begrijpen redenen in strijd was met de aard van de werkzaamheden om dergelijke informatie openbaar te maken.

Hiermee leken de media zich tevreden te stellen. Alle tv-zenders hadden fragmentjes beeldmateriaal van de oefening vertoond, maar vooral omdat het mooie beelden waren en het toch komkommertijd was. Er was een representant van het Bijstandsteam geïnterviewd en deze had in algemene termen beschreven wat de mobilisatie inhield.

'We oefenen voortdurend,' had hij uitgelegd. 'En het ligt in de lijn der dingen dat het Bijstandsteam een aantal van onze oefeningen niet afgeschermd kan houden van het publiek vanwege de personen en objecten die ze betreffen. Dit is helaas onvermijdelijk, maar we betreuren het uiteraard als we mensen onnodig hebben verontrust. We hebben overigens overwogen de omwonenden te evacueren, maar omdat dat in feite een ander type oefening betreft, die hoofdzakelijk deel uitmaakt van het reguliere politiewerk, hebben we besloten daarvan af te zien.'

Hiermee was de zaak afgedaan. Mensen van de gemeentereiniging hadden onder toezicht van de reguliere politie de glassplinters en scherven op het grasveld en de straat voor het bureau opgeruimd, de reguliere politie had de versperringen zonder hulp van de gemeentereiniging weggehaald en iedereen was overgegaan tot de orde van de dag. Het weer was zoals altijd in die opmerkelijke zomer: van de vroege ochtend tot de late avond tussen de 20 en 30 graden in de schaduw.

46

Växjö, maandag 4 augustus

Voor het rechercheteam was de nieuwe week kalmpjes en veelbelovend van start gegaan. Tijdens het ochtendoverleg had Enoksson verslag uitgebracht van de laatste resultaten van het forensisch onderzoek die ze van het SKL en andere geraadpleegde experts binnen hadden gekregen.

De vingerafdrukken die ze op de plaats delict hadden aangetroffen, waren veilig gesteld. Vijf ervan waren afkomstig van personen die niet geïdentificeerd hadden kunnen worden. Een van deze set afdrukken zou redelijkerwijs afkomstig zijn van de dader en ze hadden ook een idee welke het interessantst waren. Omdat het desalniettemin niet volledig zeker was, was er in alle registers met vingerafdrukken gezocht, maar geen ervan had een treffer opgeleverd. In het ergste geval was het natuurlijk mogelijk dat geen van deze vingerafdrukken afkomstig was van de dader, en dat zijn vingerafdrukken wél in de registers voorkwamen. Dat was één kant van de zaak.
De andere kant betrof de resultaten van de haar- en vezelsporen die ook gevonden waren. Een tiental schaamharen, twee lichaamsharen en verscheidene hoofdharen waren afkomstig van de dader. De DNA-test liet op dit punt geen twijfel bestaan en waarschijnlijke, interessante alternatieven waren er niet. De overige scheikundige analyses van haar, bloed en sperma hadden nog meer informatie opgeleverd over de dader die ze zochten.
'Het idee dat hij van alles en nog wat zou gebruiken, was lang geen slechte gok,' zei Enoksson en om een of andere reden knikte hij hierbij naar Bäckström en niet naar Lewin.

In zijn hoofdhaar waren sporen van cannabis aangetroffen. Omdat hij al enkele maanden niet geknipt leek te zijn – halflang donkerblond haar zonder een spoortje grijs en misschien wel de meest voorkomende haardracht bij niet al te oude mannen in Växjö en omstreken – konden ook uitspraken gedaan worden over zijn consumptiepatroon.

'Hij lijkt geen grootverbruiker te zijn. Volgens de man van het SKL die ik sprak, gaat het om iemand die af en toe gebruikt. Misschien eens per maand of eens in de veertien dagen of zo. Absoluut geen grootverbruiker.' Enoksson haalde zijn schouders op, maar zag er tegelijkertijd ook behoorlijk verheugd uit.

'Bovendien,' vervolgde Enoksson, 'lijkt hij op meerdere paarden tegelijk te wedden, want de chemici hebben sporen van centraal stimulerende middelen gevonden in het bloed dat hij achtergelaten heeft. Hoewel het niet bijzonder veel bloed was. In dergelijke omstandigheden, bedoel ik. Het is niet slecht.'

'Iemand die af en toe hasj rookt en bovendien amfetaminen naar binnen gewerkt heeft, als ik het goed begrepen heb,' zei Lewin.

'Ja,' zei Enoksson. 'Hoewel consumeren een beter woord is. Er zijn ook andere manieren dan het roken van hasj of het spuiten of slikken van amfetaminen. De inname vaststellen, zoals doktoren zeggen. Laten we het zo zeggen,' vervolgde hij, 'we hebben iemand die een keer of wat per maand, een keertje per week misschien, cannabis consumeert, waarschijnlijk door hasj te roken en... of marihuana. Dat is het gebruikelijkste consumptiepatroon, vooral bij dit soort gelegenheidsgebruikers, maar er zijn ook andere manieren, zoals velen van jullie ongetwijfeld weten.'

'En de amfetaminen?' herhaalde Lewin.

'Hetzelfde voorbehoud,' zei Enoksson. 'Amfetamine of een ander centraal stimulerend middel. Er is een aantal nauw verwante preparaten op de markt, die hij waarschijnlijk heeft gespoten, gegeten of gedronken. Volgens het SKL is hij ook hier geen grootverbruiker van. Als ze zich in Linköping aan een gok zouden wagen, denken ze dat hij het op ongeveer dezelfde manier consumeert als cannabis. Af en toe, en het gebruikelijke patroon bij dergelijke gebruikers is dat ze tabletten slikken of oplossen en opdrinken.'

'Het klinkt in elk geval niet als een doodnormale, doorgeslagen junk,' constateerde Bäckström tevreden. 'Hij heeft zijn vingerafdrukken nog nooit achter hoeven laten bij oom agent, hij drogeert zich maar af en toe en laat zijn haar net als fatsoenlijke mensen knippen.'

'Welzeker, Bäckström, welzeker,' zei Enoksson. 'Anderzijds heeft hij dus zowel cannabis als centraal stimulerende middelen gebruikt. Wat zijn vingerafdrukken betreft, kunnen we niet uitsluiten dat we ze wellicht gemist hebben, al geloof ik dat niet. En dan hebben we het grootste probleem nog: wat hij met Linda heeft uitgespookt. Dus volkomen normaal is hij toch ook weer niet.'

'Vlees of vis. Dat is de vraag,' zei Olsson scherpzinnig knikkend.

'Geen van beide, als je het mij vraagt,' zei Enoksson droog. 'Het interessantste heb ik overigens voor het laatst bewaard. Jazeker,' zei hij en hij zag er onmiskenbaar verheugd uit toen hij de reacties bij zijn publiek zag. 'Nu krijgen jullie iets om je tanden in te zetten.'

Van het raamkozijn en de vensterbank waren vezelsporen afgenomen. Een lichtblauwe textielvezel die volgens de textielspecialisten bij het SKL waarschijnlijk afkomstig was van een dunne trui. De structuur, dikte en overige eigenschappen van de vezel wees sterk in de richting van een trui die dun genoeg was om 's avonds te dragen zonder getroffen te worden door een hitteberoerte in het klimaat dat momenteel in Växjö, en overigens ook grote delen van de rest van Zweden, heerste. Bovendien was het absoluut geen gewone textielvezel.

'Dit is geen gewone trui,' zei Enoksson. 'De vezel waar we het over hebben bevat een combinatie van vijftig procent kasjmier en vijftig procent van een ander soort wol van zeer exclusieve kwaliteit. Volgens het SKL hebben we het over een trui die bij aanschaf duizenden kronen heeft gekost. Het kan zelfs nog meer zijn geweest, als het merk maar exclusief genoeg is.'

'Dat klinkt haast als iets wat Linda van haar vader cadeau heeft gekregen,' zei Sandberg twijfelend. 'Kunnen ze er daarom niet terecht zijn gekomen. Jullie vezels, bedoel ik.'

'Dat ze hem daar had opgehangen om te drogen of te luchten,' zei Enoksson.

'Dat bedoel ik precies,' zei Sandberg. 'Een typische vrouwengedachte. Hadden jullie daar ook aan gedacht, jongens?' vroeg ze, terwijl ze haar collega's rondom de tafel aankeek.

'De trui bevindt zich in elk geval niet in het appartement,' zei Enoksson. 'Bovendien zaten er wat bloedsporen op een paar vezels die we op de vensterbank hebben aangetroffen. Rest ons nog uit te zoeken of de dader hem van Linda of haar moeder geleend had en wat hij in dat geval met zijn eigen trui gedaan heeft, als hij tenminste niet van meet af aan met ontbloot bovenlichaam rondliep. Elementair, mijn beste Watson,' constateerde Enoksson met een knikje in de richting van Olsson.

'Dat is wel uit te zoeken,' zei Bäckström, die op zijn beurt naar Rogersson knikte. 'En als het zijn eigen trui is, dan klinkt het als iets wat we vermoedelijk op kunnen sporen,' sloot Bäckström af.

'Als hij hem tenminste gekocht heeft,' zei Olsson aarzelend. 'Als we het hebben over iemand die jullie collega's van DP in hun profiel beschrijven, dan heeft hij hem waarschijnlijk gestolen.'

'Precies, Olsson,' zei Bäckström. 'Ik ben het volledig met je eens. Als hij hem niet heeft gestolen of meegegrist van een waslijn, heeft hij hem ongetwijfeld op vakantie in Thailand op het strand gevonden. Als je met een echte moordzaak bezig bent, moet je je schikken naar de situatie.'

'Ik begrijp wat je bedoelt, Bäckström, ik neem het terug,' zei Olsson met een glimlachje.

Onderdanig ben je ook nog, oetlul, dacht Bäckström.

De jacht op de exclusieve trui werd telefonisch aangevangen. Eerst had Rogersson Linda's moeder gebeld om het haar te vragen. Ze was zeer beslist geweest. Zo'n trui had ze nooit gehad. Lichtblauw was haar kleur gewoon niet.

En hoe zat het met haar dochter? Had Linda een lichtblauwe, kasjmier trui gehad? Haar moeder kon zich zo'n trui niet herinneren, hoewel Linda toch bergen kleren had gehad. Voor de zekerheid vond ze dat Rogersson toch met Linda's vader moest gaan praten. Als ze hem cadeau had gekregen, dan was haar vader ongetwijfeld de gever.

'Een lichtblauwe trui van kasjmier,' zei Henning Wallin. 'Die heb ik haar niet gegeven. Voorzover ik me herinner, tenminste. Blauw was trouwens wel haar kleur... alhoewel, lichtblauw niet echt.'

Het gesprek werd afgerond met het voorstel van Henning Wallin dat hij het er met zijn huishoudster over zou hebben. Zij zou uitsluitsel moeten kunnen geven en ongeacht of het antwoord bevestigend of ontkennend was, beloofde hij terug te bellen zodra hij haar had gesproken.

'Is het belangrijk voor jullie?' vroeg Henning Wallin.

'Zou kunnen,' zei Rogersson. 'In deze fase is bijna alles belangrijk.'

'Die trui,' zei Rogersson een uur later tegen Bäckström.

'Ik luister,' zei Bäckström. Nu zou een koud biertje heerlijk zijn en wie haalt het in zijn harses om met dit weer over truien te beginnen, dacht hij.

'Hij lijkt in elk geval niet van Linda te zijn geweest. Ik heb haar vader gesproken, die met zijn huishoudster heeft gesproken, die mij heeft gebeld en heeft lopen mekkeren over hoe ze de afgelopen tien jaar voor Linda en haar vader heeft lopen naaien en verstellen en wassen en strijken en opvouwen en opbergen en borstelen en schuieren en wrijven.'

'En?' vroeg Bäckström.

'Ze ontkent dat een lichtblauwe kasjmier trui een schaduw op haar bestaan heeft geworpen,' zei Rogersson. 'Hoewel ze verder toch heel wat uitrusting door haar handen heeft laten gaan.'

'En haar moeder?' vroeg Bäckström.

'Foute kleur. Volkomen foute kleur voor haar. Geen schijn van kans,' zei Rogersson. 'Haar kunnen we dus afschrijven.'

Hoezo foute kleur, dacht Bäckström. Vrouwen zijn niet goed snik, dacht hij. Zelf had hij een dwarsgestreepte lievelingstrui met blauw, rood en groen, die hij een paar jaar geleden had gevonden toen hij voor een moordzaak in Östersund was. Zo'n rijke sloddervos had het ding vergeten in de eetzaal van het hotel, waarna Bäckström zich erover had ontfermd. Bovendien was het toen zo koud geweest als de reet van een Eskimo, hoewel het nog maar begin augustus was.

Hoofdinspecteur Lewin had geen moment stilgestaan bij de waarschijnlijke, lichtblauwe trui. Hij was te oud om op die manier rond te rennen op zoek naar dingen. Iedereen die wist waar het eigenlijk om ging, wist ook dat het erom ging hoofd- en bijzaken en groot en klein van elkaar te onderscheiden en dat je heel goed moest kijken om erachter te komen wat wat was. Zoals met de woonplaats van Linda's moeder bijvoorbeeld. Bovendien had hij de best denkbare hulp bij het puur praktische graafwerk bij de hand.

'Ik begrijp precies wat je bedoelt, Janne,' zei Eva Svanström. 'Ik begrijp niet waarom Bäckström en de anderen ervan uit lijken te gaan dat het om Linda gaat. Dat heb ik steeds al gedacht. Misschien wilde hij haar moeder zien. Uit pure nieuwsgierigheid heb ik haar pasfoto opgezocht en als ze er uitziet als op de foto, kan ik moeilijk geloven dat mannen schaars zijn in haar leven.'

'Laten we nu niet te hard van stapel lopen... Eva,' protesteerde Lewin, omdat ze alleen waren, en zelf had hij het liefst dat ze hem geen Janne maar Jan noemde, of ze nu alleen waren, of in het gezelschap van anderen.

Het meeste wees er toch op dat het om Linda ging, aldus Lewin. Linda was het slachtoffer en ongeacht alle wreedheden waaraan ze was blootgesteld, leek de daad echt op haar gericht. De daad was zeer persoonlijk en zeer privé. Dat hij haar achteraf in het laken had gewikkeld en haar lichaam en gezicht zorgvuldig had bedekt, duidde op een sterk schuldgevoel en angst en betekende dat hij er niet tegen kon haar zo te zien.

In Lewins wereld was dit ook een duidelijk teken. Het was iets wat de gewone seksueel gestoorden, naar wie hij ook onderzoek had gedaan, nooit deden. Voor hen was het juist belangrijk het slachtoffer op een seksueel uitdagende manier tentoon te stellen, voorzover dat nog mogelijk was. Om haar na haar dood nog dieper te vernederen, om degenen die haar vonden en naar hém op zoek zouden gaan, te choqueren. Maar vooral om hun eigen fantasieën tijdens de daad te voeden en om de herinneringen op te slaan voor toekomstige behoeften. Deze moord stemde evenmin overeen met de echtgenoten, ex-echtgenoten en alle denkbare categorieën vriendjes die zich razend van jaloezie, dronkenschap en normale waanzin op hun vrouwen en vriendinnetjes stortten en ze tot moes sloegen en hakten, en de plaats van misdrijf veranderden in een slachthuis.

Verder waren er nog wat details. Klein, maar niet oninteressant en ze wezen meer op Linda dan op haar moeder. Haar moeder had de afgelopen maand niet in het appartement gewoond. Zodra haar zomervakantie was begonnen, was ze afgereisd naar haar zomerhuisje. De enkele keer dat ze in de stad was geweest, was ze er met een praktische aanleiding. In plaats daarvan had Linda alleen in haar appartement gewoond. Min of meer drie weken achter elkaar, met alle mogelijkheden tot afspraken, contacten en de gebruikelijke toevallige ontmoetingen.

'Je wilt alleen volkomen zeker zijn dat haar moeder er niets mee te maken heeft,' zei Eva Svanström en om een of andere reden glimlachte ze naar hem op dezelfde manier als zijn moeder vaak deed toen hij nog klein was en getroost moest worden.

'Ja,' zei Lewin. 'Dat zou echt heel fijn zijn.'

'Oké,' zei Eva. 'Dan ziet het er als volgt uit.'

Ruim tien jaar geleden hadden Linda en haar moeder de Verenigde Staten in verband met de scheiding verlaten en waren ze teruggegaan naar Växjö. Linda's moeder was geboren en getogen in Växjö en met uitzondering van de vier jaar in de Verenigde Staten, had ze er haar hele leven gewoond. Hetzelfde gold voor haar dochter. Geboren in de kraamkliniek van Växjö. Op zesjarige leeftijd verhuisde ze met haar ouders naar de Verenigde Staten. Vier jaar later en vóór de aanvang van het nieuwe schooljaar was ze samen met haar moeder teruggekeerd naar Växjö en hadden ze het appartement aan de Pär Lagerkvistsväg betrokken dat haar moeder na de boedelscheiding had gekregen.

Op dat adres had Linda's moeder sindsdien ingeschreven gestaan. Er was ook niets wat erop wees dat ze elders had gewoond. Uiteraard met uitzondering van het verblijf in haar zomerhuisje op Sirkön, dat ze het jaar na de terugkeer naar Zweden had gekocht en waar ze de zomervakanties, weekenden en andere vrije dagen doorbracht.

Ook Linda stond op hetzelfde adres ingeschreven, totdat ze zeventien was en naar de middelbare school in het centrum van Växjö ging. Toen was ook haar vader teruggekeerd. Hij had een groot landhuis ten zuiden van Växjö gekocht en had na enkele maanden gezelschap gekregen van zijn enige dochter. Gedurende het eerste jaar leek Linda echter een ambulant bestaan te hebben geleid en had ze een eigen kamer in zowel het huis van haar moeder in de stad als bij haar vader op het platteland, waar ze was ingeschreven. Na haar eindexamen, rijbewijs en eigen auto, die ze van haar vader had gekregen, leek ze het platteland verkozen te hebben boven de stad en sliep ze steeds sporadischer bij haar moeder.

Sporen van 'kerels' had Svanström in verband met de huisvestingskwestie evenmin gevonden, niet in het bevolkingsregister, tenminste. Alleen Linda's moeder en Linda hadden op het huidige adres ingeschreven gestaan.

'Tja,' zuchtte Lewin.

'Je lijkt nog steeds niet echt tevreden,' constateerde Svanström. 'Het zou fijn zijn als je kon vertellen waarom niet. Dat zou het makkelijker voor me maken. Als ik wist waar ik naar moest zoeken, bedoel ik.'

'Ik weet het eigenlijk niet,' zei Lewin. 'Hoe zit het met de anderen die in dat pand wonen? Met hun huisvesting, bedoel ik.'

Volgens Svanström woonden ze er allemaal, met uitzondering van één persoon, net zo lang als Linda's moeder, of zelfs langer. De enige huurder die er de afgelopen tien jaar bij was gekomen, was waarschijnlijk bibliothecaris Marian Gross, die een woning gekocht had en deze had betrokken toen de appartementen in het gebouw enkele jaren daarvoor waren veranderd in koopwoningen met een vereniging van eigenaren.

'Maar jullie hebben hem inmiddels wel binnenstebuiten gekeerd,' zei Svanström. 'Bovendien klopte zijn DNA niet, dus hij is voorzover ik begrepen heb afgevoerd.'

'Als Gross dat appartement gekocht heeft, moet er toch iemand zijn die het verkocht heeft,' zei Lewin. 'En die verhuisd is.'

'In dit geval niet,' zei Eva Svanström. 'Geloof het of niet, maar dat heb ik uitgezocht, hoewel het even duurde. Hij heeft het gekocht van de eigenaar van een ander appartement, die er al woonde toen Linda en haar moeder kwamen en die er nog steeds woont, dus de simpele verklaring is wel dat ze eerst twee woningen had. Ik zag namelijk dat ze ook een accountantskantoor had, dus waarschijnlijk gebruikte ze het appartement van Gross als kantoor. Juridisch gezien ligt het een beetje moeilijk om een woning als kantoor te gebruiken. Zeker in kleine eigenaarsverenigingen. Ze heeft er vast aardig wat voor gekregen.'

'Margareta Eriksson,' zei Lewin plotseling.

'Ja, zo heet ze,' zei Svanström. 'Wat weet je veel, Janne. Ik vraag me af waar je mij voor nodig hebt. Dat is trouwens vast dezelfde Margareta Eriksson als uit de krant. Met dat verhaal dat de dader in de nacht van de moord op Linda ook bij haar probeerde binnen te dringen.'

'Inderdaad, zij!' zei Lewin, die eindelijk het gevoel kreeg dat hij zijn gedachten een beetje op orde begon te krijgen. Een beetje structuur in het bestaan.

'Maar ik begrijp nog steeds niet waar je heen wilt,' constateerde Svanström.

'Ik ook niet, eerlijk gezegd,' zei Lewin. 'Weet je wat, Eva. Doe het volgende: bel Margareta Eriksson en vraag het haar.'

'Maar je weet nog steeds niet waarom je wilt dat ik dat doe?' vroeg Svanström.

' Het is een schot in de duisternis,' zei Lewin met een zwak glimlachje. 'Een schot in de duisternis op een onbekend doel.'

'Als het jou een plezier doet,' zei Eva met een schouderophalen.

47

Na de lunch was het plotseling gedaan met de rust en het kalme zoeken naar betekenisvolle structuren en was een lichtblauwe trui plotseling in iets heel anders veranderd. Luide stemmen, geren door de gangen, slaande deuren, Von Essen en Adolfsson, die uitgerust met schouderholsters, dienstwapens en grimmige gezichten plotseling in de overlegkamer van het rechercheteam waren opgedoken, Sandberg en Salomonson hadden meegenomen, een neutrale dienstwagen uit de garage hadden gehaald en zodra ze op de openbare weg kwamen een zwaailicht op het dak hadden bevestigd en in vliegende vaart naar Kalmar waren gereden.

Twee uur eerder had bij Björnö, zo'n tien kilometer ten noorden van Kalmar, een verkrachting plaatsgevonden en in tegenstelling tot hun eigen verkrachting van een week oud, bestond er ditmaal geen enkele twijfel over het waarheidsgehalte van de zaak. Het slachtoffer was een veertienjarig meisje. Samen met haar twee jaar oudere zus en dier even oude vriendin was ze na het ontbijt al naar het strand gegaan om te zwemmen, te zonnen en te kletsen.

Na een uurtje op het strand was het veertienjarige slachtoffer ijs en frisdrank gaan halen bij een nabijgelegen kiosk. Dat was vast geen toeval, aangezien zij de jongste was. Toen ze een kortere weg nam door het bos, had de dader haar plotseling van achteren aangevallen, de bosjes in getrokken, half bewusteloos geslagen en verkracht. Toen ze na een halfuur niet terug was, waren haar oudere zus en haar vriendin ongerust geworden en waren ze haar gaan zoeken. Ook geen toeval, na de Linda-moord en de reportages in de media. Na honderd meter hadden ze het jongere zusje gevonden. De dader had schrijlings op haar gezeten. Ze waren begonnen te schreeuwen en de dader was weggerend.

Een halfuur later was het slachtoffer onderweg naar het ziekenhuis in Kalmar, de politie was ter plaatse, de plaats van het misdrijf was afgezet en de eerste getuigen werden verhoord. Er was een hondenpatrouille onderweg en deze werd binnen een kwartier verwacht. Alles draaide kortom op volle toeren en de politiepatrouilles die het gebied uitkamden, hadden ook een heel behoorlijk signalement om op af te gaan. Volgens de oudere zus en haar vriendin leek de man die ze zochten opvallend veel op de dader die het slachtoffer in Växjö een week eerder had beschreven. Vooral zijn tatoeages waren hun opgevallen. Grote, blauwe spiralen, die slangen of misschien draken voorstelden, op beide armen, van de schouders tot aan de handen.

'Dit voelt helemaal niet goed,' zei Anna Sandberg toen ze met haar collega's het politiebureau in Kalmar binnen stapte en ze dacht aan haar eigen geval in Växjö, dat ze deze ochtend nog besloten had af te schrijven als een verzonnen aangifte.

'Je bedoelt de tatoeages,' zei Salomonson.

'Ja,' zei Anna. 'Het voelt helemaal niet goed.'

'Hang je daar maar niet te veel aan op,' zei Adolfsson troostend. 'Iedere zichzelf respecterende stoere hooligan heeft tegenwoordig van die tatoeages. Hun lichaam ziet er meestal uit als een oud Chinees tapijt.'

'Het is klaar, dus nu kun je je ontspannen, Janne,' zei Svanström, terwijl ze bemoedigend met een stapeltje papier naar Lewin zwaaide, die in elkaar gezakt op een stoel achter zijn bureau met heel andere stapels papieren zat.

'Ik luister met spanning,' zei Lewin, terwijl hij achteroverleunde in zijn stoel.

'Het was niet zo simpel als ik dacht,' stelde Eva Svanström vast. 'Maar zo staan de zaken ervoor. Volgens Margareta Eriksson tenminste, die ik zojuist sprak, en die vrouw lijkt de zaken goed op een rijtje te hebben. Bovendien is ze de voorzitter van de vereniging van eigenaren.'

Ruim drie jaar geleden, ongeveer op hetzelfde moment dat de huurwoningen werden omgezet in koopwoningen, had Margareta Eriksson haar appartement op de eerste etage verkocht aan Marian Gross, die het appartement vervolgens betrokken had. Tegelijkertijd had ze haar huidige appartement op de bovenste etage gekocht van haar buurvrouw Lotta Ericson, Linda's moeder. Linda's moeder zelf was naar de begane grond verhuisd en daar had ze sindsdien gewoond en daar was haar dochter een kleine maand geleden vermoord. Dat appartement was oorspronkelijk een kantoor geweest, was daarna onderverhuurd en had uiteindelijk leeggestaan in verband met de overgang naar koopwoningen met een vereniging van eigenaren. En het appartement was eigendom van Linda's moeder zelf en niet van de vereniging van eigenaren.

'Margareta Eriksson wilde blijkbaar iets groters, hoewel ze alleen is,' zei Svanström. 'Deels had ze een paar kamers nodig voor haar accountantswerk, deels had ze haar zomerhuisje verkocht en had ze wat oude meubels over die een plaatsje nodig hadden.'

'Terwijl Lotta Ericson genoeg had aan een kleinere flat, omdat haar dochter uit huis was gegaan,' vulde Lewin haar aan.

'Ja,' zei Svanström. 'Waar heb je mij eigenlijk voor nodig,' voegde ze er glimlachend aan toe.

'Er waren trouwens nog een paar dingen,' zei Lewin.

'Zoiets vermoedde ik al,' zei Svanström. 'In de eerste plaats, als je je afvraagt of Margareta Eriksson met een k en twee s'en familie is van Lotta Ericson met een c en één s, dan is het antwoord nee.'

'Dus dat heb je boven tafel weten te krijgen,' zei Lewin.

'Dat was niet zo moeilijk,' zei Eva Svanström. 'Dat begreep ik meteen toen ik zag hoe ze van woning waren geruild. De naam van Margareta Eriksson spel je als Eriksson met een k en twee s'en. De gewone spelling, of in elk geval de gewoonste en zo heet ze sinds ze getrouwd is. Lotta Ericson daarentegen heette eerst Liselott Eriksson, met een k en twee s'en. Volledige naam Liselott Jeanette Eriksson. Na haar trouwen heette ze Liselott Wallin Eriksson en toen ze naar de vs verhuisde, veranderde ze de spelling in Ericson met een c en één s. Ze werd altijd al Lotta genoemd. Toen ze na haar scheiding terugkwam in Växjö, heeft ze zich eerst ontdaan van Wallin, en een jaar of wat later heeft ze zelfs een naamswijziging aangevraagd. Volgens het bevolkingsregister heet ze nu acht jaar Lotta Liselott Jeanette Ericson.'

'Juist ja,' zei Lewin.

'Denk je dat de dader eerst bij de verkeerde deur heeft aangebeld?' vroeg Svanström.

'Ja,' zei Lewin. 'Dat idee heb ik wel. Waarschijnlijk ging het inderdaad zo als Margareta Eriksson aan de krant heeft verteld en ver-

303

der hebben zij en Linda's moeder dus dezelfde achternaam. Maar het is jouw verdienste. Het kwam doordat jij zei dat er misschien plotseling een oude liefde was opgedoken.'

'Voor Linda,' zei Svanström. 'Iemand die verkeerd liep en aanbelde bij de deur van het oude appartement. Weet je dat zeker? Ze was toen toch amper achttien? Toen haar moeder boven woonde, bedoel ik.'

'Voor Linda of haar moeder, of allebei. Ik weet het niet meer, zei Lewin, terwijl hij ging verzitten. 'Maar waarschijnlijk is het absoluut niet interessant.'

'Als ik bij een oude liefde voor de deur zou staan... midden in de nacht... na drie jaar, dan zou ik eerst waarschijnlijk even proberen te bellen,' zei Eva Svanström.

'Je denkt aan de telefoonnummers. En dat was ook het volgende wat ik je wilde vragen,' zei Lewin met een flauw glimlachje. 'Ik denk dat we eens moeten kijken of Lotta Ericson van nummer veranderd is.'

'Nu we toch bezig zijn,' vulde Svanström aan.

'Precies,' zei Lewin. Precies. Wat is er mis met nog een schot in het duister, dacht hij.

'Zeg Rogersson, wat denk jij van die verkrachting in Kalmar,' vroeg Bäckström op hetzelfde moment dat hij zijn neus om de deur van Rogerssons kamer stak.

'Een verdomd trieste boel,' zei Rogersson.

'Heeft het iets met ons te maken, met Linda bedoel ik,' zei Bäckström.

'Absoluut niet,' zei Rogersson.

'Dan zijn we het helemaal met elkaar eens,' zei Bäckström.

'Daar zul je mee moeten leren leven,' zei Rogersson grijnzend.

'Ik heb het Knul en Tut ook gevraagd. Afzonderlijk, voor de zekerheid,' zei Bäckström.

'En?'

'Knul dacht van niet, maar vond het toch de moeite waard. Hij stelde voor om eens met de collega's van de VICLAS-groep te gaan praten.'

'En wat zei Tut ervan?' vroeg Rogersson.

'Dat hij dacht van niet, maar vond dat we het toch wel moesten nagaan en misschien eens contact op moesten nemen met de collega's van VICLAS.'

'Opwindende gedachten. Waar halen ze het vandaan,' zei Rogersson.

'Daarna heb ik het Lewin ook gevraagd,' zei Bäckström.

'En wat dacht hij ervan?'

'Wil je een direct citaat?' vroeg Bäckström.

'Uiteraard,' zei Rogersson.

'Met het voorbehoud dat Lewin de Kalmar-zaak alleen kent uit de telefonische beschrijving van collega Sandberg, leek het hem toch zeer onwaarschijnlijk dat het dezelfde dader betrof als in de Linda-zaak.'

'Klinkt als Lewin,' zei Rogersson. 'Iets heel anders. Hoe sta je er tegenover om dit te laten zitten, hem te smeren naar het hotel en daar voor het eten een paar koude pilsjes achterover te slaan?'

'Daar sta ik vierkant achter,' zei Bäckström.

'Zet het nieuws op vier eens aan,' zei Rogersson toen ze twee uur en twee koude pilsjes later op Bäckströms hotelkamer zaten.

'Hoezo,' zei Bäckström verbaasd, terwijl hij naar de afstandsbediening reikte.

'Ik wou even kijken of mijn kamer er nog is,' zei Rogersson.

'Jezus, wat een toestand,' zei Bäckström vijf minuten later, terwijl hij de televisie uitzette. 'Dat waren de ramen van Centenbaks commandocentrum die die gekken opbliezen. Als Centenbak toestemming voor zo'n oefening heeft gegeven, moet hij volslagen gestoord zijn.'

'Ik heb vanmiddag eens met de jongens van het werk gebabbeld,' zei Rogersson. 'En ze waren het helemaal met je eens. Dat is precies waar de schoen wringt.'

'Op die manier,' zei Bäckström.

'Jezus, wat een toestand,' constateerde Bäckström weer vijf minuten later.

'Het was precies het Grand Hotel in Lund,' zei Rogersson. 'Hij lijkt de smaak van badkamerspiegels te pakken te hebben.'

'Of hij vergiste zich,' zei Bäckström. 'Misschien probeerde hij zich gewoon van kant te maken. Met die enorme kin van hem kan hij het niet makkelijk hebben. Maar hij krijgt het maar niet voor elkaar.'

'Hoe bedoel je?' vroeg Rogersson.

'Elke keer dat hij zichzelf in de spiegel ziet, jaagt hij een kogel door zijn kop, maar dan in de spiegel,' zei Bäckström.

48

De dromen werden nu frequenter. Over die zomer van bijna vijftig jaar geleden toen hij zijn eerste echte fiets had gekregen en zijn vader hem had leren fietsen. Hoewel zijn droom deze nacht niet over zijn rode Crescent Valiant ging, maar over zijn vader en moeder.

Een wonderbaarlijke zomer, waarin de vakantie van zijn vader nooit op leek te houden. Uiteindelijk had hij het hem gevraagd. 'Hoelang heb je eigenlijk vakantie, papa?'

Eerst had zijn vader een beetje vreemd gekeken, maar daarna had hij gelachen en hem door zijn haar gewoeld en alles was weer net als altijd. 'Zo lang als ik nodig heb om je te leren fietsen,' antwoordde papa. 'Dat duurt zo lang het duurt en het werk loopt vast niet weg.' Daarna had hij weer door zijn haar gewoeld. Een extra keer.

Een echte Indian summer was het ook, en zijn vader was met de dag meer op een indiaan gaan lijken. Mager, bruinverbrand, met zijn huid strak over zijn gezicht gespannen. 'Je ziet eruit als een echte indiaan, papa,' had hij tegen hem gezegd.

'Dat is ook niet zo vreemd,' antwoordde papa, 'met dat lekkere weer.'

Op een nacht was hij wakker geworden. Waarschijnlijk van een geluid dat hij had gehoord. Zachtjes was hij de zoldertrap af geslopen en toen hij in de hal kwam, zag hij papa en mama op een stoel in de keuken zitten. Mama zat op papa's schoot, met haar rug naar hem toe, haar armen om zijn nek, haar hoofd tegen zijn borst gedrukt. Zijn vader had zijn ene arm om haar middel geslagen, terwijl hij met zijn vrije hand voorzichtig over haar haar streek.

'Het komt allemaal goed,' mompelde papa. 'Het komt allemaal goed.'

En geen van twee had hem gezien en zelf was hij stilletjes teruggegaan naar zijn kamer op zolder en uiteindelijk was hij in slaap gevallen.

Toen ze de volgende ochtend ontbeten, was alles weer zoals anders. 'Ben je er klaar voor, Jan?' vroeg zijn vader, terwijl hij zijn koffiekopje neerzette. 'Zullen we een rondje maken op de Valiant?'

'Ik ben er altijd klaar voor, pap,' antwoordde Jan.

En vervolgens was hij wakker geworden.

49

Växjö, dinsdag 5 augustus

Het veertienjarige slachtoffer van de verkrachting in Kalmar had het overleefd. Haar toestand werd beschreven als kritiek maar stabiel en uit de beschrijving bleek ook dat ze overleden zou zijn als haar zus en de vriendin niet op het laatste moment verschenen waren en de dader hadden verjaagd. Ze was tevens de bevestiging van wat de media al vanaf het allereerste begin hadden vermoed: dat er in Småland een seriemoordenaar huishield die jonge meisjes verkrachtte. Midden in de Zweedse vakantie-idylle.

Eerst had hij Linda vermoord. Een paar weken later had hij nog een vrouw aangevallen, en omdat hij in zijn opzet was mislukt, hadden de krantenexperts dit de aannemelijkste verklaring gevonden voor het feit dat hij een week later al zijn derde slachtoffer maakte. Zijn innerlijke druk was zo groot geworden dat het gevaar gepakt te worden zijn laatste zorg was.

Een hoogleraar forensische psychologie van de universiteit van Stockholm, die als toonaangevend expert op het gebied van seriemoordenaars werd opgevoerd, kon ook meerdere voorbeelden geven van het onvermogen bij de politie om uitgerekend series zware geweldsdelicten op tijd te ontdekken. De politie miste het overzicht, ze staarden zich blind op details en waren niet in staat om intern te communiceren. De ene hand 'zag niet' wat de andere deed. Ze misten het geheel, het patroon en alles wat zonneklaar is.

'Ze zien domweg niet dat de keizer naakt is,' stelde de professor 's ochtends op de bank bij het actualiteitenprogramma van TV4.

'Hoe bedoelt u dat?' vroeg de verslaggever.

'Nou, dat hij dus naakt is,' verduidelijkte de professor.

Voor de eerste maal deze zomer leverden de media ook openlijk kritiek op de politie, en met name op de politie in Växjö. Ondanks de ruime hoeveelheid sporen waren ze er nog niet in geslaagd de moord op Linda Wallin op te helderen. Erger nog, volgens diverse anonieme bronnen binnen de politie waren ze er niet in geslaagd überhaupt enig resultaat te bereiken met het onderzoek. Hoewel er sinds de moord bijna een maand verstreken was, bleef het onderzoek in hetzelfde kringetje ronddraaien.

De negentienjarige vrouw die de dader ruim een week geleden had proberen te verkrachten, was opnieuw naar buiten getreden. De politie had haar verhaal botweg geweigerd te geloven. In plaats van een dader op te sporen, hadden ze zijn slachtoffer gekweld en het volgende slachtoffer had de prijs voor dit onvermogen mogen betalen. In het hoofdredactionele commentaar van de kranten werd over de hele linie gewag gemaakt van een grof schandaal en het rechercheteam van de Linda-moord moest het overgrote deel van zijn tijd opeens besteden aan problemen die de meerderheid van het team als pure fantasie beschouwde.

De dag ervoor al had de korpschef in Kalmar contact opgenomen met zijn collega in Växjö en het plan geopperd om een speciaal gemeenschappelijk commando in het leven te roepen. Eén moord en twee verkrachtingen binnen een tijdsbestek van een maand en de laatste gebeurtenis wees er helaas op dat verwacht kon worden dat de dader weer in actie zou komen. De korpschef in Växjö weifelde, maar beloofde de kwestie onmiddellijk te bespreken met de collega die was aangesteld als vooronderzoeksleider van de Linda-moord, en daarna zou hij weer contact opnemen.

Hoofdinspecteur Olsson had de vraag als eerste punt op de agenda van het ochtendoverleg van dinsdag gezet en zelf stond hij uiteraard open voor verschillende alternatieven.

'Wat vinden jullie?' vroeg Olsson, terwijl hij het gezelschap aankeek. 'Zelf neig ik er sterk naar te geloven dat het bij de twee verkrachtingen om dezelfde man gaat, aangezien de signalementen die de getuigen hebben gegeven, bijna volledig overeenkomen.'

'En de Linda-moord dan?' vroeg Bäckström nors. 'Heeft hij die ook op zijn geweten?'

'Het probleem daar is dat we geen signalement hebben,' stelde Olsson voorzichtig.

'Ja, maar dat is ongeveer het enige wat we niet hebben,' zei Bäckström. 'Want de kerel die het gedaan heeft, zullen we gauw vinden.

Zou iedereen hier die serieus gelooft dat Linda die tattooflip om drie uur 's nachts heeft binnengelaten, zo vriendelijk willen zijn zijn hand op te steken?'

'Neem me niet kwalijk dat ik je onderbreek,' zei Lewin met een voorzichtig kuchje. 'Maar hoe zit het met het laatste slachtoffer? Zijn we erin geslaagd een spermamonster te nemen?'

'Ja,' zei Sandberg.

'Dan zal wel snel blijken of er een verband met Linda bestaat,' concludeerde Lewin.

'Ja, dat zal inderdaad wel,' was Sandberg het met hem eens en ze leek al wat opgewekter.

'Wat die twee verkrachtingen betreft, begrijp ik niet goed waar we de collega's in Kalmar mee kunnen helpen. Behalve hun getuigen dezelfde foto's laten zien als we aan onze eigen slachtoffers hebben voorgelegd. Als ze dat tenminste nog niet gedaan hebben,' zei Lewin en hij kuchte nogmaals.

'Dat is al geregeld,' zei Sandberg en ze leek nog wat vrolijker.

'Juist ja. Maar dat klinkt toch prima,' zei Lewin. 'Dat klinkt als een schoolvoorbeeld van hoe de politie samen moet werken.'

'Maar wat denk je zelf, Lewin,' drong Olsson aan. 'Van een eventueel verband, bedoel ik.'

'Daar doe ik niet graag uitspraken over,' zei Lewin. 'Maar omdat je het vraagt, hou ik het erbij dat ik denk dat de man die Linda heeft vermoord niet dezelfde is als degene die dat arme meisje in Kalmar heeft verkracht en dat dat duidelijk zal worden zodra de collega's in Kalmar de analyseresultaten van hun verkrachter binnen hebben, en over eventuele andere verbanden hoeven we ons denk ik geen zorgen te maken.'

En om een of andere reden knikte hij bij deze laatste woorden in de richting van Anna Sandberg.

'Laten we dat van harte hopen,' zei Olsson, terwijl hij bezorgd zijn hoofd schudde. 'Ik hoop van harte dat je gelijk hebt.'

Als laatste punt van het overleg kregen Sandberg, Salomonson, Von Essen, Adolfsson en nog twee leden van het rechercheteam van Olsson de opdracht om direct en in samenwerking met de collega's in Kalmar eventuele verbanden tussen de Linda-moord, de poging tot verkrachting in Växjö en de verkrachting in Kalmar in kaart te brengen. Bovendien zou hij zelf contact opnemen met de VICLAS-eenheid en de DP-groep van de rijksrecherche om zich ervan te verzekeren dat de analytische invalshoeken niet veronachtzaamd werden.

Toen de rust rond Bäckström enigszins was weergekeerd en de direct betrokkenen waren ingerukt voor de jacht op verbanden, had hij zijn overgebleven troepen geïnspecteerd.

'Goed,' zei Bäckström. 'Hoe staat het ervoor met onze geliefde DNA-lijstjes? Hebben we wattenstaafjes genoeg?'

Lewin was teruggegaan naar zijn kamer en had bijna direct gezelschap gekregen van Eva Svanström.

'Die telefoonnummers van haar moeder kunnen een paar dagen op zich laten wachten. Ik heb met Telia gesproken en hun actuele register beslaat alleen de afgelopen twee jaar,' zei Svanström.

'Maar de gegevens zijn wel ergens?' vroeg Lewin, die meteen de bekende onrust weer voelde.

'Jazeker,' zei Svanström. 'Maar de man die ik sprak, zei dat het een paar dagen zou duren om ze op te graven.'

'Oké,' zei Lewin. Een paar dagen maakt ook niet uit, en waarschijnlijk is het volstrekt onbelangrijk, dacht hij. Zoals de meeste schoten in het duister.

50

Alnön bij Sundsvall, dinsdag 5 augustus

Lars Martin Johansson beleefde de laatste week van de langste vakantie van zijn leven.

Al bijna twee jaar lang was hij vrijgesteld van zijn taken als operationeel hoofd bij de inlichtingendienst om in plaats daarvan leiding te geven aan een van de geheimste onderzoeken in de Zweedse constitutionele geschiedenis. Ook deze opdracht naderde zijn voltooiing. De resterende werkzaamheden konden prima door zijn secretariaat worden afgehandeld en al in de week voor midzomer had Johansson zijn vaderland met medeneming van zijn echtgenote verlaten om rond te reizen in Europa. Zijn vrouw hield van reizen – nieuwe mensen, nieuwe plaatsen, nieuwe indrukken –, terwijl Johansson de voorkeur gaf aan een goed boek, een telefoon die nooit ging en lekker eten.

Ondanks hun uiteenlopende beweegredenen keerden ze allebei gewoonlijk in een opperbest humeur naar Zweden terug. Overeenkomstig een belofte van jaren geleden, die zo langzamerhand was uitgegroeid tot een traditie, brachten ze de laatste week van hun vakantie tegenwoordig door op de boerderij van Johanssons oudere broer op het eiland Alnön in de buurt van Sundsvall. Nog meer vredige rust, lekker eten, goede drank en een nuchtere en ruimhartige gastheer en gastvrouw, die het oprecht meenden als ze zeiden dat ze zich thuis mochten voelen. Het belangrijkste van alles, dacht Johansson. Wat kon op deze aarde in enig wezenlijk en positief opzicht vergeleken worden met Zweden? Niets, waar dan ook, dacht hij, terwijl hij een diepe zucht van welbehagen slaakte en onmiddellijk in slaap viel in zijn ligstoel.

Johansson had tegenwoordig drie mobiele telefoons. Eentje privé, een voor zijn gewone werk en eentje die zo geheim was, dat hij hem eigenlijk alleen had hoeven gebruiken om er zelf mee te bellen.

Voor alle zekerheid was hij rood en Johansson had de ringtoon zelf geprogrammeerd. Afgezien van het volume was het dezelfde sirene als van politiewagens en hij was er apetrots op. Na het inprogrammeren had hij hem gedemonstreerd aan zijn vrouw door ernaartoe te bellen en zo had ze de mogelijkheid gehad om eens goed te genieten van zijn technisch vernuft. En de eerste keer dat ze hem in het echt over hoorde gaan, had de programmeur rustig doorgesnurkt in zijn stoel.

Waarschijnlijk hebben de Duitsers een contant bod uitgebracht op heel Småland, dacht Johanssons echtgenote Pia, die werkzaam was als kapitaalbeheerder bij een bank. Ze legde het boek dat ze probeerde te lezen terzijde en nam de telefoon op.

'Ja?' zei Pia. Je mag je naam vast niet zeggen, dacht ze, dan beland je ongetwijfeld in de gevangenis.

'Enchanté,' antwoordde een lijzige stem aan de andere kant van de lijn. 'Ik vermoed dat je bent wie ik denk dat je bent,' vervolgde de stem, 'en hoezeer ik dit gesprek ook met z'n tweeën voort zou willen zetten, moet ik je toch vragen om me je geliefde echtgenoot te geven.'

'Wie kan ik zeggen dat er belt?' vroeg Pia. 'Ik bedoel, je hebt niet toevallig een naam?'

'Geen naam, helaas,' stelde de lijzige stem vast. 'Zeg je geliefde echtgenoot maar dat een oude medewerker van Pilgrim enkele woorden met hem zou willen wisselen.'

'En als ik vraag waar het over gaat, beland ik in de gevangenis,' zei Pia.

'Als ik antwoord, beland ík in de gevangenis,' corrigeerde Pilgrims vroegere medewerker haar en hij klonk haast een tikkeltje beledigd toen hij dat zei.

'Ik zal hem wakker maken,' zei Pia. Het zijn net kinderen, dacht ze.

'Wie was dat?' vroeg Pia tien minuten later nieuwsgierig toen haar man de mompelende conversatie, die hij om onbekende redenen aan de uiterste rand van het grote terras had gevoerd, had beëindigd, zijn rode telefoon had uitgezet en zich zuchtend in zijn stoel terug had laten zakken.

'Een oude bekende,' antwoordde Johansson vaag.

'O, zo'n geheim rakkertje. Zonder naam,' zei Pia.

'Zoiets ja,' zei Johansson, terwijl hij zijn schouders ophaalde. 'Hij werkt als bijzonder deskundige voor de regering, hij helpt de premier met van alles en nog wat, Nilsson is zijn achternaam.'

'Aha,' zei Pia. 'Onze eigen *éminence grise*. Het antwoord van onze verzorgingsstaat op kardinaal Richelieu.'

'Zoiets ja,' zei Johansson. 'Iets in die richting, in die buurt,' verduidelijkte hij.

'En wat wilde hij?' vroeg Pia.

'Niets eigenlijk, een praatje maken,' zei Johansson.

'Dus nu moet je naar Stockholm,' concludeerde Pia, die dit eerder had meegemaakt.

'Maar ik ben morgen weer terug, als je er geen bezwaar tegen hebt.'

'Lijkt me een uitstekend idee,' zei Pia. 'Dan kun je meteen even thuis langsgaan en wat dingetjes meenemen die ik nodig heb als we dit weekend naar een feestje gaan.'

'Natuurlijk,' zei hij. 'Natuurlijk,' zei hij nogmaals omdat hij met zijn gedachten al ergens anders zat en niet verzeild wilde raken in onnodige discussies.

'Even dacht ik dat hij misschien dronken was,' zei Pia. 'Zo klonk hij.'

'Hij was waarschijnlijk gewoon in een goed humeur,' zei Johansson vergoelijkend. 'Het is nog maar twaalf uur, dus hij heeft vast nog niet eens geluncht.'

'Ja, dan was hij vast gewoon vrolijk. Zo'n vrolijk mannetje, zal ik maar zeggen,' zei Pia.

'Dat kan ik me niet voorstellen,' zei Johansson, terwijl hij beslist met zijn hoofd schudde. 'Wat zeg je er zelf trouwens van,' vroeg hij met een blik op zijn horloge. 'Van een lunch, bedoel ik.'

51

Stockholm, dinsdag 5 augustus

Voor hij Alnön verliet, had Johansson zich omgekleed en hij droeg nu een linnen pak en een donkerblauw linnen overhemd. Zijn stropdas had hij voorlopig in zijn borstzakje gestopt en hij had de taxi naar het vliegveld genomen. Vervolgens had hij het middagvliegtuig van Sundsvall naar Arlanda genomen en was daar opgehaald door zijn chauffeur van de inlichtingendienst, die hem direct naar de reeds gedekte eettafel van de bijzonder deskundige had gebracht in diens paleisachtige villa in Djursholm.

'Wees welkom in mijn nederig stulpje,' zei de bijzonder deskundige en wuifde uitnodigend met beide handen toen Johansson de drempel over was gestapt. 'Ik hoop dat je er geen bezwaar tegen hebt dat we in de eetzaal zitten.'

'Hoe koeler, hoe beter,' stemde Johansson in, hoewel hij een hartstochtelijk saunaganger was. Dus hier woon jij, dacht hij, terwijl hij zijn blik discreet rond liet dwalen van het complexe ruitpatroon van de parketvloer via de donkere lambrisering naar het stucwerk op het hoge plafond, zonder dat hem ook maar één Perzisch tapijt, Hollands olieverfschilderij, Venetiaanse blaker of kristallen kroonluchter ontging.

Eerst waren ze in de bibliotheek gaan zitten om de praktische kant af te handelen, zodat ze vervolgens ongestoord konden eten. Binnen tien minuten was alles in kannen en kruiken.

'Wanneer kun je beginnen,' zei de bijzonder deskundige.

'Aanstaande maandag,' zei Johansson.

'Maar dat komt prachtig uit,' zei de bijzonder deskundige en zijn ronde gezicht straalde als een zonnetje. 'Dan kunnen we ons eindelijk op belangwekkender zaken werpen. Ik heb sinds de lunch geen hap meer gegeten.'

'Je woont in een prachtig huis,' merkte Johansson op tijdens hun tocht naar de eetzaal. 'Is het je ouderlijk huis?'

'Ben je gek, Johansson. Ik ben een man van zeer eenvoudige komaf,' zei de bijzonder deskundige. 'Een rasechte Södermalmer, geboren en getogen op de heuvels van Söder in Stockholm. Ik heb de hele rataplan gekocht van een arme drommel met wie het niet zo goed ging,' lichtte hij toe.

'Maar jou lijkt het wel goed gegaan te zijn,' zei Johansson.

'Buitengemeen goed,' stemde de bijzonder deskundige tevreden in. 'En uitermate welverdiend, als je het mij vraagt.'

In aanmerking genomen dat het een gewone doordeweekse dag was, hoopte de bijzonder deskundige dat zijn gast begrip kon opbrengen voor de eenvoudige maaltijd waarop hij vergast zou worden. Als je het positief wilde bekijken, kon je stellen dat ze hun daaglijks brood allebei onder een arbeidersregering verdienden en dat eenvoudige gewoonten zo bezien in de aard der dingen lagen. Dit ongeacht het feit dat er alle reden was om Johanssons toekomstige benoeming te vieren en misschien nog meer reden voor zijn werkgever om zichzelf te feliciteren met de wijze keuze voor Lars Martin Johansson.

'Je moet het maar doen met wat ik heb,' verzuchtte de bijzonder deskundige. 'Je schikken naar de situatie. Zo zeggen jullie dat toch bij de politie?'

In de wereld waar de bijzonder deskundige bijna zijn hele volwassen leven had doorgebracht, was het belangrijkste van alles dat je elkaar halverwege kon ontmoeten. En dat beide partijen even tevreden en voldaan waren als ze naderhand elk hun eigen weg weer gingen. Vanuit dit existentiële credo hoopte Johanssons gastheer een oplossing gevonden te hebben die zijn gast in het beste geval zou weten te waarderen en waar hij in elk geval genoegen mee zou kunnen nemen.

'Ik heb gehoord dat je uit een geslacht van oude Norrlandse bosbezitters komt, dus wat is dan passender om mee te beginnen dan een variant van het oeroude Zweedse brandewijnbuffet,' stelde de bijzonder deskundige en hij wees naar een hoek van de eetzaal, waar een wat oudere huishoudster gekleed in een stijve, zwarte jurk en een wit schort al met een karaf brandewijn in haar hand post had gevat.

'Nou ja,' zei Johansson, 'eerder grondbezittende boeren, dat wil zeggen, aan moederskant. Aan vaderskant...'

'Kom, kom, mijn beste Lars Martin,' viel de bijzonder deskundige hem in de rede. 'We moeten ons zicht en onze anders zo heldere blikken niet laten vertroebelen door valse bescheidenheid. Laten we ons in plaats daarvan met ferme pas naar het buffet begeven en op staande voet een paar flinke borrels nemen om onze getergde zielen te wikkelen in de mantel van zijde en fluweel die we meer dan verdiend hebben.'

'Klinkt goed,' zei Johansson.

'Verschillende variaties van steur,' legde de bijzonder deskundige uit toen ze na de inleidende borrel op staande voet eindelijk konden gaan zitten aan de tafel met overladen borden en overvloedig gevulde glazen. 'Gekookte steur, koude gepocheerde steur, gebakken steur, gerookte steur, gemarineerde steur, lichtgezouten steur en steurkuit met aardappelblini's,' legde Johanssons gastheer uit, terwijl hij pedagogisch met zijn vork wees.

'Alleen autoverkopers vreten Russische kaviaar,' stelde hij, terwijl hij een flinke lepel steurkaviaar naar binnen schoof. 'Normale mensen eten steurkuit.'

'De wodka is buitgewoon goed,' viel Johansson hem met een kennersgezicht bij, terwijl hij het hoge kristallen glas in zijn rechterhand ronddraaide. Maar je hebt het mis wat mijn broer betreft, want hij eet het liefst kaviaar van de marene, terwijl hij toch al jaren in de auto's zit, dacht Johansson.

'Is hij niet fenomenaal,' zuchtte zijn gastheer tevreden. 'Ik heb van de gelegenheid gebruikgemaakt om een paar flesjes mee te pikken toen ik vorige week bij Poetin thuis was.'

Het diner werd in het teken van de eenvoud vervolgd. De bijzonder deskundige en zijn gast waren domweg voortgesjokt op de grijze wollen sokken van de trouwe klerk, terwijl de kille ster van de armoede in de vorm van een kristallen kroonluchter hoog boven hun gebogen hoofden glinsterde.

Om te beginnen hadden ze ieder een gefarceerde kwartel met een lauwwarme timbaal van wortelgewassen genuttigd, vervolgens waren ze verdergegaan met een eenvoudige plak geitenkaas uit Camargue en hadden de maaltijd besloten met een verfrissende sorbet van limoen en citroen om de smaakpapillen voor te bereiden op de daaropvolgende koffie, cognac en chocoladetruffels. Daarbij dronken ze wijnen die de bijzonder deskundige persoonlijk uit zijn diepe keldergewelven had gehaald. Eerst een rode bourgogne van het goede wijnjaar 1985, vervolgens een zware rode wijn uit de Loire, echter zonder jaarvermelding.

'Wijn is een drank die wordt vervaardigd in Frankrijk,' stelde de bijzonder deskundige content vast, terwijl hij met zijn lange neus in het glas snuffelde.

'Mijn vrouw en ik drinken veel Italiaanse wijnen,' zei Johansson. De bijzonder deskundige ging verzitten.

'Als ik je een goede raad mag geven, Lars,' zei de bijzonder deskundige, 'adviseer ik je dergelijke risico's te vermijden. Alleen al met het oog op je gezondheid.'

'Hoe is het trouwens met Nylander?' vroeg Johansson toen ze waren teruggekeerd naar de bibliotheek om de maaltijd te besluiten met een dubbele espresso en een beetje Frapin uit 1900.

'Beter dan ooit,' zei de bijzonder deskundige. 'Eigen kamer, drie maaltijden per dag, rode, groene en blauwe tabletjes en iemand om mee te praten.'

'Ligt hij in een privékliniek?' vroeg Johansson voorzichtig.

'Privékliniek,' snoof de bijzonder deskundige. 'Er moeten grenzen zijn. Eerst probeert hij het politieapparaat van onze relatief fatsoenlijke bananenmonarchie te veranderen in iets wat je zelfs in een gewone bananenrepubliek niet aantreft. Vervolgens sluit hij zich op in zijn kamer en weigert hij open te doen, zodat die arme voetballer in onze toch al zo zwaar beproefde regering genoodzaakt is zijn privélegertje te vragen de halve gevel op te blazen, zodat hij weggesleept kan worden naar een gesloten psychiatrische afdeling met alle bijbehorende verpleging. Zoiets is voorwaar niet gratis,' zei hij verontwaardigd.

'Ulleråker,' suggereerde Johansson.

'Inderdaad,' zei de bijzonder deskundige nadrukkelijk. 'En geen dag te vroeg, als je het mij vraagt.'

'Wat is er dan gebeurd?' vroeg Johansson nieuwsgierig.

'Dat is onduidelijk,' zei de bijzonder deskundige, terwijl hij zijn flesvormige schouders ophaalde. 'Het schijnt ermee begonnen te zijn dat hij de badkamerspiegel van zijn privétoilet aan diggelen schoot.'

'Wat mensen al niet verzinnen,' zei Johansson met een Norrlands flegmatieke zucht.

'Misschien bleef hij met zijn kin haken achter dat ronde dingetje dat om de trekker zit toen hij zijn wapen schoonmaakte,' speculeerde de bijzonder deskundige.

'De trekkerbeugel, bedoel je,' zei Johansson.

'Whatever,' zei de bijzonder deskundige met een onverschillige handbeweging. 'Of probeer ik alleen maar aardig tegen hem te zijn,' bromde hij.

Na nog een uurtje keuvelen, nog een paar glazen van de inderdaad opmerkelijke cognac van de bijzonder deskundige, had Johanssons gastheer voorgesteld een potje te biljarten. Zelf had hij het idee dat dat ze de avond na deze sportieve activiteiten vervolgens zouden besluiten met een licht hapje. Omdat Johansson hierover de ergste griezelverhalen de ronde had horen doen, sloeg hij het aanbod af.

'Ik biljart niet,' zei hij, terwijl hij zijn hoofd verontschuldigend schudde.

'Als je wilt, leer ik het je,' zei de bijzonder deskundige, terwijl hij hem hoopvol aankeek.

'Graag, maar dan een andere keer,' zei Johansson. 'Ik moest maar eens op huis aan,' voegde hij eraan toe.

Vervolgens had Johansson bedankt voor het uitstekende diner. Hij had een taxi besteld en was naar de lege etage van hem en zijn vrouw aan de Wollmar Yxkullsgatan gereden. Zodra hij in bed lag, viel hij vrijwel ogenblikkelijk in slaap.

Die heeft ze ook niet allemaal op een rijtje, dacht Johansson voordat Morpheus zijn armen behoedzaam om zijn schouders legde.

52

Terwijl het rechercheteam van de Linda-moord in het gebruikelijke ochtendoverleg zat, was hoofdinspecteur Olsson binnengekomen om te melden dat de collega's in Kalmar hun verkrachter hadden opgepakt. De directeur van een asielzoekerscentrum buiten Nybro had een van zijn asielzoekers herkend uit de beschrijving die de lokale radio had verspreid. Hij had direct naar de politie in Kalmar gebeld, die al onderweg was om dezelfde man in te rekenen. Ze hadden de analyseresultaten van het SKL een uur eerder binnengekregen en voor deze ene keer kwam het zo uit dat de man in kwestie behoorde tot het halve promille van de mannelijke bevolking dat was opgenomen in hun DNA-register.

Een zeventienjarige asielzoeker uit Moldavië die een maand eerder naar Zweden was gekomen. Toen was zijn DNA afgenomen voor het geval hij kattenkwaad uit zou halen in de maanden die het normaal gesproken kostte voordat het besluit werd genomen hem terug te sturen. Nu zat hij in de bak bij de politie in Kalmar. Ontkende alles, volgens de tolk, maar hij zou hoe dan ook langer in Zweden mogen blijven dan alle anderen met dezelfde achtergrond. Aan de moord op Linda was hij onschuldig. Zijn DNA-profiel klopte niet.

'Maar dat vermoedden we allemaal al,' constateerde Olsson. 'Maar ik weet potjandorie zeker dat hij achter onze poging tot verkrachting zit,' besloot Olsson met een bemoedigend knikje naar Anna Sandberg.

De zes gedetacheerde collega's die de politie in Kalmar zouden helpen bij het volgen van het verkrachtingsspoor, waren teruggekeerd bij het rechercheteam. De taken die nog restten, kon Sandberg zelf afhandelen met haar linkerhand en zoals gebruikelijk met behulp van de telefoon, het intranet van de politie en de fax. Er waren belangrijker zaken om mee aan de slag te gaan.

'Nou, dan gaan we dus verder met de brede, onbevooroordeelde oriëntatie,' zei Olsson. 'Hoe gaat het eigenlijk met ons wangslijm?'

Boven verwachting, volgens Olssons medewerkers. Ze waren de zeshonderd vrijwillige afnames al gepasseerd en het oude record was ruimschoots verbroken. Vierhonderd monsters waren al klaar en afgevoerd.

'We werken volgens twee lijnen,' legde Knutsson uit met een schuwe blik naar collega Lewin. 'Deels proberen we de mannen die in de buurt van de plaats delict wonen op te sporen, deels zoeken we naar mensen die overeenkomen met het profiel van de DP-groep, zodat we systematisch wangslijm bij hen af kunnen nemen.'

'Dus het is echt geen kwestie van een willekeurige werkwijze,' benadrukte Thorén.

'Ja, vroeg of laat zwemt hij in ons net,' stelde Olsson met overtuiging vast.

Onder het genot van het gebruikelijke avondpilsje in het hotel kon de alwetende Rogersson Bäckström vertellen dat hun vroegere hoofd inmiddels elders geplaatst was.

'Huddinge, het forensisch-psychiatrisch ziekenhuis in Huddinge,' suggereerde Bäckström, die daar voor zijn werk in de loop van de jaren meerdere malen geweest was.

'Ulleråker,' antwoordde Rogersson. 'Hij schijnt uit die contreien te komen, dus het is wel praktisch als hij in de buurt van vrouw en kinderen zit. En hij heeft geloof ik ook rechten gestudeerd in Uppsala.'

'Hoe gaat het dan met hem?' vroeg Bäckström nieuwsgierig.

Volgens Rogerssons informant ging het prima. De tweede dag al had Nylander een vertrouwelijke opdracht gekregen en nu liep hij met de boekenwagen van de patiëntenbibliotheek rond over de verschillende afdelingen.

'Hij lijkt zich als een vis in het water te voelen,' rondde Rogersson af.

Bäckström had genoegen genomen met een instemmend knikje. Ik vraag me af wie voor Brandklipparen zorgt, dacht hij. Hoe ik daar nou weer op kom. Ach, schijt ook.

'Proost, makker,' zei hij, terwijl hij zijn bierglas hief. 'Op Centen-bak,' voegde hij eraan toe. Het was eigenlijk best een vermakelijke kerel en je moet toch iets zeggen, dacht hij.

De *Dagens Nyheter* van donderdag bevatte een lang debatartikel van de hand van universitair bibliothecaris Marian Gross en de krant besteedde er zowel bij het nieuws als in het redactionele deel aandacht aan, hoewel hetzelfde artikel enkele dagen eerder om onbekende redenen door *Smålandsposten* in Växjö was geweigerd. Gross was verontwaardigd. Ten eerste over de incompetente wijze waarop de politie te werk ging bij het onderzoek naar de moord op Linda, ten tweede over de manier waarop hij slachtoffer was geworden van grove juridische fouten.

Zonder aan zichzelf en de risico's die hij liep te denken, was hij bereid geweest te getuigen om de politie te helpen. Dat was vanzelfsprekend voor Gross, zoals dat ieder normaal functionerend mens in een rechtsstaat en democratie betaamt. Als vluchteling uit Polen ten tijde van het sovjetimperium wist hij hoe het was om onder dictatoriale omstandigheden te leven. Voor hem was het bovendien ook een kwestie van persoonlijke betrokkenheid. Hij had zowel het slachtoffer als haar moeder gekend. Geweldige mensen en de beste buren die je je maar voor kon stellen, aldus Gross. Omdat er bovendien sterke aanwijzingen waren dat hij de enige was die Linda's moordenaar had gezien en kon beschrijven, was de handelswijze van de politie onbegrijpelijk en zeer kwetsend.

Tweemaal hadden ze zich met geweld toegang tot zijn woning verschaft en hem meegenomen naar het politiebureau, hem kwetsende racistische scheldwoorden toegeworpen, hem onderworpen aan dagenlange verhoren en hem gedwongen een DNA-monster af te staan, hoewel ze geen spatje bewijs tegen hem hadden. Bovendien hadden ze achteraf het lef gehad te beweren dat hij zijn DNA vrijwillig en op eigen verzoek had afgestaan.

Toen de resultaten van de test vervolgens bekend waren, had het hem en zijn juridisch raadsman meerdere telefoontjes en brieven gekost voordat de politie zich ook maar de moeite had getroost hem mee te delen dat hij uit het onderzoek was afgevoerd. Dat wil zeggen dat hij onschuldig was en niets met de moord op Linda te maken had. Zonneklaar voor hemzelf en ieder weldenkend mens, maar niet voor de politie van Växjö en hun handlangers van de rijksrecherche in Stockholm.

Gross was ook niet de enige die door de politie gemaltraiteerd was. In het prominent geplaatste nieuwsartikel in dezelfde krant werd verwezen naar een hooggeplaatste bron binnen de politie die vertelde dat er in het Linda-onderzoek DNA van bijna duizend personen in Växjö en omgeving was afgenomen. De overgrote meerderheid van deze mensen bestond uit gewone, eerzame, hardwerkende mensen. Uit alle analyseresultaten bleek, niet onverwacht, dat ze onschuldig waren.

Drie van hen waren geïnterviewd door de krant en een van de drie die vrijwillig DNA had afgestaan, was opvallend genoeg een vrouw. Ieder van hen was misnoegd en de vrijwillige medewerking waar de politie het over had, kwam niet overeen met hun eigen ervaring. Ze hadden simpelweg niet het gevoel gehad enige keus te hebben en om te voorkomen dat ze verder lastiggevallen werden, hadden ze ervoor gekozen in te stemmen met het voorstel van de politie. Maar om dat vrijwillige medewerking te noemen, was natuurlijk een slechte grap.

De vrouw was het verontwaardigst en begreep bovendien niet eens waar het over ging. Iedereen wist inmiddels dat de moordenaar van Linda een man moest zijn en wat de politie met haar DNA moest, was een mysterie. In elk geval voor haar.

De vraag was uiteraard doorgespeeld naar de woordvoerster van de politie in Växjö, maar zij had geweigerd uitspraken te doen. De onderzoeksleiding gaf überhaupt geen commentaar op de noodzakelijke maatregelen die na de moord op Linda Wallin getroffen waren. In het algemeen gesteld was dat strijdig met de aard van de werkzaamheden en in het ergste geval kon dat de verder zo succesvolle voortgang van het onderzoek in gevaar brengen of zelfs tenietdoen.

De expert bij wie de krant had aangeklopt, liet zich echter niet hinderen door deze politionele richtlijnen. Volgens hem was er slechts één verklaring denkbaar. De vrouw van wie DNA was afgenomen, had waarschijnlijk een zoon voor wie de politie belangstelling had, maar die ze blijkbaar niet te pakken hadden weten te krijgen. Volgens de vrouw was dat op zich correct. Ze had inderdaad een zoon, maar hoe hij de politie zou kunnen helpen om de moord op Linda op te lossen, was haast nog moeilijker te begrijpen. Volgens zijn moeder had hij in zijn hele leven nog nooit een vlieg kwaad gedaan en bovendien woonde hij al twee jaar in Thailand.

'Ik denk dat ze bij de politie gewoon niet meer weten waar ze mee bezig zijn,' concludeerde zijn moeder tot besluit van het lange interview.

Zij leek helaas niet de enige die deze mening was toegedaan. De schrijver van het hoofdartikel in *Dagens Nyheter* leek de zoete geur van corruptie binnen de rechterlijke macht herkend te hebben en zag binnen de politie bovendien duidelijke tekenen van dezelfde verwarring en wanhoop als bij de jacht op de moordenaar van Olof Palme twintig jaar eerder. Dat was overigens misschien niet zo vreemd, aangezien een groot aantal van de mensen die door de rijksrecherche naar Växjö waren gestuurd, ook toen een actieve rol had gespeeld in het moordonderzoek.

Ook de krant *Barometern* in Kalmar behandelde de Linda-moord in het hoofdartikel, maar vanuit een enigszins andere invalshoek dan de grote collega uit de hoofdstad. Volgens *Barometern* ging het in wezen om de botsing tussen twee politieculturen. Aan de ene kant de politie in Växjö, met zijn kennis van de stad en zijn inwoners – 'we kennen onze pappenheimers' –, die bij voorkeur grondig en kleinschalig te werk ging. Aan de andere kant de collega's van de rijksrecherche, die in de wereld van de computers leefden, gewend waren aan praktisch onbeperkte middelen en wie het niet vreemd was om problemen over een zo breed mogelijk front aan te pakken.

Ook *Barometern* leek zijn bronnen op het politiebureau te hebben. Volgens een van hen waren er al vrij snel wrijvingen ontstaan binnen de onderzoeksleiding en ongeacht welke partij gelijk had, kwam dat het werk natuurlijk niet ten goede. Tot slot was men verontrust, terwijl het tegelijkertijd nog veel te vroeg was om het bijltje erbij neer te gooien, en hopelijk zouden ze de dader uiteindelijk toch vinden, hoewel er inmiddels ruim een maand verstreken was sinds Linda werd vermoord.

Die dag had het ochtendoverleg van de onderzoeksleiding tot aan de lunch geduurd. Praktisch alles wat ter sprake kwam, ging over wat er die dag in de kranten te lezen stond. Hoofdinspecteur Olsson had zelfs een vraag gesteld over het onderzoek naar de Palmemoord. Weliswaar louter en alleen uit nieuwsgierigheid en absoluut niet als kritiek. Maar toch.

'Ja, Bäckström, jij was er natuurlijk ook bij,' zei Olsson om een of andere reden.

'Inderdaad,' zei Bäckström met de zwaarmoedigheid van iemand die zich al praktisch zijn hele volwassen politieleven met moordzaken bezighoudt. 'Het probleem was vooral dat niemand van die lui die alles bestuurden en bestierden, luisterde naar wat ik te zeggen had.'

'Ik heb wat mensen verhoord,' zei Rogersson, terwijl hij zijn schouders ophaalde. 'En als jullie me willen excuseren, zitten er ook nu een paar op me te wachten.' Vervolgens had hij kort geknikt en was hij vertrokken.

'Ik was er ook bij,' zei Lewin. 'Wat ook niet zo vreemd is, aangezien iedereen die indertijd bij de recherche in Stockholm werkte op de een of andere manier betrokken was bij het onderzoek naar de moord op Palme. En er was ook niemand die naar mij luisterde, mocht iemand zich dat afvragen,' voegde hij eraan toe.

Daarna had ook hij zich geëxcuseerd en was vertrokken.

Maar Bäckström had geen keuze gehad. Hij was blijven zitten en zag hoe nog een dag van zijn krap bemeten tijd verloren ging, totdat hij eindelijk een eind aan die onzin had weten te maken en ervoor had gezorgd dat hij tenminste iets binnenkreeg.

Rogersson had zich duidelijk niet alleen met verhoren beziggehouden. Zo zat hij bijvoorbeeld al in het personeelsrestaurant toen een geïrriteerde Bäckström met de dagschotel en, bij gebrek aan echt bier, een alcoholarm biertje aan hetzelfde tafeltje ging zitten.

'Zit je goed?' vroeg Rogersson zodra Bäckström was gaan zitten.

'Ja,' zei Bäckström.

'Nu heb je de poppen flink aan het dansen op het bureau in Stockholm,' zei Rogersson, terwijl hij over de tafel leunde, zijn stem liet zakken en opgewonden naar Bäckström knikte.

'Is Centenbak met zijn boekenwagentje opgedoken bij erpécé op de elfde?' vroeg Bäckström, terwijl hij zijn droge pistoletje rijkelijk met boter bestreek.

'Ik heb met een van de jongens van het werk gebabbeld,' zei Rogersson. 'Weet je wie de opvolger van Centenbak wordt?'

'Nee, hoe moet ík dat in godsnaam weten,' zei Bäckström.

'Johansson,' zei Rogersson. 'Lars Martin Johansson. Je weet wel, die vent die door de collega's van de ordepolitie de Slachter van Ådalen wordt genoemd.'

'Die eikel uit Lapland, bedoel je. Dat kan goddomme niet waar zijn,' zei Bäckström.

'Een betrouwbare bron,' zei Rogersson.

Een opmerkelijke bron bovendien, aangezien de ministerraad waar het plaatsvervangend hoofd van de inlichtingendienst Lars Martin Johansson een uur eerder tot het nieuwe hoofd van de rijksrecherche was benoemd, nog steeds gaande was en zelfs de best geïnformeerde journalist nog geen flauw benul had van de bevordering, die pas over enkele uren openbaar zou worden gemaakt als het persbericht van het ministerie van Justitie uitging.

Op vrijdagavond had Bäckström zijn getrouwen bijeengebracht voor een gemeenschappelijk diner in het hotel. Ze waren begonnen op Bäckströms kamer om hun zaak in alle rust door te kunnen nemen, en bij wijze van uitzondering hadden Lewin, Knutsson én Thorén Bäckströms gulle aanbod van een pilsje aangenomen. De kleine Svanström dronk geen pils, maar ze was wel zo goed om naar haar kamer te gaan om daar een glas witte wijn in te schenken uit de fles die ze blijkbaar in haar minibar bewaarde.

'Zo kan ik in elk geval met jullie meedoen,' zei ze.

Bäckström was kwaad. Zelf was hij niet van plan om een hele hoop shit en de gebruikelijke kwaadsprekerij te slikken van een stelletje veldwachters die ook nog eens te laf waren om het hem recht in zijn gezicht te zeggen. Die dag had hij meerdere malen overwogen om de kamer van de korpschef binnen te stappen en met zijn vuist op tafel te slaan.

'Met alle respect, Bäckström, ik geloof niet dat dat erg constructief zou zijn,' wierp Lewin tegen.

'Dus zo denk jij erover,' zei Bäckström. Vuile verrader, dacht hij.

'Ik ben geneigd het met Lewin eens te zijn,' zei Rogersson, hoewel het bier dat hij naar binnen klokte van Bäckström was. 'Zodra we die klootzak achter slot en grendel hebben, houden ze bovendien wel op met dat gelul.'

Nog zo eentje, dacht Bäckström

'Het was iemand die ze kende,' zei Lewin. 'Iemand die ze geheel vrijwillig binnen heeft gelaten, omdat ze hem mocht, en ik ben er zelfs vrij zeker van dat ze in het begin geheel vrijwillig seks met hem had. Het ontspoorde daarna pas.'

'Waar kunnen we hem dan vinden?' vroeg Bäckström. In een van die achterlijke structuren van je, dacht hij.

'Natuurlijk vinden we hem,' zei Lewin. 'Zo veel zullen dat er toch niet zijn? Vroeg of laat vinden we hem.'

Daarna waren ze naar de eetzaal gegaan om te dineren en omdat Bäckström begon te ontdooien, had hij de anderen zelfs weten te overtuigen van de noodzaak om voor het eten wat haring te nuttigen.

'De borrel is voor mijn rekening,' zei Bäckström, die al besloten had hoe hij dat probleempje op zou lossen zonder zijn eigen zuurverdiende centen op te hoeven offeren.

Vervolgens hadden ze van alles en nog wat gehad. Met name hij en Rogersson, natuurlijk, maar zelfs Lewin had toegegeven en een borreltje genomen. Knul en Tut hadden behoorlijk wat verstouwd toen ze zo zachtjesaan de stad in verdwenen en ditmaal stond het als een paal boven water dat ze niet benieuwd waren naar het filmaanbod van Växjö.

Zelf was Bäckström samen met Rogersson aan de bar beland en toen ze zoetjesaan terug waren gewankeld naar hun kamer om daar te genieten van hun welverdiende nachtrust, waren ze allebei behoorlijk afgepeigerd. Bäckström had problemen met het sleutelpasje van zijn kamer, maar Rogersson had hem geholpen en ervoor gezorgd dat hij naar binnen kon.

'Wil je er nog eentje?' vroeg Bäckström, terwijl hij een handgebaar naar de minibar maakte.

'Ik heb genoeg om me mee te redden,' zei Rogersson. 'Trouwens, er was nog iets wat ik je vergat te zeggen.'

'Ik luister,' zei Bäckström, terwijl hij zijn schoenen uittrapte en op zijn zij ging liggen om tijd te besparen voor het inslapen.

'Een van die rottige journalisten belde me op en begon erover te zeiken dat we nachtenlang naar pornofilms hadden zitten kijken,' zei Rogersson. 'Weet jij daar iets van, Bäckström?'

'Geen flauw idee,' mompelde Bäckström. Waar heeft die vent het over, dacht hij. Porno? Zo laat nog?

'Ik ook niet,' zei Rogersson.

'Wat heb je tegen hem gezegd?' mompelde Bäckström.

'Ik zei natuurlijk dat 'ie de pot op kon, wat zou je zelf gezegd hebben?'

'Dat hij de pot op kon, natuurlijk,' zei Bäckström. 'Wat zeg je ervan om eens te gaan slapen?'

Op zondag 10 augustus had de familie Linda Wallin begraven in aanwezigheid van haar ouders, haar twee halfbroers uit het eerdere huwelijk van haar vader en een stuk of twintig andere familieleden en vrienden. Er waren echter geen journalisten of medewerkers van de politie aanwezig. Linda's vader had hoofdinspecteur Olsson afgewimpeld toen hij had gebeld om zijn diensten aan te bieden. Hij had de zaken zelf al op een andere manier geregeld. De begrafenisplechtigheid vond in dezelfde kerk plaats als waar Linda zeven jaar eerder belijdenis had gedaan en ze werd ter aarde besteld in het graf op het nabijgelegen kerkhof dat haar vader bij terugkomst in Zweden had gekocht ten behoeve van zijn eigen en de komende generaties. Zijn verdriet was al onmetelijk, zonder begin of einde, dus het feit dat zijn enige dochter daar vóór hem was beland, kon het in elk geval niet groter maken.

53

Lars Martin Johansson was maandagochtend al om zeven uur op zijn nieuwe werkplek gearriveerd. Op zijn bureau lagen stapels netjes geordende papieren. Op een ervan zat een post-it van zijn secretaresse met de tekst 'onmiddellijk behandelen?'

Boven op die stapel lagen een schrijven van de Justitiekanselier en een van de Parlementair Ombudsman. De inhoud van de twee brieven was bijna identiek, ze waren gericht aan de korpschef van Växjö, er was een afschrift gestuurd aan de chef van de rijksrecherche, ter kennisneming en voor eventueel commentaar, hiertoe genoodzaakt door de informatie in de krant *Dagens Nyheter* van donderdag 7 augustus jl. In wezen gingen ze over de routines bij het doen van vooronderzoek, in het bijzonder over de toepassing van de zogenaamd vrijwillige DNA-tests, waar de politie volgens de gegevens gebruik van zou maken bij het onderzoek naar de moord op Linda Wallin. Last but not least. Beide brieven waren geschreven op initiatief van de Justitiekanselier en de Parlementair Ombudsman. Gezien de afzenders was dit het op een na ergste, en een duidelijk voorteken van het allerergste.

Waarom ligt dit op mijn bureau? Waarom hebben ze het niet direct naar Ulleråker gestuurd, dacht Johansson geïrriteerd, terwijl hij op de post-it schreef dat hij de jurist die hierover ging, onmiddellijk wilde spreken. Maar verder leek alles zoals altijd in zijn sinds jaar en dag verheven leven. Papieren, papieren, papieren en nog eens papieren, dacht hij.

54

Växjö, dezelfde dag

Toen het rechercheteam in Växjö rond de grote tafel plaatsnam voor het eerste ochtendoverleg van die week, had niemand enig vermoeden van de donkere wolken die zich boven hun onderzoek samenpakten. Daarentegen dacht iedereen eigenlijk dat de genadige zon eindelijk ook op hen was gaan schijnen. Een minuut voordat ze zouden beginnen, was Enoksson plotseling opgedoken en hij had Bäckström gevraagd of hij mocht beginnen. Hij had namelijk heel veel interessante dingen te melden en omdat het Enoksson was, en niet Olsson – die Bäckström verblijdde met zijn afwezigheid –, had Bäckström plotseling gedacht dat hij de aanwezigheid van de welbekende vibraties bespeurde.

'Ik heb van alles te vertellen, mochten jullie geïnteresseerd zijn,' stak Enoksson van wal, en aan de reacties van zijn publiek te horen, waren ze dat zeker.

'De collega's in Kalmar hebben een treffer op het DNA van de Linda-moordenaar. Helaas kunnen ze ons zijn identiteit niet geven, maar ik vind het hoe dan ook veelbelovend klinken,' vervolgde Enoksson. Dus zo betover je je publiek, dacht hij.

Omdat Enoksson een nauwkeurig én didactisch man was, had hij ook geprobeerd het zijn luisteraars makkelijk te maken door zijn verhaal puntsgewijs samen te vatten en voor de zekerheid had hij een hand-out uitgedeeld, die ze konden bekijken terwijl hij sprak. Het eerste punt ging over de moord op Linda. Het laatste over de analyseresultaten die hij nog maar een uur geleden binnen had gekregen van het SKL in Linköping.

Linda was vrijdag 4 juli tussen vier en vijf uur 's ochtends vermoord in het appartement van haar moeder aan de Pär Lagerkvistsväg te Växjö. Maandagmiddag 7 juli was er bij de politie in Växjö aangifte gedaan van de diefstal van een meer dan tien jaar oude Saab die die ochtend op enkele kilometers afstand van de moordplaats verdwenen zou zijn. Dezelfde auto was opgedoken in hun onderzoek op vrijdag 11 juli, toen ze in verband met de moord op Linda interessante, mogelijk verwante delicten behandelden. Omdat deze diefstal toen als minder interessant was bestempeld, was hij terzijde gelegd. Nu waren er zeer sterke redenen om zich opnieuw in de diefstal te verdiepen.

'Voorzover ik me herinner, meenden we toen dat als die auto drie dagen na de moord gestolen was, het erg onwaarschijnlijk zou zijn dat hij iets met Linda te maken had,' zei Enoksson.

Hoe het ook zij. De auto was op zondag al teruggevonden, dus hij had niet op maandag gestolen kunnen worden. Hij stond verborgen in het bos, op een zijweggetje van weg 25 tussen Växjö en Kalmar, ruim tien kilometer ten westen van Kalmar. De eigenaar van de grond had de auto gevonden toen hij 's ochtends vroeg zijn land inspecteerde. De nummerborden van de auto waren eraf geschroefd en er leek bovendien een halfslachtige poging gedaan te zijn om hem in brand te steken. Gezien de staat van de auto leek het nog het meest op de gebruikelijke, voor de eigenaar gemakkelijke manier om onder de laatste rit naar de schroothoop uit te komen, en het was niet de eerste keer dat de grondbezitter in aanraking was gekomen met dit soort privé-initiatieven. Hij was er kortom helemaal niet blij mee.

's Middags had hij de politie in Kalmar gebeld, maar omdat er weinig mensen waren, had het tot woensdag 9 juli geduurd voordat een patrouille van de buurtpolitie uit Nybro zich ter plaatse om het probleem kon bekommeren. Nadat ze de auto hadden bekeken en wat hadden rondgesnuffeld in het omringende terrein, hadden ze in de richting van weg 25 op ongeveer vijftig meter van het voertuig een paar nummerborden gevonden die in een greppel waren gegooid. Ze hadden via de politieradio een vraag gesteld, hadden een antwoord gekregen dat overeenkwam met de auto en hier begon het eigenlijk pas echt interessant te worden.

Bij de afdeling Misdaadpreventie van de regionale politie in Kalmar hadden ze de voorstellen van de minister van Justitie voor aangescherpte maatregelen tegen kleine criminaliteit direct ter harte genomen en ze deden zelfs mee aan een speciaal pilotproject op landelijk niveau, waarbij met behulp van moderne forensische technieken geprobeerd werd het aantal opgehelderde autodiefstallen te verhogen.

Veel wees erop dat het voertuig in kwestie inderdaad gestolen was. Zo was de auto gestart met behulp van een schroevendraaier die in het contactslot was gestoken en vervolgens was omgedraaid, en het stuurslot was geforceerd op de bekende, simpele manier, namelijk door de wielen te blokkeren en zo hard mogelijk aan het stuur te rukken.

In de asbak tussen de voorstoelen hadden de collega's uit Västervik een sjekkie gevonden met de veelbelovende geur van *Cannabis sativa*. Ze hadden de peuk in een bewijszakje gestopt, dat ze voor DNA-analyse naar het SKL hadden gestuurd, en ze hadden ervoor gezorgd dat het voertuig naar de parkeerplaats van het bureau in Kalmar werd gebracht, in afwachting van eventueel verder sporenonderzoek in het kader van het nationale pilotproject.

Vervolgens waren de auto en de peuk verdwenen in de geautomatiseerde wereld van de politie. De politie in Kalmar had er geen idee van dat dezelfde auto kortstondig was besproken in het moordonderzoek dat op dit moment de hoogste prioriteit had in heel Zweden. Er was volstaan met het versturen van een brief aan de eigenaar om te melden dat ze zijn auto hadden gevonden, maar hij had niets van zich laten horen en verder leek niemand erbij stilgestaan te hebben.

Bij het SKL was de opgestuurde marihuanapeuk achteraan in de steeds langere rij met te analyseren DNA-monsters gekomen. Ongeacht de initiatieven van de minister van Justitie en volledig onafhankelijk van waar het hart van de afdeling Misdaadpreventie van de regiopolitie in Kalmar lag, met alle respect voor nationale pilots, was hij blijven liggen en had hij op zijn beurt moeten wachten, en pas na een maand hadden ze er tijd voor gehad.

De analyse was in de namiddag van vrijdag 8 augustus klaar en toen het resultaat werd vergeleken met andere gevallen in de databestanden, was een waarschuwingslampje gaan branden. Helaas bleken alle direct betrokkenen bij de regiopolitie in Växjö en Kalmar al naar huis te zijn en met het oog op de geheimhouding en

333

diverse andere, welbekende redenen van persoonlijke aard, had het tot maandagochtend geduurd voordat Enoksson en zijn collega's het blijde nieuws rechtstreeks via de telefoon van de verantwoordelijke medewerker bij het s KL hadden vernomen.

'Nou, dat was het wel,' besloot Enoksson. 'Onze collega's zijn naar Kalmar gegaan om hem voor ons te halen. Dat leek ons het rustigst. Wat was er verder nog? O ja, ik heb ook nog een berichtje van de collega's in Kalmar.'

'Wat willen ze?' vroeg Bäckström, hoewel hij het antwoord al wist.

'Hetzelfde als altijd,' zei Enoksson. 'Mochten we nog hulp nodig hebben bij het oplossen van de moord op Linda, dan moeten we het even laten weten.'

'Dat zal vast niet nodig zijn,' zei Bäckström. 'Oké, vrienden,' vervolgde hij. 'Nu hebben we iets om onze tanden in te zetten en als er ooit een autodiefstal in het koninkrijk Zweden heeft plaatsgevonden die diepgravender is onderzocht dan deze onderzocht gaat worden, dan beloof ik de handdoek in de ring te gooien.' En daar kunnen jullie alleen maar van dromen, stelletje lapzwansen, dacht hij.

55

In de kamer van de korpschef een etage hoger in het gebouw hadden ze geen idee van het enthousiasme dat een etage lager door de ruimtes van het rechercheteam golfde. De korpschef was daarentegen flink ongerust en zoals zo vaak tevoren werd zijn bezorgdheid gedeeld door zijn medewerker hoofdinspecteur Olsson, die zowel trouw als verstandig was.

's Ochtends vroeg al had zijn secretaresse hem ondanks zijn vakantie gebeld in zijn buitenhuis, alleen om hem te vertellen dat hij diezelfde ochtend twee brieven had ontvangen, namelijk van de Justitiekanselier en de Parlementair Ombudsman. Iets waar hij tot dan toe verschoond van was gebleven, hoewel hij al vijfentwintig jaar bij de politie werkte en met de jaren steeds meer medewerkers had gekregen die hij in het gareel moest houden. Omdat hij geen keus had, was hij praktisch direct in de auto gaan zitten en had de ruim honderd kilometer enkele reis naar het politiebureau in Växjö afgelegd. Eerst was hij echter een kijkje gaan nemen bij zijn geliefde echtgenote. Net als altijd lag ze bij de steiger te zonnen en net als altijd had ze afwerend naar hem gezwaaid toen hij haar net als altijd aan de beschermingsfactor herinnerde.

Al in de auto had hij zijn trouwe wapenknecht Olsson gebeld en met het oog op het ietwat gevoelige karakter van de boodschap, had hij benadrukt dat ze het eerst onder vier ogen moesten bespreken en dat het eventueel informeren van de collega's van de rijksrecherche beter even uitgesteld kon worden.

'Ik ben het volledig met u eens,' stemde Olsson met hem in, en hij beloofde onmiddellijk met Bäckström te spreken, zodat deze het ochtendoverleg in Olssons afwezigheid kon afhandelen, zonder op de aanleiding van zijn afwezigheid in te gaan.

Nadat ze de ontstane situatie in alle rust onder het genot van een kop koffie hadden besproken, bleek dat ze het op veel meer punten eens waren. De informatie in het krantenartikel was weliswaar, net als altijd, sterk gekleurd en flink overdreven, maar desalniettemin had Olsson toch meerdere malen geprobeerd om de collega's van Rijks te beteugelen.

'Volgens mij is het gedeeltelijk een kwestie van cultuurverschillen: in Stockholm hebben ze een heel andere cultuur binnen de politie dan wij hier,' stelde Olsson vast. 'En met kosten hebben ze waarschijnlijk nooit rekening hoeven houden. Het is meer op volle kracht vooruit, om het zo maar te zeggen.'

Wat het antwoord aan de Parlementair Ombudsman en de Justitiekanselier betreft, beloofde hij bovendien om er zo snel mogelijk op terug te komen met diverse nuanceringen en aanvullingen, dus daarover hoefde zijn chef zich geen zorgen te maken.

'In het ergste geval zal ik ze de les moeten lezen,' zei Olsson, terwijl hij zijn rug rechtte.

Olsson is een rots in de branding, dacht de korpschef, en als het ook maar enigszins mogelijk was geweest, zou hij hem het liefst hebben gevraagd om de zojuist benoemde chef van de rijksrecherche te bellen. Een gesprek dat hij in feite onmiddellijk af moest handelen en waar hij sinds de vroege ochtend tegenop zag. Hoe noemen ze hem ook al weer, dacht hij. De Slachter van Ådalen?

Zelf had hij hem maar een paar maal ontmoet, maar dat was meer dan genoeg geweest om te begrijpen hoe hij aan deze bijnaam gekomen was. Een grote, grove kerel uit Noord-Zweden die zelden iets zei maar mensen aan kon kijken op een manier die werkelijk niet bijdroeg aan de gemoedsrust van degene die geobserveerd werd. Een soort primitieve inboorling binnen de politie, zonder achtergrond, opleiding of ook maar een spoortje juridische scholing, dacht de korpschef, terwijl hij inwendig rilde.

Misschien toch het veiligst als ik zelf bel, dacht de korpschef, en zonder erbij na te denken had hij hetzelfde mobiele nummer ingetoetst als zijn oude studiegenoot slechts een week eerder had gedaan.

'Johansson,' zei de kortaangebonden stem aan de andere kant van de lijn.

Erkapé Lars Martin Johansson was niet de enige die gebeld werd. Ongeveer op hetzelfde moment waarop de korpschef hem belde, had het hoofd van de DP-groep, hoofdinspecteur Per Jönsson, zijn collega Bäckström in Växjö gebeld om hem zijn diensten aan te bieden naar aanleiding van de DNA-vondst in de gestolen auto, die hem zojuist ter ore was gekomen. Een prachtige gelegenheid om Bäckström de onbeschoftheden die hij had uitgekraamd toen hij hem de vorige keer sprak, eens fijntjes terug te betalen, dacht Jönsson.

'Ik snap het probleem niet goed,' onderbrak Johansson de korpschef nadat hij veel te lang naar diens woordenstroom had moeten luisteren. 'Jouw mensen leiden het vooronderzoek toch?' vroeg hij. 'Ik dacht dat Bäckström en onze andere collega's er waren om jullie te helpen.' Wat met het oog op Bäckström al erg genoeg is, maar dat stuk verdriet moet ik later maar aanpakken, dacht Johansson.

'Ja, op zich wel,' gaf de korpschef toe. 'De vooronderzoeksleider is een van mijn betrouwbaarste mensen, een zeer ervaren collega van de regionale recherche hier.'

'Fijn om te horen,' zei Johansson. 'Dan kun je mijn mannen zeggen dat ze zich netjes moeten gedragen, want anders komt de grote baas ze halen en als je wilt dat ik ze terughaal, dan wil ik dat zwart op wit hebben.'

'Nee, absoluut niet, absoluut niet, ze verrichten prima werk,' verzekerde de korpschef, die ondanks de hitte het koude zweet in zijn handen had staan.

'Mooi zo,' zei Johansson.

Wat een buitengewoon primitieve man, dacht de korpschef.

'Zeg me als ik het mis heb, Pelle,' zei Bäckström, die buitengewoon goedgemutst leek. 'Je belt om te vragen of jij en je vriendjes van het archief mij en mijn collega's kunnen helpen met iets wat we zelf nog niet uitgevogeld hebben.'

'Die beschrijving komt voor jouw rekening, Bäckström,' antwoordde Jönsson afgemeten. 'Ik bel je om onze analytische expertise aan te bieden naar aanleiding van de DNA-vondst in die auto die jullie gevonden hebben.'

'Maar dan begrijp ik het precies,' zei Bäckström. 'Je belt om te vragen of je ons kunt helpen met iets wat we zelf nog niet uit hebben weten te vogelen.'

'Ja, als je het op die manier wilt stellen,' zei Jönsson.

'Het antwoord luidt nee. Ik herhaal: nee,' zei Bäckström luid en duidelijk, terwijl hij tegelijkertijd zijn telefoon uitzette, omdat hij al vroeg had geleerd dat dat de onovertroffen effectiefste manier was om een gesprek te beëindigen, vooral als je sprak met figuren als collega Jönsson. Daar kon die kleine Pelle de Joker het mee doen, dacht hij.

56

De dag daarop bevatte de grootste van de twee boulevardkranten een reportage over de begrafenis van Linda – HET VERDRIET OM LINDA – en aan de tekst en foto's te oordelen, was de basis hiervan afkomstig van derden. De tekst was algemeen gesteld, uiteraard met een intens gevoel van medeleven, maar verder had hij over welke begrafenis dan ook kunnen gaan. Het artikel was geïllustreerd met korrelige kerkhoffoto's die van grote afstand waren genomen en een willekeurige groep rouwenden konden voorstellen. De verslaggever en de fotograaf behoorden niet tot de vaste medewerkers van de krant. Beiden hadden een nietszeggende naam en ze stonden niet met een fotootje onder de kop van het artikel, wat des te opmerkelijker was aangezien de reportage een hele pagina in beslag nam op de belangrijkste plaats voor groot nieuws.

De grote scoop stond op de ernaast gelegen pagina en bovenaan bij de koppen op de voorpagina van de krant: MOORDRECHERCHEURS KEKEN DE HELE NACHT NAAR PORNOFILMS, en zonder dat het echt in de krant te lezen was en zonder de tekst ook maar vluchtig te hoeven bekijken, kreeg de gewone lezer toch een duidelijke indruk van wat er was gebeurd. Terwijl Linda's familie en vrienden verlamd van verdriet Linda naar haar laatste rustplaats hadden gebracht, hadden de politiemannen van de rijksrecherche die geacht werden haar moordenaar te grijpen, op hun hotelkamer naar porno zitten kijken.

'Ik snap er geen flikker van,' mekkerde Rogersson toen ze in de dienstwagen zaten om de halve kilometer tussen het hotel en het politiebureau af te leggen. 'Ik heb verdomme geen pornofilm bekeken.'

'Maak je maar niet druk,' stelde Bäckström hem gerust. 'Niemand trekt zich toch iets aan van wat die leuteraars verzinnen.'

Bäckströms geheugen was aanzienlijk helderder dan de vorige keer dat Rogersson hem hiermee lastigviel en nu moest hij zich niet laten kennen. Omdat dat een van Bäckströms allerbeste takken van sport was, maakte hij zich er niet bepaald druk over. Doen of je neus bloedt, je hoofd schudden als iemand ernaar vraagt en zo nodig verontwaardiging tonen over alle lulkoek als mensen geen genoegen namen met een nee.

Iemand die zich er duidelijk wel iets van aantrok, was Lars Martin Johansson. Al bij de eerste kop koffie op het werk had hij de boulevardkrant meegenomen naar zijn kamer en tussen de regels door lezend snel uitgemaakt hoe het in grote lijnen was gegaan. Om een of andere reden gingen zijn gedachten ook naar Bäckström toen hij de commissaris van de politie bij zich riep, die het hoofd van Bäckström en de zijnen was.

'Zit,' zei Johansson en hij knikte naar de commissaris en de bezoekersstoel toen de eerstgenoemde zijn kamer binnen glipte.

'Een vraag,' zei Johansson. 'Wie heeft Bäckström naar Växjö gestuurd?'

Dat was onduidelijk, volgens de ondervraagde. Van één ding was hij echter volkomen zeker: hij had het niet gedaan. Hij was namelijk met vakantie geweest en als hij niet met vakantie was geweest, zou Bäckström hoe dan ook de laatste zijn geweest die hij zou hebben aangesteld om het onderzoek van Rijksmoord in Växjö te gaan leiden. Hij had zich juist tegen dergelijke risico's proberen in te dekken voor hij met vakantie ging.

'Hij zou een aantal oude zaken doornemen die waren blijven liggen,' lichtte de commissaris toe. 'Heel oude zaken zelfs,' verzekerde hij Johansson om een of andere reden.

Johansson had niets gezegd. In plaats daarvan had hij zijn bezoeker aangekeken, en de blik die hij daarvoor gebruikte, leek op een of andere manier opvallend veel op de blik die de korpschef in Växjö de dag tevoren in gedachten had gehad.

'Als u het mij vraagt, lijkt het me tamelijk zeker dat Nylander het besluit zelf genomen heeft,' voegde de commissaris eraan toe en hij schraapte nerveus zijn keel.

'Pen en papier,' zei Johansson met een knikje naar zijn slachtoffer. 'Ik wil het volgende weten...'

57

Op maandagmiddag stond de gestolen auto al veilig en wel in de garage van het politiebureau. Enoksson en zijn collega's waren onmiddellijk aan het werk getogen en slechts een etmaal later konden ze het rechercheteam berichten van hun eerste bevindingen. Er was een aantal vingerafdrukken in de auto veiliggesteld. Twee hiervan kwamen overeen met de waarschijnlijkste van de vijf sets afdrukken van onbekende herkomst die op de moordplaats waren veiliggesteld. Ook waren er blauwe vezels aangetroffen op de rugleuning van de bestuurdersstoel. Deze waren doorgestuurd naar het SKL, maar volgens hun eigen voorlopige inschatting – ook de technische afdeling van de politie in Växjö had een vergelijkingsmicroscoop – wees veel erop dat het om dezelfde exclusieve kasjmiervezel ging als die eerder op de plaats delict was aangetroffen.

Verder hadden ze al het andere ook gevonden. Al het andere dat altijd wordt gevonden als er grondig genoeg gezocht wordt in een voertuig dat in verdachte omstandigheden voorkomt. Zand, steentjes, gewoon stof en stofvlokken op de vloer, grote hoeveelheden haartjes en textielvezels op de vloerbedekking en de stoelen, oude bonnetjes en andere papiertjes die rondslingerden in het dashboardkastje en op alle andere denkbare plaatsen. In de kofferbak lag een krik plus de gebruikelijke verzameling gereedschap, een rode kinderoverall in winteruitvoering en een oud kinderzitje. Buiten de auto, weggegooid in een bosje een paar meter verderop, hadden de collega's uit Nybro een lege jerrycan van tien liter gevonden. Er waren echter geen sporen van bloed, sperma of andere voor het onderzoek interessante lichaamssappen aangetroffen.

De modus operandi van de dader sprak duidelijke taal. De schroevendraaier in het contactslot, het stuurslot dat op de klassieke manier was opengebroken, de zelf gerolde marihuanapeuk in de asbak, de poging om het voertuig in de fik te steken om op die manier alle sporen uit te wissen. Alles bij elkaar wees dit sterk op de in dit verband klassieke dader.

Een verslaafde met een groot strafblad en veelvuldig contact met de politie en het gevangeniswezen. Zelfs het feit dat hij er niet in was geslaagd de auto in brand te steken omdat hij niet genoeg benzine had, wees hierop. In het algemeen rommelig, ongeordend en bovendien onder invloed, zoals ze zo vaak waren.

Wat Enoksson betrof, waren er twee feiten die niet in het plaatje pasten en met het eerste feit kon hij op zich wel leven. De blauwe vezel van de dure trui kon verklaard worden door de aanname dat de dader deze ook gestolen had. Restte nog een zeer moeilijk te verteren feit: dat zijn vingerafdrukken niet in de registers van de politie zaten. Als hij het type was waar alles verder op wees, dan zouden ze daar namelijk te vinden zijn geweest en als hij de uitzondering was die de regel bevestigde, dan had het ruim dertig jaar geduurd voor hij opdook in Enokssons leven als politieman.

'Denk je niet dat het een dwaalspoor kan zijn,' speculeerde Olsson. 'Ik bedoel, afgezien van het feit dat we die verdraaide vingerafdrukken missen, klopt het bijna exact met het profiel dat we hebben gekregen.'

Wat zegt hij nou eigenlijk, vroeg Enoksson zich bevreemd af.

'Dat zijn heus de vingerafdrukken van de dader,' zei Enoksson. 'Wat heeft het voor zin om een dwaalspoor uit te zetten dat nergens heen leidt? Dan laat ik even buiten beschouwing dat noch ik noch iemand anders begrijpt hoe hij in dat geval praktisch gezien te werk zou zijn gegaan. Met alle andere punten uit het profiel dat we van de collega's uit Stockholm gekregen hebben, komt hij overeen.'

'Kan hij die dingen niet gewoon ergens anders hebben geleerd. Dat hij hier nog maar net is en dat hij nog niet in onze registers terecht is gekomen,' stelde Olsson voor. 'Zoals bij onze verkrachter.'

'Wellicht, ja,' zei Enoksson weifelend. 'Maar waarom Linda zo'n type midden in de nacht zou binnenlaten...'

'Als ze dat gedaan heeft,' bracht Olsson ertegenin en hij leek opeens tamelijk tevreden met zichzelf. 'Laten we niet vergeten dat we eigenlijk niet weten hoe hij de flat binnen is gekomen.'

'Ik bedacht me nog iets,' zei Lewin aarzelend en met een zwaarmoedig uitdrukking op zijn gezicht.

'Ja?' zei Olsson, terwijl hij vooroverleunde.

'Ach nee,' zei Lewin. 'Vergeet het,' zei hij, terwijl hij zijn hoofd schudde. 'Ik kom erop terug. Het was maar een wilde gedachte.'

De verhoren met de eigenaar van de auto en alle anderen die mogelijk iets konden bijdragen, hadden helaas alleen maar vraagtekens en de gebruikelijke onduidelijkheden opgeleverd. De gepensioneerde piloot die als eigenaar van de auto te boek stond – Bengt Borg, zevenenzestig jaar oud en nog een Bengt in het register van personen die voorkwamen in verband met het Linda-onderzoek –, had hem niet gebruikt sinds hij hem ongeveer twee jaar geleden van zijn huis op het platteland naar de stad had gereden. Hij reed inmiddels rond in een andere, aanzienlijk nieuwere auto. Na zijn pensionering waren hij en zijn vrouw verhuisd naar hun vakantiehuis buiten Växjö en onafhankelijk van het seizoen bewoonden ze hun appartement in de stad nog maar zelden. De oude Saab was op de parkeerplaats die bij het appartement hoorde blijven staan en daar had hij de afgelopen twee jaar praktisch onafgebroken gestaan.

Een van zijn volwassen dochters had de auto vroeger wel gebruikt, maar ook zij had al jaren een eigen auto. De dochter was overigens vijfendertig jaar, werkte als grondstewardess op het vliegveld van Växjö en had zelf een dochter die inmiddels zeven jaar was en deze herfst voor het eerst naar school zou gaan. De overall en het kinderzitje in de kofferbak waren van haar en als de grootvader zich aan een gok zou wagen, zou hij zeggen dat deze voorwerpen een aardige indicatie gaven van wanneer haar moeder de gestolen auto voor het laatst had gebruikt. Het kinderzitje was van het kleinste model en volgens het etiket in de rode overall was hij bedoeld voor kinderen tot drie jaar. Vier jaar geleden, dat kwam aardig overeen met zijn eigen herinnering.

Voor alle zekerheid konden ze het zijn dochter natuurlijk het beste zelf vragen. Het probleem was echter dat zij, haar man en het zevenjarige kleinkind naar Australië waren afgereisd om dat interessante continent twee maanden lang te verkennen. Volgens papa de piloot was dat geen slecht idee, aangezien Australië op het zuidelijk halfrond lag en de verkoelende winter die daar in deze tijd van het jaar volgens zijn eigen ervaring heerste, te verkiezen was boven de bijna tropische hitte die hem en andere Smålanders al enkele maanden teisterde.

'Maar als het echt belangrijk voor jullie is, kan ik wel proberen haar te pakken te krijgen,' bood papa de piloot bereidwillig aan. 'Ze komen trouwens over een week thuis. Mijn kleinkind begint deze herfst immers op school.'

Rechercheur Salomonson had hem bedankt voor het aanbod, maar dacht dat het ook wel op een andere manier opgelost kon worden.

'Kent u niemand anders die de auto geleend kan hebben?' vroeg Salomonson.

Volgens de piloot niet. Hij had weliswaar nog een dochter, maar die reed nooit auto en had bovendien geen rijbewijs. Ze woonde al jaren in Kristianstad, waar ze werkte als advocaat en ze bezocht haar ouders bovendien tamelijk zelden. Uit de beschrijving van de piloot maakte Salomonson op dat de grondstewardess, en niet de advocaat, zijn lievelingsdochter was.

'En andere kinderen of kleinkinderen heb ik niet,' besloot de piloot. 'Niet dat ik weet, tenminste,' voegde hij eraan toe en hij keek daarbij tamelijk vergenoegd.

Hoe wist hij zo zeker dat de auto op de ochtend van 7 juli was gestolen, vroeg Salomonson zich af.

In feite wist de eigenaar dat helemaal niet zo zeker. Ten eerste had hij er niet eens bij stilgestaan dat hij niet op de gebruikelijk plaats op de parkeerplaats bij Högstorp stond, hoewel hij zijn eigen auto op de plaats ernaast geparkeerd had. Toen hij ontdekte dat beide sleutelsets van de auto aan hun eigen haakje in het sleutelkastje in de hal van het appartement hingen, begon er echter een belletje te rinkelen. Toen was hij teruggegaan naar de parkeerplaats om nog een keer te kijken voor het geval hij de auto ergens anders had neergezet en dat was vergeten. Op dat moment was hij ook zijn buurman tegen het lijf gelopen en ze hadden het erover gehad. Zijn buurman wist zich heel zeker te herinneren dat hij de auto daar tijdens het weekend had zien staan en dat had hij overigens al aan de politie verteld toen hij aangifte had gedaan.

Het eenvoudigste was, volgens de gepensioneerde piloot, om direct met de buurman te gaan praten, al was het probleem met hem dat hij de hitte in Småland was ontvlucht door rond te gaan trekken in de bergen van Lapland en naar eigen zeggen zou hij pas over twee weken terugkomen. Bovendien was er iets wat hij niet begreep.

'Wat ik niet goed begrijp,' zei de piloot, terwijl hij Salomonson nieuwsgierig aankeek, 'is waarom jullie zo verschrikkelijk geïnteresseerd zijn in de diefstal van dat ouwe wrak.'

'Dat is een nieuwe aanpak hier in Växjö,' zei Salomonson, die zo overtuigend mogelijk probeerde te klinken. 'We proberen de zogeheten kleine criminaliteit beter aan te pakken.'

'Ik dacht dat jullie wel belangrijker dingen te doen hadden,' zei de piloot hoofdschuddend. 'Die indruk krijg je tenminste als je de kranten leest. Dan vraag je je toch af waar het heen gaat met dit land,' voegde hij eraan toe.

Tot besluit en bij gebrek aan beter, hadden ze twee hele dagen besteed aan een rondgang bij de buurtbewoners. Ze waren begonnen bij de bewoners die uitkeken op de parkeerplaats en vervolgens verdergegaan met de rest van de buurt. Bij de helft van de huizen waar ze hadden aangebeld, werd niet opengedaan. Ze hadden briefjes door de brievenbus gedaan en op een paar daarvan was in elk geval gereageerd. Blijkbaar hadden een of meer mensen ook anderen dan de politie gebeld, want een aantal journalisten was begonnen het politiebureau te bellen en sommigen waren ook verschenen in de buurt om hun eigen onderzoek te beginnen. Het nieuws dat de politie onderzoek deed naar een gestolen auto die verband hield met de Linda-moord, had de meeste media al in de loop van enkele uren bereikt.

Een van de buurtbewoners met wie de politie had gesproken, had informatie gegeven, maar gezien wat ze verteld had, waren ze waarschijnlijk beter af geweest zonder haar. Toen Rogersson de verhoren die zijn bureau passeerden doornam, had hij haar terzijde gelegd met een aantekening op een aangehecht memobriefje. 'Verwarde oude dame, gn. verv. JR.'

Anna Sandberg had haar gehoord. Mevrouw Brita Rudberg, tweeennegentig jaar, een alleenstaande gepensioneerde vrouw die in het dichtst bij de parkeerplaats gelegen pand woonde. Haar appartement lag op de eerste verdieping en had een balkon met een uitstekend uitzicht over de parkeerplaats in kwestie. Op dat balkon zou ze gezeten hebben toen ze haar waarnemingen in verband met de gestolen Saab had gedaan. Deze zomer ging ze elke ochtend even op het balkon zitten voor het buiten te warm werd, en desbetreffende ochtend herinnerde ze zich goed. Het was een uur of zes 's morgens op vrijdag 4 juli, en ongeveer het tijdstip waarop ze 's zomers meestal wakker werd. Als het buiten donker was, sliep ze meestal langer, maar ook midden in de winter werd ze nooit na halfzeven wakker.

Sandberg had de getuige in elk geval in het begin innemend en helder gevonden, hoewel ze al tweeënnegentig was en duidelijk geen idee had van de moord die ruim een maand eerder gepleegd was en zo mogelijk nog minder begreep dat de auto waar ze haar naar vroeg, gestolen zou zijn. Hoe kon ze zo zeker weten dat het vrijdag 4 juli was geweest?

'Dat weet ik heel goed,' legde Sandbergs getuige uit, terwijl ze naar haar glimlachte. 'Het was de dag waarop ik jarig was, tweeënnegentig werd ik,' voegde ze eraan toe. 'De dag ervoor had ik een punt marsepeintaart gekocht bij de banketbakker in de stad om iets lekkers in huis te hebben voor mijn verjaardag en ik weet nog dat ik die op het balkon zat op te eten met het kopje koffie dat ik 's morgens altijd drink.'

'Ik heb hem zelfs gegroet,' legde ze uit. 'Hij stond aan de auto te prutsen en ik weet nog dat ik dacht dat hij vast de stad uit zou gaan, want hij was zo vroeg op.'

'Kunt u hem beschrijven, de man die aan de auto aan het prutsen was en die u begroette?' vroeg Sandberg en zonder dat ze het wist had ze plotseling dezelfde vibraties gevoeld die Bäckström om de haverklap voelde, hoewel hij het bijna altijd bij het verkeerde einde had.

'Ik dacht dat het zijn zoon was,' zei de getuige. 'Hij leek in elk geval veel op hem. Hij ziet er namelijk erg goed uit. Zoals de mannen eruitzagen toen ik jong was,' legde ze uit.

'Zijn zoon?' vroeg Sandberg.

'Ja, de zoon van de piloot, die piloot van wie die auto is,' legde de getuige uit. 'Hij heeft een zoon die veel lijkt op de jongeman die ik groette. Donker, knap, goedgebouwd ook.'

'Groette hij terug?' vroeg Sandberg. 'Ik bedoel, toen u hem groette.'

Nu leek de getuige te twijfelen. Misschien had hij wel geknikt, maar ze wist het niet helemaal zeker. Ze was er daarentegen behoorlijk zeker van dat hij naar haar had gekeken. Meerdere malen zelfs.

Wist ze nog hoe hij gekleed was? Ook dat wist ze niet zeker. Waarschijnlijk was hij gekleed zoals de meeste jongemannen van zijn leeftijd als het buiten warm was en ze de stad uit zouden gaan.

'Zo'n vrijetijdsbroek en vrijetijdsoverhemd,' zei ze en ze leek nog meer te twijfelen.

'Een korte of een lange broek,' hield Sandberg aan, terwijl ze moeite moest doen om rustig en vriendelijk te klinken en geen antwoord te forceren.

Kort of lang. Dat wilde de getuige in het midden laten, maar als ze nu echt moest kiezen, dan zou ze kort zeggen, in elk geval al met het oog op de warmte. Van de kleur was ze ook niet zeker. Noch van de korte of eventueel lange broek, noch van het overhemd. Het enige wat ze zich nog kon herinneren, was dat de broek en het overhemd donker waren. In elk geval niet wit, want dat zou ze nog geweten hebben.

Zijn schoenen? Waren die haar opgevallen? Nog meer twijfel. Schoenen, daar lette je toch niet op? Als er iets raars met ze was geweest, had ze het vast gezien. Waarschijnlijk van die 'rubberschoenen' waarin alle jongeren tegenwoordig rond leken te rennen.

Blootsvoets? Kon hij niet blootsvoets zijn geweest? Nee, absoluut niet. Want dat zou haar zeker zijn opgevallen en ze had weliswaar geen rijbewijs, maar ze had in elk geval wél begrepen dat je nooit met blote voeten autoreed.

'Rubberschoenen,' herhaalde mevrouw Rudberg met een knikje. 'Van die schoenen die alle jonge mensen tegenwoordig dragen.'

Van twee zaken was ze echter volkomen zeker. Ten eerste dat het haar verjaardag was, de dag waarop ze tweeënnegentig was geworden, vrijdag 4 juli, om een uur of zes 's morgens. Ten tweede dat hij ongeveer tien minuten aan de auto had staan prutsen, in de auto was gaan zitten en weg was gereden, en gezien zijn kleding en het

347

tijdstip was het volkomen duidelijk dat hij naar het platteland zou gaan om zich bij zijn vrouw en kinderen te voegen. Bovendien was ze bijna zeker van een derde punt. Als het de zoon van de piloot niet was, dan was het in elk geval iemand die veel op hem leek. Donker, aantrekkelijk, goedgebouwd, aantrekkelijk op de manier zoals mannen dat vroeger waren.

'Herinnert u zich nog iets anders van die ochtend?' vroeg Sandberg en ze doelde op de wolkbreuk die vanaf even na zevenen tot kort voor acht uur over Växjö was getrokken.

'Nee, hoor. Wat zou dat dan geweest moeten zijn?' Mevrouw Rudberg keek Anna Sandberg onzeker aan.

'Een andere gebeurtenis die die dag was voorgevallen?' drong Sandberg aan.

Niets, aldus de getuige. Ze las geen kranten, keek zelden televisie, luisterde evenmin naar de radio en in elk geval niet naar nieuwsprogramma's. Ze had al jaren geen sociale contacten meer en helaas leken alle dagen in haar leven inmiddels op elkaar.

Na nog drie pogingen had Sandberg haar verteld over de dertig millimeter regen die in een klein uur was gevallen en die tevens de enige regen was die afgelopen maand in Växjö was gevallen.

Mevrouw Rudberg had geen enkele herinnering aan een wolkbreuk of zelfs maar regen. Waarschijnlijk kwam dat doordat ze toen het begon te regenen het balkon al had verlaten om even op bed te gaan liggen.

'Ja, want anders zou ik het me wel herinnerd hebben, zo droog als het deze zomer is,' voegde ze eraan toe.

58

'Als jullie het mij vragen, is dat mensje volslagen mesjokke,' zei Rogersson toen het rechercheteam de dag erop de getuigenverklaringen van haar en andere buurtbewoners besprak.

'Waarom denk je dat?' vroeg Olsson, die sinds enkele dagen altijd aanwezig was aan het hoofdeinde van de tafel.

'Ten eerste omdat de piloot geen zoon heeft, er nooit een heeft gehad, er nooit een heeft gewild en er van geen wil horen. Hij heeft alleen een schoonzoon. Die is piloot bij de SAS, en hij is vertrokken naar Australië met de jongste dochter van de piloot, met wie hij al jaren getrouwd is. Bovendien hebben ze Zweden woensdag 18 juni al verlaten, dat wil zeggen tweeënhalve week voordat Linda werd vermoord. Ze worden over ruim een week thuis verwacht, als hun kind begint op school. Bovendien werd hij kwaad toen ik hem belde om over zijn verloren zoon te zeuren. Hij vroeg zich af waar we mee bezig waren. Hij had een van mijn collega's toch al verteld dat hij twee dochters, een kleindochter en een schoonzoon had, maar geen zoon,' rondde Rogersson af, terwijl hij om een of andere reden kwaad naar Salomonson keek.

'Die andere dochter,' wierp Lewin ertussen. 'Hoe is het...'

'Dank je, Lewin,' onderbrak Rogersson hem. 'Ze is zevenendertig jaar, werkt als advocaat in Kristianstad en woont al vijf jaar samen met een advocaat die ze heeft leren kennen toen ze rechten studeerde in Lund.'

'Wat weten we van hem?' vroeg Lewin.

'Onder andere dat hij een zij is. De dochter woont samen met een andere vrouwelijke advocaat en ik weet zeker dat je niet wilt horen wat haar vader zei toen ik begon door te vragen over haar partner of partneres of hoe je haar ook moet noemen,' zei Rogersson.

'Maar dat het haar verjaardag was, klinkt toch wel erg aanlokkelijk,' hield Lewin vol.

'Dat vond ik ook, net als Anna, die haar verhoorde,' stemde Rogersson met hem in. 'Totdat we ontdekten dat het mensje op 4 juni is geboren, en niet op 4 juli. Als we haar eigen persoonsnummer mogen geloven, tenminste.'

'Misschien vierde ze een of ander jubileum. Wie weet, misschien grijpt ze elke gelegenheid aan om wat marsepeintaart naar binnen te werken. Dat mens is vast zo'n suikerjunk,' zei Bäckström en hij lachte zo hard dat zijn buik op en neer schudde.

'Ik begrijp wat je bedoelt,' zei Lewin zuchtend. 'En het signalement?'

'Je bedoelt dat hij zou lijken op die zoon die er niet is?' vroeg Rogersson.

'Ja,' zei Lewin met een glimlachje.

'Omdat ik toch niets beters te doen had, ben ik eens met haar opticien gaan praten. Hij was niet erg onder de indruk, om het zo maar te zeggen. Ik ben weliswaar geen oogarts, maar ik kreeg het idee dat ze slechtziend is. Bovendien vroeg hij me of ik tegen haar wilde zeggen dat het hoog tijd is voor een controle. Ze is zeven jaar geleden voor het laatst geweest.'

'Ik geloof niet dat we verder komen. Wat denk jij, Lewin?' zei Bäckström grijnzend.

Na het ochtendoverleg was Eva Svanström op Lewins kamer gekomen om hem te troosten.

'Trek je maar niks van die twee aan. Bäckström is nooit goed bij zijn hoofd geweest en Rogersson drinkt als een tempelier, dus hij heeft vast een kater, zoals altijd. Dat heb ik je toch al heel vaak gezegd.'

'Je bent gekomen om me te troosten,' zei Lewin met een flauwe glimlach.

'Wat zou daar nou mis mee zijn,' zei Svanström en ze klonk weer als anders. 'Maar niet alleen daarom. Ik heb je ook wat te vertellen.'

Wat is er nou mis met alleen een beetje troost, dacht Lewin.

Ruim drie jaar geleden, ongeveer op het moment dat ze van het ene naar het andere appartement verhuisde en haar dochter bij haar vader introk, had Linda's moeder ook een nieuw telefoonnummer genomen. Meestal namen mensen hun oude nummer mee als ze op die manier verhuisden, maar om een of andere reden had Lotta Ericson een nieuw nummer genomen. Een geheim nummer bovendien. Daarvóór had ze net als de meeste mensen in het telefoonboek gestaan.

Het oude nummer was teruggegaan naar Telia en na de gebruikelijke periode van een jaar of wat was het nummer verstrekt aan een van hun nieuwe klanten. Een vrouwelijke anesthesist die bij het academisch ziekenhuis in Linköping had gewerkt maar een betere baan in Växjö had gekregen en daarom besloten had daarheen te verhuizen. Ze heette Helena Wahlberg, was alleenstaand, drieënveertig jaar en woonachtig aan de Gamla Norrvägen, ongeveer een halve kilometer ten noorden van de plaats van het delict in een wijk die voor de zekerheid ook Noord heette.

Het oude openbare nummer was nu ook geheim, wat niet zo vreemd was gezien het werk van de nieuwe abonnee. Svanström had haar proberen te bereiken op haar werk, maar het bleek dat ze al ruim een maand met vakantie was en dat ze aanstaande maandag weer zou beginnen. Het enige opvallende aan alles was – en dit was vermoedelijk een volkomen oninteressant toeval – dat haar vakantie was begonnen op vrijdag 4 juli, dezelfde dag waarop Linda was vermoord.

'Wil je dat ik haar gesprekken laat checken?' vroeg Svanström.

'Laten we daar maar even mee wachten,' zei Lewin. 'Het is makkelijker als ik haar eerst bel om het haar te vragen. Ik zou je echter nog iets willen vragen.'

Hoewel hun tweeënnegentigjarige getuige zich blijkbaar een maand in haar eigen verjaardag had vergist, kon Lewin haar niet zomaar loslaten. De verklaring daarvoor had te maken met zijn eigen verleden – een soort van beroepsdeformatie die je veel zag bij politiemannen – en waarschijnlijk ook met zijn eigen persoon, maar met die laatste mogelijkheid had hij geen moment rekening gehouden, hoewel de vrouw aan de andere kant van zijn bureau dat praktisch elke keer deed als ze aan hem dacht.

'Mijn oude grootmoeder, ze is nu dood, maar als ze nog had geleefd, was ze tegen de honderd geweest,' begon Lewin. 'Volgens het bevolkingsregister zou ze geboren zijn op 20 februari 1907, maar wij vierden haar verjaardag altijd op 23 februari.'

'Waarom deden jullie dat?' vroeg Svanström.

'Volgens het verhaal dat in onze familie werd verteld, zou de predikant dronken zijn geweest toen hij haar inschreef in het bevolkingsregister, en zodoende had hij de verkeerde datum opgeschreven. Het scheelt weliswaar maar een paar dagen en niet een maand, maar dat gedoe met juni-juli houdt me bezig.'

'Dat schrijf je makkelijk verkeerd,' was Svanström het met hem eens.

'Daarom noemen zo veel oudere juristen juli "julij". Om verwisseling met juni te voorkomen,' zei Lewin. 'Ik weet nog dat ik de eerste keer dat ik dat hoorde erg verbaasd was. We hadden een getikte docent voor strafrecht op de politieschool die we lector Julij noemden. Dat was eigenlijk het enige wat we bij hem leerden. Hoe belangrijk het voor juristen was om julij te zeggen in plaats van juli. Verder was het vooral de gebruikelijke flauwekul over hoe je je sabel vast moest houden als je insloeg op het gespuis. Dat de politie al jaren geleden was overgestapt op de wapenstok, was hem blijkbaar ontgaan. Een keer sprak hij een college lang over de juridische gevolgen van het slaan met het snijvlak in plaats van met de platte kant, totdat iemand de moed had hem te vertellen over de wapenstok.'

'En hoe vatte hij dat op?' vroeg Svanström.

'Hij werd nijdig,' zei Lewin.

'Het is het makkelijkst als je het haar vraagt, de getuige, bedoel ik,' zei Svanström.

'Dat zou ik misschien maar moeten doen,' zei Lewin, terwijl hij tegelijkertijd om een of andere reden zuchtte. Misschien zou ik ook eens met haar opticien moeten praten, dacht hij. Het probleem met collega's als Rogersson was dat ze de werkelijkheid bij voorkeur zwart-wit zagen. Hoewel Rogersson in wezen een goede vent was.

Toen Eva opstond om verder te gaan, werd hij plotseling getroffen door dezelfde onbezonnen gedachte die ook enkele uren eerder door zijn hersenschors getrokken was.

'Nog iets,' zei Lewin. 'Iets waar ik tijdens de vergadering aan dacht. Dat wat collega Enoksson zei over dat iemand die op die manier een auto steelt, toch moet weten hoe dat moet.'

Volgens Lewin hoefde het natuurlijk geen gewone dief te zijn. Enige technische kennis was genoeg. 'Automonteur, of gewoon iemand met technische belangstelling, handig in het algemeen. Of iemand die het van anderen geleerd heeft. Een medewerker van een penitentiaire inrichting, een jeugdgevangenis of iets dergelijks,' stelde Lewin voor.

'Of een politieman,' voegde Svanström eraan toe.

'Misschien,' stemde Lewin in. 'Hoewel ik geen idee heb hoe het moet, terwijl ik al ruim dertig jaar politieman ben.'

'Iemand die weet hoe het moet, maar niet het risico hoefde te lopen om in onze registers terecht te komen, terwijl hij het leerde,' vatte Svanström het samen.

'Precies,' zei Lewin.

'We hebben het dus over iemand die precies het tegenovergestelde is van die onaangename bibliothecaris Gross,' zei Svanström.

'Niet zo'n zogenaamde cultuurpersoonlijkheid.'

'Precies,' zei Lewin. Absoluut niet iemand zoals Gross, dacht hij.

Toen Svanström hem alleen had gelaten, had hij zich natuurlijk niet kunnen beheersen. Zonder te weten dat hij de misschien wel meest voorkomende gedachten van Svanström over hemzelf bevestigde, had hij het nummer van de vrouwelijke anesthesist gedraaid. Het was haar thuisnummer en het gebeurde vast net zo vaak dat mensen voor het einde van hun vakantie thuiskwamen, als dat ze wachtten tot de laatste dag. Dat deed hij zelf tenminste vaak.

'Ik kan de telefoon nu niet opnemen, maar als je je naam en telefoonnummer achterlaat, bel ik je zo snel mogelijk terug,' antwoordde de stem op het antwoordapparaat.

Misschien is ze gewoon even weg, dacht Lewin. Desondanks had hij geen boodschap achtergelaten maar opgehangen. Het moest door de stem op het antwoordapparaat komen, dacht hij. Ze klonk exact als een vrouwelijke anesthesist van begin veertig. Correct, welwillend, alert. Alleenstaand, volgens het bevolkingsregister, en adjunct-directeur van het ziekenhuis in Växjö volgens de gegevens van de belastingdienst, die de zorgvuldige Eva Svanström met behulp van hun computers ook te voorschijn had gehaald.

59

Ruim een week eerder had Bäckström twee jongere collega's van de Växjöse politie binnen het rechercheteam de opdracht gegeven te proberen de bron van de blauwe kasjmiervezel te achterhalen, die voor het gemak het textielspoor was gedoopt. Dat het twee vrouwen waren, was geen toeval. Het lag bij wijze van spreken in de lijn der dingen en Bäckström vond het uitstekend dat die wezentjes iets om handen hadden, zodat ze geen ellende veroorzaakten voor hem en de echte politiemannen.

Desalniettemin leken ze hun opdracht toch zeer serieus te hebben opgevat. Volgens het SKL betrof het waarschijnlijk een dunne, lichtblauwe trui en de vrouwen hadden iedereen gesproken die er op grond van professionele ervaring toe zou kunnen bijdragen dat ze hem vonden. Ze hadden gesproken met modeontwerpers, modejournalisten, modefotografen en modespecialisten in het algemeen, met fabrikanten, groothandelaars en vertegenwoordigers van vele winkels die exclusieve kleding verkochten. Een van hen had zelfs met haar tante gesproken, die bijna bezeten was van wat ze aan had.

Vooropgesteld dat het om een herentrui ging, was er een tiental mogelijke modellen om uit te kiezen. Het waarschijnlijkste model was een trui met V-hals en lange mouwen van Engelse, Ierse, Amerikaanse, Italiaanse, Duitse of Franse makelij en voor een prijs van tussen de 2 000 en 12 000 kronen, afhankelijk van het merk. Als de trui met korting gekocht was, bijvoorbeeld in de uitverkoop of op een andere plek dan in een kledingwinkel, kon de prijs natuurlijk lager liggen. Alles onder de duizend kronen was echter onwaarschijnlijk en in dat geval een koopje, aldus degenen die ze hadden gesproken.

De trui leek hoe dan ook niet over de toonbank te zijn gegaan in Växjö en omstreken. Geen van de winkels had de afgelopen jaren een dergelijke herentrui in de collectie gehad. Alles wat ze hadden, of hadden gehad, waren een paar damestruien, maar geen ervan leek op basis van de beschikbare inkooplijsten en magazijnoverzichten de juiste kleur gehad te hebben. Restten er nog een stuk of twintig winkels en warenhuizen in Zweden die zo goed als allemaal in Stockholm, Göteborg of Malmö lagen. Of hij moest in het buitenland aangeschaft zijn. Dat was minstens zo gebruikelijk, volgens de contacten, en met het oog op de prijs vaak voordeliger. Zowel de vraag als het aanbod was in het buitenland beduidend groter dan in Zweden. En verder dan dat waren ze niet gekomen.

Restte nog de mogelijkheid dat hij gestolen was. Met behulp van de computers van de politie hadden ze lijsten bekeken met alle diefstallen van exclusieve kleding die de afgelopen jaren waren gepleegd bij importeurs, groothandelaars, kledingmagazijnen, warenhuizen en winkels in Zuid-Zweden. Vervolgens hadden ze alle gewone inbraken, diefstallen en verliesmeldingen van huishoudens en privépersonen bekeken die hun sporen hadden achtergelaten in de politieregisters van gestolen, zoekgeraakte en verloren goederen. Geen blauwe herentrui van kasjmier.

'Helaas lijkt het erop dat we niet verder komen,' vatte een van de twee textielspeurders het samen, toen zij en haar collega verslag uitbrachten aan Bäckström.

'Dat is niet zo erg,' zei Bäckström joviaal glimlachend. 'Het belangrijkste is dat jullie meisjes het naar je zin hebben gehad toen jullie bezig waren.'

Wijven hebben totaal geen gevoel voor humor, een stelletje onvervalste pantserpotten, dacht Bäckström toen ze zijn kamer een kleine minuut later verlieten. De hoogste tijd voor het eerste pilsje van het weekend, dacht hij, terwijl hij op zijn horloge keek, dat al bijna drie uur aanwees hoewel het vrijdag was en hoog tijd voor iets anders. En absoluut niet voor die flapdrol van een Olsson, die plotseling in zijn deuropening stond en met hem wilde praten.

'Heb je een paar minuten, Bäckström?' vroeg Olsson.

'Natuurlijk,' zei Bäckström met een hartelijke glimlach. 'Het duurt nog een hele tijd voordat we in dit gebouw aan de avond kunnen beginnen.'

Olsson was blijkbaar van plan de halve nacht te besteden aan een discussie over hun vrijwillige DNA-monsters, als Bäckström er niet in een vroeg stadium een stokje voor had gestoken. Olsson was verontrust en de korpschef bleek zijn ongerustheid te delen. Om die te verlichten, had hij daarom besloten om in democratische volgorde een rondje te maken langs zijn voornaamste medewerkers om te horen wat zij ervan vonden.

'We hebben op dit moment al bijna zevenhonderd vrijwillige monsters,' zei Olsson, die kort daarvoor het exacte getal had gekregen van Thorén.

'Ja, het loopt erg goed,' stemde Bäckström enthousiast met hem in. 'Binnenkort hebben we hem, die klootzak. Binnenkort pakken we hem.' Daar moet je het maar mee doen, schijterd, dacht hij.

'Op zich heb je natuurlijk gelijk,' zei Olsson, die wat hij hoorde echter niet leek te waarderen. 'Het probleem is alleen dat we zowel de Parlementair Ombudsman als de Justitiekanselier op onze nek hebben. Wat er in de krant staat kan me niet zo veel schelen, maar ik heb toch geprobeerd om iets met die kritiek te doen.'

'Ja, jij bent immers de leider van het vooronderzoek,' benadrukte Bäckström tevreden.

'Hoe bedoel je dat?' Olsson keek hem wantrouwig aan.

'Nou, dat jij degene bent die tot en met je oorkleppen in de shit komt te zitten als ze zin krijgen iemand te grazen te nemen, en dat is vast niet leuk,' zei Bäckström met zijn meest invoelende glimlach.

'Nou, dat is niet het belangrijkste wat mij heeft doen besluiten dat we voorlopig een andere richting in moeten slaan in deze kwestie,' zei Olsson nerveus.

'Hoe zit het dan met de brede, onbevooroordeelde oriëntatie?' vroeg Bäckström met een onschuldig gezicht.

'Je moet weten, Bäckström, dat ik daar natuurlijk aan gedacht heb, maar ik heb tegelijkertijd het gevoel dat het onderzoekswerk zich in een duidelijker richting begint te bewegen, om het zo maar uit te drukken,' antwoordde Olsson.

'Dus je hebt de gedachte om de hele stad wangslijm af te nemen laten varen,' zei Bäckström goedmoedig. 'Dat kan ik wel...'

'Ik dacht voornamelijk aan ons autospoor,' onderbrak Olsson hem. 'Dat we de DNA-monsters voorlopig stilleggen en proberen om het autospoor tot op de bodem uit te zoeken.'

'Je bedoelt dat ouwe mens van honderd en zoveel dat vergeten is wanneer ze is geboren,' zei Bäckström.

'Tweeënnegentig,' zei Olsson. 'Zij misschien niet, maar we zijn

356

nog lang niet klaar met het buurtonderzoek in Högstorp, en Enoksson en zijn vrienden hebben over het algemeen heel wat te vertellen als ze klaar zijn met hun werk. Wat vind je ervan, Bäckström?'

'Ik vind dat we de Salaliga op het mens af moeten sturen,' zei Bäckström grijnzend.

'De Salaliga,' zei Olsson. 'Ik ben bang dat ik niet begrijp...'

'Prachtjongens waren dat! Ze hingen in de jaren dertig rond in Bergslagen,' zei Bäckström, die al zijn boekenkennis uit het jaarboek van de recherche haalde. Dat was het enige boek dat hij las en vooral om na te gaan of de bewoordingen waarin hij zelf beschreven werd, wel lovend genoeg waren in de gevalsbeschrijvingen die sommige halfdebiele collega's voortdurend met een breder publiek wilden delen. Bovendien was het boek gratis, aangezien hij het meepikte van zijn werk.

'Ja, dat weet ik. Maar wat heeft de Salaliga met onze getuige te maken?' Olsson keek twijfelend naar Bäckström.

'Niets, helaas,' zei Bäckström. 'Bovendien zijn ze inmiddels vast dood, maar in de jaren dertig hebben ze een oud wijf vergast bij wie ze hadden ingebroken. De 630 pop die ze onder haar matras had verstopt, hebben ze gejat. Veel geld in die tijd, Olsson.'

'Je maakt een grapje,' zei Olsson.

'Zeg dat niet, Olsson,' zei Bäckström. 'Zeg dat niet.' Misschien moeten we Rogersson op dat mens afsturen, dacht hij.

60

Bäckströms hoogste baas, Lars Martin Johansson, dacht geen moment aan een blik op zijn horloge, hoewel het vrijdagmiddag na drieën was en een nerveuze politiecommissaris al ruim een halfuur bij zijn secretaresse zat te zweten. Hij had zelfs het hoofdartikel in *Svenska Dagbladet* niet gelezen, aangezien hij de afgelopen uren druk bezig was geweest het overzicht door te nemen van wat Bäckström en zijn collega's de afgelopen vijf weken eigenlijk hadden uitgespookt in Växjö.

'Je kunt hem nu binnenlaten,' deelde Johansson via de intercom mee en of het nu kwam doordat het weekend was of door iets anders, het duurde minder dan tien seconden voor de commissaris in de bezoekersstoel aan de andere kant van zijn bureau zat.

'Ik heb de papieren die je me hebt gegeven, gelezen,' zei Johansson.

'Ik luister, meneer Johansson,' zei de commissaris.

'Ik wil dat iemand van de administratie ernaar kijkt. Ik heb de grootste vraagtekens met rood gemarkeerd,' zei Johansson met een hoofdknik naar de map die op het bureau tussen hen in lag.

'Wanneer wilt u dat het klaar is?' vroeg de commissaris.

'Maandagochtend is vroeg genoeg. Het is per slot van rekening weekend,' zei Johansson ruimhartig.

'Dan kan ik het beste direct met ze gaan praten. Voor ze weg zijn, bedoel ik,' verduidelijkte de commissaris nerveus, terwijl hij aanstalten maakte op te staan.

'Nog iets,' zei Johansson. 'Ik wil het onderzoek ook bekijken. Als ik het goed begrepen heb, hebben de collega's van de DP-groep bijna overal kopieën van.'

'En wanneer zou u dat willen hebben?' vroeg de politiecommissaris overgedienstig.

'Over een kwartier is prima,' zei Johansson.

'Ik ben bang dat ze misschien al naar huis zijn,' zei de commissaris, terwijl hij vanuit zijn ooghoeken nerveus op de klok keek.

'Dat lijkt me sterk,' zei Johansson. 'Het is nog geen halfvier.'

'Ik zorg ervoor dat u ze over een kwartier heeft.'

'Prima,' zei Johansson. 'Je kunt ze aan mijn secretaresse geven.'

61

Precies een week na de naamdag van koningin Silvia, op vrijdag 15 augustus, was de bliksem ingeslagen in het hoofd van hoofdinspecteur Evert Bäckström van de afdeling Moordzaken bij de rijkspolitie. Zo had hij het zelf tenminste beschreven, toen hij zijn beste vriend rechercheur Jan Rogersson had verteld over de onverdiende ellende waarin de zoveelste gestoorde vrouw hem had gebracht.

'Het was alsof de bliksem insloeg in mijn hoofd,' zei Bäckström.

'Jij overdrijft ook altijd, Bäckström,' sprak Rogersson hem tegen. 'Zeg toch gewoon hoe het zat. Je was vast dronken.'

Alles was net als anders en zeer veelbelovend begonnen met de gedachte dat het weekend was en dat de bovengrens aan overuren het hem onmogelijk maakte om voor maandagochtend een voet op zijn werkplek te zetten. Zodra hij die flapdrol van een Olsson van zich af had weten te schudden, had hij het politiebureau in Växjö op zijn gebruikelijke, discrete wijze verlaten en was hij op zijn dooie akkertje naar het hotel gewandeld. Eenmaal in zijn kamer had hij zijn kleren uitgedaan, een schone en pas gestreken ochtendjas aangetrokken, het eerste koude pilsje van het weekend opengetrokken, en toen Rogersson hijgend binnenkwam met een gezicht dat rood was als een kalkoen die rijp is voor de slacht, was Bäckström al bezig met zijn derde.

'Eindelijk vrijdag,' zei Rogersson en hij stilde de ergste dorst rechtstreeks uit het blikje. 'Heb je nog plannen voor het weekend, Bäckström?'

'Vanavond moet je jezelf vermaken, jongeman,' zei Bäckström die de dode minuten tussen het tweede en derde pilsje had gebruikt om zijn Carinnetje te bellen en haar uit te nodigen voor een etentje.

'Dat klinkt als dames,' zei Rogersson, die ondanks alles toch geen slechte politieman was.

'Eerst gaan we een hapje eten in de stad,' zei Bäckström, 'en daarna was ik van plan de supersalami eens uit te laten,' vervolgde hij en onderstreepte zijn woorden met een extra grote slok.

In het begin was alles ook volgens plan verlopen. Bäckström en zijn vrouw voor die avond hadden een heel behoorlijke maaltijd gegeten in een nabijgelegen tentje aan de Storgatan, en hadden ook wat vloeibaars binnen weten te krijgen, hoewel hij zelf had geprobeerd zich in te houden met het oog op de afsluiting van de avond en de zorg voor zijn eigen salami.

Hoe het ook zij, uiteindelijk waren ze op zijn hotelkamer beland en hoewel Carin om onbekende redenen zeurde dat ze naar beneden moesten gaan om in de bar te gaan zitten, had ze een drankje vooraf op zijn kamer toch aanvaard. Voordat ze naar de bar gingen om serieus door te gaan, om het zo maar te zeggen, en de exacte tijdstippen en overige omstandigheden waren op dit moment niet geheel duidelijk. En hij had er al helemaal geen behoefte aan om ze de komende maanden uit den treure te bespreken met een aantal van humor gespeende zogenaamde collega's van de afdeling Intern Onderzoek

'Ik wilde je nog wat laten zien,' zei Bäckström, terwijl hij een van zijn allercharmantste glimlachjes op haar afvuurde, voordat hij in de badkamer verdween.

'Als het maar snel gaat,' mopperde Carin aan de andere kant van de deur, terwijl ze aan haar glas nipte en opeens tamelijk afstandelijk overkwam.

Sneller dan Superman in zijn telefooncel had Bäckström de omgekeerde manoeuvre uitgevoerd in zijn badkamer. Hij had een handdoek om zijn buik gewikkeld, was in al zijn pracht naar buiten gestapt en had het doek laten vallen.

'Wat zeg je hiervan, schatje,' zei Bäckström, terwijl hij zijn buik introk en zijn borstspieren aanspande. Weliswaar volkomen onnodig, maar soms moet je een beetje je best doen, dacht hij.

'Ben je gek geworden? Doe dat walgelijke flubbertje onmiddellijk weg!' schreeuwde Carin, terwijl ze van de bank opstond. Daarna had ze zomaar haar handtas en jas bij elkaar gegraaid, was de kamer uit gemarcheerd en had de deur achter zich dichtgesmeten.

Die wijven zijn niet goed snik, dacht Bäckström. Hoezo flubbertje, dacht hij. Waar heeft dat mens het in godsnaam over?

Eerst had hij zijn kleren weer aangetrokken. Vervolgens was hij naar de bar gegaan, maar daar zat alleen Rogersson in een hoekje te grijnzen. Bij gebrek aan alternatieven was hij toch maar gebleven en had een stuk of wat glaasjes achterovergeslagen. Toen hij na een tijdje terugging naar zijn kamer, had hij haar gebeld om haar in elk geval een goede nacht te wensen en te laten merken dat hij niet zo'n rancuneus type was, maar voordat hij zijn mond ook maar open had kunnen doen, had ze de hoorn domweg op de haak gesmeten. Ze had de stekker er blijkbaar uitgetrokken, aangezien zij noch het antwoordapparaat een teken van leven gaf toen hij opnieuw had gebeld. Net als dat gestoorde wijf dat me die kleine Egon in de maag heeft gesplitst, dacht Bäckström.

62

Op zaterdagochtend had Lewin Eva Svanström meegenomen, ze waren in de trein gaan zitten en naar Kopenhagen gereisd. Een kleine verrassing die hij in het grootste geheim had voorbereid en die haar zo uitgelaten maakte als een kind.

'Waarom heb je niets gezegd?' vroeg Eva.

'Dan was het geen verrassing geweest,' antwoordde Lewin.

'Dit wordt hartstikke leuk. Ik ben nog nooit in Kopenhagen geweest,' zei Eva.

Eerst waren ze naar Tivoli gegaan en hadden ze een ritje gemaakt in de achtbaan en in de draaimolen gezeten. Vervolgens waren ze op hun gemak door de winkelstraat Strøget gewandeld. In Nyhavn hadden ze een gezellig eetcafé gevonden en een goede Deense lunch gegeten met haring, smørrebrød en de gebruikelijke bijgerechten. De zon scheen alsof ze nog in Småland waren, maar op deze plek leek de hitte prima te harden en Lewin voelde zich beter dan in tijden. Hij voelde zich zelfs zo goed dat hij de kracht had om de gedachten die hem alle dagen kwelden in elk geval te noemen.

'Misschien zouden we iets van ons leven moeten maken, Eva,' zei Lewin, terwijl hij haar hand omklemde.

'Met mij gaat het prima,' zei Eva. 'Ik heb me nog nooit zo goed gevoeld als op dit ogenblik.'

'We houden het in gedachten,' zei Lewin en daarna was het moment voorbij, maar het was nog steeds goed. Net zo goed eigenlijk, hoewel hij het misschien nooit meer zou durven zeggen.

'Wat vind jij van onze nieuwe baas,' vroeg Eva, die bij voorkeur van gespreksonderwerp veranderde zonder er woorden aan vuil te maken. 'Die Lars Martin Johansson.'

'Ik heb hem wel eens ontmoet,' zei Lewin. 'We waren samen bezig met een onderzoek in de tijd dat hij nog een gewone politieman was. Dat moet bijna dertig jaar geleden geweest zijn. Voor jouw tijd.

De Maria-moord. Een vrouw die gewurgd en verkracht werd gevonden in haar appartement in Enskede.'

'Vertel,' zei Eva, terwijl ze tegelijkertijd haar vingers verstrengelde in de zijne. 'Hoe is hij als mens? Johansson, bedoel ik.'

'Als politieman was hij niet slecht,' zei Lewin. 'Zijn collega's maakten er grapjes over dat hij om de hoek kon kijken. Hij had een ronduit griezelig vermogen uit te vogelen hoe de vork in de steel zat.'

'De agent die om de hoek kon kijken,' herhaalde Eva Svanström. 'Dat klinkt haast als een televisieserie. Hoe was hij als mens?'

'Hoe hij als mens was,' herhaalde Lewin. 'Als mens was hij zo iemand die over lijken kon lopen zonder er ook maar bij stil te staan waar hij zijn voeten neerzette.'

'Oei, dat klinkt niet bepaald aangenaam,' zei Eva.

'Ik kan het mis hebben,' zei Lewin. 'We hebben weinig met elkaar gemeen, hij en ik. Het kan ook gewoon zo zijn dat ik nooit iets van hem begrepen heb.'

'Het klinkt in elk geval als een complexe persoon,' concludeerde Svanström.

'De combinatie van dat vermogen om dingen te doorzien en tegelijkertijd volkomen onverschillig te staan tegenover de consequenties ervan, beangstigde mij misschien,' zei Lewin. 'Zo horen ze toch te zijn, de supersmerissen? Alles zien, alles kunnen uitvogelen en geen enkele gedachte wijden aan wat er gebeurt met de mensen om wie het uiteindelijk gaat.'

'In het ergste geval moeten we gewoon verhuizen,' zei Eva. 'Ergens anders werk zoeken. Ik weet dat ze in Stockholm mensen nodig hebben. Mijn oude baas heeft zelfs contact met me opgenomen om me te vragen.'

'Het is het overwegen waard,' zei Lewin en om een of andere reden had hij zich naar haar toe gebogen om aan haar haar te ruiken, hij snuffelde heel voorzichtig tussen haar rechteroorlel en wang. In het ergste geval was het niet erger dan dat en beter dan dit wordt het nooit, dacht hij.

63

De nacht nadat ze teruggekomen waren uit Kopenhagen, had Lewin gedroomd over die zomer van bijna vijftig jaar geleden waarin hij zijn eerste echte fiets kreeg. Een rode Crescent Valiant. En zijn vader had bijna de hele zomer vrijgenomen om hem te leren fietsen.

Het moeilijkste was altijd als ze bijna weer thuis waren. Het ergste was het grindpad tot aan het huis. De laatste twintig meter tussen het witte tuinhek en de rode veranda.

'Nu laat ik je los,' roept papa en Lewin klemt het stuur vast en trapt en trapt en gaat slippend onderuit in het losse grind. En deze keer heeft hij zich flink bezeerd. Hij heeft zijn ellebogen en zijn knieën geschaafd en het idee om te leren fietsen komt hem plotseling zinloos en hopeloos voor.

'Gewoon weer opstaan, Jan,' zegt papa, hij tilt hem op en woelt hem door zijn haar. 'Nu nemen we een kop chocolademelk en ieder een boterham met kaas en wat Hansaplast.'

En daarna was alles weer zoals anders.

64

Op zondag was Johansson op de bank gaan liggen in zijn woonkamer aan de Wollmar Yxkullsgatan op Södermalm in Stockholm.
Hij had een flinke gin-tonic met veel ijs klaargemaakt en had in alle
rust het onderzoeksdossier van de Linda-moord doorgelezen. Het
had hem de hele middag gekost, maar omdat zijn vrouw samen met
een vriendin op pad was, had hij alle tijd van de wereld en hij had
toch niets beters te doen. Bovendien was dit ongeveer het dichtst
dat hij gezien zijn verheven positie bij een echt moordonderzoek in
de buurt kon komen, dacht Johansson. Misschien moet ik maar eens
solliciteren op een baan bij die DP-groep. Ze lijken praktisch overal
hulp bij te kunnen gebruiken, dacht hij, terwijl hij snel het profiel
van de dader scande.

Waar zijn ze daar in Växjö eigenlijk mee bezig, dacht Lars Martin
Johansson vier uur later toen hij klaar was met lezen, de zaak over-
dacht had en het dossier terzijde had gelegd. Dit zou een echte politieman de eerste week al opgehelderd moeten hebben.

65

De maandag waarop de jacht op de moordenaar van Linda zijn achtste week in ging, begon Bäckström genoeg te krijgen van de hele geschiedenis. Ze mochten bij niemand meer wangslijm afnemen, hoewel zelfs een sukkel als Olsson in zou moeten zien dat als het op een andere manier niet lukte, ze hem op deze manier vroeg of laat te pakken zouden krijgen. Ook waren er geen lekkere krenten in de pap. Een paar vette onderzoeksimpulsen of veelbelovende crimineeltjes die je flink aan kon pakken. Het enige wat ze hadden, waren gekke honderdjarigen die niet meer wisten wanneer ze geboren waren en die vonden dat de dader leek op iemand die niet bestond. Plus alle andere zogenaamde getuigen die niets hadden gezien, gehoord of begrepen, maar die er toch in geslaagd waren een foutieve voorstelling van zaken te hebben. Ten slotte de gebruikelijke sterrenwichelaars en zweefteven met hun waarschuwingen en vibraties van gene zijde. Wat deed hij hier goddomme eigenlijk? Helemaal de verkeerde plek voor een echte politieman en de hoogste tijd om mijn boeltje te pakken en weer naar huis te gaan, naar mijn werk in Stockholm, dacht Bäckström.

Bovendien was hij in een verschrikkelijke stad terechtgekomen. Om maar te zwijgen van al die gestoorde wijven die er woonden. Daarbovenop kwamen nog alle kranten, televisiekanalen en radiostations die zich er tegenwoordig op toe leken te leggen hem en zijn collega's uit te leggen hoe ze hun werk moesten doen. En dan de bazen die schitterden door afwezigheid zodra ze klaar moesten staan voor het gewone voetvolk. Zoals die eikel uit Lapland, die de grootste boulevardkrant niet eens te pakken had weten te krijgen voor een doodgewoon, simpel commentaar. Als je tenminste moest geloven wat ze zelf beweerden, en dat moest je deze keer maar doen, dacht Bäckström.

Alsof dat nog niet veel meer dan genoeg was, was collega Sandberg op zijn kamer verschenen. Ze had de deur achter zich dichtgedaan en hem dat kleine beetje dat ze te zeggen had, toegefluisterd.

'Er is vanmorgen aangifte tegen je gedaan,' zei Anna Sandberg.

'En wat heb ik nu weer gedaan?' vroeg Bäckström. 'Behalve dan mijn werk?' Het budget voor de inkoop van wattenstaafjes van de rijksrecherche overschreden, dacht hij.

Poging tot verkrachting, aldus degene die aangifte had gedaan. Seksuele intimidatie, aldus de collega die de aangifte in behandeling had genomen en hem voor de zekerheid op een apart stapeltje had gelegd.

'Neem je me in de maling?' zei Bäckström, die al begreep hoe de vork in de steel zat. Al die idiote wijven op deze aardbol, dacht hij.

Helaas niet, vond Anna Sandberg. Volgens de aangifte zou Bäckström op 15 augustus 's avonds laat op zijn kamer in het Stadshotel ten eerste gedaan hebben wat hij inderdaad had gedaan en ten tweede een flink aantal dingen die hij niet had gedaan. Het slachtoffer was een verslaggeefster van de lokale radio in Växjö, Carin Ågren genaamd, tweeënveertig jaar. Degene die de aangifte had gedaan, was een goede vriendin van haar, die voorzitter was van de plaatselijke vrouwenopvang en Moa Hjärtén heette. De enige positieve kant aan de zaak was dat de gedupeerde Ågren niet eens te bereiken was en dat er zoals zo vaak geen enkele getuige was.

'Ik weet niet waar je het over hebt,' zei Bäckström. 'Ik heb dat mens met geen vinger aangeraakt.' Wat volkomen waar is, dacht Bäckström.

'Daar heb ik niets mee te maken,' zei Sandberg, terwijl ze haar hoofd afwerend schudde. 'Ik dacht alleen dat het goed zou zijn als je het wist.'

'Van die Hjärtén heb ik wel een beeld,' zei Bäckström. 'Dat is toch dat vette mens dat rondrent in een oude, roze hemdjurk? Ik heb haar wel eens op het bureau gezien. Ze is ongetwijfeld een van de intimi van collega Olsson.'

'Nu heb ik het in elk geval gezegd,' herhaalde Sandberg om een of andere reden.

'Erg aardig van je, Anna,' zei Bäckström, terwijl hij zijn meest ontspannen glimlach lachte. 'In dit werk krijg je veel shit over je heen,' voegde hij er met een vermoeide zucht aan toe. En getuigen hebben ze niet, dacht hij.

Het was niet bepaald makkelijk geweest om de vrouwelijke anesthesist te pakken te krijgen. Zodra ze was teruggekeerd op haar werk, waren haar diensten nodig geweest op de operatiekamer en pas 's middags had ze tijd om Lewin te spreken. Vooropgesteld dat het belangrijk genoeg was. Vooropgesteld dat het niet ging over iets wat onder haar zwijgplicht viel en vooropgesteld dat hij naar haar toekwam en niet andersom, aangezien hij aan de telefoon nu eenmaal niet wilde zeggen waar het over ging.

Maar toen hij eindelijk op haar kamer in het ziekenhuis zat, was alles pijnloos en ver boven verwachting verlopen. Witte jas, de stethoscoop in de zak gestopt. Kortgeknipt blond haar, slank en goed in vorm, wakkere blauwe ogen en een blik die getuigde van begrip, inzicht en humor. Een aantrekkelijke vrouw, dacht Lewin. Wat dat ook met de zaak te maken mag hebben.

Zonder in te gaan op de aanleiding, had Lewin al snel gevraagd wat hij wilde weten. Of ze vreemde telefoontjes had gehad? Hij was vooral geïnteresseerd in telefoontjes op de avond of nacht voor haar vakantie of in de ochtend van de dag dat haar vakantie begon.

'De dag van 4 juli,' zei Lewin.

'Het heeft te maken met de moord op die vrouwelijke aspirant-agent, toch?' Ze keek hem nieuwsgierig aan en de activiteit in de blauwe ogen was duidelijk zichtbaar.

'Dat heb ik niet gezegd,' zei Lewin met een zwak glimlachje. Haast een beetje te aantrekkelijk, dacht hij.

Dat had hij absoluut niet gezegd. Zij zei het en ze verwachtte geen antwoord. Ze kon het toch op haar vingers natellen. Vierentwintig uur eerder, toen ze terugkwam van haar buitenlandse vakantie, had ze niets geweten over de Linda-moord. Nadat ze haar nieuwsachterstand had ingelopen door haar oude kranten te lezen en tijd had gevonden voor twee bezoekjes aan de koffiekamer op haar werk, wist ze inmiddels net zo veel als iedereen.

'Ik heb mijn hele leven nog nooit iemand van Moordzaken ontmoet. En al helemaal niet van Moordzaken bij de rijksrecherche,' stelde ze vast.

'Dat moet heerlijk zijn,' zei Lewin.

'Dus nu ik jou zie, word ik bijna een beetje vrolijk,' zei ze.

'Dank je,' zei Lewin. Waar gaat dit gesprek eigenlijk heen, dacht hij.

'Je lijkt me uit het goeie hout. Zo zeggen jullie mannen bij de politie dat toch? Het goeie hout,' zei ze. 'Bovendien kan ik je wellicht helpen. Niet dat ik begrijp hoe, maar het zit zo.'

Ze werd zelden gebeld door mensen die ze niet kende. Bijna alle telefoontjes die ze kreeg, hadden overigens met haar werk te maken. Af en toe was er weliswaar iemand verkeerd verbonden, maar dat vergat ze meestal snel weer. En van onaangename telefoontjes had ze de bijna twee jaar die ze nu in Växjö woonde, geen last gehad.

'Geen hijgers,' zei ze. 'Hopelijk omdat ik een geheim nummer heb, niet omdat ik oud begin te worden,' voegde ze er glimlachend aan toe.

Dit was één reden waarom ze zich het gesprek herinnerde. De andere reden was dat ze op vrijdag 4 juli op vakantie zou gaan. Ze zou de trein naar Kopenhagen nemen en die avond laat het vliegtuig van Kopenhagen naar New York pakken en om dit te kunnen halen, moest ze Växjö uiterlijk vier uur 's middags verlaten. Het enige wat haar plannen in de war zou kunnen brengen, was dat er iets ernstigs en acuuts op haar werk gebeurde dat haar aanwezigheid noodzakelijk maakte. Op de valreep had ze namelijk in moeten vallen als stand-by voor vrijdagochtend. De vader van een van haar collega's had plotseling een hartinfarct gekregen.

'Ik lag thuis te slapen toen de telefoon midden in de nacht ging en daarom dacht ik dat mijn vakantie op dat moment in rook opging,' zei ze.

Midden in de nacht, vroeg Lewin zich af. Het zou toch niet zo mooi zijn dat ze zelfs een preciezer tijdstip kon noemen?

'Volgens de wekker naast mijn bed was het vijftien minuten over twee,' zei ze en ze glimlachte om Lewins verbazing. 'Ik begrijp dat je je afvraagt hoe ik dat kan weten,' voegde ze eraan toe.

'Inderdaad,' zei Lewin en ook hij glimlachte. In het ergste geval moet ik wat controlevragen stellen over haar geboortedatum, dacht hij.

De tijd was belangrijk in het leven van een anesthesist. Vooral als het ging om nachtelijke telefoontjes die waarschijnlijk afkomstig waren van haar werk. Bovendien had ze een uitstekend geheugen voor cijfers en uit praktisch oogpunt lag er pen en papier naast de telefoon. Eerst had ze het tijdstip van het gesprek genoteerd. Daarna had ze opgenomen.

'Omdat ik er zeker van was dat het ziekenhuis belde, was het gewoon een reflex,' legde ze uit. 'En om ze werkelijk te laten begrijpen dat ze zojuist mijn vakantie en schoonheidsslaapje naar de knoppen hadden geholpen, probeerde ik te klinken alsof ik nog sliep.'

'Je zei je naam niet?' vroeg Lewin.

'Nee,' zei ze. 'Alles wat ze te horen kregen, was een heel slaperig en langgerekt "hallo". Hoewel ik klaarwakker was. Ik vond dat niet meer dan terecht.'

'En wat zei degene die belde?' vroeg Lewin. 'Weet je dat nog?'

Degene die belde was een man. Hij klonk vrolijk, aardig, nuchter en aan zijn stem te horen was hij van haar leeftijd.

'Eerst zei hij iets in het Engels. "Long time no see", of iets dergelijks en dat hij hoopte dat hij me niet wakker had gemaakt, en toen dacht ik nog steeds dat het iemand van het ziekenhuis was die zich van zijn grappige kant wilde laten zien. Ik zou immers met vakantie naar de v s. Maar daarna begon ik opeens te twijfelen.'

'En waarom?' vroeg Lewin.

'Door de vakantie die zojuist in rook was opgegaan, was ik tamelijk kortaf. Ik vroeg waarschijnlijk om hoeveel mensen het ging en wat er ditmaal gebeurd was,' zei ze. 'Als er op dat tijdstip gebeld wordt, gaat het namelijk bijna altijd om verkeersongelukken.'

'Wat zei hij toen?'

'Hij klonk opeens ook verbaasd. Het leek erop dat hij begreep dat hij het verkeerde nummer had gedraaid. Hij vroeg met wie hij sprak en toen vroeg ik wie hij wilde spreken en ongeveer op dat moment begreep ik dat het niet iemand van mijn werk was, maar gewoon iemand die 's nachts verkeerd verbonden was.'

'Zei hij nog meer?' vroeg Lewin.

'Ja. Eerst vroeg hij of hij bij Eriksson terecht was gekomen. Ik vond dat een wat vreemde manier van vragen, dus dat weet ik nog goed. Ik weet nog dat ik dacht aan het telefoniebedrijf en dat het misschien toch iemand was die belde om me voor de gek te houden. Maar ik was ondertussen tamelijk geïrriteerd, dus ik zei tegen hem dat hij het verkeerde nummer gedraaid moest hebben. En toen bood hij omstandig zijn excuses aan en het klonk alsof hij het echt meende en zelf was ik wel opgelucht in verband met mijn vakantie. Dus ik zei dat het niet erg was als hij beloofde het nooit meer te doen.'

'En dat was alles,' zei Lewin.

'Nee,' zei de anesthesist, terwijl ze haar hoofd schudde. 'Hij zei nog iets en omdat hij het heel charmant zei, herinner ik het me.'

'Probeer het woordelijk te herhalen als je dat kunt,' zei Lewin en hij controleerde of zijn bandrecordertje draaide zoals het hoorde.

'Oké,' zei ze. 'Hij zei ongeveer het volgende. Dat dit niet de juiste situatie was om iemand uit te nodigen voor een blind date. Ja, dit is waarschijnlijk niet de juiste situatie om iemand uit te nodigen voor een blind date, zei hij. Of zoiets, maar voordat ik kon reageren, had hij opgehangen. Best jammer eigenlijk, want hij klonk heel charmant en aardig,' zei ze en ze glimlachte naar Lewin.

'Vrolijk, nuchter, aardig, charmant,' vatte Lewin samen.

'Absoluut. Als hij niet midden in de nacht had gebeld, weet je maar nooit hoe het was afgelopen,' zei de getuige en ze glimlachte nog breder. 'Ik weet nog dat ik zelfs moeite had weer in slaap te vallen. Ik lag vast te fantaseren dat hij minstens zo aardig, charmant en knap was als hij klonk.'

'Je hoopte dat hij weer zou bellen,' zei Lewin en ook hij glimlachte.

'Nou,' zei zijn getuige, 'zo erg is het geloof ik ook weer niet met me gesteld. Nog niet in elk geval.'

'Hij heeft niet weer van zich laten horen?' vroeg Lewin.

'Hij stond in elk geval niet op mijn antwoordapparaat toen ik dat na de vakantie afluisterde,' zei ze, terwijl ze haar schouders ophaalde. 'Daar stonden alleen de gebruikelijke, saaie berichtjes op. Waarom zou hij ook terugbellen,' voegde ze eraan toe.

Misschien had hij andere dingen aan zijn hoofd, dacht Lewin.

Anders had hij haar zeker teruggebeld, als hij tenminste zo iemand is als ik denk.

'Als je je nog iets herinnert, dan hoop ik dat je van je laat horen,' zei Lewin en gaf haar zijn visitekaartje.

'Vanzelfsprekend,' zei ze en ze keek op zijn kaartje voordat ze het in het borstzakje van haar witte jas stopte. 'En als je wilt dat ik je ons mooie Växjö laat zien, dan mag je me bellen. Het nummer heb je al.'

Toen Lewin terug was op het bureau, had hij meteen een oude vriend en voormalig collega gebeld die tegenwoordig hoofdinspecteur bij de inlichtingdienst was en hem bovendien nog wat diensten verschuldigd was. Eerst hadden ze wat in het algemeen over ditjes en datjes gepraat en nadat ze het sociale deel achter de rug hadden, had Lewin zijn verzoek weten te doen.

Geen veiligheidskwestie, maar een ernstig misdrijf. Het ging erom een gesprek te achterhalen en voor deze ene keer was de situatie ideaal en kon hij het exacte tijdstip van het gesprek en het nummer van de telefoon waarnaartoe gebeld was geven. Wat hij wilde weten, was het nummer van de telefoon waarvandaan gebeld was, wie het abonnement had en – een genade om in stilte voor te bidden – wie gebeld had.

'De reden dat ik je hiermee lastigval, is dat ik weet dat jij en je collega's op dit gebied niet te verslaan zijn,' slijmde Lewin.

'Inderdaad,' stemde zijn oude vriend met hem in. 'Ik heb het vast niet mis als ik gok dat het te maken heeft met die moord op die toekomstige collega? Aangezien het een nummer in Växjö is dat je me geeft, bedoel ik.'

'Dat klopt precies,' zei Lewin. 'Hoelang denk je nodig te hebben?'

Vooropgesteld dat de gegevens van Lewin klopten, dat het gesprek op 4 juli om kwart over twee 's ochtends was gevoerd op het aangegeven nummer, kon hij het antwoord naar alle waarschijnlijkheid per kerende post ontvangen.

'Ik laat uiterlijk morgenochtend vroeg wat van me horen,' antwoordde de collega. 'Dus nu kun je alleen maar duimen. Helaas is het vaak zo – maar dat weet jij net zo goed als ik – dat ze bijna altijd

bellen vanaf een prepaid telefoon en dan is het bijna altijd onmogelijk om na te gaan wie er gebeld heeft.'

'Ik heb het idee dat het niet zo'n telefoon is,' zei Lewin. Deze
keer niet, dacht hij.

66

In het grote politiebureau aan Kungsholmen in Stockholm, vierhonderd kilometer ten noorden van Växjö, zat het hoofd van de rijksrecherche en hij voelde zijn bloeddruk stijgen. En wel om redenen die puur zakelijk gezien de minst belangrijke waren van alle berichten die zich op zijn bureau hadden opgehoopt. Toen Circus Bäckström naar Växjö kwam, dacht Lars Martin Johansson.

Eerst had hij gesproken met een aardige jonge vrouw van de administratie, die het weekend had doorgebracht met de rode vraagtekens te verklaren die Johansson had achtergelaten op de oorspronkelijk nette papieren die ze hem had gegeven. Zonder daar echter in te slagen. Er bleef een aantal merkwaardige facturen over voor van alles en nog wat, van onderhoud van de uitrusting en conferentiemateriaal tot de gebruikelijke cafébezoeken met anonieme informanten. Allemaal waren ze overigens ondertekend door rechercheur Bäckström en het ging in totaal om bijna twintigduizend kronen. Bovendien was er een aantal opnames van contanten zonder toelichting. Gedaan door diezelfde Bäckström en alles bij elkaar ruim twaalfduizend kronen. Plus de gebruikelijke, gewone facturen voor dergelijke expedities, waarvan de kosten exclusief loon en sociale premies inmiddels waren opgelopen tot ruim driehonderdduizend kronen.

'Waar gaat dit eigenlijk over? Tussen ons gesproken,' zei Johansson, terwijl hij haar aanmoedigend toeknikte.

'Dat er iemand, of een aantal mensen, uit de jampot gesnoept heeft en omdat dit tussen ons blijft, geloof ik ook dat het niet de eerste keer is. Bovendien herinner ik me om een of andere reden de naam van degene die ze ondertekend heeft.'

'Je hebt erger gezien,' zei Johansson die zich opgewekter voelde dan sinds tijden.

'Veel erger,' verzekerde de vrouw hem nadrukkelijk en met gevoel. 'Door de jaren heen heb ik een flink aantal merkwaardige facturen langs zien komen.'

'En wat was de merkwaardigste?' vroeg Johansson nieuwsgierig.

'Het afgelopen boekingsjaar was dat waarschijnlijk twee ton hooi. Dat was ergens afgelopen winter, maar het was op zich niet zo duur. Een paar duizend kronen als ik het me goed herinner.'

'Ik geloof dat ik wel weet wie die factuur heeft ingediend,' bromde Johansson.

'Het Bijstandsteam had het vast nodig voor een oefening,' zei de financiële vrouw. 'Ze springen immers voortdurend van allerlei hoge dingen en wilden misschien wel eens wat zachter landen. Maar dat spreekt voor zich. De wasnota uit Växjö van hoofdinspecteur Bäckström is ook niet mis. Ik heb zelfs om een specificatie verzocht. Hoewel ik een man en drie kinderen heb die echte smeerpoetsen zijn, als dit onder vier ogen blijft, vergeleken met Bäckström zijn ze een stelletje amateurs.'

'Vertel,' zei Johansson gretig.

Op de dag dat hoofdinspecteur Bäckström in Växjö arriveerde, had een van zijn medewerkers op zijn naam kleren ingeleverd bij de wasservice van het hotel. Deze waren enkele dagen later teruggebracht. De bijgevoegde factuur was ondertekend door Bäckström en betrof volgens een handgeschreven notitie 'onderhoud van de uitrusting vanwege werkzaamheden in dienst'. Volgens de specificatie, waarvan ze een kopie had opgevraagd – om een of andere reden was die niet bijgevoegd bij de oorspronkelijke factuur –, ging het concreet om chemische reiniging van '27 herenonderbroeken met korte pijpen, 2 herenonderbroeken met lange pijpen, 31 herenonderhemden, 14 paar sokken, 9 stropdassen, 4 truien met lange mouwen, 14 overhemden, 3 lange broeken, 2 korte broeken, 1 colbertje, 1 uniformjasje met broek en vest'.

'Met vest?' zei Johansson, terwijl hij gelukzalig glimlachte als een klein kind. 'Staat dat er echt? Met vest?'

'Met vest,' verzekerde de financiële vrouw, die bijna net zo verrukt was als haar baas. 'Bovendien geloof ik dat ik hem heb gezien. Het was een bruin geval met krijtstreepjes en Bäckström staat er niet om bekend dat hij elke dag schone kleren aantrekt, als ik het zo mag zeggen.'

'Fenomenaal,' zei Johansson en het klonk alsof hij het meende. 'Nu doen we het volgende...'

Johansson was in een stralend humeur toen hij sprak met de commissaris van de politie die Bäckströms directe leidinggevende was. Omdat de commissaris geen idee had waarom dat zo was, omdat hij drie nachten achter elkaar nachtmerries over Johansson had gehad en omdat hij elke wakkere minuut tegen dit gesprek had opgezien, begreep hij meteen dat het in feite om een bijna-doodervaring ging en dat hij zelf aan de beurt was.

'Laten we eens kijken, zei blinde Sara,' zei Johansson, terwijl hij met een gemoedelijk gezicht door weer een stapel papieren bladerde. 'Wil je trouwens koffie,' voegde hij er plotseling aan toe, terwijl hij vragend naar zijn gast knikte.

'Nee, dank u, nee, het is prima zo,' verzekerde de commissaris hem. Die vent moet een geboren sadist zijn, dacht hij. Probeert hij me nu een of andere lowbudgetvariant van het galgenmaal aan te smeren? Een kop koffie met een koekje?

Johansson vroeg zich drie dingen af. Waarom had de commissaris nou net deze zes medewerkers naar Växjö gestuurd? Waarom had hij Bäckström tot hoofd benoemd? En wie van hen had ten minste één lange hotelnacht doorgebracht met het kijken naar de pornokanalen van het hotel? Dat was misschien wel de allereenvoudigste overtreding op de lange lijst van dingen die je niet mocht doen als je op dienstreis was en je werkgever rijksrecherche de rekeningen betaalde.

Volgens de commissaris lag de zaak gecompliceerder. Ten eerste had hij zelf niemand naar Växjö gestuurd. Zoals hij al had gezegd – en met alle respect voor zijn chef – was hij op vakantie geweest en was het besluit genomen door Johanssons voorganger Nylander. Waarom Nylander Bäckström had aangewezen als hoofd, onttrok zich aan zijn oordeel, en wat die pornofilms betreft, daar werd nog steeds onderzoek naar gedaan.

'Ja, ja,' onderbrak Johansson hem. 'Maar je moet toch over de zaak nagedacht hebben? Ik zie dat Jan Lewin er ook zit. Waarom staat hij niet aan het hoofd? In de tijd dat ik hem kende, was hij

377

een prima functionerende politieman.'

'Hij wil niet aan het hoofd staan,' zei de commissaris. 'Voorzover ik begrepen heb, is het als volgt gegaan,' vervolgde hij. 'Nylander vroeg zijn secretaresse Bäckström te bellen. Het is niet duidelijk waarom uitgerekend hij werd gebeld. Bäckström kreeg de opdracht en hij riep de collega's die op dat moment beschikbaar waren bij elkaar. Afgezien van Bäckström, die ontegenzeggelijk zijn lastige kanten heeft, is er eigenlijk niets mis met hen. Lewin bijvoorbeeld is zeer ervaren en zeer competent. Hij moet een van de beste rechercheurs van het land zijn.'

'Nou...' zei Johansson. Ik heb wel betere gezien, dacht hij.

'Dat geldt ook voor die Rogersson,' zei hij. 'Als ik het goed begrepen heb, stond die pornofilmfactuur op zijn kamernummer.'

'Maar zelf was hij in Stockholm. Hij heeft zijn dienstauto vrijdagavond in de garage van dit bureau gezet en hij heeft dezelfde auto zondagmiddag weer meegenomen, dus hij kan het niet geweest zijn,' zei de commissaris.

'Zoek uit wie het was,' zei Johansson en nu klonk hij weer precies als anders.

'Ik beloof dat ik zal doen wat ik kan,' verzekerde de commissaris hem.

'Het is genoeg als je achterhaalt wie het was,' zei Johansson. 'Zodat ik weet wie ik de zaak kan geven of over kan plaatsen.'

67

Toen Jan Lewin 's ochtends de *Smålandsposten* las – in alle rust op zijn kamer voordat hij beneden ging ontbijten – was hoofd inkoop Roy Edvardsson, achtenveertig jaar, met een grote foto op de voorpagina van de krant beland. Te oordelen naar de foto was hij een wat gezette man in zijn beste jaren, gekleed in Zweedse zomerkledij van klassiek mannelijke snit: sandalen met sokken, korte broek tot op de knieën, gestreept T-shirt met korte mouwen en een geruite pet van een wat lichter model met het oog op het jaargetijde. Edvardsson stond ontspannen tegen zijn auto van het merk Mercedes geleund en hij straalde zowel vertrouwen als materiële voorspoed uit. Bovendien was hij geboren, getogen en werkzaam in Växjö.

De reden dat hij in de *Smålandsposten* stond, was een lange reportage naar aanleiding van een grootschalig onderzoek van de Voedsel- en Warendienst, waaruit bleek dat Smålanders minder dan andere Zweden bij hun dagelijkse boodschappen geneigd waren om biologische producten te kiezen. Dit ondanks de lovenswaardige inzet van de beroemdste Smålander ter wereld, de schrijfster Astrid Lindgren, om kippen te bevrijden uit hun hokken en varkens tot aan kerst een gelukkig leven te laten leiden.

De verslaggever van de krant was ook nog de stad in gegaan en had een simpel onderzoekje gedaan waarbij ze mensen had gevraagd naar hun visie op biologische levensmiddelen en andere producten. De antwoorden die ze van de meerderheid van de respondenten had gekregen, leken de resultaten van de Voedsel- en Warendienst te bevestigen en de reden van de negatieve reacties was over het algemeen dezelfde: biologisch voedsel was duurder dan gewoon voedsel, terwijl het min of meer hetzelfde smaakte als al het voedsel tegenwoordig.

Dit met uitzondering van Roy Edvardsson, achtenveertig, die ondanks zijn beroep volledig onbekend was met de kwestie.

'Dat moet je mij niet vragen,' zei Edvardsson. 'Ik doe nooit zelf boodschappen. Ik ben namelijk al jaren getrouwd.'

Ik wist niet dat zulke types nog bestonden, dacht Lewin verwonderd en hij reikte naar de schaar om zijn reisherinneringen aan Växjö te kunnen aanvullen met een kijkje in het leven van Roy Edvardsson.

68

Na het ontbijt was Lewin in de voetsporen van zijn collega's getreden en omdat hij hun dat niet had verteld, deed hij elke stap met een slecht geweten. Eerst was hij langsgegaan bij de opticien van de tweeënnegentigjarige getuige om voor eens en voor altijd uitsluitsel te krijgen over haar gezichtsvermogen.

De eigenaar van de winkel was een man van halverwege de zestig die de winkel had overgenomen van zijn vader en die hun getuige de afgelopen dertig jaar van brillen had voorzien. In totaal waren het twee nieuwe brillen en een aantal kleine reparaties, dus een grote klant was ze zeker niet. De laatste keer dat ze bij hem langs was geweest, was ruim zes jaar geleden. Het onderzoek dat hij toen had gedaan, had uitgewezen dat ze zich prima redde met de bril die ze vijf jaar eerder had gekocht. Dat was kort nadat ze tachtig was geworden en vooral omdat ze een nieuw montuur nodig had.

De getuige was bijziend, maar het was een aangeboren bijziendheid die met de jaren niet echt erger leek te worden. Vooropgesteld dat ze de bril op had en dat haar ogen sinds haar vorige bezoek niet dramatisch waren verslechterd, zou ze een normaal functionerend gezichtsvermogen moeten hebben, waarmee ze volledig capabel was om een persoon op twintig meter afstand te herkennen, en dat was waarnaar Lewin informeerde. Als ze haar bril niet op had gehad, had ze het niet gekund. Dat was uitgesloten. Op die afstand kon ze zonder bril bewegingen waarnemen en het onderscheid maken tussen een mens en een hond, maar waarschijnlijk niet tussen een hond en een kat.

Bovendien was er een ander probleem met oude mensen en hun gezichtsvermogen, een probleem dat weliswaar buiten het puur optische lag, maar dat toch een deel was van het dagelijks leven en de werkelijkheid waar iedere nauwkeurige vakman rekening mee moest houden.

'Het gezichtsvermogen van oude mensen wordt op een totaal andere manier beïnvloed door hun algemene lichamelijke en geestelijke gesteldheid. Ze hebben veel vaker last van duizelingen en dubbelzien, ze zijn gevoeliger voor lichtverhoudingen. Ook kunnen ze plotseling een beetje verward raken en van alles en nog wat door elkaar halen, en als dat voorbij is, zijn ze weer als vanouds. Soms komen ze hier en dan proberen ze een nieuwe bril, waarmee ze misschien zelfs de onderste regels kunnen lezen, en als ze dan later hun nieuwe bril weer op doen, kunnen ze de bovenste regels opeens niet meer lezen, bijvoorbeeld omdat ze die nacht slecht hebben geslapen of ruzie hebben met hun kinderen of iets dergelijks.'

'Maar gesteld dat ze was zoals altijd en haar bril op had, dan zou ze een bepaald persoon kunnen zien en herkennen. Zeker als het iemand was die ze al langer kende,' vatte Lewin samen.

'Jawel, ja,' stemde de opticien met hem in. 'Maar dan heb je nog dat psychische element. Dat ze mensen kunnen verwisselen en dat ze degene die ze hebben gezien, verwisselen met iemand die ze kennen, misschien op grond van een uiterlijke gelijkenis. Dan is degene die ze beschrijven misschien degene die ze kennen en niet degene die ze hebben gezien. Ik ben geen arts, maar ik heb door de jaren heen verschillende voorbeelden van dit soort verwisselingen gezien en gehoord.'

Enerzijds, anderzijds, dacht Lewin en hij zuchtte inwendig toen hij even later aanbelde bij de deur van de flat waar hun getuige woonde. Hij had Eva Svanström vooraf laten bellen en hopelijk was dat de reden dat ze het spionnetje in haar deur niet gebruikte voordat ze voor hem opendeed.

'Mijn naam is Jan Lewin en ik werk als hoofdinspecteur bij de rijksrecherche,' zei Lewin en hij hield zijn legitimatie op, terwijl hij zo vertrouwenwekkend mogelijk glimlachte. Het mensje lijkt zowel fit als opgewekt, dacht hij hoopvol.

'Kom binnen, kom toch binnen,' zei ze, terwijl ze hem de richting wees met haar met rubber beslagen wandelstok.

'Dank u,' zei Lewin. En een helder koppie, dacht hij en hij voelde de hoop stijgen.

'Volgens mij moet ik u bedanken,' zei mevrouw Rudberg. 'Hoofdinspecteur. Dat is geen kattenpis. Die vrouw die hier de vorige keer was, was maar een gewone agent,' stelde de getuige vast en ze keek haar gast nieuwsgierig aan.

Eerst hadden ze het over haar verjaardag gehad en het bleek dat de getuige net zo'n soort dominee had gehad als zijn oude grootmoeder. Bovendien had het jaren geduurd voordat haar ouders de verkeerde datum hadden ontdekt en het haar hadden verteld.

'Pas toen ik naar school ging, ontdekte mijn vader dat de dominee het verkeerd in het kerkboek had geschreven,' legde ze uit. 'Maar toen hadden we een nieuwe dominee en hij wilde het niet veranderen omdat het er nu eenmaal zo stond. Dus bleef het er staan zoals het er stond.'

Een tijd lang had het haar zelfs een beetje dwarsgezeten dat ze met de verkeerde maand in het bevolkingsregister stond. Met het klimmen van de jaren was een extra maand echter steeds minder gaan betekenen en toen haar pensioen voor het eerst uitbetaald werd, had ze zichzelf zelfs gefeliciteerd met de fout van de dominee.

'Als ik geluk heb, krijg ik misschien een maand extra pensioen,' constateerde ze met een glimlach naar Lewin. 'Dus ik hoef het alleen maar dankbaar aan te nemen.'

Die vergissing met haar verjaardag had ook nooit praktische problemen opgeleverd. Op 4 juli vierde ze haar verjaardag, zo was het altijd geweest, en dat ze die vrouwelijke agent met wie ze had gesproken niet over de vergissing had verteld, kwam doordat ze er simpelweg niet aan gedacht had. Bovendien had haar bezoekster er niet naar gevraagd, dus ze was ervan uitgegaan dat ze wist hoe het zat. Een simpel misverstand, meer niet, en 4 juli was de dag waarop ze om een uur of zes op haar balkon was gaan zitten. Net als de meeste andere dagen deze zomer en de ochtend in kwestie had ze een stuk marsepeintaart meegenomen voor bij haar gebruikelijke kopje ochtendkoffie.

'Ik had zelfs een blad klaargemaakt, zodat ik niet voortdurend heen en weer hoefde te rennen. Want ik heb natuurlijk ook die stok nog,' legde ze uit.

Nu rest er nog één probleem, en hoe los ik dat op, dacht Lewin.

'En nu vraagt u zich natuurlijk af, hoofdinspecteur, of ik mijn bril op had,' zei de getuige, terwijl ze hem met samengeknepen ogen over de rand van haar bril aankeek.

'Ja,' zei Lewin en hij glimlachte vriendelijk. 'Hoe zat dat met uw bril, mevrouw Rudberg?'

Geen enkel probleem, aldus de getuige. Het laatste wat ze deed als ze 's avonds in bed kroop, was haar bril afzetten en hem binnen handbereik op het nachtkastje naast het bed leggen. Het eerste wat ze 's ochtends voordat ze uit bed stapte deed, was hem weer opzetten.

'Wat heb ik op het balkon te zoeken zonder bril,' zei ze. 'Dat zou me wat zijn. Dan zou ik het nauwelijks hebben kunnen vinden.'

Restte de man die ze met de auto had zien prutsen op de parkeerplaats, en dit loopt als een trein, dacht Lewin.

Tamelijk klein van stuk, donker, fris en beweeglijk. Goedgetraind, zoals mensen tegenwoordig zeggen. Knap zoals de mannen toen ze zelf jong was.

'Maar in die tijd hoefde je niet aan de slag te gaan met al die trainingen om je lichaam in model te houden,' zei de getuige.

Hoe oud was hij? vroeg Lewin zich af.

Net zo oud als zijzelf in de tijd dat mannen er zo uitzagen en ze op die manier naar hen keek, maar dan natuurlijk een paar jaar ouder, want mannen waren altijd een paar jaar ouder en dat was nog steeds zo, als ze het goed begrepen had.

'Hij was een jaar of vijfentwintig, dertig misschien,' zei ze. 'Maar goed, tegenwoordig vind ik dat bijna iedereen er jong uitziet, dus hij kan heel goed ouder zijn geweest,' vervolgde ze met een zucht.

'U dacht dat het iemand was die u kende,' bracht Lewin voorzichtig te berde.

'Ja, maar daar heb ik me flink vergist,' antwoordde ze met een enthousiaste glimlach.

'Hoe bedoelt u dat?' vroeg Lewin.

'Nou, ik moet hem verward hebben met iemand anders,' legde ze uit.

'Eh, hoe bedoelt...'

'Nou, ik sprak een paar dagen geleden met onze huismeester. Hij was bij me om naar mijn koelkast te kijken want hij maakt zo'n verschrikkelijk lawaai dat ik er 's nachts nauwelijks van kan slapen en toen hadden we het over die auto die gestolen was, dat hadden ze immers gezegd op de radio en toen vertelde ik om een of andere reden wat ik tegen die politievrouw had gezegd, dat ik dacht dat het zijn zoon was die de auto had gepakt om de stad uit te gaan.'

'Ja,' zei Lewin aanmoedigend.

'Maar daar moet ik me flink hebben vergist,' zei ze opnieuw.

'Hoe bedoelt u dat?' vroeg Lewin geduldig.

'Nou, hij heeft helemaal geen zoon,' antwoordde de getuige. 'Dus daar moet ik me flink vergist hebben. Daar knalde ik met de zeis tegen een steen zodat hij ervan zong, zou mijn oude vader gezegd hebben.'

'Dus hij deed u in feite aan iemand anders denken,' zei Lewin.

'Ja, dat moet het geweest zijn,' stemde de getuige in en plotseling zag ze er oud en vermoeid uit. 'Ik bedoel, als hij geen zoon heeft, dan heeft hij geen zoon.'

'Dus uw huismeester wist dat uw buurman de piloot, van wie de auto was, geen zoon heeft,' zei Lewin.

'Als iemand het weet, is hij het wel,' zei de getuige met klem. 'Hij weet alles van de mensen die in deze wijk wonen. Het zou niet best wezen als dat niet zo was. Twee dochters heeft die piloot. Dat weet ik zeker en daar waren we het over eens. Maar het was niet een van hen die ik heb gezien. Zo seniel ben ik ook weer niet. Nog niet.'

'Ik begrijp dat u er veel over nagedacht heeft,' hield Lewin aan. 'Is er niet iemand anders die hier woont of die u kent aan wie hij u doet denken. Of iemand die u eerder heeft gezien en die leek op degene die u zag?'

'Nee,' zei de getuige, terwijl ze beslist haar hoofd schudde. 'Ik heb er heel veel over nagedacht, maar de enige aan wie hij me dan doet denken is die acteur. Die in *Gejaagd door de wind* speelt. Die Clark Gable, maar dan zonder snor, natuurlijk.'

'Clark Gable, maar dan zonder snor,' zei Lewin en knikte. Dit wordt steeds beter, dacht hij.

'Maar hij kan het amper geweest zijn,' zuchtte de getuige.

'Nee,' zei Lewin. 'Dat is niet zo waarschijnlijk.'

'Nee, dat is inderdaad niet zo waarschijnlijk,' was de getuige het met hem eens. 'Want hij zou inmiddels net zo oud moeten zijn als ik, bovendien is hij toch dood?'

'Ja,' zei Lewin. 'Ik geloof dat hij al een hele tijd geleden overleden is.'

'Dus hem kan ik niet gezien hebben,' zei de getuige met een knikje.

Toen Lewin terugliep naar het politiebureau, had zijn oude, bekende neerslachtigheid zich aangediend. De kleine, volgestouwde woning, de portretten van de familieleden, verwanten en vrienden die dezelfde gemeenschap deelden en allemaal dood waren. Die speciale geur die altijd in huizen van oude mensen hing, hoe minutieus ze ook werden schoongemaakt en hoewel de bewoners misschien nog wel twintig jaar zouden leven. Een tweeënnegentigjarige vrouw die fit en gezond was voor haar leeftijd en die nog steeds in staat was in haar eigen flat te wonen, haar eigen koffie te zetten en zelfs een dienblad in één hand te dragen. Geen rolstoel, zelfs geen rollator, maar zo veel kracht dat ze alleen een stok met een rubber voetje nodig had om op haar eigen balkon te komen.

Niet eens in de buurt van het voorportaal van de dood die zorg bood aan iedereen die minder geluk had dan zijn getuige en vaak nog aanmerkelijk jonger was ook. Linoleum op de vloer, een tv die voortdurend aanstond en waar niemand ook nog maar de moeite nam van zender te wisselen, gekookte vis en vruchtensoep, gevoerd worden met een lepel, een bed voor de nacht waarvan het matras omhooggezet was ter ondersteuning van een kromme rug en hulp voor vermoeide longen. Plus de vrijheid die slechts bestond uit een einde aan dit alles. Als je je er tenminste bewust van was dat er een einde was dat geduldig op je wachtte, ongeacht wie je geweest was in die tijd dat je een leven te leiden had.

'Hij leek op Clark Gable?' vroeg Sandberg een uur later.

'Maar dan zonder snor,' zei Lewin met een flauw glimlachje.

'Ik heb trouwens een recente foto van de schoonzoon van de piloot achterhaald. Hij heet Henrik Johansson, achtendertig jaar. Die piloot die is getrouwd met zijn jongste dochter,' zei Sandberg.

'Hoe ziet hij eruit?' vroeg Lewin.

'Hij lijkt op geen enkele manier op Clark Gable en dan moet je weten dat je met een vrouw spreekt die *Gejaagd door de wind* meerdere malen op video heeft gezien,' antwoordde Sandberg. 'Wat denk je van een compositietekening? Bij gebrek aan betere opties,' vervolgde ze.

'God beware ons,' zei Lewin, terwijl hij zijn hoofd schudde. Van Clark Gable? Dan hoeven we alleen zijn snor maar uit te gummen, dacht Lewin die zich al wat monterder begon te voelen.

Olsson had Bäckström verzocht om een persoonlijk gesprek en Bäckström had de dag ervoor al van collega Sandberg gehoord waarover.

'Ja, dat heb ik gehoord,' zei Bäckström gemoedelijk. 'Dat was toch dat rare mens in die roze hemdjurk die ik ontmoet heb op die bijeenkomst waarvoor jij me had uitgenodigd? De enige keer dat ik haar heb ontmoet en nu zal het wel even duren. Zijn jullie trouwens goed met elkaar bevriend?'

'Nu moet je me niet verkeerd begrijpen, Bäckström,' zei Olsson, terwijl hij met zijn handen het afwerende gebaar maakte dat zo'n beetje zijn politionele handelsmerk was. 'Ik wil je alleen maar vast waarschuwen, om het zo maar te zeggen. Voor het geval je kwaadwillende geruchten ter ore komen.'

'Aan dat soort dingen moet je in de loop der jaren helaas wennen. Weet je trouwens, Olsson, hoeveel collega's in dit land op dit moment een of meer aangiften aan hun broek hebben hangen van al die kwajongens en warhoofden die we enigszins in het gareel proberen te houden?' Bäckström knikte opbeurend naar Olsson, die zelf niet zo opgewekt leek.

'Behoorlijk wat heb ik begrepen, helaas,' stemde Olsson met hem in.

'Ruim tweeduizend,' zei Bäckström met nadruk. 'Vijftien procent van het hele korps en praktisch iedereen die probeert zijn werk goed te doen.'

'Ja, het is verschrikkelijk,' was Olsson het met hem eens zonder er nader op in te gaan wat er nou zo verschrikkelijk was.

'Weet je hoeveel van deze collega's veroordeeld worden?' zei Bäckström, die niet van plan was het onderwerp los te laten nu hij het eenmaal bij de kop had.

'Niet zo veel,' zei Olsson.

'Grapjas,' zei Bäckström. 'Een à twee per jaar. Minder dan één op de duizend collega's die ze proberen in de stront te trappen.'

'Nee, dat is echt geen prettige situatie,' stemde Olsson met hem in en hij maakte aanstalten om op te staan.

'Eigenlijk zou ik met de vakbond moeten gaan praten en ervoor zorgen dat we aangifte doen van valse aangifte,' zei Bäckström.

'Tegen de eiser?' vroeg Olsson.

'Nee, tegen die gestoorde miep met die roze hemdjurk. Ik dacht dat er niet eens een eiser was,' zei Bäckström. 'Denk er maar even over na,' stelde hij ruimhartig voor.

'Hoe bedoel je?' vroeg Olsson nerveus.

'Of we geen aangifte tegen haar moeten doen,' verduidelijkte Bäckström. 'Tegen dat mens in die roze hemdjurk dus.' Daar kun je het mee doen, flapdrol, dacht hij.

'Dat zal vast niet nodig zijn,' zei Olsson en hij stond op.

'Maar wat zei Bäckström dan? Had hij iets aan te voeren ter verdediging?' vroeg de korpschef zich vijf minuten later af.

'Hij leek het absoluut niet te begrijpen,' zei Olsson zuchtend. 'Hij vond dat we aangifte moesten doen tegen Moa Hjärtén vanwege valse aangifte. Hij dacht erover om met de vakbond te gaan praten.'

'Maar is dat nou echt nodig?' steunde de korpschef. 'Heb je eigenlijk al met de eiser gesproken?'

'Alleen telefonisch,' zei Olsson.

'En wat zei ze?' vroeg de korpschef.

'Ze wilde het überhaupt niet over de zaak hebben en ze was niet van plan aangifte te doen,' zei Olsson. 'Maar ik ben ervan overtuigd dat er iets niet klopt.'

'Ja, ja, natuurlijk,' zei de korpschef. 'Wat dat betreft is er altijd wel iets, maar tegelijkertijd gaat het toch om een collega en als de eiser weigert mee te werken, weet ik niet hoe we deze zaak af kunnen handelen. Zeg me als ik het mis heb, maar Bäckström heeft zich toch niet op die mevrouw Hjärtén gestort?'

'Misschien moet je eens contact opnemen met Bäckströms nieuwe baas,' stelde Olsson voor. 'Die Johansson.'

'Bedoel je Lars Martin Johansson, onze nieuwe erkapé?' vroeg de korpschef.

'Ja, die,' zei Olsson. 'Vroeg of laat komt hij er toch achter.'

'Ik beloof je dat ik erover na zal denken,' zei de korpschef. Wat is er gebeurd met Olsson, dacht hij. Ik moet me volledig in die man vergist hebben.

's Middags, vlak voordat hij naar het hotel zou gaan, had Lewins kennis bij de inlichtingendienst hem teruggebeld om verslag te doen van de telefoon waar Lewin naar had gezocht.

'Je had volkomen gelijk, Jan,' constateerde zijn collega. 'Het is een gewone diensttelefoon. De gemeente Växjö betaalt het abonnement en als je me nog een etmaal geeft, zal ik de naam van degene die hem gebruikt, boven tafel halen. Ik kan namelijk uit een paar honderd mensen kiezen,' lichtte hij toe.

'Als je zin hebt om dat te doen, ben ik je natuurlijk dankbaar. Als het maar geen problemen voor je oplevert,' zei Lewin.

Geen enkel probleem, volgens zijn oude bekende van de inlichtingendienst. Bij de Säpo hadden ze namelijk een geweldig en strategisch geplaatst contact bij de gemeente Växjö en het enige wat hij nodig had, was nog een dag.

'Nou, dat is dan afgesproken,' zei Lewin. 'Hartelijk dank, trouwens.'

'Graag gedaan,' zei zijn kennis. 'Ik beloof je morgen van me te laten horen, dus dan krijg je de naam van die schelm die mensen 's nachts voor de grap opbelt. Verder weet ik dat we nog wat kleinigheden hebben, maar dat zien we dan wel, als het volledige beeld duidelijk is, bedoel ik.'

'Nogmaals heel hartelijk bedankt,' zei Lewin. Misschien, misschien niet, maar misschien toch, dacht hij en om redenen die hij helemaal niet begreep, voelde hij opeens weer een vlaag van die oude, vertrouwde neerslachtigheid. Dat gevoel dat hem elke keer overviel als hij het idee had dat hij op het punt stond iets te achterhalen dat binnenkort gevolgen zou hebben voor mensen van vlees en bloed.

69

In zijn dromen was het over het algemeen nog erger. Geen neer-slachtigheid. Pure angst, die zijn lichaam deed slingeren, draaien en vallen en zijn benen het laken tot een zweterige sliert in het midden van het bed liet rollen. Volkomen natuurlijk, uitgeleverd als hij was aan de angsten, zonder de mogelijkheid zich te verdedigen door er-gens anders aan te denken zoals hij meestal deed als hij wakker was. Maar zo niet deze nacht.

Een andere Indian summer, bijna vijftig jaar geleden. Jan Lewin heeft zijn eerste echte fiets gekregen. Een rode Crescent Valiant. Genoemd naar de edele ridder Prins Valiant, die zo lang geleden leefde dat er geeneens fietsen waren, maar alleen paarden.

Voor de hoeveelste keer zijn vader achter hem aan rent – hij houdt zijn bagagedrager stevig vast en moedigt hem aan – is hij vergeten.

Hij klemt het stuur vast, trapt zo hard als zijn benen kunnen en hij sluit in elk geval zijn ogen niet meer vlak voordat hij weet dat hij omvalt en zijn knieën zal schaven.

En nu rest hem alleen het ergste nog. Het grindpad tussen het witte tuinhek en de rode veranda van het huis, waar mama vast pan-nenkoeken staat te bakken omdat het donderdag is.

'Niets aan de hand, Jan,' roept papa achter zijn rug. 'Ik hou je vast. Niets aan de hand, ik heb je vast.'

Jan trapt en stuurt en het gaat stabieler dan anders, want papa houdt hem vast, en eenmaal bij het huis remt hij voorzichtig, zet hij zijn linkervoet op de grond en stapt af.

En als hij zich omdraait, ziet hij dat zijn vader nog bij het witte hek staat, hij glimlacht met zijn bruinverbrande gezicht en papa staat veel te ver weg om hem door zijn haar te kunnen woelen, maar dat hoeft nu natuurlijk ook niet meer.

70

De korpschef van de regionale politie in Växjö hoefde de chef van
de rijksrecherche niet meer te bellen. Woensdagochtend vroeg had
Lars Martin Johansson hem zelf namelijk al gebeld.

'Ik hou het kort,' zei Johansson. 'Het gaat over Bäckström. Als
hij in Växjö niet onmisbaar is, was ik van plan hem terug te halen.
Bovendien kan ik nieuwe mensen naar je toe sturen.'

'Jawel, ja,' zei de korpschef. 'Ik ben natuurlijk blij met alle hulp
die we kunnen krijgen en het is duidelijk dat als u Bäckström nodig
heeft voor belangrijker taken, ik me daarnaar zal voegen.'

'Belangrijker taken,' snoof Johansson. 'Ik was van plan hem terug
te halen en hem de les te lezen en als ik daarmee klaar ben, zal ik
overwegen of hij in het vervolg überhaupt nog taken krijgt.'

'Als u zich ongerust maakt over die aangifte, dan geloof ik dat we
de goede man niet te snel moeten veroordelen,' wierp de korpschef
tegen en hij probeerde zijn stem rustig en vast te laten klinken.

'Ik weet niet waar je het over hebt,' zei Johansson. 'Welke aangifte?'

Nu kon de korpschef er niet onderuit te vertellen over de aangifte
tegen rechercheur Evert Bäckström, die twee dagen eerder bij de
politie in Växjö was binnengekomen.

'Dat klinkt als een uitermate merkwaardige aangifte als je het mij
vraagt,' zei Johansson vijf minuten later, toen zijn langdradige collega eindelijk was uitgesproken.

'Zeg me als ik het verkeerd begrepen heb,' vervolgde hij. 'Je hebt
een aangifte van de voorzitter van de vrouwenopvang in Växjö die
zegt dat Bäckström een vrouwelijke journalist die zij kent, heeft lastiggevallen met iets wat volgens mijn exemplaar van het wetboek
klinkt als seksuele intimidatie. Maar de vrouwelijke journalist weigert om onbekende redenen om erover te praten en wil al helemaal
geen aangifte doen.'

'Ja, die samenvatting is juist,' stemde de korpschef met hem in.

'En dan hebben we dus die verklaring waar de vrouw die aangifte heeft gedaan, gisteren mee kwam.'

'Daar kom ik nu op,' zei Johansson. 'Nadat jullie opnieuw contact hebben opgenomen met het vermeende slachtoffer, dat nog steeds weigert aangifte te doen, komt de vrouw die aangifte heeft gedaan met een of andere verklaring die zij en een andere getuige hebben opgesteld en die zou bestaan uit een soort aantekeningen van het gesprek dat de vrouw die aangifte heeft gedaan gevoerd zou hebben met het slachtoffer. Een eenvoudige vraag: Wie is die andere getuige?'

'Hij is de voorzitter van de mannenopvang in Växjö. Hij heet trouwens Bengt Karlsson en de voorzitter van de vrouwenopvang, die aangifte heeft gedaan, heet dus Moa Hjärtén en...'

'Nu begrijp ik er geen bal meer van,' onderbrak Johansson hem. 'Ik dacht dat het vermeende slachtoffer alleen met Hjärtén had gesproken. Dus waar getuigt die Karlsson dan van?'

'Ja, dat is inderdaad ietwat onduidelijk,' gaf de korpschef toe.

'Dat lijkt me niet,' zei Johansson. 'Volgens mijn boek klinkt het eerder als een valse getuigenis.'

'Ja, dat is niet zo mooi. Werkelijk niet,' benadrukte de korpschef.

'Het is niet aan mij om je goede raad te geven,' zei Johansson, 'maar als ik jou was zou ik ervoor zorgen die aangifte op orde te krijgen of te seponeren voordat die goede Bäckström de mogelijkheid heeft gehad met zijn vriendjes van de vakbond te babbelen.'

'O ja?' zei de korpschef.

'Die man kan een ongekende lastpak zijn. Er gaan honderd gewone betweters in één Bäckström. Dat je goed begrijpt over wie we het hebben,' zei Johansson.

'Ik ben u natuurlijk dankbaar voor uw hulp,' zei de korpschef.

'Ik zal Bäckströms baas vragen contact op te nemen met jullie vooronderzoeksleider zodat ze de praktische details kunnen regelen,' zei Johansson.

Bäckströms directe baas had om een of andere reden geen enkel bezwaar. Het rapport dat de administratie hem ter kennisgeving had gestuurd was helaas zowel belastend als aanlokkelijk. Al het andere buiten beschouwing gelaten, en zelf was hij zoals gezegd met vakantie toen het gebeurde.

'Ik hoorde via via bovendien dat er aangifte tegen hem gedaan zou zijn omdat hij zich zou hebben uitgekleed voor een of andere journalist,' zei de hoofdcommissaris en hij kreeg een rood hoofd. 'Ja, je hoort de gekste dingen,' zei Johansson met een tevreden zucht.

'Wanneer wilt u hem hier hebben?' vroeg de hoofdcommissaris.

'Zo snel mogelijk,' zei Johansson. 'Uiterlijk maandagochtend, want dan heb ik een gaatje in mijn agenda waar ik hem in wil stoppen.' En dan zal ik hem de les lezen, dacht hij.

'Heeft u wensen voor wie we ter vervanging naar Växjö moeten sturen?' vroeg de hoofdcommissaris.

'Anna Holt en die kleine blonde, hoe heet ze ook al weer, Lisa Mattei,' zei Johansson. 'Die zijn weliswaar veel beter dan wat die lui in Växjö verdienen, maar het is de hoogste tijd om te laten zien wie er de baas is en de 10+ eropuit te sturen,' voegde hij eraan toe, terwijl hij tegelijkertijd om een of andere reden zijn duimen achter zijn blauwe bretels stak.

'Dan ben ik bang dat we problemen krijgen,' wierp de hoofdcommissaris nerveus tegen.

'Er zijn geen problemen,' zei Johansson. 'In jouw en mijn wereld zijn alleen uitdagingen.'

'Geen van hen werkt voor mij,' zei de hoofdcommissaris. 'Anna Holt werkt als intendant bij het Bureau voor Nationale Samenwerking en Mattei is tijdens de vakantie plaatsvervangend hoofdinspecteur bij de analyseafdeling.'

'Des te beter,' zei Johansson. 'Dan is het de hoogste tijd dat ze er eens uit komen en wat bewegen. Zorg gewoon dat het geregeld wordt. Als de wiedeweerga. Nog één ding trouwens waar je misschien aan moet denken als je voor me wilt blijven werken.'

'Hoe bedoelt u?' zei de hoofdcommissaris.

'Als ik in dienst ben, heb ik nooit wensen,' zei Johansson. 'Ik heb je een order gegeven, en moeilijker dan dat is het niet.'

Een uur later was de hoofdcommissaris teruggekeerd bij zijn hoge baas en had hem medegedeeld dat de opdracht inmiddels was uitgevoerd en afgehandeld, en om een of andere reden was hij voor Johanssons bureau blijven staan toen hij dat zei.

'Volgens order,' rondde de hoofdcommissaris af, terwijl hij in stilte vloekte omdat hij de moed niet had zijn hakken tegen elkaar te slaan toen hij dat zei.

'Dank je,' zei Johansson, terwijl hij vriendelijk naar hem knikte. 'Dat is voortreffelijk.'

'Wilt u hen spreken? Ik kan hun vragen onmiddellijk te komen, als u dat wenst,' zei de hoofdcommissaris met een onschuldig gezicht.

'Prima,' zei Johansson. 'Stuur ze onmiddellijk naar me toe.'

Om onbekende redenen leken Holt en Mattei niet zo geestdriftig als hun chef, alhoewel Johansson zijn best had gedaan en zijn secretaresse koffie, koffiebroodjes en koekjes had laten regelen. Holt had vooral haar hoofd geschud. Ze had enorm veel te doen in haar nieuwe baan en was er bovendien absoluut niet blij mee dat ze collega Bäckströms puin moest ruimen. Mattei was op zich opgewekt en aardig als altijd, het klonk boeiend en interessant, maar omdat ze vanaf 1 september met verlof zou zijn om haar universitaire studie af te ronden, zag ze misschien toch enkele praktische problemen. Niet op de laatste plaats gezien het feit dat ze al iemand verving.

'Het is nog bijna twee weken tot de eerste. Een gewone, simpele moord. Die lossen jullie vrouwen in een week op,' preste Johansson en hij nam een koffiebroodje aangezien zijn gasten slechts hun hoofd hadden geschud toen hij ze op de royale schaal had gewezen. 'Bovendien is het vast leuk als jullie er eens uit komen,' voegde hij eraan toe. 'Je oor op de rails leggen, van alles en nog wat combineren tot een hypothese, ontdekken dat het klopt, 's avonds laat de verdachte opzoeken, het is net begonnen te regenen en jullie zetten de kraag van je jas op als jullie de auto uit stappen, jullie zien hem voor de televisie zitten, hij heeft geen enkel vermoeden, hij is al aan het idee gewend geraakt dat hij ermee weg zal komen, dan bellen jullie aan, jullie horen hem aankomen om open te doen... We zijn van de politie. Er is iets waar we het eens met je over willen hebben,' zei Johansson en hij zuchtte diep van verlangen naar een verloren tijd.

'Alles goed en wel, Lars, maar dit gaat eigenlijk niet over ons,' zei Holt en ze glimlachte vriendelijk naar hem.

'Waar gaat het dan om,' zei Johansson afwachtend.

'Eigenlijk wil jíj erheen,' zei Holt en ze klonk net alsof ze het tegen een koppig kind had. 'Maar omdat dat niet gaat, ben je genoodzaakt ons in jouw plaats te sturen.'

'Je bent een echt psycholoogje, Anna,' zei Johansson met een zuur lachje. 'Ik had weliswaar geen staande ovaties verwacht, maar een discreet schikken naar de situatie was misschien wel gepast geweest.'

'Vanzelfsprekend,' zei Holt. 'Je schikken naar de situatie, het niet onnodig ingewikkeld maken, een hekel hebben aan toeval. Lars Martin Johanssons drie gouden regels voor iedere rechercheur, en Lisa en ik zijn praktisch gezien al ter plaatse in Växjö.'

'Precies,' zei Johansson. 'Maar in dit specifieke geval, en aangezien Bäckström de man is wiens puin jullie mogen ruimen, is er een vierde regel waar jullie ook rekening mee moeten houden.'

'Ik luister, baas,' zei Lisa Mattei en ze zag eruit als de beste van de klas die haar vinger niet eens meer op hoeft te steken.

'Wees voorzichtig met sterke drank, meisjes. Een goede raad van een oude man die al een tijdje meeloopt,' zei Johansson en hij verslond nog een klein koekje van de grote schaal.

71

Stockholm, woensdag 20 augustus – zondag 24 augustus

Holt en Mattei hadden de volgende twee dagen besteed aan de voorbereiding van hun reis naar Växjö om het werk van collega Bäckström over te nemen. De praktische kant had Holt met behulp van Bäckströms chef in een halfuur afgehandeld. Het inlezen in de zaak die ze zouden onderzoeken, had ruim twintig uur gekost en tot op dit moment verliep alles zoals altijd. Het enige merkwaardige was dat hun chef de hele tijd had geschitterd door afwezigheid. Tot vrijdagmiddag, toen hij plotseling voor de deur van hun kamer stond.

'Ik hoop niet dat ik stoor,' zei Johansson, terwijl hij ging zitten. 'Laat eens horen. Wat denken jullie ervan,' vervolgde hij met een knik naar de papieren op de tafel tussen hen in.

'Wat denk je er zelf van?' vroeg Holt, die Johansson al heel wat jaren kende en al een tijdje meeliep.

'Omdat je het vraagt, Anna,' zei Johansson, die Holt net zo lang kende en beduidend langer meeliep. 'Ik denk dat het allemaal tamelijk simpel en voor de hand liggend is. Het is iemand die ze kende. Waarschijnlijk iemand die haar moeder ook kent of in elk geval heeft ontmoet, ze liet hem vrijwillig binnen, het begon allemaal met wederzijdse instemming en daarna liep het volledig uit de hand en maakte hij haar van kant.'

'Dat komt ongeveer overeen met wat Lisa en ik denken,' was Holt het met hem eens.

'Goed om te horen,' zei Johansson. 'Omdat we het over Växjö hebben en het slachtoffer en haar moeder allebei gewone, fatsoenlijke, normale mensen lijken, is de groep om uit te kiezen niet zo groot. Ga er heen en grijp die rotzak. Zo eentje mag niet vrij rondrennen. Het moet een eitje zijn hem te vinden.'

'Waarom is dat dan nog niet gebeurd? Hem vinden, bedoel ik,' vroeg Mattei, terwijl ze haar chef nieuwsgierig aankeek. 'Ze lijken er inmiddels toch al heel wat gecheckt te hebben.'

'Bäckström, waarschijnlijk,' zei Johansson met een diepe zucht.
'Maar Lewin dan?' wierp Holt tegen. 'Hij zit er ook. En de andere collega's. Met hen is toch eigenlijk niks mis, voorzover ik weet.'
'Ze hebben hem vast over het hoofd gezien,' zei Johansson en zuchtte weer. 'Omdat het zo'n gewone, fatsoenlijke, normale man is aan wie je in dit verband niet denkt. Of ze hebben er geen tijd voor gehad omdat ze aan één stuk door met die achterlijke wattenstaafjes rondholden,' voegde hij er schokschouderend aan toe.

'Als je ziet wat hij met het slachtoffer heeft gedaan, heeft hij ook een paar andere kanten,' bracht Holt ertegen in. 'Die niet zo aangenaam zijn,' verduidelijkte ze.

'Dat zei ik toch net,' zei Johansson. 'Deze ene keer sloegen de stoppen door, hij raakte de controle totaal kwijt en daarna liep het zoals het liep. Ik was een keer betrokken bij een zaak, het is al jaren geleden. De Maria-moord, het slachtoffer heette Maria, ze was trouwens ook lerares. Net als Linda's moeder. Heb ik daar wel eens over verteld?' vroeg Johansson.

'Neuh,' zei Holt. Het is net een kind, dacht ze.

'Vertel eens, Johansson,' zei Mattei en ze zag er precies zo geïnteresseerd uit als ze was.

'Goed dan, omdat jullie zo aandringen,' zei Johansson.

Vervolgens had Lars Martin Johansson het relaas verteld van Maria, zevenendertig jaar, die in Enskede buiten Stockholm woonde en als lerares op een middelbare school op Södermalm werkte. Ze was alleenstaand, fatsoenlijk, normaal, geliefd bij vrienden, kennissen, collega's, leerlingen en alle anderen met wie de politie had gesproken. Iemand die niets te verbergen had, zelfs geen geheime massagestaaf in het laatje van haar nachtkastje. En die toch verkracht en gewurgd in haar woning werd gevonden. Hoewel het midden in de week was, midden in de winter. Hoewel ze niet eens uit was geweest, maar gewoon wat proefwerken had zitten corrigeren voor het gebeurde.

'Eerst deden we wat we altijd doen,' vervolgde Johansson. 'Mannen met wie ze iets had gehad, gewone vrienden en kennissen, collega's, buren, alle anderen die ze in de tijd voor het gebeurde maar tegen het lijf gelopen kon zijn. Daarnaast alle oude klassiekers die de revue altijd passeren als de politie zich met dit soort misdrijven bezighoudt. Het hele stel, van verkrachters tot simpele potloodventers en alle andere denkbare figuren die in de buurt geweest zouden kunnen zijn en een verleden hadden dat sporen achterlaat in het register van de politie.'

'En wat leverde dat op?' vroeg Holt hoewel ze het antwoord al wist.

'Niets,' zei Johansson. 'Maar toen begon een van ons zich dingen af te vragen over een mysterieuze auto die een paar dagen voor de moord in de buurt was gesignaleerd en slechts een paar dagen later viel het kwartje,' besloot Johansson en hij zag er behoorlijk voldaan uit.

Wie zou dat nou geweest zijn, dacht Anna Holt hoewel een kind het antwoord zou kunnen raden.

De auto was wat onhandig geparkeerd op de inrit van een garage en de tweede keer dat dat gebeurde, had de geërgerde garage-eigenaar de politie gebeld en aangifte gedaan tegen de eigenaar van de auto. Deze aangifte bevond zich ook in de berg onderzoeksmateriaal, maar omdat de eigenaar een volkomen normale, gewone, nooit veroordeelde man van een jaar of veertig was, was deze terzijde gelegd.

Totdat 'een van ons' van het rechercheteam zich af begon te vragen wat hij daar eigenlijk te zoeken had.

'Het slachtoffer woonde namelijk in een gewone woonwijk. Bovendien stond die auto daar 's avonds laat. De eigenaar van de auto was getrouwd en had twee kinderen, hij werkte als ingenieur op het toenmalige kantoor van Vattenfall in Råcksta en woonde zelf in een rijtjeshuis in Vällingby aan de andere kant van de stad. Het is nogal logisch dat ik me afvroeg wat hij daar op dat tijdstip deed,' zei Johansson, die er eindelijk voor had gekozen zijn masker te laten vallen of gewoon zijn herinneringen de vrije loop te laten.

'Hoe zat het dan?' vroeg Holt hoewel ze dat allang had bedacht en vooral om haar ademloos luisterende jongere collega voor te zijn.

Het oude bekende, trieste verhaal, aldus Johansson. Bovendien in de op een na gebruikelijkste versie.

'Ik zei toch dat hij een vrouw had,' herinnerde Johansson hen. 'Toen we haar natrokken, bleek ze een collega van het slachtoffer te zijn, iets wat op zijn minst een opmerkelijke samenloop van omstandigheden was. De dader had het slachtoffer leren kennen toen hij zijn echtgenote na een personeelsfeest van de school had opgehaald. Daarna waren het slachtoffer en hij de gebruikelijke, geheime relatie aangegaan. Het slachtoffer kreeg na verloop van tijd genoeg van hem en zijn nooit nagekomen beloftes en maakte het uit. Vervolgens begon hij haar 's avonds en 's nachts te bespioneren om te zien wie haar nieuwe vriend was. Op een avond ging hij naar boven en belde hij aan en helaas heeft ze hem binnengelaten en toen liep het zoals het liep. De stoppen sloegen bij hem door.'

'En had ze een nieuwe vriend?' vroeg Holt.

'Nee, ze had geen vriend, maar omdat hij blijkbaar had besloten dat ze er wél een had, was dat het punt waarmee het allemaal begon. Gewoon, simpel politiewerk,' zei Johansson bescheiden, terwijl hij zijn schouders ophaalde. 'Niet van die moderne hocus pocus waarvoor je een heel laboratorium nodig hebt om enig inzicht te verwerven in de eenvoudigste vanzelfsprekendheden.'

'En wat voor advies zou je ons mee willen geven voor Växjö?' vroeg Holt onschuldig.

'Lisa en jij hebben toch geen advies nodig van een ouwe kerel als ik,' zei Johansson met valse bescheidenheid.

'Ik probeerde alleen beleefd te zijn,' was Holt het met hem eens.

'Inderdaad,' zei Johansson, die zich absoluut niet beledigd leek te voelen. 'Maar omdat je het nu eenmaal vraagt, zou ik om te beginnen eens met Linda's moeder gaan praten.'

'Onze collega's hebben haar al driemaal verhoord,' zei Holt met een knikje naar de ordners op haar bureau. 'Een van die verhoren is als je het mij vraagt ontzettend diepgravend.'

'Ze was vast nog steeds in een shock,' zei Johansson, terwijl hij zijn schouders ophaalde. 'Verder denk ik dat ze zich op een of andere onbewuste manier afschermt. Vroeg of laat zal ze naar mijn idee begrijpen hoe de vork in de steel zit, als dat al niet gebeurd is.'

'Je vindt dat we haar weer moeten verhoren,' zei Mattei.

'Absoluut,' zei Johansson. 'Het zou een ambtsmisdrijf zijn om het niet te doen. En bij voorkeur voordat ze iets stoms doet met zichzelf,' voegde hij eraan toe.

Johansson en zijn echtgenote hadden het weekend doorgebracht bij goede vrienden in hun buitenhuis in Södermanland. Ze hadden het zeer naar hun zin gehad en ze waren zondagmiddag na de lunch pas thuisgekomen, wat als voordeel had dat Johansson niet in de gelegenheid was geweest om Anna Holt lastig te vallen met de vraag hoe het met de Linda-moord ging. Zodra hij de deur thuis aan de Wollmar Yxkullsgatan binnen was gestapt, had hij haar echter op haar mobiel gebeld.

'Hoe gaat het?' vroeg Johansson.

'We zitten in de trein naar Växjö,' zei Holt. 'Bovendien is de ontvangst erg slecht.'

'Bel me op mijn mobiel zodra jullie zijn aangekomen,' zei Johansson.

'Natuurlijk,' zei Holt. Ze zette haar mobiel uit en zuchtte even.

'Wie was dat?' vroeg Mattei nieuwsgierig.

'Wat denk je,' zei Holt.

'Die man is geweldig,' zuchtte Mattei. 'Lars Martin Johansson. De man die om een hoek kan kijken.'

'Maar voor hemzelf zou het beter zijn als hij zijn eigen voeten kon zien,' stelde Holt. En ik vraag me af hoe het met jou en je eigen vadertje zit, dacht ze.

'Let op je woorden, Anna,' zei Mattei waarna ze haar met haar wijsvinger voor haar mond tot stilte maande.

'Je bent ongerust dat hij hoort wat ik zeg,' glimlachte Holt.

'Die man hoort wat jij en ik denken,' zei Mattei.

'Zeg me als ik het mis heb, hoor... maar je lijkt haast een beetje van hem gecharmeerd,' merkte Holt op.

'Gecharmeerd,' giechelde Mattei. 'Ik ben tot over mijn oren verliefd op Lars Martin Johansson.'

'Toch vind ik dat hij iets aan zijn gewicht zou moeten doen,' zei Holt. Hij zou moeten proberen een kilo of vijftig af te vallen, dacht ze.

'Ik vind hem nu al leuk. Maar natuurlijk, twintig jaar en dertig kilo eraf zou niet direct kwaad kunnen,' zei Mattei, terwijl ze haar schouders ophaalde.

Toen Holt en Mattei zondagmiddag in Växjö aankwamen, was er plotseling een flink aantal zaken om mee aan de slag te gaan. Holt had er geen moment bij stilgestaan haar baas te bellen en aan de telefoon loze frasen uit te wisselen, en toen ze een minuutje de tijd had, was hij haar voor.

'Je hebt niet gebeld,' zei Johansson en hij klonk haast een beetje gekwetst. Hoewel het al bijna negen uur 's avonds is, dacht hij.

'Ik heb heel wat te doen gehad,' antwoordde Holt. En hoe handel ik dit nu af zonder dat hij een hartaanval, hersenbloeding of alles tegelijk krijgt, dacht ze.

'Dat is prima hoor,' zei Johansson, die geen wrokkig type was, behalve als hij daar zin in had. 'Hoe gaat het trouwens?'

'Uitstekend,' antwoordde Holt. 'Het is al klaar.'

'Hoezo klaar,' zei Johansson.

'Bäckström en zijn collega's hebben de dader vanmorgen gepakt. De officier van justitie heeft hem al laten aanhouden en morgen zal ze hem in hechtenis laten nemen op grond van redelijke verdenking van moord.'

'Bäckström? Hou je me voor de gek?' vroeg Johansson grimmig. Wat zegt ze in godsnaam, dacht hij.

'Bäckström en zijn collega's,' specificeerde Holt.

'Bäckström heeft in zijn leven nog nooit een misdrijf opgelost,' snoof Johansson.

'Als je belooft te gaan zitten en me niet voortdurend in de rede te vallen, zal ik het je vertellen,' zei Holt.

'Ik zit al,' zei Johansson, die toen hij belde op de bank lag en inmiddels rechtovereind op diezelfde bank zat. Bäckström, dacht hij.

'Mooi zo,' zei Holt. 'Bijna alles is vandaag gebeurd en samengevat is het als volgt gegaan...'

'Ik luister,' zei Johansson. Wat is er aan de hand, dacht hij.

'Dat heb ik begrepen,' zei Holt, 'maar het zou prettig zijn als je me niet voortdurend in de rede viel.'

Toen ze het gesprek met Johansson had afgesloten, had ze Jan Lewin apart genomen.

'Ik heb je al gefeliciteerd,' zei Holt. 'En zou je de film nu alsjeblieft terug willen draaien voor Lisa en mij. Vertel. Er moet heel wat gebeurd zijn sinds de vorige keer dat we elkaar spraken.'

'Dank je,' zei Jan Lewin. 'Wat er is gebeurd, is ongeveer het volgende, als jullie in grote lijnen willen weten hoe het is gegaan. Dat het snel gaat als het eenmaal zover is, hoef ik jou niet te vertellen, we hebben echt niet geprobeerd iets achter te houden.'

'Vertel,' zei Anna Holt.

72

De moord op Linda Wallin besloeg de laatste tijd steeds minder plaats in de kolommen van *Smålandsposten* en afgelopen week was er alleen gerapporteerd dat er op dit moment niet zo veel over het onderzoek te rapporteren viel. Geen speciale successen, laat staan een zogenaamde doorbraak. Tegelijkertijd leek het er niet op dat het onderzoek was vastgelopen of gestagneerd. Het onderzoek was eerder 'een rustiger en systematischer fase' in gegaan, waarin de politie 'breed en onbevooroordeeld' te werk ging, aldus de niet bij name genoemde bronnen binnen de onderzoeksleiding waarmee de krant had gesproken.

Op woensdag had de plaatselijke misdaad zijn plaats op de voorpagina van de krant echter weer ingenomen met bovenaan de smakelijke kop: RUZIE OM BISAMPANTOFFELS REDEN VOOR VROUWENMISHANDELING.

De gebeurtenis zelf had al in januari plaatsgevonden, een halfjaar voor de moord op Linda Wallin, maar omdat het onderzoek gecompliceerd en lang was geweest, had de zaak nu pas afgehandeld kunnen worden bij de arrondissementsrechtbank in Växjö, die de dag ervoor een vijfenveertigjarige man had veroordeeld tot een aanzienlijke boete en voorwaardelijke gevangenisstraf wegens mishandeling van zijn toenmalige vriendin, tweeënveertig jaar.

Jan Lewin had het artikel met grote belangstelling gelezen. Het was spannend en bood stof tot nadenken en voor een professionele politieman die bovendien tussen de regels wist te lezen, leek er ongeveer het volgende gebeurd te zijn:

Kort na Oud en Nieuw hadden de aangeklaagde en zijn vriendin besloten uit elkaar te gaan en omdat het huurcontract van hun gezamenlijke appartement op haar naam stond, moest híj verhuizen. *Smålandsposten* was weliswaar voorbijgegaan aan de reden van de scheiding, maar Lewin had toch de stellige indruk dat zij op hem uitgekeken was en hem simpelweg op straat had gezet.

Hoe het ook zij, zij was degene die zijn spullen in had moeten pakken om eindelijk volledig gebruik te kunnen maken van haar eigen appartement en toen haar voormalige vriend die spullen uit had gepakt in zijn tijdelijke woning bij een vrouwelijke collega, drieëndertig, die zich blijkbaar over hem had ontfermd, had hij ontdekt dat hij zijn dierbaarste eigendom miste. Een paar zestig jaar oude pantoffels van bisambont die hij had geërfd van zijn vader, die ze op zijn beurt van zijn vader geërfd had, dat wil zeggen, de grootvader van de verdachte.

De aangeklaagde man had zijn voormalige vriendin ogenblikkelijk thuis opgezocht om een verklaring te eisen. Waar waren de bisampantoffels? Toen ze hem vertelde dat ze ze in de vuilnisbak had gegooid, was hij gewelddadig geworden. Hij had haar bij de arm gepakt, haar omvergegooid, haar meerdere malen met vlakke hand in het gezicht geslagen en geprobeerd haar te schoppen, terwijl ze op de grond lag. De buren hadden de politie gebeld, die het gevecht had afgebroken, de man mee had genomen naar het bureau en de vrouw naar het ziekenhuis had gebracht zodat haar verwondingen verzorgd en gedocumenteerd konden worden. Daarna was alles zoals gewoonlijk voortgerold en dat het allemaal zo veel tijd had gekost, kwam doordat de verhalen van de betrokkenen sterk uiteenliepen, er geen getuigen waren van de mishandeling zelf en dat er in de loop van het onderzoek een groot aantal aangiften en tegenaangiften bij was gekomen.

De aangeklaagde man werkte als verkoper bij een grote autodealer in Växjö en dat beroep bleek eveneens enkele generaties terug te gaan in zijn familie. Zijn vader had bij hetzelfde bedrijf gewerkt, van halverwege de jaren vijftig tot aan zijn pensioen veertig jaar later, en zijn grootvader had tot aan zijn dood kort na het einde van de Tweede Wereldoorlog landbouwmachines verkocht voor een firma buiten Hultsfred.

Naast de interesse voor auto's en tractoren hadden de verdachte, zijn vader en zijn grootvader nog een gemeenschappelijke passie, namelijk de jacht. Een aanzienlijk deel van het proces bij de arrondissementsrechtbank was ook besteed aan het uitzoeken van dit aspect en de verdachte en zijn advocaat hadden twee karaktergetuigen opgeroepen die vertelden wat de weggegooide bisampantoffels eigenlijk voor hun vriend en jachtmaat betekenden. Er was absoluut geen sprake van gewone pantoffels.

Volgens het verhaal dat in de familie van de aangeklaagde man de ronde deed, zou zijn grootvader tijdens de zware oorlogsjaren in de stroompjes en moerassige gebieden buiten Hultsfred ruim een dozijn bisamratten hebben geschoten. Hij had zijn buit zelf gevild, de huiden geprepareerd en ze daarna afgegeven bij een plaatselijke schoenmaker, die er een paar zeer comfortabele en verwarmende pantoffels van had gemaakt. Bijzonder gewaardeerd door hun eigenaar en van haast onschatbare waarde tijdens de koude winters aan het einde van de Tweede Wereldoorlog.

De bisamrat, *Ondatra zibethicus*, was een uiterst zeldzaam dier in de gebieden rond Hultsfred. Hij was bovendien schuw, moeilijk te bejagen en niet groter dan een klein konijn. Het had meerdere jaren geduurd voordat grootvader er zo veel te pakken had weten te krijgen dat hij genoeg had voor een paar pantoffels. Na zijn dood waren ze geërfd door zijn oudste zoon en vervolgens door diens zoon. De verhalen over het ontstaan van de pantoffels waren gedurende ruim een halve eeuw ontelbare malen verteld, voor knetterende vuren in de in sneeuw gehulde, mannelijke vredigheid van de blokhut. De verhalen waren met de jaren zeker niet slechter geworden en inmiddels maakten ze deel uit van de mondelinge Smålandse jachttraditie. 'Zelfs een deel van ons lokale culturele erfgoed,' vatte de advocaat van de verdachte samen. Zijn ondervraging van de eiser had hij overigens afgesloten door te wijzen op de doorslaggevende betekenis van de bisampantoffels voor het psychisch welbevinden van zijn cliënt.

'Maar jij hebt dus het lef te beweren dat het alleen maar gaat om een paar gewone, oude pantoffels,' concludeerde de advocaat verontwaardigd, terwijl hij de eiser strak aankeek.

Het bleek nog erger te zijn, aldus het verbazingwekkend uitvoerige rechtszaakverslag waarop de vrouwelijke misdaadverslaggever van *Smålandsposten* de lezers van de krant vergastte. De eiser was namelijk niet alleen de ex-vriendin van de verdachte. Ze werkte ook al jaren als dierenartsassistente en hoewel ze uit hoofde van haar beroep – gelukkig – nooit in contact was geweest met een exemplaar van het geslacht *Ondatra zibethicus*, bleek ze over grondige kennis van bisamratten te beschikken.

Het hele verhaal was typisch mannelijk jagerslatijn, legde ze de rechtbank en haar leden uit. En als grootvader die verhalen, die ze al die jaren tot vervelens toe van zijn kleinzoon had moeten aanhoren, echt had verteld, dan bewees dat alleen maar dat hij net zo'n groot liegbeest was als zijn jagende, mannelijke nageslacht.

De bisamrat was namelijk via Finland het noorden van Zweden binnen getrokken en aangezien dat pas in 1944 was begonnen, dat wil zeggen een paar jaar nadat de grootvader van haar ex-vriend dertienhonderd kilometer zuidelijker zijn pantoffels bij elkaar zou hebben geschoten, was het hele verhaal één grote leugen. Omwille van de lieve vrede had ze er al die jaren over gezwegen. Maar nu ze ernaar gevraagd werd: de waarschijnlijke oorsprong van de pantoffels waren gewone huis-tuin-en-keukenratten en geen bisamratten, die pas de afgelopen jaren een enkele keer in Småland waren gesignaleerd.

Kortom, aldus de eiser, een paar sterk versleten, ruim vijftig jaar oude rattenpantoffels. Doordrenkt met drie generaties mannelijk voetzweet, en als ze het dan hadden over emotionele waarde, was dat haar visie op de zogenaamde bisampantoffels van haar ex-vriend.

'U kunt u voorstellen hoe ze roken,' zei de eiser, terwijl ze mild glimlachte naar de vrouwelijke voorzitter van de rechtbank en de overige leden.

Jammer dat ze niet bij de politie is komen werken, dacht Jan Lewin, terwijl hij de schaar te voorschijn haalde om zijn reisherinneringen aan Växjö aan te vullen.

73

Växjö, woensdag 20 augustus – zondag 24 augustus

Lewin was woensdagochtend rond halfacht al op zijn werk verschenen. Eva Svanström had privézaken af te handelen en om te ontsnappen aan Bäckströms wijsheden bij de ochtendkoffie was hij vlug naar beneden gegaan om zijn ontbijt in alle eenzaamheid en ongestoorde rust te nuttigen. Desalniettemin was collega Sandberg hem voor geweest.

'Wat ben jij deze ochtend vroeg uit de veren, Anna,' merkte Lewin op en hij glimlachte vriendelijk. Maar het lijkt je geen goed te doen, dacht hij.

'Daar hebben we het een andere keer wel over,' zei Anna, terwijl ze haar hoofd afwerend schudde. 'Onze oude dame heeft zojuist gebeld, ze wilde haar getuigenverklaring corrigeren.'

'Ja, het is een echt ochtendmens,' zei Lewin met een aanmoedigend knikje.

'Ze wilde dat met Clark Gable veranderen. Ze bedoelde eigenlijk Errol Flynn. Niet Clark Gable in *Gejaagd door de wind*. Zijn gezicht was namelijk te dik. De man die ze zag, heeft een magerder gezicht, meer zoals Errol Flynn. Maar nog steeds zonder snor.'

'Het is maar goed dat we nog geen compositietekening hebben verspreid,' zei Lewin glimlachend.

'Ja,' zei Anna en ze keek hem weifelend aan. 'Maar daarna zei ze nog iets. Ik weet niet... maar aangezien jij vertelde dat ze volhoudt dat ze 4 juli jarig is en niet op 4 juni, zoals wij eerst dachten en zoals de meesten van ons volgens mij nog steeds denken,' zei ze en ze keek hem aarzelend aan.

'Ze zei nog iets,' bracht Lewin haar in herinnering.

'Ze vroeg of we echt heel zeker wisten dat de piloot geen zoon had,' zei Sandberg.

'Niet eentje die we kunnen vinden in elk geval,' zei Lewin, terwijl hij zijn hoofd schudde. 'Heeft ze nog meer gezegd?'

'Ze beloofde van zich te laten horen als ze zich meer herinnerde. Verder deed ze de groeten aan jou. Je lijkt diepe indruk op haar te hebben gemaakt.'

'Kan ik je verder nog met iets helpen?' vroeg Lewin. Met wat je werkelijk dwarszit, dacht hij.

'Dat is heel aardig van je,' zei Anna Sandberg. 'Maar ik geloof het eigenlijk niet. Sommige dingen kun je alleen zelf uitzoeken. Maar hoe dan ook bedankt.'

Ze heeft haar man verteld wat er toen ze ruim een maand geleden op dat feest was, gebeurd is en nu is haar hele bestaan in een chaos veranderd, dacht Lewin. Ze is moediger dan ik.

Bij het ochtendoverleg was Bäckström ongewoon terughoudend geweest, hoewel Olsson er niet bij was. Bäckström had naar nieuwe ideeën gezocht omdat een niet-begrijpende buitenwereld de politie het wattenstaafje uit handen had geslagen. Lewin had van de gelegenheid gebruikgemaakt om hem te herinneren aan de oude ideeën.

'Op het gevaar af te klinken als iemand die jullie al eerder hebben gehoord, vind ik nog steeds dat we veel te weinig over ons slachtoffer weten,' zei Lewin.

'Stel je voor,' zei Bäckström met een schampere glimlach. 'Wat heb je precies op je hart, als ik mag vragen.'

In de wereld van Lewin stond vragen vrij. Concreet ging het om nieuwe verhoren met Linda's ouders, beste vrienden en klasgenoten. Daarnaast ging het om alle persoonlijke aantekeningen, eventuele dagboeken, fotoalbums en al het andere dat hij miste en dat volgens zijn stellige overtuiging wél bestond. Het bestond namelijk altijd.

Bäckström zuchtte diep. Hij beloofde deze eeuwige kwestie opnieuw met Olsson te bespreken en als niemand anders iets had toe te voegen, had hijzelf in elk geval belangrijker zaken te doen.

'Aan de slag en doe voor deze ene keer iets nuttigs, dan trakteer ik op taart,' zei Bäckström.

Ze lijken geen zin meer te hebben in taart, dacht Lewin toen hij zijn papieren bij elkaar pakte en terugging naar zijn kamer. Voor de rest lijkt het erop dat ik deze zaak zelf af moet handelen, dacht hij.

Direct na de lunch had Bäckströms chef hem gebeld op zijn mobiele telefoon en onvoorbereid als hij was, had hij opgenomen. Hoezo teruggaan naar Stockholm om met zo'n eikel uit Lapland te praten, dacht Bäckström, terwijl hij met een half oor naar de woordenvloed aan de andere kant van de lijn luisterde.

'Ik hoor je ontzettend slecht,' zei Bäckström en hij hield zijn mobiel op een armlengte afstand. 'Hoor je me? Hallo, hallo,' vervolgde Bäckström, waarna hij dat ellendige ding eindelijk uitzette.

Voorkomen is beter dan genezen, dacht Bäckström, die onmiddellijk zijn contactpersoon bij de vakbond opbelde om te vertellen over de schending van zijn rechten die hem ten deel was gevallen. Het had geen enkele moeite gekost hem verontwaardigd te krijgen, aangezien ze als twee druppels regenwater op elkaar leken en bovendien familie van elkaar waren. Gelukkig waren politieagenten dat vaak.

'Dit is toch godgeklaagd, Bäckström,' stelde zijn vertegenwoordiger vast. 'Nu is het verdomme de allerhoogste tijd dat we de handschoen opnemen en een voorbeeld stellen.'

De rest van de dag ging heen met het bijschaven van zijn aangiften tegen Moa Hjärtén en Bengt Karlsson en toen hij daarmee klaar was, was hij naar Olsson gegaan en had hij tegen hem gezegd dat ze op de juiste wijze geregistreerd moesten worden en uiteraard met de hoogste urgentie en alle beschikbare middelen moesten worden behandeld. Dat was overigens het minste wat je van een vooronderzoeksleider kon vragen.

'Valse aangifte, valse getuigenis, valsheid in geschrifte, bedreiging van een ambtenaar, ernstige smaad,' las Olsson.

'Exact,' zei Bäckström. 'De advocaat van de vakbond zou me laten weten als ik iets over het hoofd gezien had, maar in dat geval hoef ik alleen maar een aanvulling in te dienen.'

'Maar wacht even, Bäckström,' zei Olsson, terwijl hij zijn handen spreidde in het gebruikelijke gebaar. 'Denk je niet dat het misschien...'

'Sorry als ik het mis heb,' onderbrak Bäckström Olsson, terwijl hij hem aanstaarde, 'maar hopelijk probeer je niet om de aangifte van een aantal ernstige misdrijven onmogelijk te maken.'

'Absoluut niet, absoluut niet,' zei Olsson. 'Ik zal ervoor zorgen dat het onmiddellijk in behandeling wordt genomen.'

Wat moet ik nu doen, dacht Olsson toen Bäckström verdwenen was en de deur achter zich had dichtgedaan. En wat heb ik eigenlijk voor keuze, dacht hij, terwijl hij het nummer van Moa Hjärtén toetste.

Daar heb ik dat sukkeltje weer eens lekker gevoerd, dacht Bäckström toen hij de deur had dichtgedaan. En voor mij is het de hoogste tijd voor een koud biertje, dacht hij.

Jan Lewin had de dag besteed aan het nogmaals doornemen van de bergen papier op zijn bureau. Zonder iets van belang te vinden. Zijn contact bij de Säpo had ondanks zijn belofte niets van zich laten horen en toen Lewin hem belde, was hij op het antwoordapparaat gestuit. Vermoedelijk is er iets acuuts gebeurd, dacht Lewin, die onmiddellijk een steek van zijn slechte geweten voelde omdat hij geen geduld had.

Vlak voor het tijd was om die dag naar huis te gaan, was Eva Svanström binnengekomen en ze had hem verteld dat ze tijdens haar zoekwerk in de registers naar aanleiding van het telefoontje van hun tweeënnegentigjarige getuige een kleine ontdekking had gedaan die waarschijnlijk volkomen oninteressant was. De piloot, die inmiddels vijf jaar was getrouwd met de jongste dochter van de gepensioneerde piloot, was niet de biologische vader van het kind. Dat was een andere man, hij was vijfendertig jaar en net zo oud als de moeder van het kind, maar niet iemand die een politieagent of zelfs maar iemand met een burgeraanstelling zoals zij het water in de mond deed lopen.

'Hij woont al tien jaar in de stad. Het lijkt me zo'n cultuurmannetje, hij is nog nooit veroordeeld ook, komt evenmin in onze papieren voor,' vatte Svanström samen en ze overhandigde de computeruitdraai van de tot nu toe onbekende vader van het kind.

Geen naam die een belletje bij me doet rinkelen, dacht Lewin. Waarom dat dan ook zou moeten en waarom heet iedereen in dit onderzoek Bengt, dacht hij. Bengt Olsson, Bengt Karlsson en piloot Bengt Borg. Plus minstens twintig, dertig andere getuigen en

DNA-vrijwilligers die ook met elkaar gemeen hadden dat ze allemaal Bengt heetten.

'Wat doet hij tegenwoordig voor werk?' vroeg Lewin vooral om iets te zeggen te hebben.

'Gedoe met de computers, dus je zult moeten wachten tot morgen,' zei Svanström. 'Toen hun dochter geboren werd, werkte hij bij de stadsschouwburg in Malmö. Het lijkt me zo'n cultuurmannetje, zoals ik al zei.'

'Dat komt wel goed,' zuchtte Lewin en als niemand anders er zin in had, zou hij zelf een serieuze poging doen om met Linda's ouders te praten. Cultuur, cultuurmannetje, dacht hij toen ze de deur achter zich had dichtgetrokken. En waar baseer ik het eigenlijk op?

Op donderdagochtend was journalist Carin Ågren opeens op het politiebureau verschenen om aangifte te doen tegen hoofdinspecteur Evert Bäckström wegens seksuele intimidatie. Omdat de politieman die de aangifte opnam, de avond tevoren een discrete waarschuwing had gekregen van hoofdinspecteur Olsson, was hij met de nodige ijver en nauwkeurigheid aan het werk gegaan en had hij de eiser direct een lang verhoor afgenomen.

Nu moet die dikke stadse kwal zijn borst maar natmaken, dacht hij vergenoegd toen hij de geprinte versie aan Ågren had voorgelezen en zij hem goedgekeurd en ondertekend had.

Om onbekende redenen was hoofdinspecteur Bengt Olsson tot dezelfde conclusie gekomen toen hij het proces-verbaal een uur later gelezen had. Omdat hij zelf een vreedzaam man was en ook met Bäckströms chef gesproken had, die beloofd had het probleem Bäckström uiterlijk dit weekend op te lossen, had hij besloten om per direct overuren op te nemen en een paar extra dagen door te brengen in zijn buitenhuisje. Hij had bijna twee maanden non-stop gewerkt en het was de hoogste tijd om de accu op te laden voor de vernieuwde krachtsinspanningen van de komende week, en dat zonder Bäckströms verderfelijke medewerking. En als iemand afscheid wil nemen van dat stuk ongeluk uit de koninklijke hoofdstad, moet dat maar iemand anders zijn, dacht Olsson, voordat hij afreisde naar het platteland, zijn geliefde echtgenote en de relatieve vrede in de Smålandse provincie.

Op donderdagmiddag had Lewins contact bij de Säpo eindelijk van zich laten horen. Na de inleidende verontschuldigingen – er waren helaas allerlei andere, onverwachte zaken tussen gekomen – uitte hij de hoop dat Lewin begrip zou hebben, aangezien hij heel wat te vertellen had.

De gebruiker van de mobiele telefoon was inmiddels geïdentificeerd. Hij werkte op de afdeling Cultuur bij de gemeente Växjö en de gemeente betaalde het abonnement. Op maandag 7 juli had de gebruiker aangifte gedaan van verdwijning van zijn mobiel tussen donderdag 3 juli en maandag 7 juli. Op donderdag 3 juli had hij vakantie opgenomen en hij wist zich duidelijk te herinneren dat hij hem had achtergelaten in de la van zijn bureau op zijn kantoor. Toen hij terugkwam van zijn korte vakantie kon hij hem niet meer vinden. Hij had contact opgenomen met zijn collega die over de mobiele telefoons ging. Er was meteen aangifte van verlies gedaan en de telefoon werd geblokkeerd.

Desalniettemin was er in de tussentijd tweemaal gebeld met de telefoon. Ten eerste met het verkeerd gedraaide nummer van de vrouwelijke anesthesist waar Lewin belangstelling voor had, 02.15 vrijdag 4 juli. Ten tweede zeven uur later dezelfde dag. Van beide gesprekken was herleid via welke zendmast ze waren gevoerd. Het eerste gesprek leek gevoerd te zijn vanuit het centrum van Växjö, terwijl het tweede gevoerd was via een telefoonmast buiten Ljungbyholm, een kleine tien kilometer ten zuidwesten van Kalmar. Dat laatste telefoontje was naar een andere mobiel. Zo'n in dergelijke situaties helaas al te gebruikelijke prepaid telefoon en een onbekende gebruiker. Daarna was de telefoon niet meer gebruikt.

'Nou, dat was het wel,' rondde Lewins oude kennis af. 'Ik stuur je een mail met alle informatie, dus het lijkt me het simpelste als jij het vanaf dit punt overneemt.'

'Mag ik je heel hartelijk bedanken,' zei Lewin, die dit eerder bij de hand had gehad en wist wat hem te wachten stond. 'Iets heel anders,' voegde hij eraan toe. 'Heb je niet toevallig een naam van onze mobiele beller?'

'O, vergat ik dat te zeggen,' zei Lewins kennis, die moeite had zijn plezier te verbergen. 'Wat vreemd. Het lijkt een heel gewoon iemand, dus ik vrees dat je de plank hebt misgeslagen. Ik heb hem voor de lol eens nagetrokken en hij staat niet in ons register en ook niet in dat van jullie. Hij lijkt een gewoon, fatsoenlijk en eerzaam burger. Boven elke verdenking verheven, om maar te zwijgen van de gruwelijkheden waar types als jij in lijken te zwelgen.'

'Maar hij heeft toch wel een naam,' zei Lewin die dit eerder had meegemaakt.

'Hij heet Bengt Månsson, Bengt Axel Månsson,' zei Lewins contact. 'Je krijgt zijn volledige gegevens per mail. Zijn pasfoto is overigens tamelijk recent. Minder dan een jaar oud, als ik het me goed herinner.'

Een keer is geen keer en twee keer is twee keer te veel, dacht Lewin, die een hekel had aan toeval en dezelfde naam de dag ervoor vlak voordat hij zijn kantoor had verlaten van Eva Svanström had gekregen. De vader van het kleine meisje dat een grootvader had die piloot was.

'Dank je,' zei Lewin. 'Ik heb de indruk dat de zaak nu rond is,' voegde hij er om een of andere reden aan toe.

'Als jij het zegt, denk ik het ook,' stemde zijn collega met hem in, hij liep ook al even mee en kende Jan Lewin al sinds ze samen op de politieschool hadden gezeten.

74

Toen hij had opgehangen, deed Jan Lewin wat hij altijd in dergelijke situaties deed. Eerst had hij zijn deur dichtgedaan en het rode
lampje aangedaan. Vervolgens had hij pen en papier gepakt en geprobeerd enige orde aan te brengen in alles wat door zijn hoofd
schoot. Het werd over het algemeen makkelijker als hij het op papier zag. Bovendien had hij voor deze ene keer het geluk dat hij zich
praktisch gezien geen zorgen hoefde te maken over Olsson of Bäckström. Olsson had overuren opgenomen en was de stad uit gegaan
en er was geen enkele aanleiding voor Lewin om hem te storen met
dat kleine beetje dat hij nu te vertellen had. Bäckström schitterde in
het algemeen door afwezigheid en hopelijk had hij eieren voor zijn
geld gekozen en was hij druk bezig zijn koffers te pakken voor de
terugreis naar Stockholm.

Rest de inhoudelijke kant, dacht Lewin. Wat sprak er in deze zaak
vóór dan wel tegen dat deze Bengt Månsson, Bengt Axel Månsson,
vijfendertig jaar, verantwoordelijk voor de zogenaamde bijzondere
projecten bij de afdeling Cultuur in Växjö, de vader van de dochter
van de jongste dochter van de piloot, een persoon die hij nooit had
ontmoet, gesproken of zelfs maar gezien, die niet voorkwam in zijn
onderzoek en blijkbaar evenmin in een ander politieonderzoek...
Wat sprak er voor dan wel tegen dat hij Linda Wallin vermoord zou
hebben? En waar was hij zijn naam eerder tegengekomen? Voordat
eerst Eva Svanström en vervolgens zijn oude vriend van de Säpo
hem de naam hadden gegeven. Daarna had hij opeens aan zijn eerste echte fiets moeten denken. Een rode Crescent Valiant. Kan het
echt mogelijk zijn, dacht hij toen hij zich op hetzelfde ogenblik het
oude artikel uit *Smålandsposten* herinnerde over de plaatselijke cultuurstrijd die een paar weken na de moord was uitgebroken in Växjö
en die hoe dan ook geen klap met zijn onderzoek te maken zou moeten hebben.

Laten we beginnen met het profiel en laten we voor deze ene keer een beetje professioneel zijn, dacht Lewin, die alle irrelevante gedachten terzijde schoof. Te beweren dat Månsson niet overeenkwam met het profiel, was op basis van het weinige dat Lewin tot nu toe van hem wist een enorm understatement. Het enige wat er niet volledig mee in tegenspraak was, was dat hij aan de Frövägen woonde in het stadsdeel Öster, ruim twee kilometer ten zuiden van de plaats van het misdrijf. Binnen die straal woonde evenwel de halve bevolking van de stad, dus zelfs als pure gok was het weinig hulp voor wie naar de dader zocht. Simpel gezegd was er tot op heden geen enkel cijfertje dat klopte en volgens het profiel van de DP-groep was Månsson als dader ondenkbaar.

Dat zijn mobiel was gebruikt voor het verkeerd verbonden, mysterieuze telefoontje naar de vrouwelijke anesthesist, sprak er echter voor dat hij te maken kon hebben met de moord. Weliswaar kon hij domweg het verkeerde nummer hebben gedraaid en tot op heden was er niets wat erop wees dat hij Linda of haar moeder zou hebben gekend, maar het was ontegenzeggelijk hoogst opmerkelijk dat Lewin hem en het gesprek op deze manier had gevonden.

Dat zijn mobiel was zoekgeraakt of misschien gestolen zou zijn, was een beetje vreemd met het oog op het tijdstip en de situatie. En als iemand hem dan gestolen had, waarom zou diegene dan maar twee telefoontjes gepleegd hebben, waarvan eentje naar het verkeerde nummer, dat de moeder van het slachtoffer enkele jaren eerder had gehad? Mensen die telefoons stalen waren over het algemeen niet zo bescheiden en verdachten werden opvallend vaak getroffen door misdrijven waarbij hun onbekende tegenstander er om een of andere reden voor koos hen te verlossen van diverse bezittingen die anders uitermate belastend zouden zijn geweest voor hun eigenaar.

Verder had je die gestolen auto nog. Die stond in direct verband met de dader naar wie ze zochten. Bengt Månsson kon weliswaar niet aan de auto gekoppeld worden, maar hij was wél de biologische vader van het kleinkind van de eigenaar van de auto, en als hun tweeennegentigjarige getuige inderdaad gezien had wat ze beweerde, dan was het vanzelfsprekende vervolg van hun onderzoek om een

415

fotoconfrontatie met haar te doen waarbij Bengt Månsson deel uitmaakte van het beeldmateriaal.

Hoe eerder hoe beter, dacht Lewin, en hopelijk gaat ze 's avonds niet net zo vroeg naar bed als dat ze 's ochtends opstaat.

Eerst had hij met Eva Svanström gesproken. Ze beloofde de praktische dingen meteen te regelen, en vervolgens had hij met Anna Sandberg gepraat. Enerzijds omdat zij hun getuige gevonden had, anderzijds omdat hij het gevoel had dat ze het nodig had haar gedachten te verzetten. Daarnaast was hij in de praktijk degene die beslissingen nam als Olsson en Bäckström afwezig waren.

'Ik heb het gevoel dat je helemaal gelijk hebt,' zei Anna Sandberg, die ogenblikkelijk geen enkele gedachte meer leek te wijden aan de chaotische verhoudingen thuis.

'Dat zal waarschijnlijk heel snel blijken,' zei Lewin.

'Jazeker. Dat is hem, hoor. De zoon. Dat heb ik al die tijd toch gezegd,' zei hun tweeënnegentigjarige getuige een uur later toen ze aan haar keukentafel zaten en zijzelf zojuist haar vinger op de foto van Bengt Månsson had gelegd.

'Net die Errol Flynn die al die rollen had in van die zeeroverfilms, maar dan zonder snor,' stelde de getuige. 'En hij lijkt behoorlijk op hem, niet? Maar waarom zou zijn vader in hemelsnaam het bestaan van zijn eigen zoon ontkennen?' voegde ze er plotseling aan toe. 'Is hij misschien een onecht kind?'

Niet de zoon, maar de schoonzoon, legde Lewin zo didactisch mogelijk uit. In de moderne betekenis die tegenwoordig in Zweden geldt, en hoe leg je dat nou uit aan een alleenstaande, tweeënnegentigjarige dame. Uit Småland bovendien, dacht hij.

'Ja, maar dat verklaart alles,' zei de getuige toen Lewin was uitgesproken. 'Ik weet niet hoe vaak ik hem met het kind en de kinderwagen voorbij heb zien sjouwen.'

Wat erop wijst dat de laatste keer een paar jaar geleden was, dacht Lewin. Maar wat maakt dat ook uit als je zelf om en nabij de honderd bent.

'Die trui van blauw kasjmier,' zei Anna Sandberg plotseling toen ze in de auto op weg terug naar het bureau zaten. 'Ik krijg plotseling het idee dat dat heel goed een trui kan zijn die de piloot op een van zijn vele reizen gekocht zou kunnen hebben.'

'Geen slecht idee,' was Lewin het met haar eens. Hij had dezelfde gedachte al gehad voor hun getuige haar vinger op Bengt Månsson had gelegd, maar dat zou hij nooit van zijn leven aan collega Sandberg vertellen. Dat zou zowel onbeschaamd als volstrekt onnodig zijn, dacht Lewin.

'Wat zeg je ervan om eens bij hem langs te gaan om wat foto's te laten zien van verschillende truien en te vragen of hij er weleens zo eentje heeft gekocht of cadeau heeft gedaan?' vroeg Sandberg, die behoorlijk veel zin leek te hebben om op pad te gaan.

'Dat doen we natuurlijk,' was Lewin het met haar eens. 'Maar eerst gaan we iets anders doen.'

'Geen slapende honden wakker maken,' zei Sandberg. 'In elk geval niet te vroeg.'

'Precies,' zei Lewin. 'Eerst proberen we zo veel mogelijk informatie over Månsson te verzamelen zonder dat we iemand die hem daar iets over zou kunnen vertellen, iets hoeven vragen.'

75

Bäckström had blijkbaar besloten om tot het laatste uur vol te houden en in deze situatie vond Lewin dat hij geen keus had. Ondanks alles moest hij hem toch informeren. Nu hun getuige Månsson had geïdentificeerd, ging het niet meer over wilde invallen of onwaarschijnlijke toevalligheden. En omdat Lewin inmiddels – het was onduidelijk hoe dat eigenlijk gegaan was – dezelfde nachtelijke paden als collega Bäckström bleek te bewandelen, had hij er ook voor gekozen om het onder vier ogen te doen, vrijdagochtend voor het ontbijt, op Bäckströms kamer.

Bäckström had net gedoucht. Hij was rozig als een speenvarken, zijn ogen waren maar een beetje rooddoorlopen en hij was in een uitstekend humeur.

'Ga zitten, terwijl ik mijn broek aantrek,' zei Bäckström. 'Als je een ochtendpintje wilt, staat het in de minibar,' voegde hij er gul aan toe.

Lewin had bedankt voor het aanbod en had hem in plaats daarvan een snelle samenvatting van de situatie gegeven. Bäckström was in vuur en vlam geraakt en vergat zelfs zijn broek aan te trekken.

'Jezus, Lewin,' zei Bäckström. 'Volgens mij hebben we goud gevonden.'

Welke wij, dacht Lewin, terwijl hij inwendig een diepe zucht slaakte, en daarna was alles weer zoals anders.

Lewin had voorgesteld met de officier van justitie te gaan praten zodra ze klaar waren met het eerste overzicht van Månssons persoon en zijn eventuele betrokkenheid bij hun moordonderzoek. Alles wees erop dat dit diezelfde middag al gedaan kon worden en dat ze Månsson zelfs zonder oproep vooraf op zouden kunnen halen, zodra de officier van justitie haar goedkeuring zou geven. De gestolen auto en het feit dat hun getuige Månsson had aangewezen, zouden daar voldoende voor moeten zijn. Zeker gezien de zaak waar het eigenlijk om ging.

'Hij schijnt vandaag op zijn werk te zijn, dus het zal wel het makkelijkste zijn als we hem daar oppikken als hij naar huis gaat.'

'Om de dooie dood niet,' zei Bäckström, terwijl hij zijn hoofd schudde. 'Deze vent is van mij en we doen het volgende...'

Ik vraag me af hoe hij van jou is geworden, dacht Lewin toen hij even later naar beneden liep om te ontbijten.

Zodra Bäckström op het bureau was aangeland, had hij zijn getrouwen op zijn kamer geroepen en de taken verdeeld. Lewin, Knutsson, Thorén en Svanström versterkt met Sandberg zouden graven in de buurt van hun vermoedelijke dader Bengt Månsson. Geen steen mocht onomgekeerd blijven. Rogersson zou zich direct onder Bäckström bezighouden met niet nader gespecificeerde taken, terwijl Bäckström zelf het werk zou leiden en verdelen plus dat hij hen uiteraard onder zijn beschermende toezicht zou houden. Natuurlijk kregen ze ook enkele wijze woorden mee voor tijdens hun werk.

'Nu is het zaak dat jullie je bek weten te houden. Geen woord buiten deze kamer,' zei Bäckström. 'Vergeet niet dat ik jullie heb verteld dat Olsson beste maatjes lijkt te zijn met Månsson. Ik wil wedden dat die Olsson er op de een of andere manier bij betrokken is en als we hier ook maar één woord over uitademen tegen hem, smeert hij hem naar die Månsson om te klikken en ik durf nauwelijks te denken aan wat die klootzak zich dan in zijn hoofd kan halen.'

'Ik had de indruk dat jij terug zou gaan naar Stockholm, Bäckström,' merkte Lewin op. Wat weet je dat weer mooi te zeggen, dacht hij.

'Vergeet dat maar,' zei Bäckström. 'Geen hond verlaat deze schuit voordat we hem veilig de haven binnen gebracht hebben.'

'Het zou toch interessant zijn om te horen wat je zelf van plan was te doen,' hield Lewin aan.

'Wat discrete bewaking regelen voor onze dader,' zei Bäckström. 'Zodat hij er niet vandoor gaat en er nog een paar vilt. Zeg tegen Adolfsson en die edelman dat ik ze wil spreken. En per allerdirectst,' vervolgde hij, terwijl hij Lewin om een of andere reden aankeek.

'Natuurlijk, Bäckström,' zei Lewin. Geen woord buiten deze kamer, dacht hij.

'Månsson, Bengt Axel Månsson,' zei waarnemend politie-inspecteur en baron Gustaf von Essen even later toen hij en Adolfsson bij Bäckström op de kamer stonden. 'Is dat niet een van onze beminde Medemannen hier in de stad?'

'Precies,' viel Bäckström hem bij. 'Een stelletje seksfreaks zijn het, allemaal.' Die edelman is niet helemaal achterlijk, dacht hij. 'In dat geval is hij de man die je uniform heeft ondergebloed, Adolf. Ik weet nog dat ik de naam van hem en de andere betrokkenen noteerde,' stelde Von Essen vast met een licht knikje in de richting van de zojuist aangesprokene.

'Je hebt dat schatje er dus al van langs gegeven,' zei Bäckström begerig, terwijl hij Adolfsson aanstaarde. Die jongen zal het zover schoppen als je je maar voor kunt stellen, dacht hij.

'Dat nou ook weer niet helemaal,' zei Adolfsson en vervolgens had hij Bäckström verteld over het ingrijpen van hem en zijn collega Von Essen ruim drie weken geleden voor de McDonald's aan de Storgatan.

'Wat heb je godverdomme met dat uniform gedaan!' brieste Bäckström en hij keek Adolfsson met ongewoon smalle ogen aan, zelfs voor ogen in het hoofd van Bäckström.

'Ik heb het ergste eraf geveegd en het in m'n kluisje gehangen,' zei Adolfsson. 'Ik heb geen tijd gehad het weg te brengen.' Het leek me geen gewone junk, dus hij is in mijn kluisje terechtgekomen,' voegde hij eraan toe, terwijl hij zijn schouders ophaalde.

'Waar wachten we goddomme nog op,' zei Bäckström opgewonden, terwijl hij abrupt opstond, en vijf minuten later stond hij zelf met Adolfssons uniformjasje bij Enoksson op de afdeling Technische Recherche.

Eerst had hij geheimhouding geëist van Enoksson en vervolgens had hij verteld waar het over ging. Er was geen denken aan om Olsson in te lichten, aldus Bäckström. Helaas wezen allerlei mysterieuze omstandigheden erop dat Olsson in het beste geval te beschouwen was als een duidelijk veiligheidsrisico, maar waarschijnlijk was het aanzienlijk ernstiger.

'Met alle respect, Bäckström, maar zo erg kan het toch niet zijn,' zei Enoksson, terwijl hij Adolfssons uniformjasje inspecteerde in het schijnsel van zijn sterke lamp.

'Ach, laat ook maar zitten, Enok,' onderbrak Bäckström hem op zijn beleefde wijze. 'Is er genoeg bloed?'

Aangenomen dat Månssons bloed inderdaad op het jasje zat en het niet was verontreinigd met iets wat hij niet kon ontdekken en bij voorkeur niet wilde verergeren door het jasje aan nader onderzoek te onderwerpen. Aangenomen dat het zo was, dan was er meer dan genoeg bloed voor DNA-analyse en al die andere dingen die in dit verband interessant zouden kunnen zijn.

'Wanneer kunnen we de uitslag krijgen?' vroeg Bäckström.

Volgens Enoksson begin volgende week, aangenomen dat er geen juridische belemmeringen bestonden zoals de laatste tijd vaak het geval was geweest. Veel te laat, volgens Bäckström, aangezien het volgens de DP-groep hoogstwaarschijnlijk om een seriemoordenaar ging en omdat de middelen om hem in de tussentijd te bewaken volstrekt tekortschoten.

'Vergeet het,' zei Bäckström. 'Je denkt toch niet dat ik het risico wil nemen dat die rotzak ondertussen half Växjö uitmoordt?'

'Ik zal kijken wat ik kan doen,' zuchtte Enoksson. 'Technisch gezien kunnen ze binnen vierentwintig uur een voorlopige uitslag geven, aangenomen dat er niets mis is met het monster dat we ze geven. Maar laten we niet vergeten dat het weekend is,' zei hij. 'Zou jij trouwens niet teruggaan naar Stockholm?'

'Weekend? Van weekend is nu geen sprake, Enok, er is nu sprake van de jacht op een moordenaar,' snoof Bäckström. En er gaat hier niemand naar Stockholm, dacht hij.

'Ik neem binnen het uur contact met je op,' zuchtte Enoksson.

Zodra Bäckström Adolfssons uniformjasje had weggegrist om dat onder vier ogen met Enoksson te bespreken, waren Von Essen en Adolfsson van start gegaan met de bewaking van hun onderzoeksobject Bengt Månsson. Eerst hadden ze een jongere vrouwelijke collega van de afdeling Recherche van de politie Växjö gevraagd om een vals telefoontje te plegen naar Månsson op zijn werk om te informeren of het mogelijk was wat geld te krijgen voor een theaterproject voor jonge allochtone vrouwen. Terwijl het gesprek gaande was, hadden ze zelf hun burgerauto op veilige afstand en met goed uitzicht op de entree van de afdeling Cultuur geparkeerd. Na een kwartier had de vrouwelijke collega Von Essen op zijn mobiel gebeld en verslag uitgebracht. Niet alleen had Månsson op zijn plaats achter zijn bureau gezeten, hij had ook nog 'superaardig' geklonken en hij vond het project 'superinteressant'. Hij had zelfs voorgesteld om elkaar min of meer meteen te ontmoeten om de zaak onder vier ogen te bespreken.

'En wat voor indruk had je van hem?' vroeg Von Essen.

'Geil,' zei de vrouwelijke collega. 'Hartstikke geil. Hij wilde eerst even checken of ik net zo lekker was als ik klonk. Laat me weten als er meer is waarmee ik jullie kan helpen,' zei ze en om onduidelijke redenen giechelde ze hierbij.

Dat zou me wat zijn, dacht Von Essen.

'En wat zei die kleine Caijsa,' vroeg Adolfsson zodra zijn collega het gesprek had beëindigd.

'Ze leek best zin te hebben in Månsson,' zei Von Essen.

'Dat heeft ze toch in iedereen,' zei Adolfsson die om een of andere reden plotseling pissig klonk.

'Toch niet in iedereen,' zei Von Essen met een onschuldig gezicht aangezien hij een paar maanden geleden op hetzelfde personeelsfeest was geweest als Adolfsson.

Enoksson had zijn best gedaan en ten slotte was een van zijn oude bekenden bij het skl bezweken en had toegezegd te helpen. Ze moest dit weekend toch werken en hopelijk zou ze een manier vinden om ook tijd vrij te maken voor Enokssons wensen. Maar die uitslag binnen vierentwintig uur kon hij vergeten. Aangenomen dat ze het monster binnen enkele uren zou krijgen, aangenomen dat het te gebruiken was, aangenomen dat er niets onverwachts gebeurde, kon hij het antwoord op zijn vroegst zondagochtend verwachten. Op zijn laatst zondagmiddag.

Na nog meer overreding en de toezegging van zowel overwerk- als compensatie-uren, had hij ook een jongere collega bereid gevonden in de auto te gaan zitten voor een koerierstransport van tweehonderd kilometer enkele reis naar Linköping, hoewel het vrijdagmiddag was. Toen Adolfssons uniformjasje eindelijk op weg was naar het SKL, had Enoksson driemaal diep ademgehaald en Bäckström gebeld. Zodat we dat dikke mannetje eindelijk kwijtraken, dacht Enoksson, hoewel hij op goede gronden bekend stond als een zachtmoedig man.

'Zondagochtend?' steunde Bäckström. 'Waar zijn die lui in Linköping verdomme mee bezig? Ben ik de enige in deze klote-instantie die werkt?'

'Op zijn vroegst zondagochtend,' benadrukte Enoksson.

'Ik ben niet doof,' zei Bäckström en aan de toon te horen had hij de hoorn vervolgens gewoon op de haak gelegd.

Wat is er mis met een simpel bedankje, dacht Enoksson, terwijl hij collega Olsson opbelde om hem te informeren over wat er gaande was. Olsson was hoe dan ook hun vooronderzoeksleider, maar zoals zo vaak tevoren had hij genoegen moeten nemen met het achterlaten van een bericht op zijn antwoordapparaat.

'Ja, hallo Olsson, je spreekt met collega Enoksson,' zei Enoksson. 'Ik bel eigenlijk niet voor iets speciaals en als je wilt, kun je me terugbellen op mijn gewone nummer en anders wens ik je een prettig weekend,' rondde hij af en eerlijk gezegd had hij niet meer vertrouwen in Adolfssons uniformjasje dan in alle andere theorieën van Bäckström, en verder verlangde hij vooral naar zijn geliefde echtgenote en de huiselijke vrede op het Smålandse platteland.

76

Adolfsson en Von Essen hadden de vrijdag doorgebracht met het bespieden van Månsson en zoals zo vaak betekende dat dat ze vooral zaten te wachten tot er iets zou gebeuren. Omdat ze allebei fervente jagers waren, vonden ze daar niets vreemds aan. Jacht kwam in wezen neer op kunnen wachten. Het feit dat Månsson hen drie weken geleden had gezien, baarde hun niet bijzonder veel zorgen. Het idee was immers te zien zonder gezien te worden en het risico dat Månsson hen zou ontdekken voordat ze hem zagen, beschouwden ze als verwaarloosbaar. Wat dat dan ook uit zou maken in een stad als Växjö, waar de meeste mensen elkaar min of meer voortdurend tegen het lijf liepen.

Rond vier uur 's middags kwam Månsson uit zijn werk bij het gemeentehuis aan de Västergatan vlak bij het concertgebouw. Hij bevond zich in het gezelschap van een paar mensen die naar hun kleding, uiterlijk en gedrag te oordelen waarschijnlijk collega's van hem waren. Adolfsson had vanaf een veilige afstand een paar discrete foto's genomen en tijd en plaats in hun onderzoekslogboek genoteerd. Hun object was weliswaar in beweging gekomen, maar in alle andere opzichten leek hij op geen enkele manier op de seriemoordenaar voor wie Bäckström hen gewaarschuwd had.

Eerst waren Månsson en de anderen een paar straten verderop op een terras aan de Storgatan gaan zitten. Daar hadden ze bier gedronken, gegrilde kippenvleugeltjes gegeten en met elkaar gekletst. Daarna was het gezelschap uit elkaar gegaan, ze waren in verschillende richtingen verdwenen, ieder waarschijnlijk naar zijn eigen huis. Månsson had de benenwagen oostwaarts genomen in de richting van zijn woning aan de Frövägen en aangezien die een paar kilometer verderop lag en hij duidelijk van plan leek om daarheen te lopen, had het Adolfsson en Von Essen het beste geleken om zich op te splitsen. Von Essen was hem te voet gevolgd, terwijl Adolfsson met de auto in de buurt was gebleven.

Månsson was de hele weg naar huis gelopen en ondanks de informatie in het daderprofiel, woonde hij meer dan twee kilometer van de plaats waar hij Linda ruim een maand eerder vermoord zou hebben. In alle andere opzichten kwam het heel goed uit dat hij woonde op de plek waar hij woonde. In het gebouw aan de overkant van de straat bivakkeerde namelijk een van hun collega's van de regionale verkeerspolitie. Månsson woonde op de derde verdieping, de collega op de vierde verdieping in het pand ertegenover en beter kon je het niet hebben als je wilde zien wat Bengt Månsson deed als hij thuis was. Van de sleutels van het appartement van hun collega hadden ze zich al verzekerd voor ze het politiebureau verlieten en zodra Thorén hun de lijst met Månssons bekende adressen had gegeven.

De collega maakte deel uit van een groot commando dat dit weekend naar Öland zou gaan en hij had er geen enkel bezwaar tegen zijn appartement een weekend uit te lenen toen ze hem hadden verteld waar het om ging. Niets bijzonders, ze klusten gewoon wat bij in het weekend om de collega's bij Narcotica te helpen, had Von Essen uitgelegd. Heel goed, pak die junkies maar aan, had de collega gezegd en hij had hun de sleutels overhandigd. Verder moesten Adolfsson en hij maar doen alsof ze thuis waren. Alles stond waar je het kon verwachten in het huis van een vrijgezel van negenendertig die bij de regionale verkeerspolitie werkte.

Toen Månsson door de voordeur van zijn gebouw verdween, was Adolfsson al op zijn plaats in de flat ertegenover en ongeveer op hetzelfde moment dat Adolfsson Månssons benen en voeten door zijn eigen voordeur binnen zag komen, had Von Essen zich bij hem gevoegd.

'En gordijnen heeft hij ook niet,' stelde Von Essen tevreden vast.

'Van die culturele types hebben nooit gordijnen,' legde Adolfsson uit, terwijl hij Månsson volgde met zijn eigen Zeiss-verrekijker, die twintigmaal vergrootte.

Ongeveer op hetzelfde moment dat Von Essen en Adolfsson zich in hun nieuwe nestkastje hadden geïnstalleerd, had Bäckström hen gebeld om te vragen hoe het ging. Het object was alleen thuis in zijn appartement en op dit moment keek hij naar het nieuws van half-acht op televisie, vertelde Adolfsson hem.

'Hij is dus niet bezig met smerige zaakjes?' vroeg Bäckström.

'Niet meer dan dat hij naar *Rapport* zit te kijken,' zei Adolfsson.

'Bel me onmiddellijk als er iets gebeurt,' zei Bäckström.

'Vanzelfsprekend, chef,' zei Adolfsson.

'Ik vraag me af waar hij eigenlijk mee bezig is,' zei Bäckström en hij keek naar Rogersson die net bezig was maatregelen te nemen tegen hun lege bierglazen.

'Wat was hij dan eigenlijk aan het doen?' vroeg Rogersson.

'Hij zat televisie te kijken,' zei Bäckström. 'Welke gek kijkt er nou op dit tijdstip televisie?'

'Misschien heeft hij niks beters te doen,' suggereerde Rogersson.

'Ik durf mijn kop eronder te verwedden dat hij op nieuwe smeer-lapperij zit te broeden,' zei Bäckström.

Volgens het onderzoekslogboek van Adolfsson en Von Essen had Månsson de vrijdagavond op de volgende wijze doorgebracht:

Tot ongeveer 21.30 uur had Månsson voor de televisie gezeten, hoe langer hij er had gezeten, hoe vaker hij tussen de verschillende kanalen had gezapt. Net als iedereen leek hij te kunnen kiezen uit een stuk of twintig kanalen. Even na halftien had hij enkele minu-ten getelefoneerd. Vervolgens was hij naar de keuken verdwenen. Hij had bordjes te voorschijn gehaald uit het keukenkastje boven het aanrecht, diverse etenswaren uit zijn koelkast gepakt, sneetjes stokbrood afgesneden en alles op een dienblad gezet dat hij naar de woonkamer had gebracht en op de tafel voor de bank had neergezet. Daarna was hij teruggegaan naar de keuken.

'Nu gaat er wat gebeuren,' zei Adolfsson tegen Von Essen, die op de bank naar een speelfilm lag te kijken op de televisie van hun collega van de verkeerspolitie.

'Heeft hij een katrol en talie opgetakeld in zijn kroonluchter?'

vroeg Von Essen, terwijl hij naar TV4 zapte om het laatste nieuws niet te missen.

'Hij maakt een fles wijn open,' zei Adolfsson. 'Verder heeft hij twee glazen te voorschijn gehaald.'

'Oei oei,' zei Von Essen. 'Let op mijn woorden, er zijn dametjes op komst.'

22.05 uur had een blonde vrouw van halverwege de dertig een kleine Renault op de straat geparkeerd en was vervolgens door de buitendeur van Månssons gebouw naar binnen verdwenen. Aan een hengsel over haar schouder droeg ze een grote handtas en in haar linkerhand een tasje van de drankwinkel, dat op het oog een fiks pak wijn bevatte. Twee minuten later was ze Månssons appartement binnen gestapt en om 22.10 uur zaten ze elkaar al uit te kleden op de bank. Weer vijf minuten later waren ze ertoe overgegaan de liefde te bedrijven op diezelfde bank. Adolfsson had de mogelijkheid gehad om zijn aantekeningen aan te vullen met een aantal goede foto's en hij had tijd over gehad om het kenteken en model van de auto van de bezoekster te noteren.

De seksuele activiteiten op de bank hadden met korte pauzes voor eten en drinken voortgeduurd tot even na middernacht. Na een uur had Bäckström gebeld om te vragen hoe het ging en Adolfsson had de situatie kort beschreven.

'Hij heeft een vrouw op bezoek. Ze zijn bezig op de bank, maar nu houden ze net even pauze om wat te eten,' vertelde Adolfsson.

'Heeft hij haar al vastgebonden?' vroeg Bäckström gretig.

'Nee, het oude bekende wipwappen,' zei Adolfsson.

'Hoezo wipwappen?' vroeg Bäckström argwanend. 'Geen stropdassen, geen messen?'

'Gewone standaardseks. Tot nu toe hebben ze niets gedaan wat ik zelf niet gedaan heb,' verduidelijkte Adolfsson. 'Maar Månsson lijkt vief en gezond voor zijn leeftijd,' verklaarde Adolfsson, die zelf tien jaar jonger was.

Rond kwart over twaalf 's nachts was het samenzijn een rustiger fase in gegaan. Månsson en zijn gast hadden de resterende hapjes opgegeten en het laatste beetje wijn uit de fles opgedronken. De gast was de keuken in gelopen en teruggekomen met een drieliterpak witte wijn, terwijl haar gastheer een speelfilm had uitgezocht op een van zijn vele filmkanalen. Niets bijzonders, een gewone romantische comedy, constateerde Adolfsson na een snelle blik in de tv-bijlage van de krant. Om halfdrie 's ochtends hadden ze de woonkamer verlaten richting de slaapkamer aan de andere kant van het appartement.

Adolfsson had Von Essen wakker gemaakt, die op het bed van de verkeersagent lag te pitten. Von Essen was naar buiten gegaan, had een discreet kijkje genomen, was teruggekomen, had bevestigd dat hun object blijkbaar naar bed was gegaan en had de taak overgenomen van Adolfsson, die zich op hetzelfde bed had geworpen en direct in slaap was gevallen. Alles was nauwkeurig gedocumenteerd, en de naam en het persoonsnummer van de eigenares van de auto leken prima overeen te komen met Månssons gast. Bovendien stond ze op verschillende foto's, mocht haar identificatie problemen opleveren.

Bäckström had bij uitzondering moeite met slapen. Eerst hadden hij en Rogersson op zijn kamer zitten pimpelen en toen hij eindelijk van zijn zwaar parasiterende collega af was, was het al kwart over twee 's nachts. Drie uur later was hij weer wakker geworden en pas na wat extra druppeltjes had hij eindelijk rust gevonden en was hij weer in slaap gevallen. Om zeven uur was het echter weer zover en bij gebrek aan iets beters, was hij naar de eetzaal geslenterd voor wat broodnodige voeding na een zware, inspannende nacht.

Eerst had Bäckström zijn bord zoals gewoonlijk volgeladen met paracetamol, ansjovisfilet, roerei en knakworstjes, en nadat hij het eerste met een paar flinke slokken sinaasappelsap had weggespoeld, was hij zich eindelijk weer mens gaan voelen en had hij zich vlug op de knakworsten gestort. Bovendien had hij naar Lewin gebromd, die beleefd had geknikt en zelfs zijn opengeslagen ochtendkrant een stukje had laten zakken, terwijl die kleine Svanström om onbekende redenen een hevige giechelaanval had gekregen die steeds erger werd, totdat ze met rode, betraande ogen en een servet voor haar mond van de tafel was opgestaan en naar de dames-wc was gestormd.

428

Wat is er in godsnaam met haar aan de hand?' vroeg Bäckström zich argwanend af, terwijl hij nog een knakworstje in zijn mond stopte.

'Wat is er in godsnaam met haar aan de hand?' vroeg hij argwanend, terwijl hij Lewin aankeek, die niet eens opgemerkt leek te hebben dat ze zojuist verlaten waren door een hysterisch mens.

'Ik heb geen idee,' loog Lewin hoewel hij de dag ervoor al had begrepen dat Bäckström waarschijnlijk de enige op het bureau was die het proces-verbaal dat over hem ging, niet gelezen had. En wie was hij om 's ochtends vroeg de dag van een collega te verpesten, ongeacht de gebreken in het karakter van diezelfde collega en zijn overige menselijke tekortkomingen.

'Echt geen flauw idee,' voegde Lewin eraan toe, waarop hij zich had geëxcuseerd en van tafel was opgestaan om ervoor te zorgen dat Eva Svanström de rest van de dag op veilige afstand van Bäckström zou blijven.

77

Månsson en zijn gast leken geen problemen met hun nachtrust te hebben. Pas tegen tienen de volgende ochtend had Von Essen reden gehad om het logboek te voorschijn te halen voor nieuwe aantekeningen. Eerst was een naakte Månsson in zijn eigen hal verschenen en onmiddellijk daarop was hij verdwenen in zijn badkamer. Een paar minuten later was zijn net zo ontklede gast hem achterna gekomen en ze waren allebei klaarblijkelijk erg hygiënisch, aangezien het ruim een uur had geduurd voordat ze met een badhanddoek om de heupen – Månsson – respectievelijk ochtendjas – de vrouwelijke gast – de keuken in waren gegaan om te ontbijten.

Tegen die tijd was ook Adolfsson weer op de been, hij had net gedoucht en was druk bezig koffie te zetten en eieren te koken, vruchtensap aan te lengen en boterhammen te smeren op het moment dat Bäckström opnieuw belde om poolshoogte te nemen.

'Hoe is het, leeft ze nog?' Bäckström klonk ongewoon kortaf.

'In opperbeste gezondheid lijkt het wel,' verklaarde Von Essen. 'Op dit moment genieten zij en haar gastheer van café latte, yoghurt met havermout alsmede ieder een cracker met veel rauwkost en een plakje vetarme kaas,' voegde hij eraan toe.

'Jezus christus,' zei Bäckström vervuld van weerzin. 'Zieke types,' constateerde hij. 'Laat van je horen zodra hij haar hals begint te betasten.'

Von Essen beloofde hem dat onmiddellijk te doen, voor het geval dat. Daarna nam hij zelf een snelle douche, terwijl Adolfsson zorg droeg voor het gluren en de aantekeningen. De activiteiten in het appartement aan de overkant konden er namelijk op wijzen dat hun onderzoeksobject bezig was zijn huis te verruilen voor andere, onbekende bestemmingen.

Lewin en zijn medewerkers waren anderhalve dag bezig geweest met het zoeken naar een verband tussen Bengt Månsson enerzijds en Linda en haar moeder anderzijds. Dit was niet gelukt. Hoewel ze alle toegankelijke registers hadden doorgespit met alle precisie, routine en vindingrijkheid die ze de door de jaren heen hadden opgebouwd, hadden ze niets kunnen vinden. De meest voor de hand liggende conclusie was over het algemeen tevens de meest ontmoedigende. Er was hoe dan ook geen simpel verband dat te maken had met familiebanden, werk, jeugd, opleiding of woonplaats. Ook geen gedeelde netwerken, belangstelling, gewone hobby's, vrienden of bekenden die hen met elkaar verbonden. Dan restten er de meer toevallige ontmoetingen en de troost die ze konden vinden in de wetenschap dat ze alledrie gewone, fatsoenlijke, normale mensen leken en dat Växjö een kleine stad was waar iedereen die genoeg met elkaar gemeen had, elkaar vroeg of laat tegen het lijf liep.

Tegelijkertijd was het een schrale troost, omdat Lewin de inwendig knagende onrust voelde groeien. Dat alles wat hij gedacht had, verkeerd zou blijken te zijn. Waar zou iemand als Månsson hebben geleerd hoe je auto's openbreekt en stuursloten forceert? Waar zou zo iemand drugs vandaan halen? En hoe vaak kwam het nou eigenlijk voor dat mensen zoals hij die dingen deden waar het in dit onderzoek uiteindelijk om draaide? Verkrachting, mishandeling en wurging van een vijftien jaar jongere vrouw. De enige troost tot nu toe bestond uit de verslagen van Von Essen en Adolfsson over zijn zacht gezegd razende seksuele honger. Tegelijkertijd was het een behoefte die hij leek te stillen binnen de kaders van het conventioneel seksueel gedrag. Enerzijds, anderzijds, dacht Lewin en wel vooral om zijn eigen angst te temperen.

Om een uur of vijf 's middags had Bäckström weer contact opgenomen met Adolfsson en Von Essen en zijn eerste vraag was waarom ze zelf niets van zich hadden laten horen. Volgens Von Essen was dat omdat er niets te rapporteren was van het kaliber waarmee ze hun gewaardeerde chef zouden willen storen. Druk als hij ongetwijfeld was met belangrijker zaken.

'Hou op met dat gelul, Von Essen,' onderbrak Bäckström hem. 'Vertel wat die klootzak uitspookt.'

Na het ontbijt hadden Månsson en zijn vrouwelijke gast hun kleren aangetrokken en wat spullen in een tas gepakt. Het leek erop dat ze een uitstapje gingen maken, bijvoorbeeld om van de fantastische zomer te genieten. Toen ze in de hal stonden, moest er iets tussen gekomen zijn, aangezien ze elkaar plotseling opnieuw hadden uitgekleed en diverse seksuele handelingen hadden verricht op de mat in de hal. De specifieke inhoud van de handelingen was echter onduidelijk omdat ze alleen de blote voeten en benen van de handelende partijen hadden kunnen waarnemen.

Dit onverwachte intermezzo was echter relatief snel afgehandeld en een kwartier later waren Månsson en zijn gast vertrokken in haar auto. Aan hun gedrag te oordelen waren beiden in een uitstekend humeur. Adolfsson en Von Essen hadden het paar op veilige afstand gevolgd en na slechts een kilometer of tien waren ze gestopt bij een strandje dat gelegen was aan de noordkant van het meer Helgasjön. Daar hadden ze de hele middag op een deken gelegen, met elkaar gepraat, gezond en gezwommen. Verder hadden ze een eenvoudige picknick genuttigd. 27 graden in de lucht en 24 in het water en ook Von Essen en Adolfsson hadden op veilige afstand van hun onderzoeksobjecten om de beurt verkoeling gezocht met enkele discrete duiken.

Daarna waren ze teruggegaan naar Månssons appartement. Onderweg waren ze even gestopt om wat eten te kopen. Ze hadden op straat voor het gebouw waar Månsson woonde, afscheid genomen. Månsson was teruggekeerd naar zijn appartement, waar hij eerst zijn kleren had uitgegooid en vervolgens in de badkamer was verdwenen, waar hij ongeveer een halfuur doorbracht tot hij weer naar buiten kwam met dezelfde blauwe badhanddoek om zijn heupen. Daarna had hij op de bank in de woonkamer kranten liggen lezen.

'Eerst *Aftonbladet* en daarna *Expressen*,' vertelde Von Essen met een neutrale toonval.

'En al die tijd geen andere smeerlapperij?' vroeg Bäckström ontstemd. 'Geen nummertjes in de buitenlucht toen ze daar op dat strandje waren?'

Niets, aldus Von Essen, natuurlijk afgezien van wat Månsson met zichzelf uitgespookt kon hebben in de badkamer.

Waar is die rotzak verdomme mee bezig, dacht Bäckström, terwijl hij ontstemd op zijn horloge keek. Zes uur al en zelf had hij de hele dag nog geen enkel pilsje gehad. Dat is tenminste iets waar ik praktisch onmiddellijk maatregelen tegen kan nemen, dacht hij. Vooruitziend als hij was, had hij Rogersson 's ochtends vroeg al naar een drankwinkel die op zaterdag open was, gestuurd om de voorraden voor zijn laatste en waarschijnlijk heel lange nacht in Växjö aan te vullen. En als dat stelletje luiwammesen van het SKL niet eens in staat blijkt hun eigen belofte na te komen, dan moet ik in het ergste geval een extra nacht blijven, dacht Bäckström. Omringd door idioten en de gebruikelijke incompetentie als hij was, en wat kostte het minste klusje toch verdomd veel tijd. Die klootzak uit Lapland die door de socialisten tot baas was benoemd van hem en zijn ongelukkige lotgenoten, moest zichzelf in het ergste geval maar troosten door zijn lidmaatschapskaart van de partij in zijn vette Norrlandse reet te stoppen. Niemand zal kunnen zeggen dat Bäckström zijn zaakjes onafgemaakt achterlaat, dacht Bäckström, die zich al aanzienlijk beter voelde.

Bengt A. Månsson, A als in Axel, leek een man met regelmatige gewoonten en vaste routines. Daarnaast was hij een man met een liberale grondhouding en een grote flexibiliteit in zijn keuze van partners. De zaterdagavond was op precies dezelfde manier begonnen als de avond ervoor. Eerst was hij op de bank gaan liggen en had hij een paar uur televisie gekeken. Daarna had hij wat telefoontjes gepleegd, waarna hij de keuken in was gegaan, en rond halftien had hij het gebruikelijke blad klaargemaakt. Brood en diverse hapjes, bordjes en twee wijnglazen plus het drieliterpak witte wijn dat zijn gast van de avond ervoor blijkbaar had laten staan. Een verstandige kerel die de kosten binnen de perken probeert te houden en rara van wie de fles kwam waaruit hij de blondine te drinken had gegeven, dacht Patrik Adolfsson. Geboren en getogen als hij was in het zuinige Småland.

Een halfuur later was er een vrouw verschenen bij de deur van zijn flat. In tegenstelling tot de blondine van de avond ervoor was dit een brunette en aanzienlijk jonger. Dit verklaarde wellicht waarom ze te voet was gekomen en geen eigen auto had. Hoe het ook zij, vijf minuten later zat ze samen met haar gastheer op de bank in de woonkamer en vervolgens was alles verlopen zoals anders.

'Is er nog iets interessants mede te delen?' vroeg Von Essen, die aan de keukentafel *Svenska Dagbladet* van die morgen zat te lezen, terwijl Adolfsson het spioneerwerk deed.

'Brunette, een jaar of twintig, aanzienlijk flinker beboezemd dan de blondine,' vatte Adolfsson samen. 'Verder heeft ze haar poes geschoren, maar dat kan natuurlijk met de warmte te maken hebben.'

'Laat me eens kijken,' zei Von Essen; hij stond op van de keukentafel en pakte zonder omhaal de kijker van Adolfsson af. 'Het lijkt me een wat eenvoudiger type,' stelde hij vast.

'Månsson heeft misschien geen zin meer in baardenbiefstuk,' suggereerde Adolfsson.

'Je bent een ongeneeslijke romanticus, vriend,' verzuchtte Von Essen, waarna hij de verrekijker teruggaf en verderging met de financiële pagina's van *Svenska Dagbladet* in de hoop dat zijn effecten hem zo langzamerhand de mogelijkheid zouden geven alle lekkende daken te repareren die hij van zijn ouders had geërfd.

'Hoe is het?' vroeg Bäckström een uur later aan de telefoon.

'Net als gister,' vatte Von Essen samen.

'Dezelfde dame?' vroeg Bäckström. Hoe is het registeronderzoek naar haar eigenlijk afgelopen, dacht hij. Hij had de hele dag geen kik gehoord van Lewin en zijn zogenaamde medewerker, terwijl hij hun toch om een foto en de achtergrond van de dame in kwestie had gevraagd.

'Nieuw meisje, brunette, een jaar of twintig, waarschijnlijk een wat eenvoudiger type,' zei Von Essen zonder in te gaan op details die iemand als Bäckström zouden kunnen opwinden.

'En hoeveel keer is hij er overheen gegaan?' vroeg Bäckström om een of andere reden.

'Drie keer in twee uur,' zei Von Essen na een snelle blik in het logboek. 'Maar nu is hij weer bezig, dus er is hoop op meer.'

'Godverdomme, wat een smerige klootzak,' steunde Bäckström. 'En dat in die gruwelijke hitte.'

De rest van de nacht waren Von Essen en Adolfsson om de beurt even in het bed van hun collega gaan liggen. Tegen zeven uur 's ochtends had Månssons nieuwste dame hem verlaten. Fit en gezond naar het scheen, en waarschijnlijk omdat dat arme kind als verpleeghulp of iets dergelijks werkte, dacht baron Von Essen, terwijl hij een aantekening in het logboek maakte. Månsson leek daarentegen de slaap der rechtvaardigen te slapen en hij had zijn meisje niet eens naar de deur gebracht. Zelf begon Von Essen zich wat slapjes te voelen en hij was meer dan lichtelijk geïrriteerd over het gesnurk van zijn collega uit het binnenste van het appartement. Hoog tijd dat er iets gebeurt, dacht hij, hij gaapte voluit en keek op zijn horloge, terwijl op hetzelfde moment hun mobiele telefoon ging.

'Is er iets gebeurd?' vroeg Von Essen.

78

Een halfuur eerder was Enokssons mobiele telefoon gegaan. Omdat hij altijd vroeg op was, had hij al tijd gehad om de krant te lezen en het ontbijt klaar te maken dat hij zo dadelijk aan zijn vrouw zou serveren, die niet zo'n ochtendmens was.

'Enoksson,' antwoordde Enoksson.

'Zit je goed?' vroeg zijn vrouwelijke contact bij het SKL en op dat ogenblik begreep hij meteen wat ze zou gaan zeggen.

'Het is hem dus toch,' concludeerde hij twee minuten later toen ze klaar was. De wonderen zijn de wereld blijkbaar nog niet uit, dacht hij, hoewel hij een kleine, dikke collega van de rijksrecherche in Stockholm voor zich zag.

'Is er iets gebeurd?' vroeg Von Essen.

'Nu zullen we godverdomme lijm koken van die klootzak!' brieste Bäckström aan de andere kant van de lijn en op dat moment begreep Von Essen dat het wachten van hem en zijn collega Adolfsson voorbij was. Voor deze keer, tenminste.

Bäckström en Rogersson hadden zich binnen een halfuur bij hun rechercheurs gevoegd, de auto stond aan de achterkant van het gebouw geparkeerd en ze gingen te werk met alle denkbare discretie. Bäckström was gekleed in shorts, een hawaïoverhemd, een zonnebril en sandalen met sokken en zou prima kunnen figureren in een oude spionagefilm waarbij de handeling naar West-Indië was verplaatst. Rogersson zag er daarentegen heel gewoon uit, maar omdat ze het gebouw met een tussenpoos van een minuut binnen waren gegaan, was ook dat volkomen onopgemerkt gebleven.

Von Essen had ze snel op de hoogte gebracht van de actuele situatie. Månsson leek nog steeds in bed te liggen. Waarschijnlijk sliep hij. Aangenomen dat hij niet van het balkon of uit een van de twee ramen aan de achterkant van het huis was gesprongen, restten de voordeur van het pand en de kelderingang. Ook deze ingang bevond zich aan de voorzijde van het gebouw.

'Dan gaan we die rotzak nu halen,' zei Bäckström gretig. 'Kan iemand van jullie me een stel handboeien lenen? Ik heb die van mij toevallig niet bij me.'

'Met alle respect, baas, ik vraag me af of dat zo'n goed idee is,' wierp Adolfsson tegen.

'Jij was van plan het Nationale Bijstandsteam te bellen?' vroeg Bäckström. Typisch, dacht hij. Het zijn altijd de figuren van wie je het het minst verwacht, die in de laatste minuut terugdeinzen, hoewel deze jongen het eindeloos ver had kunnen schoppen.

Adolfsson had er geen moment aan gedacht het Bijstandsteam te bellen. Hij had daarentegen enkele praktische, operationele ideeën. Månsson kende hen waarschijnlijk allemaal met uitzondering van Rogersson. Bäckström zou hij zeker moeten herkennen aangezien ze een paar uur in dezelfde ruimte hadden gezeten en Rogersson had zijn uiterlijk in een situatie als deze niet mee. Bovendien had Månsson een spionnetje in zijn deur en als ze gewoon aanbelden in de hoop dat hij open zou doen, had hij helaas ruim de tijd om zowel het broodmes over zijn halsslagader te halen als van de derde verdieping naar beneden te springen.

'Ik heb er trouwens wel eens eentje meegemaakt die het allebei deed,' viel Von Essen hem bij. 'Het was een uitgewezen asielzoeker. Eerst sneed hij zijn keel door en vervolgens sprong hij van het balkon. Hij wilde waarschijnlijk geen enkel risico nemen. Een treurig verhaal. Hier in Växjö ook, of all places.'

'Ik wacht nog steeds op een voorstel,' zei Bäckström, terwijl hij het gezelschap pissig aankeek.

'Hij lijkt, zacht gezegd, gek op vrouwen, dus ik denk dat we beter het volgende kunnen doen,' stelde Adolfsson voor. 'Dat werkt namelijk altijd bij types zoals hij.'

Terwijl Bäckström en de zijnen de enige resterende mannelijke activiteit in deze zaak planden, had Lewin, net als altijd, alle andere zaken die moesten gebeuren voor zijn rekening genomen. Eerst had hij hun vooronderzoeksleider opgebeld en op zijn antwoordapparaat ingesproken dat hij zo snel mogelijk en het liefst direct contact op moest nemen met Lewin op zijn mobiel. Daarna had hij de officier van justitie gebeld, die gelukkig had opgenomen en toezegde om binnen een uur ter plaatse te zijn. Uiterlijk.

Vervolgens had hij Anna Sandberg gevraagd om samen met een collega naar Linda's moeder te gaan, zodat ze het nieuws niet op een andere manier – in het ergste geval via de media – hoefde te vernemen. Daarnaast moest ze ervoor zorgen iemand bij zich te hebben die haar bij kon staan. Hetzelfde gold voor Linda's vader en dat detail had hij in alle vertrouwen overgelaten aan collega Knutsson. Dit kon het eenvoudigst telefonisch afgehandeld worden en als haar vader nog wensen had, konden ze daar zeker aan tegemoetkomen.

Terwijl Lewin al deze politionele software nauwkeurig had geregeld en ervoor had gezorgd dat alle stukjes op de goede plaats terechtkwamen, hadden Bäckström en de zijnen gezelschap gekregen van een jongere vrouwelijke collega van de regionale recherche, die zich had voorgesteld als 'Caijsa met een C en een i en een j'. Twee dagen eerder had ze Månsson telefonisch gesproken en gezegd dat ze Houda Kassem heette, geïmmigreerd was vanuit Iran, belangstelling had voor theater en allemaal vriendinnen had die hoopten op wat subsidie voor een project. Wat betreft de activiteiten voor deze dag wilde ze een andere rol voorstellen, omdat Månsson toch geen idee had hoe Houda eruitzag.

'Ik was van plan het bekende verhaal over marktonderzoek op te hangen. In de buurt rondlopen om mensen te vragen hoe ze het hier vinden. Dat werkt altijd bij types zoals hij,' glimlachte Caijsa met een knipoog naar Adolfsson, terwijl ze tegelijkertijd haar legitimatie van het marktonderzoeksbureau MARKT te voorschijn haalde, dat ze aan een kettinkje om haar nek had hangen.

'Dat lijkt me een prima plan,' zei Rogersson snel voordat Bäckström weer zou gaan zwammen over iets wat voor iedere goed functionerende politieman eenvoudig en vanzelfsprekend was.

'Nu is hij bovendien wakker en in beweging,' stelde Von Essen vast vanaf zijn plaats bij het keukenraam. 'Hij staat gekleed in slechts een onderbroek in de keuken en drinkt water direct uit de kraan. Ik denk dat je extra voorzichtig moet zijn met van die witte wijn uit een pak.'

'Oké, daar gaan we,' zei Bäckström autoritair, terwijl hij zijn buik introk en zijn borstspieren aanspande, waardoor zijn hawaïoverhemd golfde. 'En zorg er godverdomme voor dat die kerel handboeien om krijgt, dat bespaart ons de Olympische Spelen op straat,' voegde hij eraan toe en om een of andere reden keek hij hierbij vinnig naar Adolfsson en Von Essen.

Caijsa had helemaal gelijk en Månsson had de deur zelfs met een glimlach op zijn lippen voor haar opengedaan. De ondramatische arrestatie die daarop volgde, was in vijftien seconden voorbij. Von Essen was met geheven politielegitimatie van de zijkant opgedoken, waarna Adolfsson Månssons handen op zijn rug had gemanoeuvreerd en hem bijna zorgzaam in de handboeien had geslagen.

'Waar gaat dit over? Dit moet een vergissing zijn,' zei Månsson die er angstig en niet-begrijpend uitzag.

'Die klootzak is onderweg,' zei Bäckström kortaf via Lewins mobiel. 'Maak die luiwammesen van de technische recherche wakker, zodat ze aan zijn flat kunnen beginnen. Er staan al twee surveillancewagens de straat te vervuilen, dus die kolonie gieren zal ook wel gauw komen.'

'De collega's van de technische recherche zijn onderweg,' zei Lewin. 'Is alles verder goed gegaan?' vroeg hij, terwijl hij zijn best deed zijn ongerustheid niet te laten merken.

'Nu heeft die rotzak niet zo'n grote bek meer,' zei Bäckström en hij knorde tevreden.

Ik vraag me af of hij die ooit gehad heeft, dacht Lewin.

79

Ook 's middags had Lewin de praktische kant van de zaak op zich mogen nemen en om te beginnen had hij hun vrouwelijke officier van justitie geïnformeerd.

'We kregen vanmorgen pas bericht van het SKL,' legde Lewin uit. 'Daarvoor waren het vooral wat losse hypotheses en ik wilde je niet onnodig lastigvallen voor het geval we het mis hadden. Daarom heb ik je niet eerder gebeld,' verontschuldigde hij zich.

De officier had hier geen enkel bezwaar tegen gehad. Integendeel. Zelf voelde ze zich vooral erg opgelucht en zodra ze definitief bericht kregen van het SKL dat het Månssons DNA was, zou ze hem in voorlopige hechtenis laten nemen. Voorlopig was hij aangehouden en als Lewin wilde, was hij welkom om met haar mee te gaan naar de arrestantencellen om Månsson haar besluit mee te delen. Ze was namelijk van plan dat zelf te doen. Växjö was een kleine stad, ze was toch al in het gebouw en bovendien was ze ook wel een beetje nieuwsgierig.

'Ik heb hem niet eens gezien,' zei ze. 'Iets heel anders. Waar is Olsson eigenlijk?'

'Hij is dit weekend vrij,' zei Lewin. 'We hebben geprobeerd hem te bellen. Hopelijk laat hij van zich horen.' Lewin haalde zijn schouders op. Waar hebben we hem nou voor nodig, dacht hij.

'Ik ben bang dat hij er niet erg bijzonder uitziet,' zei Lewin toen ze de gang met de arrestantencellen in liepen. 'Met het oog op wat hij gedaan heeft, bedoel ik.'

'Ze zien er nooit bijzonder uit,' zei de officier. 'Degenen die ik gezien heb in elk geval niet.'

Månsson zag er niet bijzonder uit. Hij zat op zijn neergeklapte brits in zijn cel en zag er bijna afwezig uit. Net als iedereen die voor de eerste keer in zijn leven was beroofd van zijn identiteit op de meest concrete wijze waarop dat nog steeds mogelijk was in een democratie. Eerst hadden ze zijn handboeien afgedaan en ervoor gezorgd dat hij ingeschreven werd. Vervolgens had hij al zijn kleren uit moeten trekken en in plaats daarvan de onderbroek, sokken, broek en het overhemd van de gevangenis aan moeten doen. Plus een paar vilten pantoffels die hij aan zijn voeten kon doen als hij wilde. Daarna moest hij een formulier ondertekenen waarop zijn bezittingen vermeld stonden.

Nadat hij weer een tijdje had moeten wachten, waren er twee mensen van de technische recherche gekomen. Månsson werd gefotografeerd, gewogen en gemeten, zijn vingerafdrukken en handpalmafdrukken werden afgenomen. Vervolgens had zich een arts bij de technici gevoegd, die bloed had afgenomen en ervoor had gezorgd dat hij hoofd-, lichaams- en schaamhaar had afgestaan. Ook had hij lichamelijk onderzoek verricht. Alles wat ze van hem hadden afgenomen, was in zakjes, potjes en buisjes van plastic of glas gestopt, voorzien van etiketten, verzegeld en ondertekend. Månsson zelf moest blijven en hij had ook voor het eerst iets gezegd zonder dat iemand hem een vraag had gesteld.

'Zou ik mogen weten waar dit over gaat?' vroeg hij.

'De officier van justitie kan elk ogenblik komen,' verzekerde een van de technici hem. 'Ze zal je ongetwijfeld alle mogelijke informatie geven.'

'Ik voel me trouwens niet zo goed,' zei Månsson. 'Ik gebruik wat medicijnen en die heb ik niet mee kunnen nemen. Ze liggen thuis, in het medicijnkastje in de badkamer. Het is voor astma en zo.'

'Daar hebben we het zo dadelijk samen over,' zei de arts met een vriendelijke glimlach. 'Als we klaar zijn met de rest,' zei hij met een knikje naar de beide technici.

'Hij ziet er geweldig uit,' stelde de officier vast toen zij en Lewin terug waren op de afdeling van het rechercheteam. 'En je zegt dat hij geen strafblad heeft? Gezien wat er gebeurd is, bedoel ik.'

'Hij ziet eruit zoals filmsterren er vroeger uitzagen,' was Lewin het met haar eens. 'Geen strafblad,' bevestigde hij.

'Maar het lijkt niet zo goed met hem te gaan,' zei ze en het klonk alsof ze vooral hardop dacht. 'Denk je dat hij zal bekennen?' voegde ze eraan toe.

'Ik weet het niet,' zei Lewin, terwijl hij zijn hoofd schudde. 'Dat zal wel blijken.' Wat dat dan ook uitmaakt gezien al het andere dat we al hebben, dacht hij.

Terwijl de anderen als kippen zonder kop rondrenden, had Bäckström een rondje door de gang gemaakt om de welverdiende felicitaties in ontvangst te nemen. Iedereen was plotseling als een kind zo blij. Zelfs die twee textielspeurdertjes, die een week geleden nog zo zuur als azijn waren, begonnen te glimlachen en te giechelen zodra ze hem in het oog kregen.

'Leuk je te zien, Bäckström,' zei de een. 'Gefeliciteerd trouwens,' voegde ze eraan toe en ze leek nog vrolijker dan ze al was.

'Jammer dat je weg moet,' zei de ander. 'Maar misschien krijgen we een nieuwe kans? Om elkaar wat beter te leren kennen, bedoel ik.'

Hier klopt iets niet, dacht Bäckström, maar omdat hij niet wist wat, had hij volstaan met een knikje. Kort en mannelijk.

'Ja, dit zullen jullie nu wel kunnen afhandelen,' zei Bäckström. Stelletje achterlijke veldwachters en stomme wijven, en bovendien is het hoog tijd voor een koud pilsje, dacht hij.

Rogersson zat op zijn kamer en zag er nogal somber uit.

'Ik was van plan naar huis te gaan,' meldde Bäckström hem.

'Ik ga met je mee,' zei Rogersson. 'Eerst moet ik alle ordners kwijt zien te raken en een paar woorden wisselen met Holt, maar daarna ben ik klaar voor vertrek.'

'Holt,' zei Bäckström. 'Is die zure trut al hier?'

'Ik zag haar zojuist op de gang,' antwoordde Rogersson. 'Samen met die kleine blonde die eerder bij de Säpo werkte. Mattei heet ze geloof ik, Lisa Mattei. Haar moeder is dacht ik commissaris of zo bij de Säpo. Een echte teef, als je het mij vraagt. Ze stonden al te zeiken met ons officiertje. Dus die wijven zullen zo wel in gejuich uitbarsten.'

'Ik zie je in de hotelbar,' zei Bäckström, terwijl hij snel opstond. 'Zorg trouwens dat je nuchter blijft, dan kun je rijden.'

Vervolgens had hij zijn gebruikelijke, discrete weg naar buiten genomen om Holt niet tegen het lijf te hoeven lopen. Als ik de vader van het slachtoffer nou eens bel om het goede nieuws te vertellen, dacht Bäckström toen hij naar buiten stapte.

Terwijl Bäckström in alle rust op zijn hotelkamer aan het welverdiende, koude pilsje zat te nippen, was zijn telefoon gegaan. Het was Linda's vader. Blijkbaar had die kleine sukkel Knutsson hem al gebeld om te proberen met de eer te strijken.

'Ik hoorde dat je teruggaat naar Stockholm,' zei Henning Wallin.

'Het is wat jachtig inderdaad,' bevestigde Bäckström zonder op verdere details in te gaan. 'Maar die kerel die het gedaan heeft, heb ik persoonlijk in de nor gestopt, dus daar hoef je je geen zorgen meer over te maken. We zullen die rotzak tot lijm koken, dus dat is geregeld,' vertelde Bäckström.

'Ik zou je toch graag nog even willen zien,' hield Henning Wallin aan. 'Al was het alleen maar om je persoonlijk te bedanken.'

'Dat kan praktisch gezien wat lastig worden,' zei Bäckström. 'Ik heb namelijk al een biertje gehad.'

'Ik kan mijn bediende sturen om je op te halen,' zei Wallin.

'Ja, dat zou kunnen,' zei Bäckström, die nog steeds wat aarzelend was.

'Ik zou je graag iets willen geven,' drong Wallin aan.

'Goed dan,' zei Bäckström. Ik vraag me af wat dat kan zijn, dacht hij.

Een uur later zat Bäckström comfortabel achterovergeleund op de bank voor de open haard in de gigantische woonkamer van het landhuis van Henning Wallin. Uit consideratie met zijn rouwende gastheer had hij zijn hawaïoverhemd en korte broek verruild voor iets passends uit zijn uitgebreide garderobe. In zijn knuist hield hij een glas maltwhisky van het beste merk en het leven had voorwaar slechter kunnen zijn. Ook Wallin leek aanzienlijk fitter dan de vorige keer dat ze elkaar hadden gezien. Zo leek hij onder meer zijn rechterhand weer onder controle te hebben bij het scheren.

'En wie is het?' vroeg Henning Wallin, terwijl hij vooroverleunde en Bäckström aankeek.

'Een kerel die ik in een vroeg stadium al in de kijker had,' zei Bäckström en hij nipte bedachtzaam van de goudgele drank in zijn glas. 'Fingerspitzengefühl,' zei hij bescheiden, terwijl hij zijn rechterhand omhooghield en zijn duim langs zijn vingers wreef. 'Niet iemand om direct in de boeien te slaan, maar ik loop al een tijdje mee, dus ik vond van het begin af aan dat hij niet helemaal goed voelde, om het zo maar te noemen,' vervolgde Bäckström, waarop hij zijn woorden kracht bijzette met een flinke teug uit het glas.

'En hoe heet hij?' vroeg Wallin.

'Dat mag ik eigenlijk niet zeggen,' zei Bäckström. 'In dit stadium, bedoel ik.'

'Het blijft in deze kamer,' zei Wallin.

'Vooruit,' zei Bäckström en vervolgens had hij alles verteld, terwijl Wallin zijn glas bijvulde.

'Hij lijkt de meeste mensen hier in de stad te kennen,' rondde Bäckström af. 'Helaas lijkt hij ook goede maatjes te zijn met dat stuk ongeluk van een Olsson, dus de zaak lag wel wat gevoelig, om het zo maar...'

'Bovendien is hij met mijn ex-vrouw naar bed geweest,' onderbrak Wallin hem met een plotseling rood aangelopen gezicht. 'Er is iets wat ik je misschien zou moeten geven,' voegde hij eraan toe en stond op.

Even later was Henning Wallin teruggekomen met een van de vele fotoalbums waarin hij door de jaren heen alle grote feesten en andere gebeurtenissen gedurende zijn tijd op het landhuis had vastgelegd.

'Hier,' zei Henning Wallin en overhandigde Bäckström een foto uit het album. 'Als ik verder zoek, zijn er ongetwijfeld meer. Deze is genomen op midzomeravond, drie jaar geleden,' legde hij uit. 'Linda stond erop haar moeder uit te nodigen en ze had haar toenmalige vriend meegenomen. De zoveelste in een lange rij, als je het mij vraagt.'

'Zelf heb ik de hele tijd al gedacht dat er zoiets gespeeld moest hebben,' viel Bäckström hem bij.

'Je mag hem houden,' zei Wallin. 'Zorg ervoor dat die kleine sloerie er niet mee wegkomt. Zij en haar zogenaamde vriend hebben mij mijn enige dochter afgenomen.'

'Dat zal wel te regelen zijn,' zei Bäckström ruimhartig, terwijl hij de foto in zijn binnenzak stopte voordat zijn gastheer zich zou bedenken.

'Dat beschouw ik als een belofte van de enige persoon die ik blijkbaar kan vertrouwen,' zei Henning Wallin.

'Wees gerust,' zei Bäckström. 'Maar nu moet ik helaas eens op huis aan.'

'De bediende brengt je terug,' zei Wallin. *'One for the road,'* zei hij, terwijl hij Bäckströms glas bijvulde.

Terwijl Bäckström dure whisky dronk, had Rogersson zijn ordners overgedaan aan Holt en hadden ze met elkaar gesproken.

'Ik was van plan met Bäckström mee terug te gaan naar Stockholm,' vertelde Rogersson haar. 'Dan kan ik ervoor zorgen dat dat dikke mannetje netjes thuiskomt.'

'Ik zou je hier nog wel kunnen gebruiken,' zei Holt. 'Een paar dagen in elk geval.'

'Het overurenplafond,' zei Rogersson, terwijl hij zijn schouders verontschuldigend ophaalde.

'Ik denk niet dat je daar overuren voor hoeft te gebruiken,' zei Holt.

'Ik voel me trouwens ook wat gammel,' zei Rogersson. 'Het is de afgelopen tijd allemaal wat veel geweest.'

'Rij voorzichtig,' zei Holt.

Wat handig, zo'n eigen bediende, dacht Bäckström toen hij en Wallin in de hal afscheid van elkaar namen.

'Deze is voor jou,' zei Wallin waarna hij hem een doos overhandigde met een fles van hetzelfde merk als waarop hij had getrakteerd.

'Dat soort dingen mag ik eigenlijk niet aannemen,' zei Bäckström, terwijl hij de fles aanpakte.

'Ik weet niet waar je het over hebt,' zei Wallin met een lachje.

'Verder heb je deze ook vergeten,' voegde hij eraan toe, terwijl hij een dikke, bruine envelop in de zak van Bäckströms jasje stopte.

Er zitten absoluut geen foto's in die envelop, dacht Bäckström toen hij op de achterbank van Wallins grote zwarte Range Rover zo discreet mogelijk in de envelop in de zak van zijn jasje voelde. Fingerspitzengefühl en absoluut geen foto's, dacht Bäckström.

'Kun je onderweg even bij het bureau langsgaan?' vroeg Bäckström. 'Ik moet even naar boven om wat spullen op te halen.'

Dat was geen enkel probleem, aldus de bediende. Volgens de baas van de bediende stond hij de hele avond tot Bäckströms beschikking. En als dat nodig mocht blijken waarschijnlijk nog langer.

Bäckström had de doos met maltwhisky op de achterbank laten staan toen hij voor de laatste keer bij zijn werk langsging en afscheid nam van al die incompetente collega's die daar nog steeds zaten en probeerden uit te vinden of hun reet van voren of van achteren zat. Bovendien zat in zijn binnenzak het beduimelde exemplaar van *Smålandsposten*, dat hij al sinds die ochtend als afscheidscadeautje aan Holt wilde geven. Al was het maar om haar te bedanken voor de laatste keer dat ze elkaar hadden gesproken en omdat ze er vijftien jaar eerder bijna in geslaagd was om een van zijn oude moordonderzoeken te saboteren. Hij had al zijn ervaring, scherpzinnigheid en fingerspitzengefühl nodig gehad om orde op zaken te stellen. Hoewel ze verschrikkelijk mager is, is die Anna Holt toch een echt lekker wijfie, dacht Bäckström.

Eerst had hij dat sukkeltje van een Olsson afgehandeld. Een simpele warming-up.

'Ha die Olsson,' zei Bäckström met een brede grijns. 'Ik weet niet of je het gehoord hebt, maar ik heb je dader even voor de lunch voor je opgepakt.'

'Ja, ik wil je echt...'

'Laat dat maar zitten, Olsson,' onderbrak Bäckström hem op zijn invoelende manier. 'Een ontzettend treurig verhaal, maar aangezien het een van je beste vrienden was, snap je misschien wel dat ik genoodzaakt was het een beetje voorzichtig aan te pakken. Gezien je eigen betrokkenheid, bedoel ik.'

'Ik moet zeggen dat ik niet begrijp waar je het over hebt,' protesteerde Olsson met een gekwetste uitdrukking op zijn gezicht, maar zonder die echte verontwaardiging. 'Als je Månsson bedoelt, wil ik je zeggen dat het uitsluitend ging om een puur formeel contact in verband met het werk en in die situatie...'

'Noem het zoals je het wilt, Olsson,' onderbrak Bäckström hem, terwijl hij nog hartelijker glimlachte. 'Maar als ik in jouw schoenen rondsloop, zou ik toch eens een praatje gaan maken met je baas. Zodat hij het niet in de krant hoeft te lezen, bedoel ik,' zei Bäckström op zijn zorgzame manier.

De hoogste tijd voor de volgende flapdrol in de rij, dacht Bäckström, terwijl hij koers zette naar Lewin die zich net als altijd achter een hoop papieren probeerde te verstoppen.

'Bedankt voor je hulp, Janne,' zei Bäckström luid omdat hij wist dat Lewin er een hekel aan had dat mensen hem Janne noemden.

'Niets te danken,' zei Lewin.

'Niets, niets,' zei Bäckström. 'Veel was het inderdaad niet, maar je hebt in elk geval gedaan wat je kon en daar bedank ik je hartelijk voor.'

Restte hem alleen nog het beste, dat hij voor het laatst bewaard had. Anna Holt, die bovendien het gore lef had om op zijn plaats te gaan zitten, hoewel ze nog maar een paar uur in het gebouw was en voor de zekerheid pas gekomen was toen hij ervoor gezorgd had dat alles in kannen en kruiken was.

'Je vindt het maar moeilijk om je werk los te laten, Bäckström,' zei Anna Holt met een neutrale glimlach.

'Ik ben inderdaad degene die alle touwtjes in handen had,' zei Bäckström. 'Ik wou je alleen wat vertellen waar je misschien iets aan hebt. Jullie zijn immers nog bezig met wat details.'

'En ik maar denken dat je niet eens meer in functie was,' zei Holt.

'Dat had je gedacht,' zei Bäckström en hij knikte gemoedelijk.

'Om een of andere reden meende ik dat je al begonnen was de bloemetjes buiten te zetten,' zei Holt, terwijl ze haar schouders ophaalde.

'Dat zal wel,' zei Bäckström. 'Maar als ik jou was zou ik heel voorzichtig zijn met die zogenaamde collega Olsson,' vervolgde hij, terwijl hij haar zijn beduimelde exemplaar van *Smålandsposten* overhandigde. 'Als je de voorpagina bekijkt, snap je misschien wat ik bedoel.'

'Zo erg is het nou ook weer niet,' zei Holt, die volstond met een blik op de voorpagina. 'Maar hoe dan ook bedankt, ik zal je kijk op de zaak onthouden.'

447

'Nog één detail,' zei Bäckström, die het allerbeste voor het allerlaatst bewaard had. 'Hoe staat het met het verband tussen het slachtoffer en de dader?'

'Lewin en zijn medewerkers werken eraan,' antwoordde Holt. 'Dus dat zal zeker opgelost worden.'

'Ik heb het anders ook al opgelost,' zei Bäckström en hij gaf haar de foto die hij van de vader van het slachtoffer gekregen had. Dat is een lekker hapje, hè, verzuurde trut, dacht hij verrukt toen hij zag hoe Holt de foto in haar hand bekeek.

'Wat is dit?' vroeg Holt.

'Dat meisje in het midden is ons moordslachtoffer,' legde Bäckström uit. 'Links van haar staat haar lieve moeder en rechts van haar staat onze lieve dader. De reden dat ze er allemaal zo vrolijk en opgewekt uitzien, is dat de foto werd genomen op een midzomerfeest van drie jaar geleden op het landhuis van de vader van het slachtoffer. In die tijd deed Månsonnetje naar het schijnt gymnastiekoefeningen op de moeder van het slachtoffer. Waarom hij haar dochter dan ook nog moest villen, is wat onduidelijk, maar als je haar geliefde moeder laat halen, kan ze je ongetwijfeld helpen met de details.'

'Je hebt hem van Linda's vader gekregen,' zei Holt en het was eerder een constatering dan een vraag.

'Ik heb hem van een anonieme informant gekregen,' zei Bäckström met uitgestreken gezicht. 'Als er nog meer is waarmee ik je kan helpen, mag je me bellen.'

'Dank je,' zei Holt. 'Ik beloof van me te laten horen als er iets is.'

Zodra Bäckström was teruggekeerd in de veiligheid achter de gesloten deur van zijn hotelkamer, had hij de inhoud geteld van de bruine envelop die hij nooit had gekregen. Om volkomen zeker te zijn had hij twee keer geteld. Tweemaal hetzelfde resultaat, dus dat zou toch moeten kloppen. Die vent moet zwemmen in de poet, dacht hij toen hij klaar was met tellen.

Daarna had hij al zijn spullen gepakt en zijn drie overgebleven koude pilsjes samen met de fles maltwhisky bovenop in zijn koffer gelegd, wat simpel proviand voor een moegewerkte diender. Toen hij zijn sleutel had ingeleverd bij de receptie, had hij van de gelegenheid gebruikgemaakt om enkele ideeën over de service in het hotel te spuien.

'Stel orde op zaken bij die lui die de was voor jullie doen,' zei Bäckström. 'Zorg dat het bedienend personeel in beweging komt en zet die blinde idioten uit de keuken op straat.'

De portier had beloofd dat voor de volgende keer te regelen en had hem en Rogersson vervolgens een prettige reis gewenst.

80

Stockholm, maandag 25 augustus

Onderweg naar Stockholm en naar huis had Bäckström zich op de achterbank uitgestrekt. Rogersson zat achter het stuur en zorgde voor de eenvoudige, praktische zaken. Zelf had hij zijn pilsjes opgedronken toen ze nog koud genoeg waren en vervolgens was hij overgegaan tot het voorproeven van zijn smakelijke maltwhisky. Af en toe had hij zijn hand in de zak van zijn jasje gestoken om zijn vingertoppen met de inhoud van de bruine envelop te laten spelen, terwijl hij wellustig dagdroomde over de krantenkoppen die hij voor zich zag. De man die de Linda-moord oploste, dacht hij en hij slaakte een diepe zucht van welbehagen. Even voor Nyköping was hij echt begonnen te dromen en hij genoot van de Welverdiende Rust van de Krijger, totdat Rogersson stopte voor het portiek van het gebouw op Kungsholmen, Stockholm, waar hij woonde. Zoals zovele malen tevoren was hoofdinspecteur Bäckström van Rijksmoordzaken na een voltooide opdracht zegevierend teruggekeerd naar zijn thuisbasis.

Daarom had het de ochtend daarop een flinke poos geduurd voor hij begreep dat die rotvent uit Lapland aan de andere kant van het bureau heel andere bedoelingen had met hun gesprek. Geen bloemen, geen taart, zelfs geen simpele kop koffie, hoewel het nog maar acht uur 's ochtends was en hij genoodzaakt was geweest om midden in de nacht op te staan om voldoende tijd te hebben om te douchen, tanden te poetsen, keelpastilles te kopen en een passend antwoord voor te bereiden op de innige dank die zijn hoogste leidinggevende voor zijn inzet zou tonen. Wat is er verdomme aan de hand? Waar gaat het eigenlijk heen met de politie, dacht Bäckström.

Johansson had totaal geen belangstelling voor hun zaak. De moord op Linda Wallin en de manier waarop Bäckström met de oude bekende mix van routine, hard werken, fingerspitzengefühl en scherpzinnigheid tegen alle verwachtingen in de stukjes op hun plaats had weten te krijgen. In plaats daarvan had hij zitten zeiken over een boel mysterieuze facturen, opnames van contanten, een pornofilmrekening die op Rogerssons kamer was geboekt, opname van overuren en al die andere dingen tussen hemel en aarde die al die genieën om hem heen hadden aangedikt, verkeerd hadden begrepen en waarvan ze hem nu de schuld gaven.

'Je moet het maar direct met de administratie afhandelen,' rondde Johansson af met een grimmige uitdrukking op zijn gezicht. 'Ga maar langs bij mijn secretaresse, ze heeft een afspraak voor je gemaakt zodat je ze onmiddellijk kunt spreken.'

'Met alle respect, meneer Johansson, ik ben politieman en geen gewone cijferaar,' protesteerde Bäckström. 'En alles wat die anderen hebben...'

'Daar wou ik het net over hebben,' onderbrak Johansson hem, terwijl hij de volgende map op zijn bureau opensloeg. 'Het betreft die aangifte die vorige week tegen je gedaan is.'

'U bedoelt die aangifte waarbij het vermeende slachtoffer weigert aangifte te doen,' zei Bäckström sluw.

'Ik wist niet dat er meerdere waren,' stelde Johansson droog. 'De aangifte die ik heb gekregen betreft seksuele intimidatie en de vrouw over wie het gaat heet Carin Ågren. Ze heeft zelf aangifte gedaan. Dat is afgelopen donderdag gebeurd en ze is dezelfde dag nog verhoord.'

'Hoe kan het dan dat ik daar nog niets van weet,' zei Bäckström verontwaardigd.

'De simpele verklaring daarvoor is waarschijnlijk dat ze er nog niet aan toegekomen zijn. Je hoeft je niet ongerust te maken, Bäckström. Ik heb ze gesproken en ze hebben beloofd vandaag contact met je op te nemen,' zei Johansson.

'Wat zegt ze dan?' vroeg Bäckström, terwijl hij nijdig van Johansson naar het papier in zijn hand keek.

'Volgens haar heb je met het knakworstje lopen zwaaien,' zei Johansson. 'De details mag je bespreken met onze collega's van Intern Onderzoek.'

Wat zegt die kerel, godverdomme, dacht Bäckström. Wat voor knakworstje?

Hier was verder weinig aan toe te voegen, aldus Johansson. De administratie zou de financiële kant met Bäckström opnemen, hun jurist de juridische kant, de aangifte tegen hem zou op de gewone manier behandeld worden en Bäckströms leidinggevende zou de praktische aspecten afhandelen. Bäckström zelf hoefde nog maar één besluit te nemen. Of hij in de periode waarin het onderzoek naar hem gaande was bij voorkeur vakantie opnam, zich ziek meldde of met onbetaald verlof ging.

'Ziek!' zei Bäckström ontdaan. 'Ik ben absoluut niet ziek. Ik heb me nog nooit zo gezond gevoeld als nu. Dit klinkt als iets waar ik nodig met de vakbond over moet praten.'

'Succes, Bäckström,' zei Johansson.

81

Växjö, maandag 25 augustus – vrijdag 12 september

Vanaf maandag 25 augustus tot vrijdag 12 september had waarnemend commissaris Anna Holt in totaal twaalf lange en korte verhoren gehouden met Bengt Månsson. Plaatsvervangend hoofdofficier van justitie Katarina Wibom, waarnemend hoofdinspecteur Lisa Mattei en politie-inspecteur Anna Sandberg waren om de beurt als getuige bij de verhoren aanwezig geweest. Het eerste verhoor was het kortste en Anna Holt was alleen met Månsson geweest.

'Ik heet Anna Holt en ik ben commissaris bij de rijksrecherche,' zei Anna Holt. Verder ben ik drieënveertig jaar, dacht Holt. Alleenstaande moeder van Nicke, die inmiddels eenentwintig is, over het algemeen tamelijk tevreden, hoewel een en ander beter zou kunnen en de toekomst zal wel uitwijzen of er reden is om daar op in te gaan, dacht ze.

'Dan kun je me misschien uitleggen waarom ik hier zit,' zei Månsson.

'De reden dat je hier bent, is dat je wordt verdacht van de moord op Linda Wallin,' zei Holt.

'Dat heeft die Wibom al gezegd,' zei Månsson. 'Het is volkomen absurd. Ik heb geen idee waar jullie het over hebben.'

'Je weet het niet meer,' zei Anna Holt.

'Maar dat zou ik toch moeten weten? Als ik iemand vermoord had? Dat vergeet je toch niet zomaar?'

'Dat komt wel voor,' zei Holt. 'Weet je wat,' ging ze verder. 'Ik stel voor dat we dat stuk voorlopig laten zitten.'

'Waarom zitten we hier dan?'

'Je zou kunnen vertellen hoe je Linda hebt leren kennen,' zei Holt. 'Begin maar met de eerste keer dat je haar ontmoette.'

'Goed,' zei Månsson. 'Als dat jullie kan helpen. Natuurlijk kan ik vertellen hoe ik Linda kende. Dat is geen geheim.'

Het verhoor was volgens het proces-verbaal na drieënveertig minuten afgesloten en al een halfuur later kwam een nieuwsgierige Katarina Wibom toevallig langs Holts kamer.
'Hoe gaat het?' vroeg ze.
'Het gaat helemaal volgens plan en volledig volgens verwachting,' zei Anna Holt. 'Van de daad zelf herinnert hij zich niets en gezien wat er gebeurd is, zou het me ook heel erg verbaasd hebben als hij het nog wist. Hij heeft me verteld hoe hij Linda's moeder en Linda heeft leren kennen. Bovendien praat hij met me. Hij is gezien de omstandigheden zelfs vriendelijk en bereidwillig. Dat is aanzienlijk meer dan je in deze situatie kunt verlangen,' vatte Holt samen en ze glimlachte vriendelijk.
'Verder wil je misschien ook weten wat hij gezegd heeft,' vervolgde Anna Holt.
'Als je tijd hebt,' zei de officier.

Månsson had Linda's moeder voor de eerste keer ontmoet op een conferentie in mei ruim drie jaar geleden. Er was gesproken over diverse projecten met sociale en culturele inslag die onder regie van de gemeente in gang waren gezet en die zich in de eerste plaats richtten op jonge mensen met een allochtone achtergrond. Lotta Ericson was aanwezig als lerares van een middelbare school met veel allochtone leerlingen. Zelf was hij er als projectverantwoordelijke van de afdeling Cultuur. Al tijdens de eerste koffiepauze hadden ze sympathie voor elkaar opgevat. Een paar dagen later waren ze samen uit eten geweest en de avond was geëindigd in Månssons bed in zijn appartement aan de Frövägen. Daarna was het op de gebruikelijke wijze doorgegaan en de eerste keer dat hij Linda had ontmoet, was bij een midzomerfeest dat haar vader ruim een maand later bij zijn landhuis buiten Växjö had gegeven.

'En wat gebeurde er daarna?' vroeg de officier nieuwsgierig.
'Dat weet ik niet,' zei Anna Holt. 'Ik stelde namelijk voor dat we het gesprek daar zouden onderbreken en morgen verder zouden gaan en daar had hij geen bezwaar tegen, dus dat hebben we gedaan,' legde ze uit.
'Dat is gewaagd,' zei de officier.
'Dat geloof ik eigenlijk niet,' zei Anna Holt. 'Ik kreeg de stellige

indruk dat hij zich aangetrokken voelt tot het wat moeilijk benaderbare type, dus ik probeer enigszins afstandelijk over te komen.'
'Probeerde hij je te versieren?' vroeg de officier.
'Hij probeerde me in elk geval voor zich te winnen,' constateerde Holt. 'De toekomst zal uitwijzen hoe onze relatie zich verder ontwikkelt,' zei ze, terwijl ze haar schouders ophaalde.
'Oei, wat spannend,' zei de officier met een rilling van welbehagen.
'Het is altijd wel een beetje spannend,' was Anna Holt het met haar eens.

Dezelfde dag waarop Anna Holt de verhoren met Månsson begon, was er een persconferentie gehouden. Overigens was dit de best bezochte persconferentie in de geschiedenis van de politie van Växjö. Midden op het podium zaten de vooronderzoeksleider Bengt Olsson, plaatsvervangend hoofdofficier van justitie Katarina Wibom en de woordvoerster van de politie in Växjö. Uiterst links zat een onwillige Lewin, die gedurende de hele persconferentie geen enkele vraag had gekregen maar die vanwege zijn veelzeggende lichaamstaal toch op televisie was gekomen. Hij was tweemaal gemonteerd in een langer nieuwsitem. Lewin had een mysterieuze, draaiende halsbeweging gemaakt die getuigde van sterke weerzin en die om een of andere reden diende als illustratie bij hoofdinspecteur Olssons antwoord op de enige directe vraag die hij had gekregen.

Eerst was er een stortvloed van vragen gesteld die allemaal over hun verdachte gingen en de officier van justitie had het merendeel daarvan voor haar rekening genomen, terwijl de woordvoerster zich erop had toegelegd de beurten te verdelen onder de journalisten die allemaal even hard riepen. Zonder in te gaan op de details ging de officier van justitie ervan uit dat ze hem de volgende dag en anders uiterlijk woensdag in hechtenis zouden kunnen nemen wegens verdenking van moord. Ze wachtten op de uitslagen van een aantal analyses en verder had ze geen commentaar willen geven. En al helemaal niet over de persoon die ze hadden aangehouden.

Na de routineuze vervolgvragen over hem en zijn persoon waren ze snel van dat onderwerp afgestapt. Er was geen journalist in de zaal die nog niet wist hoe hij heette, waar hij woonde en wat voor werk hij deed. Zijn foto, naam en adres stonden al op internet, de dag erop zouden ze ook in *Dagens Nyheter* en de vier boulevarddraken staan en de drijfjacht op familieleden, vrienden, kennissen, collega's, buren en alles en iedereen die ook maar iets bij te dragen had, waar of niet, was in volle gang.

Daarna was de officier van justitie met rust gelaten en waren ze verdergegaan met de politie. Om te beginnen waren ze teruggegaan in de tijd. Van Bengt Olsson was eerst een commentaar geëist over het speurwerk in de beginfase en om onbekende redenen antwoordde hij op iets anders. De vraag ging over de kritiek van de Justitiekanselier en de Parlementair Ombudsman op het onderzoek omdat ze DNA van bijna duizend onschuldige inwoners van Växjö hadden verzameld. Volgens Olsson bleek uit de zojuist doorgevoerde inkrimping van dertig naar twaalf personen dat dit inmiddels geschiedenis was en dat ze zich nu in een heel andere fase van het onderzoek bevonden.

Had de DNA-afname ervoor gezorgd dat ze de vermoedelijke dader hadden gevonden, vroeg de verslaggever van *Rapport* zich af. Ook hier geen details, maar Olsson kon in elk geval zeggen dat de DNA-techniek een beslissende rol had gespeeld in de laatste fase van het moordonderzoek. En hoe het nu ook werkelijk zat, in verband hiermee hadden Lewin en zijn magere hals op televisie mogen verschijnen.

Zodra de bijeenkomst met de pers voorbij was, was Lewin teruggekeerd naar zijn kamer om te proberen te vergeten wat er was gebeurd en in plaats daarvan aan de slag te gaan met de tot nu toe vruchteloze jacht op de exclusieve herentrui die waarschijnlijk de oorsprong was van hun blauwe textielvezel. Sandbergs idee om de piloot te vragen, was lang niet gek geweest. Een aantal jaar eerder bleek de piloot namelijk precies zo'n trui te hebben aangeschaft op het vliegveld van Hongkong. Een aanbieding, met korting en ook nog eens in Hongkong, waar je de meest exclusieve spullen soms bijna gratis kon krijgen.

'Als ik me niet vergis, was hij afgeprijsd van 990 naar 99 dollar,' zei de piloot content.

Daarna had hij foto's van diverse truien bekeken en van een ervan was hij direct zeker, een lichtblauwe trui met v-hals en lange mouwen.

'Het was er precies zo een, fantastische kwaliteit. Koel in de zomer, warm in de winter, het was mijn favoriete trui in alle jaargetijden,' vatte de piloot samen.

Wat ermee was gebeurd? Op een dag was hij hem kwijt, en dat was nog steeds zo.

Hij had hem niet toevallig weggeven aan de toenmalige vriend van zijn jongste dochter, vroeg Anna Sandberg zich af. Absoluut uitgesloten, aldus de piloot. Het enige wat hij hem had willen geven was een flinke trap tegen zijn achterste. Als hij had geweten wat hij nu wist, dan zou hij hem inderdaad een flinke trap gegeven hebben. Voor Bengt Månssons overige handel en wandel verwees hij hen naar zijn dochter, maar hij zou het op prijs stellen als ze haar een paar dagen met rust wilden laten, totdat ze enigszins van de schrik bekomen was. In de periode dat zij met hem omging, had hij zijn eigen omgang met Månsson beperkt tot het absolute minimum dat de beleefdheid vereiste. Het grote mysterie volgens de piloot was dat sommige vrouwen, onafhankelijk van hoe intelligent, mooi en innemend ze waren, zoals zijn jongste dochter bijvoorbeeld, helemaal niets van sommige mannen leken te begrijpen.

'Zou Månsson uw trui misschien geleend of misschien... ja, misschien zelfs gestolen kunnen hebben?' vroeg Anna Sandberg, die zich al verheugde op de ontmoeting met zijn dochter voor een lang gesprek over onbegrijpelijke mannen. Al was het maar als vrouwen onder elkaar.

'Dat kan ik me heel goed voorstellen,' snoof de aangesprokene.

'Ik heb altijd al gedacht dat hij tot van alles en nog wat in staat was.'

'Hoe bedoelt u dat?' vroeg Anna Sandberg.

Nou ja, moord natuurlijk niet. Toen hij en zijn familie de vorige avond laat ingelicht werden over de kwestie, waren ze allemaal geschokeerd geweest en dat waren ze nog steeds. Nog afgezien van de puur praktische problemen waarin ze terecht waren gekomen, met het begin van het schooljaar van zijn kleinkind en dergelijke. Zelf

had hij al tamelijk vroeg ingezien wat Månsson voor figuur was.
'Doelt u op iets specifieks?' vroeg Sandberg.

De eerste keer dat het inzicht hem getroffen had, was toen zijn
dochter met Månsson samenwoonde en in de zevende maand van
haar zwangerschap zat. Zijn schoonvader in spe en een vroegere
collega van hem waren Månsson in een restaurant in Växjö tegengekomen in gezelschap van een andere vrouw. Bovendien had hij het
lef gehad om op hen af te stappen en haar voor te stellen als een van
zijn collega's.

'Hij had niet eens het fatsoen in zijn donder om naar Kalmar of
Jönköping te gaan,' concludeerde de piloot.

Volkomen onbetrouwbaar, notoir overspelig, loog over alles tussen
hemel en aarde, was slordig met geld, kende het verschil niet tussen
mijn en dijn, was niet in staat om voor zijn eigen kind te zorgen,
bleek dat niet eens te willen, hij leek haar vooral te gebruiken om de
oude Saab van de piloot te kunnen lenen, en het grote mysterie was
nog steeds dat de dochter van de piloot twee jaar nodig had gehad
om in te zien wat hijzelf vanaf dag één al had vermoed.

'Het spreekt voor zich dat hij mijn trui heeft gestolen,' zei de
piloot. 'Dat vermoedde ik altijd al. Dat is wel het onschuldigste wat
hij heeft uitgevreten.'

De huiszoeking die plaatsvond in Bengt Månssons appartement,
had geen trui opgeleverd. Als er al een trui was of was geweest, dan
was die er niet meer. Verder hadden ze sowieso weinig interessants
gevonden. Månssons appartement was opvallend netjes. Gezien de
unanieme getuigenis van de buren over de stroom jonge vrouwen
die de jaren die hij er woonde voorbij was getrokken, hadden ze verbazingwekkend weinig sporen achtergelaten. Het interessantst was
eigenlijk wat er ontbrak. Een maand eerder had Månsson zijn oude
harde schijf bijvoorbeeld vervangen.

'Ik gok erop dat hij die trui al heeft weggegooid,' zei Enoksson
toen hij met Lewin sprak. 'Als je het mij vraagt, heeft hij dat in één
moeite door gedaan toen hij zich van die auto ontdeed.'

Na het gesprek had Lewin een aantekening gemaakt over de prepaid mobiele telefoon waar Månsson naar gebeld had op de ochtend waarop Linda vermoord was. 'Met wie werd het laatste gesprek gevoerd?' schreef Lewin op zijn lijstje in de computer.

82

'Kun je wat vertellen over de tweede keer dat je Linda zag,' begon Holt het tweede verhoor met Månsson de dag erop. Terwijl ze de vraag stelde, had ze naar voren geleund met haar ellebogen op tafel, belangstellende glimlach, nieuwsgierige ogen.

'Nou, de eerste keer was dus op het midzomerfeest bij haar vader thuis en toen was ik...' antwoordde Månsson, terwijl hij Holt verbaasd aankeek.

'Dat weet ik. Dat heb je me gisteren verteld,' onderbrak Holt hem en ze zag er bijna enthousiast uit. 'Maar de tweede keer?'

De tweede keer was puur toeval geweest, aldus Månsson. Het was een maand later. Ze waren elkaar toevallig tegengekomen in de stad. Niet ongebruikelijk als je in Växjö woonde. Ze waren aan de praat geraakt, waren naar een koffiebar gegaan en hadden ieder een kop koffie gedronken. Voor ze uit elkaar gingen, had hij Linda zijn telefoonnummer gegeven.

'Waar hadden jullie het zoal over?' vroeg Holt hem.

Van die dingen waar je het over hebt als je elkaar op die manier tegenkomt en elkaar nog maar één keer eerder hebt gesproken. Een vrolijk en aardig meisje, grappig was ze ook, met een wat ongewoon gevoel voor humor. Veel understatements, veel oneliners, aldus Månsson, iets wat hij erg waardeerde omdat het naar zijn ervaring ongewoon was bij vrouwen. Maar eigenlijk kende hij Linda's moeder beter en dat had natuurlijk invloed op de inhoud van het eerste gesprek dat ze samen voerden.

'Jullie hadden het dus ook over haar,' concludeerde Holt verbaasd toen Månsson haar de opening had gegeven waarop ze had gewacht.

Volgens Månsson had Linda het onderwerp aangesneden. Ze had hem er plotseling naar gevraagd en hij kon zich nog woordelijk herinneren hoe ze het had geformuleerd.

'Vertel eens over mijn lieve moedertje. Hebben jullie nog steeds zo'n waanzinnig gepassioneerde verhouding?'

Op dat moment had Månsson ervoor gekozen om zelf net zo eerlijk en direct te zijn. Hij had Linda uitgelegd dat er nooit sprake was geweest van waanzinnige passie. Natuurlijk was hij erg gesteld op Linda's moeder, een knappe en intelligente vrouw. Maar een gepassioneerde verhouding, nee. Noch van zijn, noch van haar kant. Bovendien hadden ze weinig met elkaar gemeen. Linda's moeder was aanzienlijk ouder dan hij en leidde een heel ander en wat burgerlijker leven. Om maar wat voorbeelden te noemen. Omdat ze dat beiden hadden ingezien zonder dat ze het erover hoefden te hebben, hadden ze elkaar steeds minder vaak gezien en de laatste tijd – sinds het midzomerfeest waarop hij Linda had ontmoet – hadden ze elkaar alleen nog telefonisch gesproken. De dag voor Linda's moeder naar het buitenland zou gaan, had hij nog gebeld om haar een goede reis te wensen. Ze was nogal kortaf geweest en als ze ooit al een relatie hadden gehad, dan was die nu voorbij. Dat was de stellige indruk die hij tijdens hun laatste telefoongesprek had gekregen.

'Hoe reageerde Linda daarop?' vroeg de onveranderlijk nieuwsgierige Anna Holt.

Op haar gebruikelijke directe en welbespraakte manier en waarschijnlijk was dat de reden dat hij zich ook die repliek bijna woordelijk herinnerde.

'Ze zei iets in de trant van: "*Lucky you*. Mamaatje kan namelijk een echte bitch zijn",' zei Månsson. 'In het Engels dus. Ze had als kind immers jaren in de vs gewoond.'

Op dezelfde dag waren twee van Lewins vraagtekens verdwenen op een manier die tegenwoordig een genade was waarvoor een gelouterde politieman als hij alleen maar in stilte kon bidden. Eerst had een zevenentwintigjarige verpleegkundige uit Kalmar naar de politie in Växjö gebeld om dingen te vertellen over de moord op Linda Wallin die ze pas begreep toen ze die ochtend *Dagens Nyheter* op haar werk las en zag wie de Linda-man was. Na het gebruikelijke doorverbinden had collega Thorén het telefoontje aangenomen en zodra hij had opgehangen, waren hij en Knutsson in de auto gestapt om naar Kalmar te rijden om haar te verhoren.

461

Op vrijdagochtend 4 juli had Bengt Månsson haar op haar mobiel gebeld. Hij was in Kalmar en vroeg of ze niet wat af konden spreken. Gewoon spontaan en omdat hij van plan was om diezelfde avond naar het concert van Gyllene Tider in Borgholm te gaan. Na wat praktisch gedoe – ze moest ondermeer een andere date afzeggen – was Månsson bij haar thuis verschenen en binnen tien minuten hadden ze seks met elkaar gehad. Daar waren ze overigens min of meer de hele middag mee bezig geweest en alles was net als de vorige drie keren dat ze Månsson had ontmoet.

De eerste keer was half mei, toen zij en haar collega's naar het theater in Växjö waren geweest en Månsson hun cicerone was. Na de theatervoorstelling – zo gauw het haar was gelukt haar collega's van zich af te schudden en zo gauw Månsson en zij zijn flat binnen stapten – hadden ze seks met elkaar gehad en om tijd te winnen waren ze in de taxi op weg naar zijn huis alvast met het voorspel begonnen.

De laatste keer was hun samenzijn echter minder goed verlopen. 's Middags, in een pauze tussen de seksuele activiteiten, had Månsson haar gevraagd of hij haar wasmachine mocht gebruiken om de trui die hij aan had gehad te wassen. Een dure, lichtblauwe trui waar de dag ervoor helaas roestvlekken op waren gekomen. Hij had een buurman geholpen zijn auto te repareren en toen hij eronder lag, had hij zijn trui per ongeluk vies gemaakt. Verder had hij een schaafwond op zijn buik, maar toen ze hem daarop wees, had hij dat weggewuifd. Het was maar een schrammetje.

Ze had hem uitgelegd dat die trui met de hand in zo koud mogelijk water gewassen moest worden. Zeker als er bloed op zat. De wasmachine was sowieso geen optie en dat was trouwens bij iedere vrouw bekend, maar bij veel te weinig mannen. Daarna had ze de trui met de hand voor hem gewassen en te drogen gehangen, waarop ze verderging met wat ze daarvoor ook met de eigenaar van de trui had gedaan. 's Avonds waren ze naar het concert gegaan. De trui hing nog steeds te drogen, maar omdat Månsson een sporttas met wat schone kleren bij zich had, was dat geen enkel probleem. Bovendien was het buiten de hele avond ruim 20 graden.

Na het concert was ze wat oude kennissen uit Västervik tegengekomen en, terwijl ze met hen stond te praten, was Månsson plotseling verdwenen. Er waren weliswaar veel mensen op de been en het was tamelijk druk, maar hij leek van de aardbodem verdwenen. Ze had een halfuur naar hem lopen zoeken, totdat ze een bevriende collega tegenkwam, die er overigens ook bij was geweest toen ze Månsson voor de eerste keer ontmoette in het theater in Växjö. De vriendin zei dat ze Månsson een kwartier eerder had zien vertrekken met een jonge vrouw, een heel andere vrouw dan die nu naar hem informeerde.

'Daar was je natuurlijk niet blij mee,' concludeerde rechercheur Thorén zo meelevend mogelijk.

Niet blij was wel het minste wat je ervan kon zeggen, maar dat ze zo kwaad was, kwam niet eens zozeer door zijn verdwijning. Månsson was niet de man met wie ze van plan was te trouwen, maar in afwachting van de verschijning van De Ware in haar leven, was hij prima voor haar doelen. Dezelfde doelen als de zijne, zeker weten, en zo bezien had geen van hen reden tot klagen. Wat haar het kwaadst maakte, 'echt godsgruwelijk woest, als je het echt wilt weten', was dat hij het lef had gehad om haar zijn trui te laten wassen.

Toen ze die nacht thuiskwam had ze daarom als eerste zijn trui gepakt, die in zijn achtergelaten tas gepropt en samen in de vuilnisbak gegooid. De volgende dagen had ze gehoopt dat hij wat van zich zou laten horen, zodat ze in elk geval de mogelijkheid kreeg dit aan hem te vertellen, maar dat had hij niet gedaan. Het was geen moment bij haar opgekomen om hem te bellen.

'Je hebt alles in de vuilnisbak gegooid?' vroeg Thorén.

De trui, een paar vieze onderbroeken, misschien nog iets wat ze vergeten was, plus de tas waar de kleren in zaten. Alles was bij de vuilnis terechtgekomen en omdat de vuilnis in haar wijk eens per week werd opgehaald, dacht ze zelf dat de hoop om de spullen terug te vinden tevergeefs was.

'Het zal genoeg zijn dat we jou hebben gesproken,' verzekerde Knutsson haar en hij vermeed het woord 'getuigenis' bij voorkeur zo lang mogelijk.

'De laatste keer dat jullie samen waren, viel het je ook op dat hij een schaafwond op zijn buik had,' bracht Thorén haar in herinnering. 'Weet je misschien nog hoe die eruitzag?'

Niets bijzonders, aldus de getuige. Gewoon een normale schaaf-wond. Ongeveer een decimeter boven zijn navel.

Hoe diep? Ontstoken? Geïnfecteerd? Hoe lang? Hoe oud?

Niet bijzonder diep, de wond zag er schoon en netjes uit, tien, vijf-tien centimeter lang, ongeveer een dag oud, wat hij zelf ook had gezegd.

Hij leek zijn buik langs een scherpe rand gehaald te hebben en het zou misschien het makkelijkst zijn als Thorén zijn overhemd om-hoogschoof zodat ze het op hem kon aanwijzen. Gezien haar beroep was daar niets raars aan, vond de getuige.

'Dank je voor het aanbod,' zei Thorén glimlachend. 'Maar wat vind je ervan als ik een tekeningetje op papier maak, terwijl jij me vertelt wat ik moet tekenen?'

'Precies,' zei de getuige vijf minuten later met een knikje naar de tekening die Thorén had gemaakt. 'Heb je er nooit over nagedacht kunstenaar te worden in plaats van politieman?'

'Eerlijk gezegd niet,' zei Thorén met een glimlach. 'Al heb ik al-tijd graag getekend. Een horizontale schaafwond van ruim een de-cimeter lengte en ruim een decimeter boven zijn navel en verder schrammetjes in de richting van zijn borst. Zo zag het er dus uit?'

Zeker weten, aldus de getuige en aangenomen dat het tussen hen drieën zou blijven, kon ze vertellen dat ze dat zo zeker wist omdat ze de schaafwond meerdere malen had gezoend. Een beetje jodium en wat kusjes, had ze voorgesteld. Månsson had het jodium afgeslagen, maar de kusjes had hij toch gekregen.

'Wat een uitzonderlijk lekkere meid,' verzuchtte Thorén in de auto op weg terug naar Växjö.

'Dat je niet van de gelegenheid gebruikmaakte om je wasbordje te laten zien,' antwoordde Knutsson, plotseling nogal geïrriteerd.

'Ik was bang dat ik je in verlegenheid zou brengen,' antwoordde Thorén en hij zuchtte voldaan.

'Die Månsson lijkt er heel wat afgewerkt te hebben,' zei Knutsson hoewel hij eigenlijk van plan was het onderwerp af te sluiten.

'Het is een geluk voor hem dat hij niet in Zorns tijd leefde,' zei Thorén, die ondanks het feit dat hij politieman was, een grote, oprechte belangstelling voor kunst had.

'Behalve die kleine catastrofe met de trui vind ik dat we toch heel tevreden mogen zijn,' stemde Lewin met hen in toen hij een paar uur later kennis had genomen van wat hun getuige te vertellen had gehad. 'Maar wat je over Zorn zei, kon ik niet volgen,' voegde hij eraan toe, terwijl hij Thorén aankeek.

Månssons belangstelling voor vrouwen, legde Thorén uit. Het leek erop dat hij het met alle meisjes in Småland hield, zoals in dat liedje *Alla flickorna i Småland*. Bijna, tenminste. Zoals de kunstschilder Anders Zorn volgens de verhalen vijfenvijftig erkende, buitenechtelijke kinderen heeft gemaakt op de momenten dat hij zich met iets anders bezighield dan schilderen.

'Vijfenvijftig, en dan alleen in de parochies Orsa en Gagnef. Wat een geluk voor Månsson dat vrouwen tegenwoordig aan de pil zijn. Het lijkt erop dat hij maar één kind heeft gemaakt,' zei Thorén.

83

'De derde keer dat jullie elkaar zagen,' zei Holt. Net zo nieuwsgierig, net zo vriendelijk belangstellend als toen ze het verhoor meer dan een uur eerder was begonnen. 'Vertel eens, hoe verliep dat?'

Volgens Månsson had Linda hem gebeld op het nummer dat hij haar had gegeven en eerlijk gezegd was hij erg verbaasd geweest. Het was de dag na haar verjaardag. Ze was net achttien geworden en haar vader had in zijn landhuis een groot feest voor haar en al haar vrienden georganiseerd. Nu was ze van plan om het feest samen met Bengt Månsson voort te zetten.

'Wat dacht je toen?' vroeg Holt.

'Eerlijk gezegd was ik hartstikke verbaasd,' zei Månsson. 'Het was geen moment bij me opgekomen haar te bellen en dat ze mij belde was een enorme verrassing.'

'Wat zei ze dan?'

'Dat was nog wel het vreemdst van alles. Ze vroeg me of ze me mee uit eten mocht nemen. Om te vieren dat ze nu een volwassen, meerderjarige vrouw was.'

'En hoe ging je daarmee om?'

'Nou, ik stelde haar voor de rekening te delen,' zei Månsson.

'Wat zei ze toen?'

'Dat daar geen sprake van was, omdat ik niet met haar moeder uit eten zou gaan. Zo was ze gewoon. Heel direct.'

'Je was verbaasd,' concludeerde Holt.

'Ze wond er geen doekjes om, om het zo maar te zeggen,' stemde Månsson met haar in. 'Maar dat met haar vader en al zijn geld, dat wist ik natuurlijk. Dat had Linda's... Lotta dus... me verteld. Dus dat wist ik al. Ik was immers ook bij hem thuis geweest, dus dat had ik sowieso wel begrepen.'

Vervolgens hadden ze afgesproken. Ze hadden gegeten in een restaurant in het centrum van Växjö, wat gekletst en gepraat.

'En wie betaalde de rekening?' vroeg Holt met de gebruikelijke nieuwsgierige uitdrukking op haar gezicht, hoewel die haar steeds meer energie kostte.

'Zij,' zei Månsson en hij leek nog steeds verbaasd. 'Ik heb nog aangeboden om die te delen, maar ze was vastbesloten. Ze maakte er een punt van dat ze nu ze een volwassen, zelfstandige vrouw was, iemand als ik prima mee uit eten kon nemen als ze daar zin in had. Bovendien zei ze dat ze dacht dat ze veel meer geld had dan ik en dat was natuurlijk helemaal waar, dus ik ging ermee akkoord. We hebben het dus over een meisje dat net achttien is.'

'En toen gingen jullie naar jouw huis en daar waren jullie samen,' zei Holt, die niet van plan was een gouden kans te laten liggen.

'Ja,' zei Månsson. 'We gingen naar mijn huis en bedreven de liefde.'

'Vertel eens over de eerste keer dat jullie samen waren,' zei Holt.

Wat ze hadden gedaan, was echt de liefde bedrijven. Niet alleen maar seks. Ze hadden de liefde met elkaar bedreven. Daarna had Månsson haar wijn ingeschonken en ze hadden met elkaar gepraat en geslapen en de dag daarop hadden ze samen ontbeten. Zo was het gegaan en de gedachte alleen al dat hij hier zat, op zo'n plek, en dat hij gedwongen was er op deze manier over te vertellen, maakte hem wanhopig. Hij was in een volslagen onbegrijpelijke situatie terechtgekomen. Hij had Linda nooit kwaad gedaan, geen haar op zijn hoofd die dat ooit van plan was geweest.

'Weet je wat,' zei Anna Holt, terwijl ze op haar horloge keek. 'Ik stel voor dat we hier stoppen en morgen verdergaan.'

'Hij geeft toe dat hij seks met haar heeft gehad?' vroeg de officier toen Anna Holt en zij samen zaten te lunchen.

'Dom is hij niet,' concludeerde Holt.

'Dat andere dan? Het gat in zijn geheugen op vrijdag de vierde? Hij heeft niet geprobeerd het er verder over te hebben?'

'Tegen het einde deed hij een halfslachtige poging, maar gelukkig wist ik hem toen af te kappen,' zei Holt.

'Je wilt ermee wachten?' vroeg de officier.

'Ik wil ermee wachten totdat ik hem het appartement waar het is gebeurd, in heb weten te krijgen,' zei Holt. 'Als ik verder alles weet wat hij heeft gedaan tijdens dat etmaal waarin hij Linda wurgde.'

'Dus dan is het zover?'

'Dan is het zover en ik denk dat dat het moment is waarop jij erbij kunt zijn,' zei Holt.

'Heb je enig idee hoe dit zal aflopen?' vroeg de officier.

'Absoluut,' zei Holt. 'Ik weet precies hoe dit zal aflopen.'

'Wil je het vertellen?'

'Ik kan het voor je op een briefje schrijven, als je belooft dat je het niet zult lezen voor ik met hem klaar ben.'

'Dat kun je beter niet doen. Dat zou ik nooit volhouden. Ik ben het type dat stiekem alle papieren op iemands bureau leest zodra diegene de kamer uit is.'

'Dat doe ik ook,' zei Holt. 'Dat doen alle echte rechercheurs volgens mij. Leuk om eindelijk eens een officier van justitie te ontmoeten die dat ook doet.'

84

Op woensdagochtend was Bengt Månsson in hechtenis genomen door de arrondissementsrechtbank van Växjö wegens verdenking van de moord op Linda Wallin. De dag ervoor was het definitieve bericht van het SKL gekomen dat het zijn DNA was dat was aangetroffen op de plaats van het misdrijf. Desondanks ontkende Månsson via zijn advocaat stellig dat hij haar vermoord zou hebben. Zelf had hij geen ander commentaar dan dat hij onschuldig was en dat de hele situatie onbegrijpelijk voor hem was. Anna Holt was bewust niet naar de zitting gegaan. Voor haar was het zaak het vertrouwen dat ze probeerde op te bouwen niet te verstoren. Månsson zou haar niet in een onaangename situatie hoeven zien. Het stond hem echter vrij te denken dat ze misschien afwezig was omdat ze niet echt geloofde wat de anderen over hem zeiden. Moeilijker dan dat was het niet.

'Hij vroeg nog naar je,' zei de officier van justitie toen ze Anna Holt vertelde hoe de zitting was verlopen.

'Heel goed,' zei Holt. 'Dat hoopte ik al.'

Na de lunch was ze naar hem toegegaan om hem op te halen uit zijn cel. Bovendien had ze gevraagd of hij er bezwaar tegen had als er een jonge, vrouwelijke collega van haar bij het verhoor aanwezig zou zijn.

'Maar als je het niet wilt, dan doen we het niet,' zei Holt toen ze een spoortje twijfel in zijn ogen zag.

'Nee, dat is goed,' zei Månsson, terwijl hij zijn hoofd schudde. 'Als het oké is voor jou, dan is het oké voor mij.'

'Dan doen we dat,' zei Holt.

Het verhoor had drie uur geduurd en Lisa Mattei had tijdens het hele verhoor maar vijf zinnen gezegd. Midden in het verhoor had Månsson haar plotseling een vraag gesteld.

'Sorry dat ik het vraag,' zei Månsson. 'Het klinkt misschien heel raar, maar zit jij echt bij de politie?'

'Ja,' zei Lisa Mattei en ze glimlachte nog vriendelijker dan Holt. 'Maar je bent niet de eerste die het vraagt.'

'Je ziet er echt niet uit als een politieagente, als je begrijpt wat ik bedoel,' zei Månsson.

'Ik weet het,' zei Lisa Mattei. 'Ik denk dat dat komt doordat ik de hele dag alleen maar stapels papier zit te lezen. Maar soms ben ik aanwezig bij een verhoor om te luisteren.'

Bengt Månssons relatie met de veertien jaar jongere Linda Wallin. Zij was net achttien, hij tweeëndertig, het was een verschil waar Anna Holt met geen woord over wilde reppen. Nog niet. Volgende week, misschien, als het ging zoals ze hoopte.

'Vertel eens over je relatie met Linda,' begon Holt.

Van een relatie kon je volgens hem niet spreken. De verschillen tussen hen waren te groot. Ze hadden elkaar af en toe gezien. Misschien twintig keer in drie jaar. In het begin vaker, later slechts af en toe. De laatste keer dat ze elkaar hadden gezien, was aan het begin van de lente, toen ze hem had gebeld om te vertellen dat ze het uit had gemaakt met haar vriendje. Maar natuurlijk. Hij was erg op Linda gesteld geweest. Heel erg zelfs, en om eerlijk te zijn was hij zelfs een tijdje verliefd op haar geweest. In elk geval in het begin, maar gezien alle verschillen tussen hen had hij het nooit tegen haar gezegd.

'Ik heb toch de stellige indruk dat Linda ook heel erg gek was op jou,' zei Holt.

Dat was ongetwijfeld zo, bevestigde Månsson, en dat was eigenlijk nog een probleem in dit verband. Eén keer had ze hem zelfs verteld dat ze over hem in haar dagboek had geschreven en precies op het ogenblik dat hij het dagboek noemde, zag Holt dezelfde verandering in zijn ogen als toen ze had gevraagd of Lisa Mattei bij het verhoor aanwezig mocht zijn.

'Ik weet het,' zei Holt. 'Ik weet dat ze erg op je gesteld was,' herhaalde ze zonder er verder op in te gaan hoe ze dat kon weten.

'Ik vraag me nog iets heel anders af,' vervolgde Holt ter afleiding omdat ze zo snel mogelijk weg wilde bij dat dagboek. 'Ik heb het onderwerp eerder eigenlijk wat vermeden, maar als je het er niet over wilt hebben, kun je dat gewoon zeggen en dan hebben we het over iets anders.'

'Ja...' zei Månsson afwachtend en plotseling op zijn hoede.

'Het is op zich vast geen geheim, maar ik heb in elk geval de indruk dat je tamelijk ervaren bent op het gebied van vrouwen,' zei Holt, terwijl ze haar schouders ophaalde. 'Heel ervaren zelfs,' zei ze met een glimlach.

Månsson begreep wat Holt bedoelde, maar hij hield niet van het woord. Ervaren was een hard en cynisch woord. In zijn woordenschat was het bijna synoniem met afgestompt. Månsson hield van vrouwen. Het ging hem altijd makkelijk af om met vrouwen te praten, met ze om te gaan en met ze samen te zijn. Goede mannelijke vrienden had hij eigenlijk nooit gehad en hij had ze ook nooit gemist. Maar natuurlijk, hij was door de jaren heen met heel wat vrouwen samen geweest, als Holt zich dat afvroeg. Hij was gesteld op vrouwen, hij voelde zich goed als hij met vrouwen was. Vrouwen maakten hem blij en gelukkig en gaven hem een veilig gevoel, en raarder dan dat was het niet.

'Ik vind dat helemaal niet raar,' was Anna Holt het met hem eens. 'Ik begrijp precies wat je bedoelt, maar wat ik me afvraag is hoe het dan met Linda zat.'

'Je bedoelt dat zij niet bepaald ervaren geweest kan zijn,' zei Månsson.

'Precies,' zei Holt. 'Ik doel op de seks. Ik bedoel, als jullie seks met elkaar hadden, Linda en jij.'

Volkomen normale seks, volgens Månsson en dat was absoluut niet moeilijk met iemand als Linda, ook met het oog op zijn gevoelens voor haar en haar gevoelens voor hem.

'Gewone zachte seks,' vatte Holt samen.

'We gingen met elkaar naar bed zoals je dat doet met iemand die je heel aardig vindt en die je respecteert,' legde Månsson uit. 'Gewone zachte seks, als je het zo wilt noemen.'

Maar al die anderen dan, vroeg Holt zich af. Alle anderen met wie hij samen was geweest en die veel ervarener waren dan Linda

Wallin. Was er dan ook alleen sprake geweest van gewone, zachte seks?

Niet altijd, volgens Månsson, maar zolang ze het hadden over vrijwillige, wederzijdse handelingen tussen verantwoordelijke, volwassen mensen, was daar niets vreemds aan. Niet als beide partijen het wilden en zolang je elkaar niet beschadigde.

'Lees een willekeurige column met tips over seks in een willekeurige krant, en je begrijpt wat ik bedoel,' zei Månsson.

'Ik begrijp het precies,' zei Holt. 'Bovendien is dat niet de reden waarom je hier met mij zit te praten.'

'Hoe bedoel je?'

'Wat je net zei over wederzijdse handelingen tussen verantwoordelijke volwassenen. Ik heb precies dezelfde opvatting als jij. Wat heb ik daar mee te maken? Dat is gewoon je privéleven.'

'Weet je wat,' vervolgde Holt met een blik op haar horloge. 'Ik stel voor dat we hier stoppen en morgen verdergaan. We zitten hier ook al meer dan drie uur.'

'Bedankt dat ik erbij mocht zijn,' zei Lisa Mattei glimlachend tegen Bengt Månsson. 'Het was trouwens erg interessant. Ik bedoel wat je zei over ervaren en afgestompt. Dat vond ik heel mooi gezegd.'

'Dank je,' zei Bengt Månsson.

'Nou? Wat vond je van mijn kleine Bengt Axel?' vroeg Holt toen zij en Mattei alleen waren.

'Het is mijn type niet,' zei Lisa Mattei. 'Maar goed, ik ben zijn type ook niet,' voegde ze eraan toe en haalde haar schouders op.

'Wat is zijn type dan wel?' vroeg Holt.

'Iedereen, als je hem mag geloven.'

'En wat denk jij?'

'Niemand, behalve hijzelf natuurlijk,' zei Lisa Mattei, terwijl ze haar hoofd schudde. 'Als je het verhoor uitschrijft en "vrouw" inwisselt voor bijvoorbeeld "eten", dan begrijp je wat ik bedoel. Een doodgewone boulimiapatiënt, dat is 'ie.'

'Verder nog iets?' vroeg Holt zich af.

'Het dagboek,' zei Mattei. 'Waarvan iedereen denkt dat Linda's vader het verborgen heeft.'

'Wat doen we daaraan, als het waar is,' zei Holt.

'Natuurlijk heeft Linda's vader het verborgen. We zullen het nooit te pakken krijgen, maar omdat Månsson blijkbaar vermoedt dat jij het al hebt gelezen, is het misschien wel het allerbeste als we het niet te pakken krijgen,' zei Mattei en ze zag er tamelijk opgetogen uit. 'In het ergste geval wil zijn advocaat het misschien inzien.'

'Waar maakt hij zich dan zorgen over?' vroeg Holt.

'Anna,' zei Mattei zuchtend. 'Je snapt toch wel waar hij zich zorgen over maakt.'

'Dat Linda's dagboek niet alleen over zachte seks gaat,' zei Holt.

'Kijk eens aan,' zei Mattei. 'En dat terwijl je met iemand praat die nog maar nauwelijks zachte seks heeft gehad. Waar heb je mij eigenlijk voor nodig?'

85

Inmiddels wist iedereen wie de Linda-man was. Veel te veel mensen meenden ook dat ze hem persoonlijk kenden. De Grote Speurder 'Het Publiek' werkte in drieploegendienst met volle bezetting en de bureaus van het rechercheteam werden overspoeld door een vloedgolf van tips over Månsson.

Eerst had Månssons dealer van zich laten horen via zijn biechtvader bij de narcoticabrigade van de regionale recherche. Hij was weliswaar niet het type dat zijn gewone klanten zwartmaakte, maar Månsson was geen gewone klant meer. Hij was trouwens ook nooit een ongewone klant geweest. Hij kocht een paar keer per jaar wat, meestal wiet. Verder was hij een slechte betaler en omdat de dealer zelf net was begonnen aan het uitzitten van een straf van twee jaar en zes maanden, behoorden enkele gunsten als wederdienst misschien tot de mogelijkheden?

Ongeveer tegelijkertijd had Knutsson boven water gekregen hoe Månsson had geleerd auto's te stelen. Een oude studiegenoot uit Lund had gebeld en verteld dat Månsson en hij een paar jaar achter elkaar vakantiewerk hadden gedaan bij een jeugdinrichting in Skåne. Daarbij was Månsson handig en geïnteresseerd in techniek, hoewel hij zijn uiterlijk tegenhad en graag benadrukte hoe onhandig hij was. Zijn onovertroffen specialiteit waren overigens vrouwen. Maar dat wisten ze waarschijnlijk al?

Er hadden overigens bijna uitsluitend jonge vrouwen gebeld. Meer vrouwen dan de rechercheurs zich konden wensen, wilden over hun eigen ervaringen met Månsson vertellen. Nog meer vrouwen belden over dingen die ze van hun vriendinnen hadden gehoord. Een van hun informanten was bijzonder interessant. Ze had een vriendin die op dit moment blij was dat ze nog leefde. Volgens wat ze aan hun informant had verteld, was ze op donderdagavond 3 juli bij

Månsson geweest. Ze had begrepen dat er iets niet spoorde en was gewoon opgestapt.

Twee uur later werd ze verhoord door Knutsson en Sandberg, en zoals zo vaak tevoren, was het verhaal dat zij vertelde enigszins anders. Op alle wezenlijke punten en puur politioneel gezien was het verhaal nog steeds hoogst belangwekkend. Bovendien klopte het met andere informatie die ze binnen hadden gekregen.

Om een uur of tien op donderdagavond had ze Månsson thuis in zijn flat aan de Frövägen in de wijk Öster opgezocht. Daar was ze die zomer al een paar keer eerder geweest en het was begonnen zoals gewoonlijk. Op de bank in Månssons woonkamer. En daarna had ze opeens 'nee' gezegd.

'Ik weet eigenlijk niet waarom,' zei ze, terwijl ze Anna Sandberg aankeek. 'Plotseling had ik geen zin meer.'

Wat deed hij toen? vroeg Sandberg zich af.

Eerst was hij net zoals altijd doorgegaan, maar toen ze tegen begon te stribbelen, was hij opgehouden.

Was hij agressief geworden? Had hij geweld tegen haar gebruikt?

'Nee,' zei de getuige. 'Hij werd alleen strontchagrijnig. Net een klein kind.'

En omdat de getuige net zo chagrijnig was geweest, had ze haar trui naar beneden getrokken, haar broek dichtgeknoopt, haar tas gepakt en was ze vertrokken.

'God, wat ben ik blij,' zei de getuige. 'Als ik was gebleven, had hij mij vast ook gewurgd.'

Vermoedelijk is het nog erger, dacht Anna Sandberg. Als je precies had gedaan wat je altijd had gedaan, dan had Linda Wallin nu nog geleefd. Daarna had ze de vanzelfsprekende vragen gesteld over Månssons seksuele voorkeuren, en de getuige had hetzelfde geantwoord als alle andere vrouwen met wie ze al hadden gesproken.

Een felbegeerde wisseltrofee voor alle vrouwen. Hij nam graag het initiatief als ze seksten. Mooi, sterk, goed in vorm, een neukbeest, een hengst die alle gangen beheerste. Hardhandig als het nodig was en zeker als zij dat wilde, open voor de meeste mogelijkheden en voorstellen als het zo uitkwam. Maar niet gewelddadig, er niet op uit om mensen te beschadigen en al helemaal niet om zijn eigen sadistische neigingen te bevredigen.

'Dat vind ik ook zo vreemd,' zei de getuige. 'Ik heb nooit begrepen dat hij een sadist was. Zo was hij nooit met mij,' rondde ze af, terwijl ze haar hoofd schudde.

Omdat je altijd deed wat hij wilde, omdat hij nooit gefrustreerd genoeg raakte als hij samen met jou was, dacht Sandberg.

Je bent waarschijnlijk gewoon zijn type niet, dacht Knutsson.

86

Het was geen toeval dat Lisa Mattei ook bij het vierde verhoor dat Anna Holt met Månsson hield, als getuige aanwezig was. Holt was van plan de duimschroeven aan te draaien en Mattei was nodig om de pijn te verzachten en het minder duidelijk te laten zijn voor hem. Matteis vriendelijke manier van doen, haar zachtmoedige voorkomen, haar onschuldige uiterlijk, een jonge vrouw die als vrouw absoluut oninteressant was voor Månsson en absoluut perfect voor Holt.

'Gisteren vertelde je dat je gewoonlijk zachte seks had met Linda,' begon Holt. 'Later vertelde je dat ze in haar dagboek had geschreven over jullie tweeën.'

'Ja,' zei Månsson met waakzame ogen.

'Elke regel heeft een uitzondering,' zei Holt. 'Ik weet dat jij en Linda overwegend zachte seks hadden. Maar de keren dat dat niet zo was? De keren dat jullie seksspelletjes deden en jullie met elkaar experimenteerden? Ik wil dat je daarover vertelt en ik geloof niet dat dat erg moeilijk is voor je.'

'Nee,' zei Månsson. 'Waarom zou dat moeilijk zijn? Het was echt niks raars. Het was gewoon zoiets wat alle normale volwassen mensen wel eens met elkaar doen als ze seks met elkaar hebben.'

Heel makkelijk leek het echter ook niet te zijn, aangezien het Anna Holt ruim twee uur kostte om hem te laten toegeven dat hij Linda's handen een paar maal had vastgebonden als hij met haar naar bed ging. Bovendien was het ook een lange weg geweest in de seksuele praktijk van Linda en hem, als je hem moest geloven.

Linda was seksueel niet erg ervaren. Voordat ze de eerste keer met Bengt Månsson naar bed ging, had ze vier verschillende partners gehad. De allereerste keer was op haar veertiende en ze was niet eens dronken geweest. Ze wilde het gewoon achter de rug hebben. Al haar eerdere partners waren van haar eigen leeftijd geweest. Ze was bij hen nooit klaargekomen. Ze had echter wel gemasturbeerd.

De eerste keer was ze zestien en had ze nauwkeurig de instructies opgevolgd die een van de bekendste Zweedse seksuologen in haar wekelijkse column in de zondagsbijlage van de grootste boulevardkrant had gegeven. Dat had ze zelf allemaal aan Bengt Månsson verteld. De eerste echte Minnaar in haar leven. Bij Bengt Månsson was ze altijd klaargekomen. Meestal meerdere malen per keer dat ze samen waren. Al de tweede keer dat ze samen waren, was ze klaargekomen toen ze gewoon met elkaar naar bed gingen. Dat was voor de meeste vrouwen het moeilijkst, zeker in het begin, en het was ook bij die gelegenheid dat hij zijn ontdekking deed.

'Ik merkte toen dat ze het lekker vond als ik haar stevig vasthield als ze bijna klaarkwam,' legde Månsson uit.

De eerste keren was het daar ook bij gebleven. Daarna was Linda zelf met het voorstel gekomen en zonder dat ze ook maar iets had gezegd. Ze had op haar rug in zijn bed gelegen. Ze waren al een keer met elkaar naar bed geweest. Hij lag haar te strelen. Plotseling had ze de ceintuur van zijn ochtendjas gepakt en aan hem gegeven, waarna ze haar handen met de polsen tegen elkaar naar hem had uitgestrekt. Heel voorzichtig had hij de ceintuur rond haar polsen gebonden en vervolgens had hij haar vastgebonden aan het hoofdeinde van het bed met haar handen boven haar hoofd. In volledige stilte, volledige harmonie, met volledig vertrouwen van Linda en opeens twee vrije handen voor haar minnaar Bengt Månsson.

'Dat maakt natuurlijk uit,' concludeerde Månsson. 'Als je een orgasme wilt krijgen, draait alles om prikkels. Lichamelijke en geestelijke prikkels,' verduidelijkte hij.

Haar vastgebonden? Inderdaad. Haar geslagen? Nooit. Haar pijn gedaan zonder haar te slaan? Nooit. Zelfs geen harde woorden, aldus Månsson. Daar hield Linda namelijk niet van. Dan werd het veel te tastbaar voor haar. Ze knapte af op dat soort dingen. De weg die zij koos, was die van stilte, beslotenheid, de geheime intimiteit tussen hen tweeën.

'Oftewel: seks zonder verantwoordelijkheid,' legde Månsson uit. 'Je doet iets wat je wilt maar waarover je het niet durft te hebben en eigenlijk ben jij niet degene die het doet.'

'Je hebt haar nooit je kleine hoertje genoemd?' vroeg Holt om een of andere reden.

Nooit, aldus Månsson. Hij had wel een keertje tegen haar gezegd dat ze een stout meisje was en dat soort dingen, maar dat was altijd met een humoristische ondertoon geweest, met een glimlach op zijn lippen en Linda had altijd begrepen dat het alleen maar voor de lol was.

'Je deed alleen alsof,' zei Holt.

'Als je het zo wilt noemen,' zei Månsson, plotseling afgemeten.

'Wat vind je ervan, Lisa?' vroeg Holt na het verhoor.

'Zucht,' zei Mattei. 'Waarom vraag je dat aan iemand die praktisch nog maagd is? Waarom denk je dat er zo veel volkomen normale vrouwen achter sterke mannen aanlopen? En dat ze bijna altijd in hetzelfde bed belanden als iemand zoals Månsson. Månsson is geen man. Hij is waarschijnlijk niet eens een mens.'

'Wat is hij dan?' vroeg Holt.

'Een soort seksuele instrumentalist, als je het mij vraagt. Ik bedoel... hoe leuk is het om te weten dat lichamelijke en geestelijke prikkels belangrijk zijn bij seks? Hoe onervaren moet je zijn om te begrijpen dat dat precies is waar hij mee bezig is? En hoe opgewonden raak je als je ontdekt waar hij mee bezig is?'

'Het klinkt inderdaad niet zo leuk,' was Holt het met haar eens.

'Het interessante – en als je het mij vraagt, bovendien de enige reden waarom we hier naar meneer Månsson zitten te luisteren – is de vraag wat er in zijn hoofd gebeurt als hij in de situatie terechtkomt waarin hij bijna nooit terechtkomt omdat alle meisjes voortdurend precies hebben gedaan wat hij wil.'

'Welke positie bedoel je?' vroeg Holt.

'De volgende situatie,' zei Mattei. 'Als hij van het begin af aan al gefrustreerd is. Als hij maar één gedachte in zijn hoofd heeft, namelijk 'zijn kwakje kwijtraken', zoals zo veel mannen het geheel zo romantisch weten te beschrijven. Als degene met wie hij samen is, hem doorziet en weigert mee te doen. Als hij zelf bovendien begrijpt dat ze hem doorziet. Als hij beseft dat hij zichzelf belachelijk maakt.'

'In die situatie is het niet meer zo gezellig om met Bengt Månsson in bed te liggen,' vatte Anna Holt samen.

'In die situatie wurgt hij Linda Wallin en dat zal hij nooit toegeven.'

'Niet eens aan zichzelf?'

'Niet eens aan jou of mij,' zei Mattei.

'Heb je geen tips?' hield Holt aan.

'Maak gehakt van hem,' zei Mattei met een milde glimlach. 'Niet omdat hij dan zal bekennen, maar ik zou het waarderen als je het deed. Ik geloof niet dat ik ooit zo'n egocentrische, langdradige en onnozele moordenaar ben tegengekomen als hij.'

87

Gezwoeg, nauwkeurigheid en creativiteit waren niet alleen kenmerkend voor Lewin, maar ook voor zijn naaste medewerkers. Daarom waren ze binnen vijf dagen nadat ze Bengt Månsson hadden opgepakt, al klaar met de beschrijving van zijn achtergrond.

Vijfendertig jaar oud. Geboren in het algemene ziekenhuis te Malmö op een mooie zondagochtend in mei, de dag waarop de zomer dat jaar voor de eerste keer naar de provincie Skåne was gekomen en vervolgens was gebleven. Het eerste kind van een alleenstaande moeder van dertig jaar en een onbekende vader. Mogelijkerwijs kon hij de ongeverifieerde veronderstellingen over de etniciteit van het DNA-profiel van de indertijd nog onbekende dader verklaren, iets wat hun vooral last had bezorgd en nog steeds rondspookte in Lewins hoofd.

Met de moeder leek verder niet echt iets mis. Ze was afkomstig uit een boerenfamilie buiten Ängelholm en de familieleden met wie ze hadden gesproken, beschreven haar als mooi en opgewekt, een degelijke meid, ondernemend bovendien. Toen ze twintig was geworden, was ze naar Malmö verhuisd en slechts tien jaar later was ze een succesvol onderneemster met een eigen kapsalon annex schoonheidssalon op de best denkbare locatie in het centrum van Malmö en met een groeiend aantal werknemers. De onbekende vader zou ze volgens haar oudere zus hebben ontmoet tijdens een vakantie op de Canarische Eilanden, maar specifiekere informatie kon de tante van Bengt Månsson niet geven.

Ze had de collega's in Malmö die haar hadden verhoord, wel foto's laten zien. Van Bengt Månsson, vanaf het moment dat hij een heel klein, uitermate betoverend jochie was, totdat hij negentien jaar later eindexamen had gedaan en was veranderd in een heel mooie jongeman. Ongeveer zoals de filmhelden er vroeger uitzagen, maar dan zonder snor. Voor zijn tante was hetgeen er gebeurd was volstrekt onbegrijpelijk en de enige troost in haar ellende was dat ze er zelf van overtuigd was dat snel zou blijken dat de politie een verschrikkelijke fout had gemaakt.

Toen Bengt Månsson vijf jaar oud was, had zijn moeder een nieuwe man leren kennen. Vijftien jaar ouder dan zij. Een behoorlijk succesvolle zakenman en opmerkelijk genoeg nog steeds vrijgezel. Een jaar later was zijn moeder pasgetrouwd en had Bengt een halfbroer gekregen op hetzelfde moment dat zijn nieuwe vader hem had geadopteerd. Het gezin was verhuisd naar een dure villa op stand in de wijk Bellevue aan de rand van Malmö. Zijn moeder had de kapsalon met flinke winst verkocht en was huisvrouw geworden, terwijl ze daarnaast in deeltijd werkte als vertegenwoordiger van een Duits bedrijf dat haarverzorgingsproducten en cosmetica verkocht. Zo op het oog fatsoenlijke en degelijke mensen. Respectabele middenklasse. Geen aanmerkingen van buren, de school, de kinderbescherming of de politie. Noch over Bengt noch over een ander familielid. Bengt had goede cijfers op de lagere school en scoorde bij zijn eindexamen iets boven het gemiddelde. Hij had een goede lichamelijke gesteldheid zonder veel belangstelling voor sport te hebben, hij was populair bij zijn mannelijke klasgenoten zonder goede vrienden te hebben. En alle meisjes uit zijn klas hadden hem in de eerste klas van de lagere school al om verkering gevraagd.

Hij had geen dienstplicht hoeven vervullen en was eraan ontkomen zonder zijn toevlucht te zoeken tot merkwaardige medische smoesjes. Na een sabbatsjaar, waarin hij vooral met zijn leeftijdsgenoten had gefeest, terwijl hij daarnaast een bescheiden maandloon incasseerde als portier op het kantoor van zijn vader, was hij naar Lund verhuisd om te gaan studeren. Na vier jaar had hij een kandidaatsexamen van het zachtere soort afgelegd bij de Faculteit der Letteren. Zijn vakkenpakket was divers: film- en theaterwetenschap, filosofie, literatuurwetenschap. Hij was actief geweest binnen het studententheater en het verenigingsleven, waar hij zich bezighield met bestuursfuncties en allerhande andere zaken die verband hielden met de luchtige kant van het leven als student in Lund. En alle studentes die bij hem in de buurt waren geweest, leken vanaf de eerste blik van hem te houden.

In de herfst van het jaar dat hij zijn kandidaatsexamen deed, was zijn moeder overleden aan kanker en in tegenstelling tot de meeste andere kankerpatiënten was dat al binnen een maand na de diagnose gebeurd. Twee dagen voor kerst in hetzelfde jaar was zijn stiefvader patsboem overleden aan een massief infarct, dat hem tegen de grond had geslagen tussen de twaalfde en de dertiende hole op de nog steeds sneeuwvrije green van de golfbaan van Ljunghusen. Zijn halfbroer en hij hadden de villa en de overige zaken verkocht. Ze hadden hun ouders begraven, de schulden betaald en wat overbleef verdeeld. Dat was beduidend minder dan waar ze op gerekend leken te hebben en wellicht had dat ertoe bijgedragen dat de twee halfbroers na de dood van hun ouders geen contact meer leken te hebben gehad. Zodra Bengt Månssons halfbroer was afgestudeerd als econoom, was hij naar Duitsland verhuisd. Daar werkte hij inmiddels al vijf jaar als controller bij een dochterbedrijf van een Zweeds bosbouwconcern. Hij was getrouwd met een Duitse en woonde even buiten Stuttgart. De broer had geweigerd met de politie te spreken toen ze hem hadden gebeld voor inlichtingen over zijn halfbroer. En iedereen in Månssons eigen familie was of overleden, of had hem verlaten.

Op vijfentwintigjarige leeftijd had hij een baan gekregen als administrateur en projectassistent bij de afdeling Cultuur van de gemeente Malmö. 's Zomers had hij de dochter van de piloot leren kennen, die vakantiewerk deed als grondstewardess op het vliegveld Sturup. Hij had gesolliciteerd op een nieuwe baan als projectleider bij de afdeling Cultuur van de gemeente Växjö en zodra hij die baan gekregen had, was hij met de grondstewardess gaan samenwonen in een appartement dat zijn schoonvader in spe voor hen had geregeld. Ruim een jaar later hadden ze een dochter gekregen. Weer een jaar later waren ze uit elkaar gegaan. Hij had een nieuw appartement aan de Frövägen weten te krijgen en daar woonde hij nog steeds.

Alleenstaande man met een omgangsregeling voor zijn zevenjarige dochter die hij de laatste jaren steeds minder vaak zag. Bruto maandsalaris vijfentwintigduizend kronen. Rijbewijs, maar geen auto. Geen achterstallige betalingen of schulden bij de belastingdienst. Geen vermelding in sociale of politionele registers. Zelfs geen boete voor foutparkeren. En alle jonge vrouwen die bij hem in de buurt waren geweest, leken van hem te houden.

Vijfendertig jaar en drie maanden oud had hij Linda Wallin thuis in het appartement van haar moeder in het centrum van Växjö verkracht en gewurgd. Daarmee had hij de politie een reden gegeven zijn leven van voor de aanhouding voorzover bekend samen te vatten en op te stellen in een pro memorie die in het politiejargon van de generatie van Jan Lewin 'de kleine biografie van de dader' werd genoemd.

Anna Sandberg had een verhoor gehouden met de dochter van de piloot en zij had getuigd van Bengt Månssons buitengewone seksuele honger. Maar alleen in het begin. Toen had hij zo'n beetje elke wakkere minuut seks met haar gehad. Toen ze samen waren gaan wonen en ze zwanger was geraakt, had hij haar amper nog aangeraakt. In plaats daarvan ging hij met alle andere vrouwen naar bed, en zodra ze dat begrepen had, had ze het uitgemaakt.

Als antwoord op een directe vraag: nee, hij was nooit gewelddadig tegen haar geweest. Afgezien van de frequentie hadden ze aan gewone, normale seks gedaan. Bengt Månsson was de 'knapste vent en de charmantste sloddervos die ze in haar hele leven had ontmoet' en wat hij ruim een maand geleden had gedaan, begreep ze gewoon niet. Bovendien maakte zij zich zorgen over andere dingen en die hadden vooral te maken met zijn en haar zevenjarige dochter. Haar eerste schooldag hadden ze al moeten uitstellen en de dag ervoor hadden zij en haar man besloten uit Växjö te vertrekken.

De boulevardpers had haar al geld en bekendheid aangeboden als ze voor het voetlicht wilde treden en over haar leven met de moordenaar wilde vertellen en hoe het was om de moeder te zijn van zijn enige kind, dat bovendien een klein meisje van maar zeven jaar was. De beestachtige vrouwenmoordenaar die een dochtertje had. Wat haar uiteindelijk had doen besluiten om Växjö te verlaten, waren echter niet de mannelijke koppenjagers van de boulevarddraken, maar was de vrouwelijke redacteur van de familiepagina van de ochtendkrant *Dagens Nyheter*. Ze wilde namelijk een lange, principieel belangrijke en invoelende reportage maken. Over hoe zij, haar nieuwe man en haar dochter ook ten prooi waren gevallen aan de nieuwsjacht van de media. Over de uitgestelde schoolgang van haar dochter, hoe de wetenschap dat haar 'echte papa' een moordenaar was haar emotioneel had beïnvloed, hun plannen om te verhuizen, misschien zelfs van naam te veranderen en een geheime identiteit aan te vragen. Dat was het moment waarop zij en haar man hadden besloten te verhuizen, en het interview hadden ze onmiddellijk afgeslagen.

Op vrijdag hadden Anna Sandberg en een van haar vrouwelijke collega's van de politie in Växjö Linda's moeder verhoord in haar zomerhuisje bij het meer Åsnen. Een nauwelijks zinvol verhoor. Linda's moeder was in een shock. De shock waardoor ze werd getroffen toen ze te horen kreeg dat Linda was vermoord, was na ruim een maand overgegaan in een zogeheten posttraumatische stressstoornis. Net op tijd voor de volgende shock, toen de politie de moordenaar van haar dochter had opgepakt en haar duidelijk werd wat haar eigen rol in het geheel was. Nu zat ze in de ziektewet, nam zware kalmerende medicijnen, sprak haar psychiater praktisch elke dag en werd voortdurend in de gaten gehouden door haar beste vriendin.

Ze was niet van plan om ooit nog een voet in haar appartement in Växjö te zetten en was nog helemaal niet in staat geweest om te bedenken wat ze ermee ging doen. Het zou natuurlijk niet makkelijk kwijt te raken zijn. Inmiddels stond het in het hele land bij iedereen die kranten las, naar de radio luisterde of televisiekeek bekend als 'de moordflat'. De bewoners van de buurt waar ze officieel nog steeds woonde, waren in twee kampen verdeeld. Enerzijds de mensen die probeerden door de ramen van het appartement naar binnen te gluren als ze er voorbij slopen. Anderzijds de mensen die omwegen namen om het gebouw te vermijden. Ze had al een anonieme brief ontvangen van een buurtbewoner die bang was voor een vrije val van de prijs van zijn eigen appartement en haar daar de schuld van gaf. Tegelijkertijd was dat haar minste zorg.

Meer dan drie jaar geleden had ze Bengt Månsson voor de laatste keer gesproken. Sindsdien hadden ze überhaupt geen contact meer gehad. Ze wilde simpelweg geen contact meer met hem en hij had geen enkele poging gedaan contact met haar op te nemen. Ze had hun ontmoetingen beëindigd zodra ze had ontdekt dat ze eigenlijk niets gemeenschappelijk hadden en dat hij niet eens echt in haar geïnteresseerd was. Verder had ze hetzelfde verhaal verteld als hij. Hoe ze elkaar hadden ontmoet, hoelang ze met elkaar om waren gegaan, waar ze elkaar ontmoetten. Anna Sandberg had geen specifieke vragen gesteld over hun seksuele contact. Het was niet eens in haar hoofd opgekomen.

Dat haar dochter Bengt Månsson ook had ontmoet, had Linda haar zelf verteld. Een jaar of wat later, tijdens die moeilijke periode in hun leven toen Linda bij haar 'verafgode vader' was gaan wonen, had Linda dit er tijdens een van hun terugkerende ruzies uitgegooid. Niet dat ze met elkaar naar bed geweest waren – wat haar moeder wel had vermoed – maar alleen dat ze hem had ontmoet. De dag erop had Linda gebeld om haar verontschuldigingen aan te bieden. Zoiets zeg je alleen maar omdat je boos bent, maar meen je niet echt, aldus Linda.

Zelf had ze geprobeerd de gedachte van zich af te zetten. Nu had ze er enorme spijt van dat ze hem niet ogenblikkelijk thuis had opgezocht en dood had geslagen.

'Het is mijn fout dat dit gebeurd is,' zei ze en ze staarde met een lege blik voor zich uit, terwijl ze knikte alsof ze wat ze zojuist gezegd had, wilde bevestigen.

Anna Sandberg had zich over de tafel naar haar toe gebogen, haar armen vastgepakt en behoorlijk geknepen om haar aandacht te krijgen.

'Luister goed naar me, Lotta,' zei Anna Sandberg. 'Luister je naar me?'

'Ja.'

'Goed,' zei Anna Sandberg en ze hield haar ogen vast met de hare. 'Wat je zojuist zei was net zo stom als wanneer je had gezegd dat het Linda's fout was dat hij haar vermoordde. Hoor je wat ik zeg?'

'Ja, ik hoor je. Ik hoor je,' herhaalde ze toen de greep krachtiger werd.

'Bengt Månsson is degene die Linda vermoord heeft. Niemand anders dan hij. Het is zijn schuld. Honderd procent. Niet van iemand anders. Jij en Linda zijn zijn slachtoffers.'

'Ik hoor je,' herhaalde Lotta Ericson.

'Goed,' zei Anna Sandberg. 'Zorg ervoor dat je het ook begrijpt. Het is namelijk waar. Zo is het gegaan en dat is de reden waarom het gebeurd is.'

Daarna waren Anna Sandberg en haar collega teruggereden naar het politiebureau in Växjö. Geen van beiden voelde zich goed. Vergeleken met de vrouw die ze zojuist hadden bezocht, was hun leven geweldig.

'Ik zou die klootzak wel kunnen vermoorden,' zei Anna Sandberg toen ze de garage in reed.

'Zeg me als je hulp nodig hebt,' zei haar collega.

Knutsson en Thorén hadden de vruchteloze jacht op het dagboek en aanverwante informatie over het slachtoffer voortgezet. Ze waren weer met haar vriendinnen gaan praten en wisten op die manier heel wat informatie en gegevens te verkrijgen. Ten slotte hadden ze haar vader opgezocht in zijn grote landhuis, en het was hun even goed afgegaan als hun collega's die eerder met hem over hetzelfde onderwerp hadden gesproken.

Henning Wallin wist niets van een dagboek. Natuurlijk had hij veel over de zaak nagedacht – hoe had hij dat niet kunnen doen gezien het voortdurende gezeur van de politie –, dus het enige wat hij hun kon bieden waren zijn eigen beschouwingen over het onderwerp.

'Heel graag,' zei Knutsson.

In de wereld waarin Henning Wallin leefde, was iemands dagboek het meest private in het leven van een mens. Dit gold nog sterker als het een jong iemand betrof en het allersterkst als het een jonge vrouw betrof. Zoals zijn dochter bijvoorbeeld. Als er een dagboek in haar leven was geweest, dan was dat zonder twijfel de plaats waar ze de voortdurende dialoog had gevoerd die ieder denkend en voelend mens met zichzelf voert over zijn eigen leven, gevoelens en geweten. Aan dat dagboek had ze haar intiemste gedachten en gevoelens toevertrouwd en de enige reden dat ze dat had gedaan, was dat het tussen haarzelf en haarzelf zou blijven.

'Kunnen jullie dat begrijpen?' vroeg Wallin, terwijl hij Knutsson en Thorén om beurten aankeek.

'Ik begrijp het,' zei Knutsson.

'Het is duidelijk,' zei Thorén.

'Mooi,' zei Wallin. 'Als de heren me nu willen excuseren?'

'Ik vraag me af of hij het heeft weggegooid of gewoon heeft verstopt,' zei Thorén in de auto op weg terug naar het politiebureau aan het Oxtorget.

'In elk geval gelezen,' zei Knutsson.

'Om te kijken of er niet iets in stond dat wees op de dader,' zei Thorén.

'En toen hij niets vond, heeft hij het vermoedelijk weggegooid. Of verbrand, waarschijnlijk,' zei Knutsson.

'In dat geval heeft hij het zeker verbrand,' zei Thorén. 'Hij is niet het type dat zomaar dingen weggooit. Maar zelf neig ik ernaar te geloven dat hij het gewoon verstopt heeft op een veilige plek.'

'Waarom denk je dat?' vroeg Knutsson.

'Omdat hij niet het type is dat dingen weggooit,' zei Thorén. 'Maar het spreekt voor zich...'

'... zeker weten doe je het nooit,' stemde Knutsson met hem in.

88

Het vijfde verhoor dat Anna Holt met Bengt Månsson had gehouden, had bijna de hele dag geduurd. Lisa Mattei was getuige en net als de keer ervoor had ze haar mond nauwelijks opengedaan. Ze had alleen maar zitten luisteren met haar zachtmoedige glimlach en haar milde ogen. Holt was zoals altijd met een ander onderwerp begonnen dan Månsson had verwacht. Zeker na gisteren, en de enige reden daarvoor was dat er geen haast meer was met alles waar ze het gisteren over gehad hadden. Het was daarentegen uitstekend als hij het hele weekend zijn contacten met Linda Wallin in alle eenzaamheid zou overdenken.

'Vertel eens iets over jezelf, Bengt,' begon Holt, ze leunde steunend op haar ellebogen naar voren, glimlachte en knikte om goed te laten zien hoe geïnteresseerd ze was.

'Over mezelf?' antwoordde Månsson verbaasd. 'Wat heeft dat er nu mee te maken?'

'Hoe was je jeugd?' verduidelijkte Holt.

'Hoe bedoel je?'

'Begin maar bij het begin,' stelde Holt voor. 'Vertel eens over je allereerste herinnering.'

Volgens Bengt Månsson was zijn vroegste herinnering van toen hij zeven jaar was en net was begonnen op school. Van de tijd daarvoor had hij überhaupt geen herinneringen. Zijn moeder en haar familieleden hadden hem weliswaar vaak verteld over dingen die hij gezegd en gedaan zou hebben toen hij nog veel jonger was, maar in zijn eigen hoofd was het leeg.

'Ik weet niet waarom, maar zo is het wel,' besloot Månsson, terwijl hij zijn schouders ophaalde.

Vanaf het moment dat hij op school begonnen was, had hij eigen herinneringen. Niets bijzonders, heel gewone herinneringen. Een aantal goede en haast oninteressante. Een aantal minder goede, waar hij het liever niet over had. Hij begreep de vraag trouwens ook niet. Wat hadden zijn jeugdherinneringen met zijn huidige situatie te maken?

Over zijn ouders wilde hij het ook niet hebben. Ze waren al jaren dood en hij was niet van plan te vertellen wat er voor die tijd tussen hem en zijn ouders had gespeeld. Hij wilde echter wel iets uitleggen. Zelf kende hij maar een van zijn ouders, namelijk zijn moeder. Hij had geen idee wie zijn echte vader was en hij had al heel jong ingezien dat het zinloos was om zijn moeder ernaar te vragen. Verder had hij een stiefvader, over wie hij het niet wilde hebben, en hij had erg zijn best gedaan om hem uit zijn bewustzijn te bannen.

'Je bezoekt hun graven niet eens?' vroeg Holt.

'Het graf van mijn moeder, bedoel je,' corrigeerde Månsson.

'Het graf van je moeder,' zei Holt.

'Nooit,' antwoordde Månsson.

En hoe zat het met het graf van zijn stiefvader?

'Je bedoelt dat ik daarheen had kunnen gaan om me af te reageren?' vroeg Månsson met een scheef glimlachje.

'Hoe bedoel je?' vroeg Holt.

'Om op zijn grafsteen te pissen,' antwoordde Månsson.

'Vertel eens waarom je zoiets zou doen,' zei Holt. 'Heeft hij je zo slecht behandeld?'

Geen haar op Månssons hoofd die eraan dacht om daar over te vertellen. Niet aan Holt, en ook niet aan iemand anders.

'Dat zou ik niet zeggen,' zei Holt. 'Misschien kan ik je helpen.'

Hoe zou Holt Månsson nou kunnen helpen met zijn stiefvader? Hij was toch al dood. Wat kon iemand als Holt nou met die man. Ze kon hem toch moeilijk in de bak gooien, toch? Dat zij en haar collega's hem aan stukken konden rijten had hij inmiddels wel begrepen, maar ze hadden toch geen macht over mensen die al gestorven waren?

Anna Holt had drie pogingen gedaan. Ze had hem van verschillende kanten benaderd. De tijd genomen. Het resultaat was steeds hetzelfde. Of hij had geen herinneringen, of hij wilde het er niet over hebben.

'Als je dit soort dingen zegt, geef je me toch de stellige indruk dat er iets is wat je me over je ouders, en in het bijzonder je stiefvader, wilt vertellen. Ik stel voor dat je erover nadenkt,' zei Holt knikkend.

'En wat heeft dit ons opgeleverd?' vroeg Holt aan Mattei toen ze Månsson hadden teruggebracht naar zijn cel.

'Hij gebruikt jou om het verhaal uit te proberen dat hij aan anderen gaat vertellen,' zei Mattei.

Hoe wist Mattei dat? Doordat ze al na Holts eerste vraag en Månssons eerste antwoord had begrepen wat hij drie uur later, toen hij de laatste vraag kreeg, zou zeggen.

'Leuk om te horen,' zei Anna Holt. 'Misschien is het voortaan genoeg als ik met jou praat.'

'Als ik jou was, zou ik gevleid zijn,' zei Mattei. 'Waarom zou hij het risico nemen dat jij nu al door zijn verhaal heen prikt? Hij kan het beter bewaren voor de witte jassen. Zij hoeven geen moeite te doen om mensen te ondervragen die er eventueel bij zijn geweest. Om te controleren of het klopt wat hij zegt.'

'Maak je hem nu niet uitgekookter dan hij is?'

'Hij is niet zo uitgekookt,' zei Mattei. 'Maar hij weet precies hoe je vrouwen voor moet liegen. Hoe je jezelf verkoopt aan een wantrouwige klant. Dat is zijn talent.'

'En zelf ben ik een doodgewone bimbo,' zei Holt glimlachend.

'Niet voor Bengt Månsson,' zei Mattei, terwijl ze haar blonde hoofd schudde. 'Voor hem ben je een slimme bimbo, een gevaarlijke bimbo.'

'Maar hij zal hoe dan ook tussen mijn benen eindigen,' zei Holt.

'Dat kun je toch niet zeggen, Anna,' zei Mattei met een zucht. 'Jij bent te goed voor dat soort dingen. Wat ik bedoel is dat hij er diep vanbinnen van overtuigd is dat hij je ook plat zal weten te krijgen. Figuurlijk dus.'

'Dus dat denkt hij,' zei Holt grimmig.

'Hoe zou hij iets anders kunnen denken,' zei Mattei.

's Middags had Bengt Månsson via de bewaking contact gezocht met Anna Holt. Hij moest haar weer spreken. Het was belangrijk. Binnen een kwartier nadat ze het bericht had ontvangen, zat Anna Holt in zijn cel. Månsson voelde zich verschrikkelijk. Hij begreep bovendien niet waarom. Opeens was hij overvallen door een sterke angst en hij begreep niet goed wat er gaande was in zijn hoofd. Toen hij vlak voordat Holt kwam op de afdeling naar de wc zou gaan, was hij plotseling duizelig geworden en gevallen.

'Ik zal een arts voor je regelen,' zei Holt.

'Heel graag,' zei Månsson.

Op de terugweg had Holt bij de bewaker naar hem geïnformeerd.

'Hoe gaat het eigenlijk met Månsson?'

'Wat heb je met hem gedaan,' zei de bewaker met een brede glimlach. 'Toen hij zojuist naar de plee moest, leek hij even helemaal weg. Hij ging onderuit voor ik hem te pakken had.'

'Wat denk jij ervan?'

'Beter dan alles wat ik eerder heb gezien. Regieaanwijzing: doodziek. Belonen met een Oscar voor de beste mannelijke hoofdrol.'

Toen ze 's middags terug zou gaan naar het hotel, had Anna Holt een papier op hun mededelingenbord ontdekt dat niets met haar onderzoek te maken had.

Het was een bladzijde uit het proces-verbaal van het verhoor met de vrouwelijke journalist die aangifte had gedaan tegen haar collega Bäckström wegens seksuele intimidatie.

De collega uit Växjö die de eiser had verhoord, leek dergelijke zaken eerder bij de hand te hebben gehad. Zo leek hij zich goed bewust van het belang dat het OM en de rechtbank over het algemeen hechten aan het verschil tussen slordige of gebrekkige kleding en naaktheid die het resultaat was van opzettelijk seksueel en onzedig gedrag.

'Heb je gezien of hij een erectie had toen hij de handdoek afdeed?' vroeg de verhoorder.

Onduidelijk, volgens de eiser. Ten eerste had ze niet zo goed gekeken. Ten tweede had ze tegen hem geschreeuwd dat hij zich moest gedragen.

'Maar iets moet u toch gezien hebben?' hield de verhoorder aan, want hij wist dat dit van doorslaggevende betekenis kon zijn als hij zich door het oog van de naald wilde wurmen die naar de rechtszaal leidde.

'Het zag eruit als een gewoon knakworstje,' zei de eiser. 'Een boos knakworstje,' voegde ze eraan toe.

Leuk voor Bäckström, dacht Anna Holt, ze verkreukelde het papier tot een prop en gooide het in de mand voor zaken die rechtstreeks naar de papierversnipperaar moesten.

'Net goed voor hem,' gniffelde Mattei op haar genadeloze manier toen Anna Holt en zij ieder met een glas wijn in de bar van het hotel de week zaten door te spreken. 'Ja,' zei Holt met een zucht. 'Soms vraag ik me af wat er mis is met me. Ik had eerlijk gezegd een beetje medelijden met hem. Kun je het je voorstellen, Lisa, ik had medelijden met Bäckström.'

'Er bestaat hulp voor dat soort dingen, Anna,' zei Mattei, terwijl ze haar streng aankeek. 'Als je wilt, prik ik dat papiertje weer op het bord. Als je die types maar een millimeter van jezelf geeft, nemen ze je helemaal.'

'Maar Johansson niet,' zei Holt om een of andere reden.

'Mijn Lars Martin nooit,' was Mattei het met haar eens.

89

Jan Lewin droomt inmiddels elke nacht. Bijna elke keer over die zomer van bijna vijftig jaar geleden waarin hij zijn eerste echte fiets kreeg en zijn vader hem had geleerd erop te fietsen. Maar niet over de fiets, niet over zijn rode Crescent Valiant, maar over die zomer en over die dag waarop zijn vader plotseling naar de stad moest. Papa was niet zoals anders met de bus gegaan. In plaats daarvan was opa met zijn auto langsgekomen om hem op te halen. Papa zag er moe uit. 'Tot gauw,' zei papa en hij woelde hem door zijn haar, maar deze keer werd niet alles als anders toen hij dat deed.

Daarna had opa ook door zijn haar gewoeld en dat was vreemd, want het was de eerste keer in zijn leven dat opa hem door zijn haar woelde.

'Nou Jan, dan moet jij de zaken als man in huis maar overnemen en ervoor zorgen dat je je moeder helpt, terwijl papa in de stad is,' zei opa.

'Dat beloof ik,' zei Jan.

90

Een zomer zonder einde. Een landschap met evenveel meertjes om in te zwemmen als sterren aan de Zweedse nachtelijke hemel. Op zondag hadden Anna Holt en Lisa Mattei een picknickmand ingepakt en waren naar een van die meertjes gegaan om de accu voor de komende werkweek op te laden.

Anna Holt had eerst haar verwaarloosde training ingehaald. Meteen nadat ze zich had omgekleed, was ze gaan stretchen, waarna ze om het meer was gerend. Nadat ze na een klein uur was teruggekomen van haar rondje van ruim tien kilometer, had ze haar schoenen uitgetrapt en was ze meteen hetzelfde meer op en neer gecrawld. Daarna had ze tweehonderd sit-ups en evenveel push-ups gedaan. Ze had het geheel afgerond met stretchen en had ietwat rood aangelopen uitgeblazen bij 25 graden.

Lisa Mattei was in de schaduw gaan liggen om een van haar lievelingsboeken uit haar jeugd te herlezen, *Emil und die Detektive* van Erich Kästner. Vooral het hoofdstuk waarin de kleine Emil de gemene boef met behulp van technisch bewijs in de val lokt – het minuscule gaatje door de zes gestolen bankbiljetten – had blijvende sporen achtergelaten in haar ziel en Emil zelfs nog boven de meesterdetective Ture Sventon met zijn meer intuïtieve onderzoeksmethodes geplaatst. Ture Sventon, die zich voornamelijk baseerde op zijn herhaalde waarnemingen van de spitse schoenen van de boef en de daaruit volgende conclusies over de karakteristieke eigenschappen van de drager. Lisa Mattei was als klein meisje al meer forensisch georiënteerd.

Na haar training was Anna Holt bij haar in de schaduw komen zitten en ook zij had zich aan het lezen gezet. Met behulp van telefoonlijsten, getuigenverklaringen en diverse forensische informatie had Lewin een tijdverslag gemaakt van de bezigheden van hun verdachte gedurende het etmaal waarin hij Linda Wallin had verkracht en gewurgd. Anna Holt had het nodig voor de komende verhoren en was van plan om elk tijdstip en elk kleinste detail van dat etmaal uit haar hoofd te kennen.

Vanaf zes uur 's middags op donderdag 3 juli was Månsson thuis geweest in zijn appartement aan de Frövägen in het stadsdeel Öster, ruim een kilometer buiten het centrum van Växjö. Even na tien uur 's avonds had hij bezoek gekregen van hun getuige die geweigerd had seks met hem te hebben. Ze had hem rond halfelf 's avonds verlaten en zodra ze de deur uit was, was Månsson aan het bellen geslagen.

Tussen halfelf 's avonds en middernacht had hij vanaf zijn vaste telefoon thuis in totaal elf telefoontjes gepleegd. Allemaal naar vrouwelijke bekenden. Negen van hen waren niet thuis geweest en hij leek geen berichten op hun antwoordapparaat te hebben achtergelaten. Een van hen had met hem gesproken, maar ze had hem niet kunnen ontmoeten omdat ze al bezet was. Een ander had ook met hem gesproken, maar zodra ze doorhad wie er belde, had ze de hoorn op de haak gegooid.

Månsson was de stad in gegaan en omdat de documentatie van de twee daaropvolgende uren gebaseerd was op meerdere getuigenissen, was dit gedeelte bij lange na niet zo zeker en exact als bijvoorbeeld een goed uitgevoerde controle van telefoongesprekken en in het beste geval eentje waarbij gebruik was gemaakt van mobiele telefoons. Even na middernacht had Månsson een op dit tijdstip gebruikelijke getuige gegroet, een buurman die het pand binnen ging nadat hij zijn hond had uitgelaten. De getuige was uiteraard volkomen zeker van de dag, het tijdstip en de persoon. Bovendien wist hij te vertellen dat Månsson te voet naar het centrum was gegaan. Lewin had gezucht en genoteerd wat de getuige tijdens het verhoor had gezegd.

Vervolgens waren er twee verklaringen waaruit bleek dat Månsson ten minste één pub in Växjö had bezocht. De barman die rond halfeen een biertje voor hem had getapt en een halfuurtje later nog een, kende hem van eerder bezoek aan het café en deze keer was het hem opgevallen dat Månsson zonder vrouwelijk gezelschap was en een 'gejaagde en opgefokte' indruk maakte. Lewin had twee keer gezucht, waarop hij de informatie van de getuige had opgeschreven in het tijdverslag. De volgende getuige beweerde Månsson tussen een en twee uur 's nachts in een ander etablissement in de buurt van het eerstgenoemde te hebben gezien. Omdat hij Månsson had herkend op de foto's die hij in de krant had gezien, 'ik weet heel zeker dat hij het was', had Lewin nog een keer gezucht.

Om kwart over twee werd het meteen beter. Dat was het tijdstip waarop Månsson vanuit het centrum van Växjö Lotta Ericsons oude telefoonnummer had gebeld vanaf zijn mobiel. Omdat Lewin de getuige hiervan had gezien en verhoord en daarnaast de uitdraai van de telefooncontrole had gezien, had hij geen enkele keer hoeven zuchten.

Even na drie uur 's nachts was hij volgens hun eigen analyse van de moord op Linda Wallin opgedoken bij het pand waar Linda's moeder woonde. Linda's auto stond op straat voor het gebouw geparkeerd en hij had hem zeker herkend. Månsson had vermoedelijk een plotselinge impuls gekregen en was het gebouw in gegaan in de hoop Linda te ontmoeten. Dat hij zomaar naar binnen had kunnen lopen, was niet raar, aangezien het codeslot van de buitendeur al enkele dagen buiten bedrijf was.

Daarna was hij vermoedelijk verkeerd gelopen, om dezelfde reden als waarom hij het verkeerde nummer had gedraaid, en had hij aangebeld bij de deur van het oude appartement van Linda's moeder op de bovenste etage. Toen de honden waren aangeslagen, was hij snel de trap af gelopen. Hij had de naambordjes beneden in de hal een extra keer gecontroleerd. Daar had hij een 'L. Ericson' gevonden met de juiste voorletter en juiste spelling van de achternaam, had de gok gewaagd en aangebeld, en werd vervolgens binnengelaten door Linda, die net thuisgekomen was.

Alles wat daarop volgde, bestond weliswaar uit speculaties, maar omdat Lewin zelf degene was die had gespeculeerd, had hij geen enkel probleem met de betrouwbaarheid ervan. Integendeel, zijn aannames vormden de basis voor verdere conclusies, die hij bovendien als noten aan het verslag had toegevoegd. Dat Månsson niet meer bij Linda's moeder op bezoek was geweest sinds ze ruim drie jaar geleden was verhuisd. Dat ze het waarschijnlijk niet eens met hem

497

over de verhuizing had gehad. Dat Linda het hem niet verteld leek te hebben, dat het bezoek aan Linda spontaan was en niet afgesproken of gepland.

Tussen ongeveer kwart over drie en vijf uur 's ochtends was Månsson samen met zijn slachtoffer op de plaats van het misdrijf geweest. Rond vijf uur was hij uit het slaapkamerraam gesprongen en naar alle waarschijnlijkheid was hij te voet naar zijn woning gegaan. Hij moest voor halfzes al thuis geweest zijn.

Vervolgens had hij een aantal noodzakelijke spullen in een sporttas gestopt en had hij besloten Växjö te verlaten. Waarom was onduidelijk. Hij had al kaartjes voor het concert van Gyllene Tider op Öland voor die avond, maar er was ontegenzeggelijk heel wat gebeurd sinds hij ze had gekocht. Een halfslachtige vluchtpoging? Een poging om een alibi te verkrijgen en daarmee een reden om niet met de bus naar Kalmar te gaan?

Waarschijnlijk besloot hij op dat moment om de oude Saab van de piloot te stelen, dacht Lewin. De bus nemen zou niet erg weldoordacht zijn. Het was beter alleen te reizen.

Hij ging te voet van zijn woning aan de Frövägen naar de parkeerplaats aan de Högstorpsvägen een kilometer van zijn huis. Om een uur of zes 's ochtends werd hij door hun tweeënnegentigjarige getuige opgemerkt, stal hij de auto en reed weg. Dit was allemaal heel goed mogelijk en een snelle wandeling was voldoende voor de verplaatsing tussen zijn eigen woning en de parkeerplaats waar de auto stond.

Om ongeveer kwart over zes was hij vertrokken in de richting van Kalmar en zo'n tien kilometer buiten die stad had hij de auto achtergelaten. Dat moet even voor acht zijn geweest, gesteld dat hij zich aan de maximumsnelheid had gehouden, dacht Lewin.

Het dumpen van de auto moet snel zijn gegaan en toen was het ongeveer halfnegen. Hoe hij vervolgens naar Kalmar was gegaan was echter onduidelijk. Volgens de reconstructies van de politie was het mogelijk dat hij dat ook te voet had gedaan. Hij zou een paar uur de tijd hebben gehad om de dik tien kilometer af te leggen naar de vrouw die hij even na negen uur 's ochtends had gebeld. Bovendien was er niemand die hem in de bus had gezien of van zich had laten horen omdat hij of zij hem een lift zou hebben gegeven.

Vervolgens was hij de hele vrijdag tot middernacht in Kalmar en op Öland. De jonge vrouw met wie hij van de plaats van het concert zou zijn verdwenen, hadden ze niet te pakken weten te krijgen, hoewel het in de media bekend was gemaakt en ze was opgeroepen contact met hen op te nemen.

Waar hij de rest van het weekend had doorgebracht, was onduidelijk. Waar hij ook was geweest, op maandagochtend was hij terug op zijn werkplek in Växjö.

'Jan Lewin is een nauwgezet man,' concludeerde Anna Holt nadat ze klaar was met lezen. 'Misschien wat langdradig naar mijn smaak,' zei Mattei. 'Verder is de manier waarop hij feiten weergeeft, doortrokken van angst. Ik denk dat hij feiten gebruikt als een manier om zijn eigen angst te beteugelen.'

'Dus niet zoals Johansson met al zijn verhalen over zijn eigen heldendaden en de idiote mislukkingen van alle anderen,' zei Holt, terwijl ze Mattei nieuwsgierig aankeek.

Zeker niet, aldus Lisa Mattei. Lars Martin Johansson leek absoluut niet op Jan Lewin, hoewel ze van dezelfde leeftijd waren. Integendeel. De verhalen van Lars Martin Johanssons hadden haar meer over politiewerk geleerd dan bijna alle andere dingen die ze gedaan, gelezen, gezien of gehoord had. Bovendien was hij enorm onderhoudend en in de verhalen die hij vertelde, zat altijd een didactisch element.

'En dan zijn ze nog honderd procent waar ook,' zei Holt verrukt glimlachend.

Honderd procent waar, aldus Lisa Mattei en uniek in de zin dat Lars Martin Johansson een van de weinigen was die had begrepen dat er soms maar één manier was om de waarheid te vinden, namelijk door een innerlijke dialoog met jezelf. Dat wat uitgerekend Skinner in zijn wetenschappelijke essays over introspectie had ontwikkeld als een manier om de waarheid en het licht te vinden. En dat had niets maar dan ook niets gemeen met onze alledaagse, trieste visie op het verschil tussen waarheid en leugen.

'Johansson liegt vast nooit,' plaagde Holt haar.

'Niet op de gebruikelijke manier,' zei Mattei. 'Daar is hij het type niet voor. Johansson liegt nooit tegen anderen.'

'Wat voor type is hij dan wel?'

'Misschien liegt hij tegen zichzelf,' zei Mattei en opeens klonk ze tamelijk kortaf.

'Dat je niet met hem gaat trouwen, Lisa,' zei Holt.

'Hij is al getrouwd. Bovendien geloof ik niet dat ik zijn type ben,' stelde Mattei met een zucht vast.

91

De maandag na het weekend was Anna Holt in de aanval gegaan en had ze Bengt Månsson geconfronteerd met Lewins overzicht van wat hij eigenlijk allemaal gedaan had. De vriendelijk luisterende Lisa Mattei was vervangen door Anna Sandberg, al was het maar om hem te herinneren aan zijn enige en grote belangstelling in zijn leven.

'Hoe wil je het gaan aanpakken, Anna?' vroeg Anna Sandberg.

'Ik praat, jij luistert. Als ik wil dat jij iets zegt, zul je dat wel merken,' legde Holt uit.

'Prima, wat mij betreft.'

'Geen dreigementen, geen beloftes, niet te veel haast. Verder mag je zo bitchy zijn als je maar wilt,' zei Holt.

'Dat laatste zal volgens mij geen probleem zijn,' zei Anna Sandberg.

'Omdat ik steeds geprobeerd heb eerlijk tegen je te zijn, Bengt, wilde ik je dit overzicht laten zien,' begon Anna Holt en ze overhandigde hem de samenvatting van Lewins tijdverslag.

'Dat stel ik zeer op prijs,' zei Månsson beleefd.

'Wat fijn,' zei Anna Holt vriendelijk glimlachend. 'Dan stel ik voor dat je het in alle rust doorleest. Alles wat daar staat, weten we zonder dat we je het hoefden te vragen, maar het zou heel interessant zijn als we jouw versie ook zouden kunnen horen.'

Vijf minuten later was Bengt Månsson klaar met lezen.

'Ja, ik zie natuurlijk wat daar staat,' zei Månsson. 'En als ik dat zie, dan herinner ik me dat ik Linda die avond... die nacht bedoel ik, inderdaad heb opgezocht. Ik herinner me dat we eerst zaten te praten

en dat we daarna seks met elkaar hadden, op een bank, geloof ik...
maar daarna herinner ik me helemaal niets meer.'
'Daarna herinner je je helemaal niets meer,' herhaalde Anna
Holt.
'Er is alleen een soort zwart gat,' zei Bengt Månsson.
'En wat is je volgende herinnering?' vroeg Holt.

Månsson wist nog dat hij een oude vriendin had ontmoet. Dat hij bij
haar thuis was geweest. Ze woonde in Kalmar. Dat ze overdag seks
hadden gehad. Dat ze 's avonds naar een concert waren geweest.
Gyllene Tider. Dat wist hij nog. Hij had de kaartjes voor midzomer
al gekocht. Via persoonlijke contacten die hij via zijn werk had opgedaan.
Maar daarna was het zwart. Dat hij zonder te weten waarom
voortdurend last had van verschrikkelijke angsten, dat herinnerde
hij zich nog. Dat hij daar zomaar weg was gegaan. Dat hij zijn vriendin had verlaten. Het concert had verlaten. Dat hij naar huis gegaan
was. Hij meende zich te herinneren dat hij met de bus van Kalmar
naar Växjö was gegaan. Een zwart gat, hevige angst, weer thuis.
Onduidelijk wanneer, maar het moest ergens overdag zijn geweest,
want er waren mensen op straat.
'Ergens op zaterdag, overdag, kwam je dus weer thuis,' zei Holt.
'Dat zal wel,' zei Månsson, terwijl hij zijn schouders ophaalde. 'Er
is alleen een soort zwart gat.'
'Zijn er dingen die je je afvraagt, Anna,' zei Anna Holt tegen haar
collega.
'Dus alles wat je nog weet, is dat je het niet meer weet,' zei Anna
Sandberg zuur.
'Ja,' zei Månsson en hij keek haar aan alsof hij nu pas doorhad dat
zij aanwezig was.
'Maar dat je een gat in je geheugen hebt, dat weet je heel goed,'
zei Anna Sandberg.
'Ja,' zei Månsson. 'Het is gewoon een soort zwart gat.'
'Tussen vier uur 's ochtends in de nacht van donderdag op vrij-
dag tot de ochtend van diezelfde dag is het gewoon een soort zwart
gat?'
'Ja,' zei Månsson. 'Precies. Het is onbegrijpelijk.'
'Dat is het zeker,' vond ook Anna Sandberg. 'Ik heb nog nooit

van zo'n exact gat in het geheugen gehoord. Vreemd ook dat je je dat zo goed herinnert. Dat je zo precies weet wat je niet meer weet, bedoel ik, en dat dat bovendien heel toevallig net het moment is waarop je Linda wurgt en verkracht.'

'Je denkt toch niet dat ik hier over zoiets zou zitten liegen?' onderbrak Månsson haar.

'Je durft het gewoon niet toe te geven,' zei Anna Sandberg en ze haalde haar schouders op. 'Je bent gewoon te laf. Eigenlijk ben jij de enige hier die echt zielig is.'

'Dat zwarte gat,' viel Anna Holt haar ter afleiding in de reden. 'Kun je niet proberen het te beschrijven? Hoe ziet het eruit?'

Als een gewoon gat. Dat hem hevige angst bezorgde zonder dat hij begreep waarom.

'Het lijkt erop dat er verschrikkelijke dingen zijn gebeurd toen jij in dat gat zat,' constateerde Anna Sandberg. 'Wat zou je ervan zeggen om te proberen eruit te klimmen?'

'Hoe bedoel je dat?' vroeg Månsson.

'Door te vertellen wat je deed in dat gat. Wat je deed toen je daar zat,' antwoordde ze.

'Ik weet het niet,' zei Månsson. 'Ik kwam er zomaar in terecht.'

Hoewel ze de hele dag bezig waren geweest, waren ze niet verder gekomen. Tegen het einde van het verhoor had Månsson zelf een aantal dingen willen vertellen. Belangrijke dingen. Belangrijk voor hen om mee te nemen. Ten eerste had hij Linda niet vermoord. Ze hadden seks met elkaar gehad. Honderd procent vrijwillig. Hij had haar op geen enkele manier beschadigd.

'Hoe kun je dat weten?' onderbrak Anna Sandberg hem. 'Je herinnert je toch niks?'

Månsson wist dat zonder zich iets te herinneren. Hij zou zoiets nooit doen. Hij kon het zich niet eens voorstellen.

'Denk er maar eens over na,' stelde Holt voor en daarna had ze het verhoor beëindigd.

'Nu hebben we hem in het appartement. We hebben hem op de bank gekregen en hij gaat met Linda naar bed,' zei Anna Sandberg en ze zag er net zo bloeddorstig uit als ze zich de hele tijd al voelde.

'Inderdaad,' zei Anna Holt, terwijl ze haar schouders ophaalde. 'Maar meer dan dat vertelt hij ons niet.'

'Ik ben bang dat ik je niet volg,' zei Anna Sandberg.

'We zullen hem nooit verder krijgen dan dit,' zei Anna Holt, terwijl ze haar hoofd schudde. 'Hij wilde alleen zijn zwarte gat lanceren.'

'Hij erkent in elk geval dat hij het zich niet herinnert,' zei Anna Sandberg.

'Zo stom is hij niet,' stelde Holt vast. 'Hij heeft van tevoren kunnen lezen wat Enoksson en zijn collega's hebben uitgevonden. Dat stuk heeft zijn advocaat ongetwijfeld geregeld.'

'Ik vraag me toch iets af,' zei Anna Sandberg. 'Waarom probeert hij die andere strategie niet. Uit de hand gelopen seksspelletjes, bedoel ik.'

'De meest voor de hand liggende verklaring is dat zijn advocaat hem dat ten zeerste heeft afgeraden,' zei Holt met een lichte zucht.

92

De voorlaatste nacht in Växjö had Jan Lewin gedroomd over de zomer waarin zijn vader hem had leren fietsen. De zomer waarin hij zijn eerste echte fiets had gekregen, een rode Crescent Valiant. De zomer waarin zijn vader was overleden aan kanker.

Toen hij wakker werd en de badkamer in liep, had hij het raam open moeten doen om lucht te krijgen. Buiten regende het. Stille regen uit donkere wolken. Het was ook koud geworden.

Wat heb ik hier te zoeken, dacht hij. Het is voorbij. Het is tijd om naar huis te gaan.

93

Midden in de week hadden Jan Lewin en Eva Svanström hen verlaten. Hun taak zat erop en ze waren niet langer nodig. Niet in Växjö in elk geval. Onderweg naar Stockholm had Jan Lewin moed verzameld om Eva te zeggen dat het hoog tijd was dat ze iets van hun relatie maakten. Dat hij zou scheiden van zijn vrouw en zij van haar man. Dat ze samen zouden gaan wonen. Dat ze dan aan een gezamenlijke toekomst zouden beginnen. Hoog tijd, met name voor hem, want zijn leven werd in elk geval snel korter.

Het was nooit uitgesproken en met het oog op wat er in Eva Svanströms hoofd speelde, was dat misschien maar goed ook. Zodra ze terug was in Stockholm, was ze van plan een serieuze poging te doen haar huwelijk op orde te krijgen en Jan Lewin te bedanken voor de tijd die ze samen hadden gehad. Achteraf bezien waren het veel te veel jaren geworden, maar op zich hadden de dagen met hem de jaren draaglijk gemaakt. Hoe je zoiets dan ook moet uitleggen, dacht ze. Als het hart niet meer klopt en er in je borstkas alleen nog maar een zwart gat zit, waar je niet eens in durft te kijken. Laat staan dat je durft te vertellen wat erin zit.

Geen herinneringen aan de tijd voordat hij naar school ging. Een moeder over wie hij weigerde te vertellen. Een adoptievader die rustte onder een grafsteen waar hij niet eens naartoe wilde om ertegenaan te pissen. Een zwart gat dat hij zich goed herinnerde. De onwrikbare overtuiging dat hij Linda in elk geval geen kwaad had gedaan. De gedachte alleen al dat hij dat gedaan zou hebben, was onverdraaglijk, en daarom kon hij het ook niet gedaan hebben.

Nog zes verhoren over dit onderwerp, en de officier van justitie was bij de vier laatste aanwezig geweest. Eén keer was hij omgeven door drie vrouwen die om de beurt met hem spraken. Katarina Wibom, Anna Holt en Anna Sandberg.

'Drie tegen een,' constateerde Månsson, maar zijn van galgenhumor doortrokken glimlach kwam erg geforceerd over.
'We dachten dat je het liefst met vrouwen omging, Bengt,' zei Katarina Wibom. 'Hoe meer hoe beter, hadden we de indruk.'

Wat nog overbleef, was het zwarte gat waarin Bengt Månsson zich volgens het technische bewijs zou hebben bevonden in het dikke uur waarin hij Linda Wallin verkrachtte, mishandelde en wurgde en waarin hij de auto ongeveer een uur later had gestolen om gewoon weg te rijden en alles achter zich te laten. Dit zwarte gat was juridisch gezien van beperkt belang.

'Een zwart gat,' vatte de leider van het verhoor Anna Holt samen. 'Plus zo om en nabij honderdtwintig procent technisch bewijs,' voegde Katarina Wibom eraan toe.

'Als hij nou maar keihard ontkend had,' zei Holt. 'Of het tenminste op een uit de hand gelopen seksspelletje gegooid had.' Je kunt niet alles hebben, dacht ze.

Op vrijdagmiddag 5 september hadden ook Knutsson en Thorén Växjö verlaten. Andere moordslachtoffers lagen op hun diensten te wachten. Zelfs aan de stapels die zich hadden opgehoopt op hun bureau in Stockholm, moest iets gedaan worden. Omdat ze allebei beleefd en welopgevoed waren, hadden ze voordat ze vertrokken afscheid genomen van hoofdinspecteur Bengt Olsson.

'Bedankt voor de gastvrijheid,' zei Knutsson.

'In het ergste geval zien we elkaar misschien wel weer,' zei Thorén. 'Ja, je begrijpt wel wat ik bedoel, hè Bengt,' voegde hij er verontschuldigend aan toe.

'Ik begrijp het precies,' zei Olsson glimlachend. 'Zonder jullie was het moeilijk voor ons geworden deze zaak op te helderen. Al hadden we hem vroeg of laat met behulp van zijn DNA natuurlijk wel gevonden.'

'Zonder ons waren Olsson en die kleine Månsson vast samen gaan wonen,' mijmerde Knutsson in de auto onderweg naar Stockholm.

'En ze leefden nog lang en gelukkig,' vulde Thorén hem aan.

'Ik vraag me af hoe het met Bäckström zal aflopen,' zei Knutsson.

'Bäckström redt zich altijd wel,' zei Thorén.

94

Op vrijdag 12 september hadden Anna Holt en Lisa Mattei Växjö verlaten en waren ze teruggegaan naar Stockholm. Holt zou terugkeren naar haar tijdelijke functie als commissaris bij het Bureau voor Nationale Samenwerking van de rijksrecherche. Johansson had overigens al geprobeerd haar naar zijn burelen te lokken door met een nieuw gecreëerde functie als stafcommissaris en zijn vertrouwelinge te wapperen. Het vooruitzicht om naar al zijn verhalen te moeten luisteren trok haar niet bijzonder, dus ze had het voorstel afgewezen. Resoluut en natuurlijk zo vriendelijk als ze maar had gekund. Johansson had precies zo gereageerd als ze had verwacht. Hij had dagenlang lopen mokken als een kind, maar de week daarop had hij zich weer normaal gedragen en haar bijna demonstratief vriendelijk gegroet als ze elkaar op de gang tegen het lijf liepen.

Het is net een kind, dacht Holt. Ik ben benieuwd wat hij de volgende keer weet te verzinnen.

Lisa Mattei zou vrijgesteld worden van haar werk om haar studie aan de universiteit van Stockholm af te ronden. Hopelijk zou ze tegen de jaarwisseling, als haar verlof ophield, klaar zijn. Tegelijkertijd twijfelde ze. Elk wetenschappelijk probleem dat ze oploste, leek onmiddellijk twee nieuwe problemen te genereren, zo mogelijk nog spannender dan het probleem dat ze net had opgelost, en het enige alternatief dat hier wat haar betreft enigszins mee kon concurreren, was eigenlijk de baan die Anna Holt had afgeslagen en die Johansson haar nooit van zijn leven aan zou bieden.

Vreemd dat zo'n begaafde man niet inziet wat het beste voor hem is, dacht Mattei.

Voordat ze waren vertrokken, had Anna Holt een lang overleg gehad met de officier van justitie Katarina Wibom, waarbij ze haar de honderden pagina's met de processen-verbaal van de verhoren had overhandigd. Alles bij elkaar twaalf verhoren met de verdachte

Bengt Månsson. Op een na allemaal in de dialoogvorm. Netjes uitgeschreven en ingebonden met op de omslag het kleine rijkswapen in geel en blauw plus de sticker van de politie Växjö. Bovendien voorzien van een inleidende samenvatting voor de officier.

'Verder dan dit kom ik niet, dus nu mag jij het overnemen,' concludeerde Holt en ze knikte naar de papieren op de tafel tussen hen in.

'Ik wil je heel hartelijk bedanken, Anna,' zei Katarina Wibom. 'Dit is meer dan ik kon verlangen en absoluut meer dan ik had gehoopt.'

'Hoe zal het verdergaan, denk je?' vroeg Holt.

'Levenslang voor moord,' zei de officier van justitie. 'Voorzover ik kan zien, hebben Månsson en zijn advocaat twee mogelijkheden voor de verdediging.'

'Welke twee dan?' vroeg Holt.

De eerste mogelijkheid was dat hij en zijn slachtoffer seksspelletjes hadden gedaan die uit de hand waren gelopen. Vrijwillig van haar kant, actieve instemming zelfs, ongelukkige omstandigheden, die resulteerden in haar dood en een paar jaar gevangenisstraf.

'Wat denk je daarvan?' vroeg Holt.

'Dat kun je wel vergeten,' zei de officier van justitie, terwijl ze haar hoofd schudde. 'Ik zal het niet eens op ernstige nalatigheid hoeven gooien. Wat de technici gevonden hebben en wat de patholoog-anatoom heeft gezegd, is meer dan genoeg.'

'En dat weet je heel zeker?' vroeg Holt.

'We hebben het over de arrondissementsrechtbank in Växjö,' bracht Wibom haar in herinnering. 'Nog afgezien van dat hij mogelijk gaat beweren dat het helemaal niet zo gegaan is. Hopelijk is zijn advocaat verstandig genoeg om hem dat af te raden.'

'En wat heb je nog meer? De tweede mogelijkheid, bedoel ik,' zei Holt.

'Gat in het geheugen,' zei de officier van justitie. 'Al was het maar een handige aanloop om aan te tonen hoe psychisch gestoord hij is. Om de weg vast te effenen voor al het seksuele misbruik en de overige mishandelingen in zijn jeugd, waarover hij zal vertellen zodra

hij onderwerp is geworden van een onderzoek naar toerekenings-
vatbaarheid en alleen wordt gelaten met de doktoren die in tegenstelling tot alle andere mensen in staat zijn om bij mensen in het
hoofd te kijken.'

'Sinds die mannetjes en vrouwtjes in hun witte jassen de mogelijkheid hebben gekregen om hun trukendozen aan te vullen met deze
nieuwe gaten in het geheugen, is er geen boef meer die zich überhaupt nog iets herinnert,' zuchtte de officier.

'Wat is er gebeurd met die ouderwetse pathologische roes, onze
doodgewone degelijke Zweedse dronkemanswaan?' zei Holt en ook
zij zuchtte.

'Die is verdwenen op het moment dat alle zogenaamde dronke-
lappen tot levenslang werden veroordeeld hoewel ze er echt geen
idee van hadden dat ze de avond ervoor een mes in hun beste vriend
hadden gestoken. Tegenwoordig ligt het gecompliceerder. Sterke
drank is niet genoeg meer. Zelfs niet als je je hersenen meer dan
twintig jaar lang in alcohol hebt gemarineerd. De forensische wetenschap schrijdt namelijk voort. Voortdurend. Alleen mensen als jij
en ik blijven in een kringetje ronddraaien.'

'Zal hij het daarmee weten te redden dan?'

'Niet bij de arrondissementsrechtbank in Växjö,' zei de officier.
'Vergeet dat maar. Maar bij het gerechtshof – want daar komen we
uiteindelijk terecht – zou ik er niet om durven wedden.'

'Wegens moord veroordeeld tot tbs met dwangverpleging,' vatte
Holt samen.

'Mogelijk of zelfs waarschijnlijk,' zei de officier van justitie. 'En
de enige troost in dit verband is dat de meeste advocaten een vreemd
beeld hebben van hoe het is om tegenwoordig terecht te komen op
de gesloten afdeling van een tbs-kliniek.'

'Geen rozengeur en maneschijn,' zei Holt.

'Geen rozengeur en maneschijn,' zei de officier.

95

De tweede maandag van oktober had de Persclub in Stockholm een grote bijeenkomst georganiseerd waar naar aanleiding van de veelbesproken Linda-moord diverse rechtszekerheidskwesties werden besproken. Een groot aantal van de meest gevierde mediafiguren hadden in het panel gezeten en het juweel in deze mediale kroon was uiteraard de hoofdredacteur van *Dagens Nyheter*.

Desalniettemin was hij zeker niet de voornaamste gast als het de tafelschikking van een diner met de koning had betroffen, aangezien de inleidende spreker van de avond en eregast de Justitiekanselier, de JK, was.

De JK had uiting gegeven aan een sterke bezorgdheid over de manier waarop de politie de Linda-moord en andere vergelijkbare gebeurtenissen de laatste tijd had onderzocht. Volgens de informatie die hij had opgevraagd, had de politie Växjö in samenwerking met de rijksrecherche vrijwillige DNA-monsters van bijna zevenhonderd mensen verzameld. Monsters die in alle gevallen uitwezen dat de drager niets met het misdrijf te maken had.

Volgens de informatie die zijn medewerkers van de rijksrecherche hadden verkregen, was het misdrijf bovendien op traditionele wijze opgelost met behulp van een combinatie van tips, getuigenverklaringen en registeronderzoek. Het DNA-materiaal van de dader had weliswaar een niet geringe rol gespeeld bij de bewijsvoering die de officier van justitie had gepresenteerd bij het vooronderzoek. Desondanks, en zonder op de rechterlijke uitspraak vooruit te willen lopen, vond de JK dat alle andere, meer traditionele bewijzen meer dan voldoende waren voor het besluit van de officier van justitie om de zaak voor te laten komen.

Persoonlijk stond de JK zeer kritisch tegenover het gebruik van het woord 'vrijwillig' in een situatie waarin de politie en het openbaar ministerie de mogelijkheid hadden zogenaamde gerechtelijke dwangmiddelen te gebruiken. Voor hem waren die twee dingen niet met elkaar te verenigen, en onder meer daarom omarmde hij het voorstel van de zogeheten DNA-commissie tot een sterke uitbreiding van de mogelijkheden van de rechtshandhavende instanties om DNA te verzamelen, DNA-analyses uit te voeren en de resultaten te registreren.

De kwestie van vrijwilligheid zou dan hopelijk snel obsoleet zijn en in de beste van de toekomstige werelden zou het DNA van alle mensen natuurlijk vanaf hun geboorte worden opgeslagen in een nationaal register. Al was het alleen maar voor hun eigen bestwil.

Ter afsluiting had hij ook van de gelegenheid gebruikgemaakt om de media te complimenteren met hun oplettendheid. Met gepaste bescheidenheid achtte hij het zelfs niet uitgesloten dat hij het actuele probleem gemist zou hebben als de media hem niet tijdig gewaarschuwd hadden.

De vertegenwoordigers van de media hadden geen fundamentele bezwaren tegen de analyse en conclusies van de JK. Dit was een belangrijk kwestie, van cruciaal belang in elke democratie en rechtsstaat, en volgens de hoofdredacteur van *Dagens Nyheter* zou het in de toekomst zo mogelijk nog hoger op de agenda van zijn krant komen te staan. Persoonlijk was hij trots en blij dat hij en zijn capabele medewerkers van de krant de bal aan het rollen hadden gebracht.

De voorzitter van de Persclub, die het debat leidde, had tegen het einde van de gelegenheid gebruikgemaakt om de hoofdredacteur van *Smålandsposten* – omdat hij nu aanwezig was en ze elkaar nou eenmaal niet dagelijks spraken – te vragen hoe het mogelijk was dat een kleine, regionale krant had besloten een debatartikel af te wijzen dat de grootste kwaliteitskrant van het land onmiddellijk had gepubliceerd en bovendien had laten volgen door zowel redactioneel commentaar als meerdere belangwekkende reportages ter plaatse.

De hoofdredacteur van *Smålandsposten* had bedankt voor de vraag. Zonder op details in te gaan kon hij wel vertellen dat de afwijzing verband hield met zijn eigen kennis van de schrijver van het artikel. Omstandigheden die wellicht niet bekend waren bij de collega's van *Dagens Nyheter*, of men had ervoor gekozen ze buiten beschouwing

513

te laten. Maar wat wist hij, een eenvoudige persmuskiet van het platteland, nou eigenlijk van de besluitvorming bij de voornaamste krant van het land? Hoe het ook zij, hij had zelf besloten om het artikel van bibliothecaris Marian Gross te weigeren. Hij had er geen minuut spijt van gehad en als hij in de toekomst een vergelijkbaar aanbod zou krijgen, zou hij vanzelfsprekend dezelfde keuze maken.

Vervolgens waren ze naar de Operabar, Grands Veranda en andere nabijgelegen drinkgelegenheden voor welgestelden gegaan en net als altijd was het mediadebat de halve nacht doorgegaan, voordat de deelnemers eindelijk naar huis konden voor enkele uren welverdiende nachtrust.

96

Op maandag 20 oktober werd de eerste zitting van de rechtszaak tegen Bengt Månsson gehouden bij de arrondissementsrechtbank van Växjö. De uitspraak werd pas bijna drie maanden later gedaan, op 19 januari van het jaar daarop. De voornaamste reden dat het zo veel tijd kostte, was het besluit van de rechtbank om Månsson eerst een zogenaamd uitgebreid toerekeningsvatbaarheidsonderzoek te laten ondergaan om een zo breed mogelijk fundament te hebben bij de keuze voor de strafrechtelijke gevolgen.

Op 20 december had men al antwoord gekregen van de forensisch-psychiatrische kliniek in Lund, maar daarna was het tijd om kerst, Oud en Nieuw en alle andere feestdagen te vieren. Bovendien had de rechtbank tijd nodig om de formuleringen bij te vijlen en op te poetsen en om in het algemeen over van alles en nog wat na te denken.

Uit de niet-geheime conclusie van het forensisch-psychiatrisch onderzoek bleek echter dat Månsson psychisch weliswaar ernstig gestoord was, maar dat zijn stoornis tegelijkertijd niet ernstig genoeg was om hem in een gesloten tbs-kliniek te plaatsen. In het vonnis had de arrondissementsrechtbank de eis van de officier van justitie unaniem gevolgd en Bengt Månsson werd veroordeeld tot levenslange gevangenisstraf wegens moord.

Het vonnis was in hoger beroep aangevochten en het gerechtshof besloot een nieuw forensisch-psychiatrisch onderzoek te laten doen. Ditmaal werd het onderzoek uitgevoerd door het Sankt Sigfrid ziekenhuis in Växjö onder leiding van de pasbenoemde hoogleraar in de forensische psychiatrie, Robert Brundin.

Brundin was tot andere conclusies gekomen dan zijn collega's in Lund. Naar zijn stellige mening leed Månsson aan een bijzonder ernstige psychische stoornis en in de uitspraak die het gerechtshof eind maart deed, werd hij veroordeeld tot tbs met dwangverpleging wegens moord.

De week erna werd een lang televisie-interview gehouden met professor Brundin in een van de vele actualiteitenprogramma's van de staatstelevisie. Eigenlijk ging het om een zwaar gestoorde dader met sterk chaotische trekken. Deze konden op hun beurt herleid worden tot ernstige traumatische ervaringen in de jeugd van de dader. Weliswaar geen oorlogstrauma, zoals bij de typische chaotische dader, maar wat de kwalitatieve inhoud en de gevolgen betreft vrijwel identiek. Daarnaast vielen ze onder de geheimhoudingsplicht van de arts, waardoor Brundin niet nader in kon gaan op de inhoud ervan. Er was echter geen sprake van een seksuele sadist met volledig ontwikkelde seksuele fantasieën. Evenmin van een onvervalst chaotisch type. Eerder van een interessante tussenvorm die tussen de seksuele sadist en de chaotische dader in lag.

'Ik bedoel dus dat ik er eindelijk in ben geslaagd om de ontbrekende schakel tussen deze beide basistypes te vinden,' concludeerde een zeer tevreden Brundin, die zichzelf en zijn nieuwe patiënt overigens gelukwenste met de nauwe contacten die ze met elkaar zouden onderhouden.

'Denkt u dat u er ooit in zal slagen hem te genezen?' vroeg de verslaggeefster.

Met alle respect voor haar en haar programma was Brundin van mening dat de vraag verkeerd geformuleerd was.

'Hoe bedoelt u dat?'

'Eigenlijk gaat het erom dat we de komende generatie mensen zoals hij kunnen helpen,' legde Brundin uit. 'Maar als je je afvraagt hoelang hij behandeld moet worden, dan ben ik bang dat deze patiënt tot een reeds verloren generatie behoort,' besloot Brundin, die ook een belezen man was.

Bäckström had het programma op televisie gezien. Hij zat thuis in zijn fijne hol in de buurt van het politiebureau met een biertje, een glaasje maltwhisky, met ziekteverlof, een onderzoek naar seksuele intimidatie dat binnenkort geseponeerd zou worden, en in de bruine envelop zat nog meer dan genoeg. Zijn leven had zeker slechter kunnen zijn.

Toch zou het voldoende zijn geweest als ze gewoon lijm hadden gekookt van die smeerlap, dacht Bäckström, die ondanks al zijn fouten en gebreken een man was met een sterk gevoel voor volkse rechtvaardigheid.

97

Op vrijdag 24 oktober zou de moeder van Linda Wallin bij de arrondissementsrechtbank te Växjö hebben getuigd van haar contacten met de man die haar dochter had vermoord. De dag daarvoor had ze Anna Sandberg telefonisch gesproken en ze hadden afgesproken dat Anna haar de ochtend erop zou ophalen bij haar zomerhuisje. Verder ging het voor het eerst sinds tijden beter met haar en ze zag er zelfs naar uit om alles achter zich te laten en te beginnen met de rouwverwerking na de dood van haar dochter.

Toen Anna Sandberg die ochtend bij het zomerhuisje kwam, stond de buitendeur wijd open te klapperen in de herfstwind. Toen ze het gat zag in de nette rij afgeslepen strandstenen die het aangeharkte grindpad omzoomden, begreep ze meteen wat er gebeurd was. De duikers hadden haar dezelfde dag nog gevonden, op vier meter diepte. Voor ze het meer in was gelopen, had ze een winterjas met flinke zakken aangetrokken en de zakken met stenen gevuld. Daarna had ze met een riem haar bovenarmen tegen haar bovenlichaam gebonden voor als ze zich op het laatste ogenblik zou bedenken.

In haar borstzakje zat een foto die op het midzomerfeest van ruim drie jaar geleden bij Linda's vader thuis was genomen. In het midden een glimlachende Linda met aan weerszijden haar moeder en haar moordenaar. Verder had iemand met een viltstift de gezichten van Lotta Ericson en Bengt Månsson omcirkeld en er 'moordenaar' boven geschreven. De envelop, die met de post was gekomen, lag op de keukenvloer, had geen afzender en was de dag ervoor afgestempeld in Växjö.

Het onderzoek naar het sterfgeval was afgesloten lang voordat het proces voorbij was en de conclusie was duidelijk zodra ze was gevonden. Linda's moeder had zich het leven benomen. Het verdriet om haar dochter had geen hardere duw nodig gehad en het werd nooit opgehelderd wie de brief met de foto had gestuurd. Linda's vader had er in elk geval geen idee van toen de politie van Växjö er bij hem naar informeerde, en over het gemis van zijn ex-vrouw was hij al heen.

Wat hem restte, was de nagedachtenis aan zijn enige en geliefde dochter levend te houden.

98

In april het jaar daarop had de Raad voor Personeelsaansprakelijk-
heid van de rijkspolitie de zaak van Evert Bäckström eindelijk afgehandeld. De reden dat het zo lang had geduurd, was dat het OM
de aangifte van seksuele intimidatie tegen hoofdinspecteur Evert
Bäckström de week ervoor pas had kunnen seponeren. Misdrijf niet
bewezen.

Een gecompliceerd onderzoek. Enerzijds was het bewijs onduidelijk geweest, aangezien Bäckström de hele tijd had vastgehouden
aan zijn eerste versie, namelijk dat de eiser hem min of meer gedwongen had haar mee te nemen naar zijn kamer, hoewel Bäckström zelf voorgesteld had om elkaar in de bar te zien nadat hij een
broodnodige douche had genomen en een schoon overhemd had
aangetrokken. Tegen het einde van het onderzoek had de eiser bovendien geweigerd verdere medewerking te verlenen aangezien ze
dat niet zinnig vond en in die situatie had het OM geen keuze gehad.

Restten nog de diverse financiële onduidelijkheden voor een bedrag
van in totaal ongeveer twintigduizend kronen. Een aantal niet gespecificeerde opnamen van contanten, een merkwaardige wasserij-
nota, een mysterieuze specificatie van conferentiemateriaal, die onder andere bestond uit 31 magnetische bordenwissers à 96 kronen
per stuk, een rekening van een pornofilm op de kamer van een van
zijn collega's, plus nog wat dingetjes. Al op de dag dat de administratie dit aan Bäckström had doorgegeven, had hij al hun eisen contant ingewilligd en met het oog op de naam die hij had, was dit het
grootste mysterie van allemaal.

Toch was hij berispt wegens een aantal overtredingen van de voor-
schriften en aanwijzingen die golden voor personeel van de rijksrecherche en zijn contactpersoon bij de vakbond had hard moeten
werken om uiteindelijk een compromis te vinden waarmee Bäck-

ströms hoogste baas c RKP Lars Martin Johansson zich kon verzoenen.

Bäckström mocht terugkeren naar zijn oorspronkelijke functie bij de regiorecherche in Stockholm, waar hij voorlopig bij de afdeling Goederen werd geplaatst. Of bij de afdeling Gevonden Voorwerpen, zoals alle echte politiemannen, inclusief Bäckström zelf, deze definitieve bewaarplaats voor fietsen zonder eigenaar en afgedwaalde politiezielen noemden.

Zijn titel mocht hij echter behouden. Johansson was niet rancuneus op die manier en Bäckström zelf had hem graag afgestaan als hij in ruil daarvoor zijn werkplek niet had hoeven delen met zijn oude wapenbroeder Wijnbladh, die in deeltijd op dezelfde plek werkte sinds hij vijftien jaar eerder geprobeerd had zijn ex-vrouw te vergiftigen, maar helaas alleen zichzelf had vergiftigd en op grond daarvan van de Technische Afdeling naar de Goelagarchipel van de politie Stockholm was overgeplaatst.

99

Op de jaarlijks terugkerende politiedagen in de beurs Älvsjömässan in mei van hetzelfde jaar had hoofdinspecteur Bengt Olsson een gewaardeerde lezing gehouden over het hoofdthema van de conferentie: conflicten tussen verschillende politieculturen. Olsson had verslag gedaan van zijn eigen ervaringen als vooronderzoeksleider bij het onderzoek naar de Linda-moord.

Aan de ene kant had je hemzelf en zijn collega's van de politie Växjö. Ze hadden beperkte middelen, maar wel veel kennis van de stad en zijn inwoners en een aanzienlijke praktische ervaring. Aan de andere kant had je de rijksrecherche die niet voortdurend alle kronen en öres hoefde om te draaien en die er misschien daarom de voorkeur aan gaf de problemen over een zo breed mogelijk front aan te pakken.

Logisch dat er spanningen tussen deze twee groepen waren ontstaan. Volkomen natuurlijk en niemands fout, aldus Olsson, aangezien ze in verschillende werelden leefden en waren opgevoed met verschillende culturele waarden en boodschappen. Uiteraard hadden ze ook veel gehad aan de onderlinge uitwisseling en zelf wilde hij de waardevolle bijdragen die de politie in Växjö van de DP-groep had gekregen met name noemen, net als de uitmuntende bijdragen van de rijksrecherche aan de registratie van de zeer grote hoeveelheid onderzoeksmateriaal.

Uiteindelijk was de kennis van de stad en zijn inwoners volgens Olssons stellige mening toch doorslaggevend geweest bij het vinden van de dader. Hier moest in de toekomst rekening mee worden gehouden en er moest serieus nagedacht worden over de mogelijkheden tot een uitbreiding van de middelen van de regionale en gemeentelijke politie in verband met het onderzoek naar zeer zware geweldsdelicten om op die manier de basis te leggen voor een nieuwe organisatievorm.

Na de lezing was Lars Martin Johansson naar voren gekomen om Olsson te bedanken. Niet alleen namens zichzelf, maar ook namens anderen. Nooit eerder hadden zo veel collega's reden gehad om één enkele collega te bedanken voor zo veel lulkoek in zo'n korte tijd, stelde Johansson zo beleefd mogelijk vast. En als Olsson in de toekomst nog eens hulp nodig had bij vanzelfsprekendheden, dan hoefde hij Johansson en zijn medewerkers daar niet mee lastig te vallen.

Op vrijdag 28 mei had filosofiestudente Lisa Mattei haar afstudeerscriptie ingeleverd bij het Instituut voor Praktische Filosofie van de Universiteit van Stockholm. De scriptie had de titel *Ter nagedachtenis aan het slachtoffer?* en het afsluitende vraagteken was het eigenlijke onderwerp van de scriptie. De verborgen boodschap in de beschrijving van de media van de zogenaamde seksmoorden op vrouwen, die de filosofe in spe had besloten te analyseren vanuit een genderperspectief.

Het klassieke semiotische verband tussen inhoud en uitdrukking en het opmerkelijke verschijnsel dat de voornamen van bijna tweehonderd vrouwen het voorvoegsel waren geworden van de seksmoorden die hun levens de afgelopen vijftig jaar hadden beëindigd. Van de Birgitta-moord, Gerd-moord, Kerstin-moord en Ulla-moord – om nu alleen de vier landelijk bekende en vijftig jaar oude voorbeelden te noemen – tot aan de recentste moorden van het nieuwe millennium: de Kajsa-moord, de Petra-moord, de Jenny-moord... de Linda-moord.

Dat ze van vrouwen van vlees en bloed domweg veranderden in mediaberichten, in symbolen, volgens het gangbare semiotische taalgebruik. Dat de allerbesten vanuit de media gezien, zelfs voor een laatste keer hergebruikt konden worden als de politie erin slaagde de dader op te pakken.

Van aspirant-agent Linda Wallin, 20 jaar, in de Linda-moord, in de Linda-man, de hele rechtsgang door.

Symbolen van wat? Wat verenigde hen behalve de manier waarop ze vermoord waren, in de media beschreven werden en uitgewezen waren naar de relatieve vergetelheid van de Zweedse criminologische geschiedenis? Het stond als een paal boven water dat dit afgezien van het geslacht geen eenvoudige vraag was. Namen van mannen werden nooit als voorvoegsel van het woord moord gebruikt, ongeacht of de motieven seksueel van aard waren of onbekend. Dat ze alleen mens waren, was blijkbaar niet genoeg. Ze moesten ook vrouw zijn, maar tegelijkertijd geen willekeurige vrouw.

Ze moesten een vrouw van een bepaalde leeftijd zijn. De jongste was weliswaar maar vijf jaar oud toen ze werd verkracht en gewurgd, maar met uitzondering van een stuk of tien prostituees was geen van hen ouder dan veertig. De motieven en werkwijze van de dader vormden evenmin een uitputtende verklaring. Het aantal vrouwen dat in dezelfde periode vermoord was omdat de dader seksuele motieven had gehad of leek te hebben gehad, bedroeg ruim vijfhonderd.

Lisa Mattei had de vraag gesteld die voor ieder weldenkend mens en iedere vrouwelijke agent voor de hand lag: waarom hadden de media zestig procent van de in verband met seks vermoorde vrouwen geweigerd? Velen van hen waren veel te oud geweest. De oudste was zelfs over de negentig toen ze werd verkracht en met de platte kant van een gewone bijl werd vermoord. Velen van hen hadden onder al te treurige omstandigheden geleefd, hadden relaties gehad met veel te kansloze mannen. Velen van hen waren vermoord door daders die onmiddellijk of kort na het misdrijf waren opgepakt en hun verhaal was in puur dramaturgisch opzicht niet goed genoeg.

Het had ze kortom ontbroken aan mediawaarde om de doodeenvoudige en economische reden dat er meer kranten moesten worden verkocht. Geen goeie foto's. Geen spannende teksten. Veel te banale verhalen. Ze waren gewoon niet goed genoeg.

Om een of andere reden had Lisa Mattei haar scriptie opgedragen aan bijna tweehonderd vrouwen, die in alfabetische volgorde op basis van hun voornaam werden genoemd. De eerste heette Anna, dezelfde Anna als in de Anna-moord, de laatste heette Åsa, dezelfde Åsa als in de Åsa-moord.

Maar zelf heet ik Lisa, Lisa als in Lisa Mattei, dacht Lisa Mattei toen ze de laatste toets op haar toetsenbord aansloeg. Ik ben tweeëndertig jaar oud, ik ben een vrouw, inspecteur bij de recherche en binnenkort afgestudeerd filosoof.